FRENCH FOR MASTERY

Tous ensemble

TEACHER'S EDITION

Jean-Paul Valette
Rebecca M. Valette

D.C. HEATH AND COMPANY
Lexington, Massachusetts Toronto
HEATH

Consultants
Gladys Bright, Arlington Heights H.S., Fort Worth, Texas
Charlotte Casgrain, Greenwich H.S., Greenwich, Connecticut
Natalie Goldschmidt, South Eugene H.S., Eugene, Oregon
Patricia McCann, Lincoln-Sudbury Regional H.S., Sudbury, Massachusetts
Patricia Wolfe, East H.S., Akron, Ohio

Acknowledgments
In preparation for this revision a survey was taken of teachers using the first edition of FRENCH
FOR MASTERY. The many responses were very encouraging in their positive evaluation of the
program and very helpful in that they provided a direction for the planning of the second
edition. The authors would like to thank those who participated.

The authors would also like to thank the following teachers for their special assistance in the
project: Madeleine Campbell, Jane Carlin, Ann Craven, Robert Long, Michèle Respaut, Lillian
Scherban, and Maria Valis.

Project Editors	*Design*	*D. C. Heath Consultants*
Roger Coulombe	Mel Dietmeier *Illustrations*	Victoria Devlin
Valentia Dermer	Josephine McGrath *Book design*	Teresa Carrera-Hanley
Anita Raducanu	Ann Rahimi-Assa *Art coordination*	
Lawrence Lipson	George Ulrich *Maps*	

The New Edition

We Listened to Teachers

During the early planning of this completely new edition of FRENCH FOR MASTERY, teachers using the program were surveyed by mail and in personal interviews. The results of these surveys were both encouraging and helpful.

The results were encouraging in that the great majority of teachers of FRENCH FOR MASTERY reported that the program works for them in the classroom: its careful organization and pacing helps to give students a real sense of satisfaction and success in learning about the language and, more importantly, in learning how to use it. According to the teachers, the specific elements of the program that enhance its teachability are (1) material of high interest to young learners; (2) simple, straightforward grammar explanations; (3) presentation of both "big-c" and "small-c" culture; and (4) exercise material in situational contexts.

The results of these surveys were helpful in that they provided a direction for the planning of this new edition. Suggestions incorporated into *Tous ensemble*, the second book in the new FRENCH FOR MASTERY program, include:

- *Reorganized and expanded review units*. The first unit, **Reprise**, reviews the basic grammar and vocabulary presented in the first units of *Salut, les amis!* This allows greater opportunity in Units 1–2 to review and reteach the more difficult grammar presented in the second half of *Salut, les amis!* — the **passé composé**, the partitive, and the forms and position of single object pronouns.
- *A more realistic and better sequenced grammatical progression*. Double object pronouns, the relative pronouns **qui** and **que**, and the future tense are now presented in *Tous ensemble* rather than in *Salut, les amis!* The conditional tense has been moved up to Unit 5. The subjunctive is now presented in the next-to-the-last unit (Unit 7).
- *A greater variety of exercise material*. In addition to the situational exercises that make up the core of the exercise material, *Tous ensemble* offers open-ended questions, personalized questions, sentence-building exercises, and guided communication activities (*À votre tour*) that vary the exercise format and challenge the students.
- *More reading material*. The *Variétés* feature short, varied reading selections and include an *Art de la lecture* section to develop reading skills. The *Sections Magazines* are in effect graded cultural readers fully integrated into the vocabulary and grammatical progression of the text. The *Notes culturelles* round out the reading material.
- *More useful and more flexible ancillary material*. For greater flexibility, the *Tests de contrôle* have been transferred from the Student Text to the Workbook. The Workbook also includes reading activities based on the *Sections Magazines*. Activity Masters have been added to the program to provide the teacher with duplicating masters containing (1) answer forms for the tape exercises; (2) the music and lyrics of the unit songs; (3) active vocabulary lists; and (4) lists of useful classroom expressions. In addition to the longer unit tests, the Testing Program now includes short lesson quizzes to provide a quick and frequent check on the students' progress.

We think that you and your students will enjoy using the new FRENCH FOR MASTERY. We listened!

Rebecca M. Valette — Jean-Paul Valette

Introduction

The Teacher's Edition of FRENCH FOR MASTERY is an enlarged version of the Student Text. The manual at the front of the book consists of four parts: (1) a description of the characteristics and organization of the FRENCH FOR MASTERY program; (2) suggestions on how to use the various components of the program; (3) hints on how to supplement the basic materials; (4) a Reference Guide containing useful classroom expressions and a detailed listing of the contents of the program.

In the textbook itself, an overprint of small blue type provides teachers with several kinds of information.

- Unit summaries of the main grammatical and vocabulary objectives
- Comprehension questions on the *Presentation texts*
- *Observations* questions on new structures
- Supplementary grammatical information
- Supplementary cultural information
- Supplementary vocabulary
- Suggestions for expanding and modifying exercises
- Suggested optional activities
- Material designated as optional

It is important to note here that the term "optional" does not mean that the material so designated should be left out. It simply signals material that can be adapted or omitted according to the specific objectives of the class, and/or that can be assigned as supplementary material for better students or for students with a special interest in the topic.

The following symbol is used in the overprint to designate material recorded on the Tape Program:

Contents

Part One
Description of FRENCH FOR MASTERY

1. General Characteristics of the Program

A complete program for junior/senior high school students, FRENCH FOR MASTERY consists of three books, each accompanied by the following components:

- Teacher's Edition
- Workbook
- Tape Program (reels or cassettes)
- Tapescript
- Testing Program

In addition, Books 1 and 2 are accompanied by Activity Masters. The core program is contained in the Student Text and the Teacher's Edition. The other components can be considered optional.

1.1 Objectives and Philosophy

The basic objectives of FRENCH FOR MASTERY are

- to help each student attain proficiency in the four skills of listening, speaking, reading, and writing within a minimum period of time and in a way that makes language learning a meaningful activity;
- to present the language within the context of the contemporary French-speaking world and its culture.

In pursuing this goal the authors have adopted a pragmatic approach and purposely have avoided relying on any one linguistic theory of language learning. Their guiding principle has been that the material in itself should elicit a high level of student participation in the learning process. To this end, they have evaluated a variety of pedagogical techniques and have selected those that have produced the best results both inside and outside the classroom. This interweaving and integration of techniques is at the heart of FRENCH FOR MASTERY. Teachers can adapt the program to their own teaching styles and to the needs of their own students.

1.2 Key Features

1.2.1 Close articulation between levels. The success of a secondary program depends to a significant extent on the careful articulation between levels. Book 2 of FRENCH FOR MASTERY, entitled *Tous ensemble*, is designed not only for students who finished Book 1, *Salut, les amis!*, and who may have lost contact with French

1

over the summer months, but also for students who did not finish *Salut, les amis!* or who used a different program for the first level of instruction.

The preliminary unit, called ***Reprise***, helps students and teachers to get acquainted — or reacquainted — while reviewing the basic structures introduced in Units 1–4 of *Salut, les amis!*: the present tense of **-er, -ir,** and **-re** verbs; **être, avoir,** and **aller** ; and the forms and uses of articles, nouns, and adjectives. Unit 1 reviews in depth the partitive and the **passé composé** (corresponding to Units 5 and 6 of *Salut, les amis!*), as well as other common irregular verbs. Unit 2 focuses on object pronouns (which were presented in Unit 7 of *Salut, les amis!*), reviews additional irregular verbs, and begins the introduction of new structures.

The rate at which these first units are covered will depend on the level of the students and on their background. The time given to strengthening this common foundation, however, is well spent, for the students will be able to continue their acquisition of new structures and vocabulary on a strong footing.

1.2.2 Broad cultural focus. In FRENCH FOR MASTERY the cultural material is integrated into the learning process so that the students acquire an awareness of the French-speaking world as they read, study structures, and do the activities. In addition, there are segments of the program designed to emphasize French culture:

- the *Note culturelle* of each lesson
- the four full-color, illustrated sections entitled *Section Magazine*
- the photographs and realia presented throughout the text

From the beginning of the program the students are exposed to the geographic, ethnic, and cultural variety of the French-speaking world — from Canada to the Caribbean, from Tahiti to Switzerland. For many students this awareness will open a new dimension in their studies and stimulate their interest in learning French.

1.2.3 Accent on youth. An effective way of involving students in the learning of a foreign language is to make communication in the new language relevant to their own lives and interests. The majority of the activities in this program have youth-related themes: hobbies, travel, schoolwork, sports, dating, choice of career, relationships with parents, and attitudes toward love, friendship, money, success, and failure.

1.2.4 Adaptability of the program. FRENCH FOR MASTERY can be used in a variety of teaching situations:

- large or small classes
- slow or fast tracks
- audio-lingual or more traditional classes

The program is also adaptable to small-group teaching and lends itself to individualized and self-paced instruction. Part Two of this manual will suggest the various approaches available to the teacher in the utilization of the program.

1.2.5 Several approaches to grammar. Because there is no one way of teaching a foreign language, FRENCH FOR MASTERY incorporates several classroom-proven approaches to the presentation of French structures:

- *Guided-discovery approach.* The new structures are imbedded in the *Presentation text* that begins each lesson. The *Observations* activities suggested in the Teacher's Edition focus attention on these new structures. The questions are phrased in such a way that the students formulate their own generalizations about the new material.
- *Descriptive approach.* In the *Structure* sections the new material is explained in English and, where appropriate, presented graphically with examples and related exercises. The sections also serve as a grammar reference manual.
- *Modified contrastive approach.* When appropriate, new structures are compared and contrasted with previously learned French structures or with English equivalents. Areas of potential interference between French and English are pointed out.
- *Analytic-synthetic approach.* More complex points of grammar are introduced across two or more lessons in minimal learning steps. Finally the entire pattern is summarized.

1.2.6 Variety in the learning material. Variety in presentation as well as in the content of the material is an essential element in fostering and maintaining the students' interest. Throughout FRENCH FOR MASTERY this feature has been given particular attention. In *Tous ensemble* the early lessons contain short narratives and scenes, whereas the subsequent units are built around continuous stories. Similarly, the exercises encompass a wide variety of formats, including role-playing activities, *Questions personnelles*, open-ended sentences requiring a personal completion, *C'est évident!* in which students match words to create sentences, and *Conversation* in which students engage in short dialogs.

1.2.7 Focus on communication. To elicit the students' active participation in the learning process, all exercises of FRENCH FOR MASTERY, including those of the Tape Program and the Workbook, are set in situational contexts. The situations may be practical, such as planning a trip, answering an ad in the newspaper, or selecting items from a menu. Sometimes the situations are humorous: the students may be asked to play the role of an angel or a devil, or to react to a date being late. The purpose of these contextual exercises is to induce the students to use French for communication and self-expression rather than in rote response to artificial drill stimuli.

1.2.8 Flexibility in developing language skills. The language is presented and practiced across all four language skills. Because of the variety of teaching materials in FRENCH FOR MASTERY, however, the teacher may wish to focus on only one or two skills. For instance, if speaking is to be highlighted, the teacher can stress the program's communication activities: *Questions personnelles*, role-playing activities, *Conversation* activities, and the speaking activities of the Tape Program.

Each skill is developed in its several aspects. In building reading skills, for instance, the teacher may use many types of materials: *Presentation texts, Notes culturelles, Variétés* selections, and *Sections Magazines*. A similar broad scope characterizes the listening activities of the Tape Program, which include active listening to recorded material from the Student Text, selective listening for grammatical signals such as verb tenses, gender, or number, and general listening comprehension of unfamiliar passages.

1.2.9 Special emphasis on reading. Reading is one skill that students are most likely to use after leaving the language classroom. Once students have acquired a firm foundation in listening and speaking (which is a primary aim of *Salut, les amis!*), it is appropriate to concentrate on increasing their reading comprehension. This is accomplished in *Tous ensemble* through

- the use of continuous stories in the presentation texts: Units 2–8 are each built around a short story in five episodes.
- extensive reading practice: The readings of the *Variétés* and the *Sections Magazines* offer ample opportunity to read for pleasure and information.
- the systematic introduction of cognates: In every lesson, students learn to recognize a new cognate pattern.
- the presentation of specific reading techniques: The *Art de la lecture* sections that accompany the *Variétés* focus on specific reading skills such as inference techniques and dictionary use.

1.2.10 Logical organization. The learning pace is carefully programmed through a concise, measured grammatical progression. The first three units of *Tous ensemble* review the main structures and vocabulary of *Salut, les amis!* Subsequent units each have a main grammatical focus: the reflexive construction, the imperfect tense, the subjunctive mood, and so on. Each lesson in FRENCH FOR MASTERY concentrates on two to four aspects of grammar, and the amount of new vocabulary is carefully controlled. The introductory *Presentation text* of the lesson incorporates the new material into the context of previously mastered patterns and structures. Any unknown words are glossed in the margin or presented in the *Vocabulaire pratique* immediately following the *Presentation text*.

1.2.11 Systematic reentry of grammar and vocabulary. *Tous ensemble* opens with a systematic review, in new contexts, of all the important material presented in *Salut, les amis!* Therefore, second-year students who have not completed Book 1 or who have not used FRENCH FOR MASTERY can confidently begin the second year with the material in Book 2.

All vocabulary introduced in the *Vocabulaire spécialisé* and *Structure* sections is active; that is, the students should have control of this vocabulary in communicative situations. Lists of these words and expressions by unit appear in the Activity Masters. Useful lesson vocabulary, listed in the *Vocabulaire pratique*, may be activated in a subsequent *Vocabulaire spécialisé*. Passive vocabulary, for recognition only, is glossed when it appears and is also included in the French-English Vocabulary at the back of the book.

As the program progresses, the structures and vocabulary are reentered in the exercises and reading materials. Suggestions for reviewing the structures and vocabulary are given in the overprint if the mastery of these elements is a requisite for learning the new material of the lesson.

All basic aspects of grammar and active vocabulary are incorporated in the *Tests de contrôle* at the end of the Workbook. The teacher may use these tests informally for review.

1.2.12 Emphasis on French. FRENCH FOR MASTERY has been written in such a way that French may be used almost exclusively. French classroom expressions (see pages 41–43 of this manual and the Activity Masters) should be introduced at the beginning of the course. The grammatical explanations in the *Structure* sections are in English throughout, however, to prevent possible misunderstandings and to ensure that all students may use these sections for out-of-class reference and study.

2. Organization of FRENCH FOR MASTERY

The following pages describe *Tous ensemble*, the second of the three books of FRENCH FOR MASTERY, 2nd edition.

2.1 The Student Text

The Student Text contains a preliminary unit (***Reprise***), eight basic units, four illustrated cultural sections (***Section Magazine***), and five reading sections (***Variétés***). The book concludes with appendices, a complete French-English Vocabulary, and an active English-French Vocabulary.

Reprise
Variétés 1
Unit 1
Section Magazine 1: Notre monde
Unit 2
Variétés 2
Unit 3
Section Magazine 2: Images de la France
Unit 4
Variétés 3
Unit 5
Section Magazine 3: Le monde de la découverte
Unit 6
Variétés 4
Unit 7
Section Magazine 4: Le monde de la création et des idées
Unit 8
Variétés 5
Appendices
French-English Vocabulary
English-French Vocabulary

2.1.1 Organization of a unit. The first two units of *Tous ensemble* develop the theme of everyday life in the French-speaking world. The remaining seven units are each built around a continuous story focusing on contemporary youth.

2.1.2 Organization of a basic lesson. Each basic lesson consists of three parts: the presentation material, the instruction material, and the recombination material. The diagram shows the construction of a typical lesson.

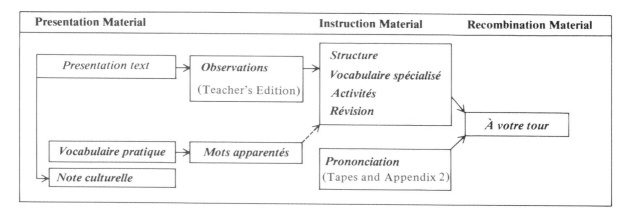

- *The Presentation Material.* The function of the *Presentation text* is to introduce, in context, samples of the basic structures and vocabulary taught in the lesson. The context may assume a variety of formats: a monolog, a dialog, a continuous story.

The *Presentation text* is built on previously learned material along with the new structures and vocabulary of the lesson. Words that the students do not know are glossed or are listed in the *Vocabulaire pratique* that accompanies the *Presentation*. Cognate recognition is developed in *Mots apparentés*.

The *Note culturelle* is a short reading passage about an aspect of French culture. It is derived from a reference in the *Presentation text*. For example, in Lesson 4.1, where Hélène is upset that Henri stood her up, the *Note culturelle* describes French dating.

The *Observations* in the overprint of the Teacher's Edition link the *Presentation text* and the instruction material. Through these questions the students are able to generalize about the new grammatical material of the lesson.

- *The Instruction Material.* In the *Structure* section, new grammar is explained in a simple, clear, and schematic manner. Immediately after the grammar explanations the students have the opportunity to practice the new material.

The exercises assume a variety of formats:

— Situational activities, which require manipulation of new forms.

— *Questions personnelles*, which are yes/no and open-ended questions about the student's life. These incorporate the new grammatical structures of the lesson while reviewing previously learned structures.

— Open-ended sentences, which the students complete with personal information.

— Given situations from which the students draw conclusions.

— *C'est évident!*, a recombination drill game in which the students are asked to derive as many logical sentences as they can from a given set of elements containing the new grammatical structures.

All of these activities can be done either orally or in writing.

The vocabulary items in the *Vocabulaire spécialisé* are grouped thematically (family, food, clothing) for ease in assimilation. Where feasible, the items are presented in a pictorial or sentence context.

The *Prononciation* sections, which are grouped together conveniently in Appendix 2 and which are recorded on the Tape Program, review French sounds, intonation patterns, and spelling. For easy reference and to prepare the students to use French-language dictionaries, the sounds are transcribed in the International Phonetic Alphabet.

• *The Recombination Material.* The *À votre tour* sections reinforce the new material of the lesson and help the students to further develop self-expression.

2.1.3 *Section Magazine.* *Tous ensemble* contains four separate full-color sections. These *Sections Magazines* focus on the French-speaking world—its customs, its contributions, its heroes and heroines. The students assimilate culture from illustrations, photographs, and varied readings in an exciting magazine format.

CONTENTS

Section Magazine 1	**Notre monde**
Section Magazine 2	**Images de la France**
Section Magazine 3	**Le monde de la découverte**
Section Magazine 4	**Le monde de la création et des idées**

Since the *Sections Magazines* are entirely in French, they provide extensive practice in developing reading skills. The illustrations, photographs, and realia may provide points of departure for conversation. The cultural projects at the end of each *Section Magazine* suggest further areas of exploration. In addition, the Workbook contains comprehension and reading exercises based on the *Section Magazine* material.

2.1.4 Variétés. The five *Variétés* sections, which follow *Reprise* and Units 2, 4, 6, and 8, alternate with the *Sections Magazines.* These sections contain two or three thematically related readings in a variety of formats: idiomatic expressions, short dialogs, letters, and narratives. They are accompanied by an *Art de la lecture* section, which develops specific reading skills. In addition, the Workbook contains comprehension and reading exercises based on the *Variétés* material.

2.1.5 End matter. The end matter contains the following elements:

• Appendices
Appendix 1 — Sound-spelling Correspondences
Appendix 2 — Review of Pronunciation
Appendix 3 — Numbers
Appendix 4 — Verbs

• French-English Vocabulary

This vocabulary lists all the words in the text, including all the review vocabulary from *Salut, les amis!* Only obvious passive cognates have been omitted. Each word and expression that is considered "active" is followed by a reference number giving the unit and lesson where the word or expression first appears actively.

• English-French Vocabulary

This vocabulary lists only the active words and expressions: those from the *Vocabulaire pratique*, the *Vocabulaire spécialisé*, and the *Structure* sections. Each entry has a unit and lesson number referring to the first active usage in the text. Both the review vocabulary from *Salut, les amis!* and the active vocabulary of *Tous ensemble* are included in this list.

2.2 The Tape Program

The Tape Program for FRENCH FOR MASTERY is designed to supplement the Student Text, providing additional practice in the development of audio-lingual skills.

2.2.1 General Description. The Tape Program for FRENCH FOR MASTERY is available on dual-track 5-inch reels or on cassettes. The Tape Program for each lesson runs approximately 25 minutes. All activities included in the Tape Program are printed for the teacher in a Tapescript, which also contains the answers to the activities on the tapes.

2.2.2 Types of tape activities. The tape for each lesson contains a variety of activities. These are introduced in English so that all students may work independently with the Tape Program. The activities include the following activities:

• *Listening.* The students listen to an unpaused, dramatized reading of the *Presentation text* and to a reading of the *Note culturelle*.

• *Listening and Repeating.* The speaker models words from selected vocabulary, verb, and grammar charts of the Student Text. The students repeat the words and expressions in the pauses provided. When the chart contains both words and sentences in which the words are used, the students repeat the words and listen to the sentences.

• *Listening for Signals.* The students hear a series of sentences and are asked to discriminate among sounds that signal grammatical information, such as singular or plural, masculine or feminine, future or conditional. The students mark their responses on the grids provided in the Activity Masters. Models are provided when needed. At the end of the activity the speaker gives the correct answers.

• *Listening Comprehension with Visual Cues.* The students see illustrations and hear several statements pertaining to them. They may be asked to match the statements with the illustrations, to indicate whether the statements are true based on the information in the visual, or to complete the illustrations based on the clues given in the sentences. For example, the students see detailed portraits, hear a corresponding number of descriptions, and match the descriptions with the drawings. The students also indicate whether they understand specific words or expressions heard on the tape. This type of exercise is used chiefly to practice numbers and other specialized vocabulary.

• *Speaking.* The Tape Program contains two types of speaking activities. (1) Directed activities: The students participate in situation drills similar, but not identical, to the activities in the Student Text. These provide variety in oral practice while helping to develop listening comprehension skills. In these activities each cue is followed by a pause for the student response. Then the speaker on the tape gives a confirmation of the appropriate response. (2) Open-ended activities: The speaker asks the students personal questions that incorporate the structures and vocabulary introduced in the lesson. Because the students give original answers, no confirmation response is given on the tape.

• *Pronunciation.* The tape of each lesson contains a brief review of one aspect of French pronunciation and sound-spelling correspondences. The sample words and phrases to be repeated are found both in Appendix 2 of the Student Text and in the corresponding Activity Master.

• *Dictation.* The students listen to short sentences and write down what they hear. Write-on lines are provided in the Activity Masters.

• *French Songs.* Each unit features a traditional French song. The melody serves as a recurrent theme heard at the beginning of the tape and at selected intervals. At the end of each unit, the entire song is sung in French. The music and lyrics for student participation are printed in the Activity masters.

2.3 The Workbook

The Workbook supplements the Student Text. In addition to providing written exercises to accompany the basic instructional material of the Student Text, each unit of the Workbook contains comprehension and reading exercises based on the *Sections Magazines*, and the *Variétés*. The *Tests de côntrole* are also included in the Workbook.

2.3.1 Written exercises. For each basic lesson of the Student Text, the Workbook contains two to four pages of written exercises in situational contexts. Each lesson begins on a right-hand page so that the students can tear out specific pages to hand in if the teacher so requests.

To stimulate student interest, all basic exercises are set in situational or game contexts. Most exercises require thoughtful rather than mechanical answers. Where appropriate, the activities are based on visual cues.

2.3.2 Lecture. Each Workbook unit ends with a short section called *Lecture*. This section contains comprehension activities and reading exercises correlated with the selections in the corresponding *Section Magazine* or *Variétés*.

2.3.3 *Tests de contrôle.* *Tests de contrôle* are included in the Workbook. These tests consist of a series of situational review exercises. The students take these tests on their own and check their responses against the Answer Key at the back of the Workbook. The Answer Key contains an *Interpretation* section to help the students evaluate their results and to refer them back to sections of the unit for further study if they get a certain number of wrong answers on a given point of structure. The **Tests de contrôle** sections were designed to be relatively simple in order to give the students a feeling of achievement. These sections prepare them for the corresponding unit tests in the FRENCH FOR MASTERY Testing Program.

2.4 The Activity Masters

The FRENCH FOR MASTERY Activity Masters are a set of duplicating masters that include the following teaching aids.
- Tape Program Material
  - Tape Activity Sheets containing the answer grids and visual cues for the *Listening for Signals* and *Listening Comprehension* activities; the sample words and phrases for the Review of Pronunciation; write-on lines for the *Dictation* activities; the music and lyrics of the unit songs
- Non-Tape Program Material
  - Active Vocabulary Sheets by unit for reference and review
  - Useful Expressions, including Classroom Expressions and Expressions for the *Activités* (reprinted from the Teacher's Edition)

2.5 The Testing Program

The FRENCH FOR MASTERY Testing Program offers two types of testing materials: *Lesson Quizzes* and *Unit Tests.* The tests are printed on duplicating masters (with overprinted answers for the teacher) and the listening portions are recorded on cassettes. A Test Guide accompanies the Testing Program.

2.5.1 Lesson Quizzes. The *Lesson Quiz,* designed to be administered in about 20 minutes, permits quick and frequent evaluation of the students' mastery of the structures and vocabulary of a lesson. The test items are presented in a variety of formats, including fill-ins, short answers, multiple choice, two choice, statement completion, and full answers. The items are based on tape, visual, or printed word cues. Student record sheets (on duplicating masters) permit the teacher to keep track of each student's progress.

2.5.2 Unit Tests. *The Unit Tests,* designed to be administered in about 45 minutes, focus on the content of the unit and also evaluate communication skills. In addition to the kinds of items listed in the description of the *Lesson Quizzes,* the students might be asked to use French in practical situations, such as listening for specific information (a phone message, the time a movie is showing); in creative situations, such as deciding which of two expressions most logically completes a thought or sentence; and in cultural contexts.

Part Two
Using FRENCH FOR MASTERY

3. Suggested Techniques

A basic characteristic of the FRENCH FOR MASTERY program is its flexibility. The classroom teacher can easily adapt the textbook and its related components to the needs and learning styles of the students. Each unit of FRENCH FOR MASTERY contains more activities than can be completed by the average class. The teacher should therefore select those most appropriate for specific classes and specific individuals. The purpose of this section is to help the teacher make these choices by showing how each of the components may be used. The suggestions are not exhaustive, but they form a base upon which the teacher may wish to build.

3.1 Using French in the Classroom

With the communicative tools and approach provided in *Tous ensemble*, students can use French in classroom interaction from the very beginning.

• The *Reprise* unit reviews French vocabulary that students need for basic communication: names, greetings, numbers, and information on telling time, giving the date, and talking about the weather.

• The teacher can copy the Classroom Expressions in this manual (pages 41–43) and hand them out to the students so that they can express and understand everyday classroom vocabulary in French. This list is also included in the Activity Masters, and teachers who have this component may run it off for easy distribution.

• The direction lines for the exercises and activities are in French. Some teachers prefer to teach the grammar as well in French, having the students review the textbook explanations, which are in English. To this end, the *Observations* are in French.

3.2 Teaching *Reprise*

The goal of the first weeks of the Level 2 class should be to rekindle interest in French language and culture and to show the students that they have not really forgotten all their French over the summer. In addition, the teacher will want to get to know the students, and the students will want to meet the new members of the class and share information about themselves. Here are several ways in which the first five lessons help achieve these aims.

3.2.1 The Presentation texts and the *Notes culturelles.* Each of the *Presentations* introduces the class to a teenager from a French-speaking region: France,

Canada, Martinique, Tahiti, Switzerland. The teacher may want to play each person's short monolog (recorded on the Tape Program) several times while students keep their books closed. Each time they hear the text, the students should be encouraged to try to understand a little more. When the students have guessed as much as they can from the tape, they should open their books and read along as the tape is played once more. In this way they will slowly be rebuilding their listening comprehension skills. Brief comprehension questions are included in the overprint of the Teacher's Edition.

Reading skills are reawakened in the *Notes culturelles*, which focus on specific parts of the French-speaking world. Teachers may also want to play the recorded *Notes* as the students read along.

3.2.2 Conversation.

In the *Conversation* section of the lesson, the students are encouraged to talk about themselves—their preferences, their activities, and people they know. These short questions reintroduce basic structures and help develop class spirit. The teacher may first want to ask the questions of individual students as a full-class activity. Once the students remember the patterns being practiced, they can continue by working in pairs, interviewing each other. As a culminating activity, students may be asked to tell the class one thing they learned about their partners.

3.2.3 *Vocabulaire spécialisé* and *Structure* sections.

These sections review basic vocabulary and structures from the first half of *Salut, les amis!*, Level 1 of FRENCH FOR MASTERY. A variety of related activities help students use this material in a number of contexts. If appropriate, all these activities may be done orally because written practice is provided in the Workbook. For classes not using the Workbook, selected exercises and items may be assigned for written homework.

3.2.4 *À votre tour.*

The *À votre tour* section allows the students to practice French for self-expression in guided activities that encourage the use of the vocabulary and structures of the lesson.

3.2.5 *La vie de tous les jours.*

Each lesson of *Reprise* ends with a review of basic conversational topics: numbers, dates, time, weather. These may be incorporated into simple question-answer activities.

3.2.6 Pronunciation.

The basic rhythm and intonation patterns of French are reviewed in the Pronunciation sections that accompany this opening unit. (See Appendix 2.) This material is also available on the corresponding lesson tape, and the sample words and sentences are included on the Activity Masters. Teachers who are not using the Tape Program may want to model these words and sentences for full-class repetition.

Note: The rate at which a class proceeds through *Reprise* will vary greatly. A lively pace should be maintained, and the students should be encouraged to move along once thay feel comfortable with the material under review. This means that certain exercises and activities may be abridged or omitted.

3.3 Suggestions for Teaching Units 1–8

Units 1–8 all follow a similar format. Units 1 and 2 are mainly review units, though they do introduce a few new structures and some new vocabulary. Units 3–8 present for the most part new forms, though they contain some review of material from both *Salut, les amis!* and earlier units of *Tous ensemble*.

3.3.1 Using the Presentation text. The *Presentation* provides an introduction to the basic structures of the lesson and acts as a point of departure for other activities. In Unit 1 (as in **Reprise**) these *Presentations* are discrete scenes, so that teachers who wish to review quickly can skip a lesson if they so desire. Units 2–8 are built around continuous stories, which means that the *Presentations* must be read in sequence.

The *Presentation* is always recorded in a dramatic, unpaused version as the first activity on the Tape Program for that lesson.

The *Presentation text* can be used in the following ways:

• The students listen to an unpaused version either on the tape provided in the Tape Program or as read by the teacher.

— *With books closed before having seen the text.* The teacher first plays or reads the entire *Presentation* once or twice without pauses so that the students can try to get the gist of the text. Then the teacher stops the tape or stops reading at various intervals to ask questions.

— *With books open following the text.* In this way the students see if they can understand the spoken word well enough to follow it in their books. The students also hear the correct pronunciation as they are seeing the words.

• The teacher presents the **Vocabulaire pratique** before the students hear the *Presentation* so that they will know the new vocabulary. Or, with faster groups, the teacher asks the students to try to guess the new words from their contexts.

• The students perform various activities based on the *Presentation texts.*

— The students dramatize the text as the tape is being played.

— The students guess from illustrations what is going to happen and explain it in French as well as they can. They then listen to the tape and find out what actually happens.

— The students use the illustrations to make up stories.

— The students bring in visuals—posters, maps, original drawings. They explain how they are related to the *Presentation* and then pin them on the bulletin board.

— The students prepare their own skits based on the situation of the *Presentation.*

— At the end of the lesson, the students reread, summarize, or enact the *Presentation* so that they can see how much they have learned.

3.3.2 Using the *Note culturelle.* The purpose of the *Note culturelle* is twofold: to awaken the students to the culture of the French-speaking world, and to stimulate and reinforce the students' reading comprehension.

- If the cultural note relates to a topic that the teacher wishes to emphasize, the students may listen to the tape, learn the new vocabulary, read the note aloud, and summarize the information in French.
- The teacher and students can bring in photos or other materials relating to the topic of the cultural note. For example, the teacher may want to make a bulletin board display of Paris monuments. The *Notes culturelles* of Unit 2, Lessons 3 and 4 would be a natural tie-in to such a display.
- Other notes may be assigned as homework. The teacher may have the students prepare corresponding true/false items or comprehension questions for other members of the class.

3.3.3 Using the *Mots apparentés*. These short sections introduce the students to common French-English cognate patterns and provide an easy way for them to increase their ability to recognize new words. Often the overprint suggests some additional examples for practice.

3.3.4 Teaching structure. In the *Structure* sections, each grammar point is presented with succinct explanations in English, with examples in French, and, where appropriate, with illustrations. These descriptions, however, are intended to serve as reference sections, because in most classes the teacher will first introduce the grammar of the lesson orally. This oral introduction to the grammar may be done in one of the following ways:

- The teacher may introduce the structure in the context of the *Presentation text*.
- The teacher may prefer to begin with the questions of the **Observations**, which appear in the overprint.
- The teacher may begin by explaining why the students need to know the new structure. For example, in Unit 3 the teacher may explain to the students that to talk about many common activities it is useful to know how to use reflexive verbs.
- For some lessons it may be possible to present certain structures with props. For example, in order to review direct object pronouns (Unit 2, Lesson 2), the teacher may have items on the desk or in his or her pockets and ask the students questions about these items: **Regardez ce stylo. Est-ce que vous le voulez, Anne?**
- When the students learn a new structure, the teacher should have them practice with the *Listening for Signals* activities in the Tape Program until they can hear the targeted differences—gender and number, for example. Some students may need to listen to these tape activities several times before they can recognize the new forms easily.

3.3.5 Using the *Activités*. After the teacher presents the structure orally, the students must internalize it. At this point, differences in learning rate and learning mode become most apparent. In order to accommodate these differences, FRENCH FOR MASTERY provides many kinds of learning activities—more than any one teacher would be likely to use in a year. These cover a wide range, from simple to more challenging. They also encompass a variety of formats so that the students who need extra practice in a structure will not be repeating the same kinds of activities. These learning activities are found in the Student Text (with variations suggested in the overprint of the Teacher's Edition), in the Workbook, and in the Tape Program.

The students learn new structures by practicing them in role-playing or situational exercises and by using the language for personal expression. In FRENCH FOR MASTERY the students are never given a series of unrelated sentences to manipulate; they always practice new structures in a situational context.

Types of Activities

Simple situational activities. The first activity after the presentation of a new structure is usually a situational activity requiring a transformation. Students of all levels should do this first activity.

- The teacher gives the situation and cues while the students give responses with their books closed. It is better if the teacher gives the cue before mentioning the student's name so that everyone will pay attention.
- The students could break into pairs or small groups and cue each other for responses.

Role-play and directed responses. In activities of this type, the students respond according to specific instructions.

- The teacher can request full-class responses or have two half-classes play roles in unison.
- The teacher can call on individual students to give responses.
- The students can do the activities in pairs or small groups.
- With faster learners the teacher can practice an activity with books closed and then have the students write out responses to one or two cues.

Guided self-expression. These activities may be *Questions personnelles* (yes/no questions, information questions) or open-ended sentences that require the students to use French for personal expression.

- The teacher can call on several students individually in order to receive a variety of responses.
- The teacher can foster communication by encouraging the students to listen to each other. For example, the teacher asks: **Jean-Michel, à quelle heure dînez-vous?** After Jean-Michel answers, the teacher calls on another student: **Anne, à quelle heure dîne Jean-Michel?** If Anne cannot answer, the teacher tells her to ask Jean-Michel. In this type of activity, the students learn to listen to each other as they practice personal pronouns, verb forms, structures, and vocabulary.
- The *Questions personnelles* also lend themselves to working in pairs. One student with the book open asks another student a question. The second student answers without looking in the book.
- The teacher may prefer to assign these personal activities as written homework since the responses will differ from student to student. The teacher then corrects the papers and asks the students to rewrite the sentences that have errors.
- For an in-class writing activity, one student can give a response, which the other class members write down.

C'est évident! This activity requires a knowledge of the structure and basic vocabulary of the lesson. It is also challenging and fun for the students. In it they must use the words given in the three or four columns of the activity to create sentences that are logical and grammatically correct.

• As an oral activity, each student can be called upon to create a sentence. Other students can judge it for logic and correctness.

• As a special challenge, the students may compete to see who can write the most logical, correct sentences within a given time frame, such as five or ten minutes.

3.3.6 Teaching vocabulary.

One teacher may present vocabulary as it occurs in the *Presentation text* and in the *Structure* sections. Another teacher may prefer to use the visuals in the textbook to teach the words without reference to English. Still another teacher may rely more heavily on the groupings in the *Vocabulaire pratique*, *Vocabulaire spécialisé*, and *Structure*. These sections contain all the active vocabulary and use art, thematic grouping, and words in context to aid in vocabulary acquisition.

The vocabulary is reentered in activities and readings so that student progression through the text will reinforce its assimilation.

• The students can prepare collages incorporating new vocabulary.

The *Vocabulaire spécialisé* on furniture in Unit 4, Lesson 2 provides a wide range of possibilities for magazine pictures.

• There are numerous games that the teacher may play with the students in class to teach, build, and review vocabulary. For suggestions, see the Games section (pages 33–38) in this manual.

• The teacher may ask the students to write compositions or to prepare skits using new words. For example, when the class is reviewing the parts of the body (*Vocabulaire spécialisé*, Unit 3, Lesson 3), two students can play the roles of consulting doctors trying to obtain information from a patient, played by a third student.

• Visuals in the text provide variety in practicing vocabulary. The teacher can pick a line drawing or a photo from an earlier unit and have the students describe it. Or one student could describe a portion of the illustration as other students try to guess what the object is. The drawing of Henri and Hélène in Unit 4, Lesson 5 (page 224) provides a good opportunity for vocabulary practice on food, clothing, furniture, and personal belongings. The students can also use this type of drawing to practice adverbs, adjectives, or prepositions of place.

• To help the teacher prepare additional materials, and to help the students review for tests, the active vocabulary is listed by unit in the Activity Masters.

3.3.7 Improving pronunciation.

For each unit of *Tous ensemble* there is in Appendix 2 a Review of Pronunciation section that focuses on a specific problem area. It is very important for the students to understand that they cannot separate pronunciation from the rest of their study of French any more than they can separate structure or vocabulary. The students must be encouraged to communicate in correct French and to hear and imitate not only the sounds but the intonation patterns of French speakers.

In the pronunciation sections, the sounds to be practiced are given in phonetic transcription. The teacher need not teach the International Phonetic Alphabet nor bring the students' attention to the complete phonetic alphabet in Appendix 1 unless the class expresses a definite interest. Even then it is unwise to present the entire alphabet at once; it is better to limit the presentation to a few symbols, using some of the words that the students know as examples.

Occasionally, the pronunciation sections compare French sounds with related English sounds. You may wish to explain to the students that French vowels and consonants are generally sharper and more tense than their English counterparts.

All the pronunciation sections are recorded on the Tape Program.

3.3.8 Using *À votre tour.* The *À votre tour* section, found at the end of each lesson, reenters the main structures and vocabulary. The teacher may use these sections as they occur or wait until the end of the unit and use them as part of a review.

- If the teacher uses these sections at the end of the unit, the class can be divided into five groups, each group being given an *À votre tour* activity to develop. The groups could then share their results with the rest of the class.
- The *À votre tour* sections may be used as practice for the faster learners while the teacher helps other students with problems they have in the unit.

3.4 Using the *Variétés*

The main aim of the *Variétés* is to develop reading strategies. The students are introduced to a variety of short readings ranging from illustrated presentations of idiomatic expressions to short works by the twentieth-century writer Jacques Prévert. Each section also contains an *Art de la lecture* that focuses on a specific reading skill. The *Variétés* (which are optional) reinforce the structures and vocabulary of the preceding unit.

- The first reading is usually a short piece that is richly illustrated and that lends itself to a relaxing class activity. For instance, the students can read the *Dictionnaire illustré des bruits français* (page 51) and then compare the French and English equivalents of common sounds.
- The main reading can be assigned as homework. The students can be asked to read the selection and to answer the corresponding comprehension questions in the *Lecture* section of the Workbook. If the Workbook is not used, the teacher can ask each student to prepare three original comprehension questions that the class will answer the next day.
- The *Art de la lecture* may be teacher-directed or assigned as homework. Here, too, the students can be asked to do the corresponding exercises in the Workbook.
- The readings may also be used as a springboard for practicing speaking and writing skills. The students may wish to act out the short dialogs by Prévert (pages 52–53 and 322). Using the *Courrier du cœur* (pages 148–149) as a model, the students can be asked to write their own letters to Lucile, and, if desired, they might write out her responses.

3.5 Using the *Section Magazine*

The purpose of the *Sections Magazines* is, first and foremost, to interest and engage the students and to encourage them to explore French culture and civilization. These sections also furnish additional reading practice and provide the basis for discussions and mini-talks in French. They should be considered optional and supplementary.

• The *Sections Magazines* can be used to reinforce oral communication skills. The students can prepare simple questions about the reading or the illustrations, using known vocabulary. They can also give short talks on related topics.

• The teacher may assign a selection from a *Section Magazine* as homework. The students then prepare four statements that may be true or false, such as **Il y a des montagnes en Touraine**. This false statement is based on the reading *La France et ses provinces* in *Section Magazine 2*. In class, the students form small groups and each group prepares a list of the ten best true/false items. At a given signal each group passes its list to the next group, which answers the questions. The first group to answer all ten items is the winner.

• Some teachers prefer to select parts of the magazine sections to supplement classroom instruction and choose a segment a week for a lesson in culture and reading practice. Because of the structure and vocabulary progression, however, these mini-treatments should not be undertaken before the class reaches these sections in the book.

• Special cultural projects are suggested for each *Section Magazine*. The teacher may assign these or have the students think up projects of their own. The students may also enjoy expanding the material of particular articles. Example: For *Le Tour de France* in *Section Magazine 2*, the students can bring in brochures advertising French bicycles.

• The teacher and students can bring in posters, photographs, or other materials related to the *Section Magazine* being studied. In addition to the more obvious materials, such as photographs of French-speaking areas, the students can bring in realia. For example, after reading *Petite histoire de la langue française* in *Section Magazine 2*, the students can expand the topic by bringing in place names from newspapers, labels from products, or names of French foods from recipe books.

• The teacher can have the students complete the corresponding *Lecture* exercises in the Workbook. These written activities encourage close reading and focus on reading comprehension.

• The students will find that the photographs, realia, and art inspire discussion. They can discuss what is in a given piece, tell a story about it, or create a conversation among the people pictured. The students may also enjoy providing captions for various pictures. The more the students work with the visual material, the more they will internalize the cultural content.

• The teacher can use the magazine sections as departure points for short compositions. The students can write about their favorite singers in the style of *Édith Piaf* (*Section Magazine 4*). Or they can prepare a slide show on the French Impressionists (*Section Magazine 4*) and write their own script.

3.6 Using the Workbook

Teachers will want to use this component in ways that best suit the needs of their particular classes.

3.6.1 Using the written exercises. The Workbook contains numerous situational activities based on the structure and vocabulary of the lesson. Each Workbook

activity is keyed to the text so that the teacher will know at what point he or she can assign a particular activity. Each Workbook lesson begins on a right-hand page so that the students can tear out specific lessons to hand in.

- The students can use the Workbook for self-help by checking their answers against the Answer Key at the back. Teachers who do not want their students to have access to the answers can tear out the Answer Key before distributing the Workbook.
- The teacher can assign these activities as written homework for all students, for students who need extra drill on specific items, or for students seeking extra credit.
- Part of the class can do the Workbook activities individually while the teacher helps other students with concepts causing them difficulty.
- The teacher can assign selected activities upon completion of a unit as a review.

3.6.2 Using the *Lecture* sections. The activities in the *Lecture* sections are optional and correspond to the readings in the *Sections Magazines* and in the *Variétés*. These activities may be assigned as written homework. They may also be used as extra-credit work for the students who wish to spend additional time developing their reading skills in French.

3.6.3 Using the *Tests de contrôle*. The *Tests de contrôle* are found in the back of the Workbook. They provide a written review of the basic structures and vocabulary of each unit. The *Tests de contrôle* should be assigned as preparation for the unit test.

- The teacher may use these tests for review in class.
- The students may take these tests on their own and check their answers in the Answer Key of the Workbook. The Answer Key for these tests contains an *Interpretation* segment. This refers the students to the structure, vocabulary section, or cultural note in their textbooks corresponding to areas with which they are having difficulties.

3.7 Using the Tape Program

The Tape Program introduces the student to spoken French through the voices of a number of French speakers, thus supplementing and complementing the model provided by the teacher. The tape activities are recorded at natural conversational speed to foster listening comprehension. The students should be warned that they may not understand everything the first time they hear the tape. In some cases the teacher may wish to present a passage or exercise before playing the tape. At other times the teacher may stop the tape to have the students repeat a sentence or a phrase that they have just heard. The more the students listen to the tape, the more readily they will grow to understand spoken French.

- *Listening to the Presentation text.* The teacher may wish to play the tape of the *Presentation text* as an introduction to the unit. The students can listen with their books closed or follow the text with their books open, to get a general idea of what the text is about.
- *Listening for Signals.* These exercises are designed to test the students' ability to distinguish among sounds that signal grammatical information: noun markers, verb forms, masculine/feminine, and the like.

- *Listening and Repeating.* The students hear a recorded version of the *Vocabulaire spécialisé* or of the verb charts and practice repeating the new words and structures.
- *Listening Comprehension with Visual Cues.* This activity is based on an illustration in the Activity Masters. The students are actively involved since the listening process is accompanied by "pencil work": they are asked to trace a path, to locate certain items by marking them with an *X*, to draw a picture, and so on. Listening reinforced with a written activity causes the students to pay closer attention to what is being said, and the exercise becomes more meaningful to them.
- *Speaking.* The speaking exercises are similar to the situational textbook exercises. Since the students cannot read the cues, they are forced to listen carefully. Two types of activities form the basis of this section:
  - directed activities, in which there is only one correct response; and
  - open-ended activities, such as the simple personal questions that elicit a variety of responses.
- *Dictation.* The students hear short sentences read three times. The first time they listen; the second time each sentence is broken up into short phrases, which the students write down; the third time they check what they have written.
- *Pronunciation.* Each lesson has a short pronunciation section that is coordinated with Appendix 2 in the Student Text and with the corresponding section of the Activity Masters. The students should be encouraged to listen carefully and to speak with a good French accent.
- *French Songs.* Each unit concludes with a song in French, the melody of which will have been heard at intervals during the lessons. The students can sing along with the tape, reading from the lyrics and music available on the Activity Masters. The songs feature simple lyrics, often with a familiar melody. For extra credit, musical students can learn and perform the songs for the class; whole-class performances can become part of a larger school festival.

3.8 Using the Testing Program

The FRENCH FOR MASTERY Testing Program includes five *Lesson Quizzes* and a *Unit Test* for each unit. The accompanying Test Guide also suggests ideas for testing pronunciation skills.

3.8.1 Using the *Lesson Quizzes.* The five *Lesson Quizzes* that accompany each unit are designed to be administered upon completion of each lesson. The *Quiz* items include a variety of formats, such as fill-ins, short answers, multiple choice, statement completion, and full answers. The students should be able to complete each *Lesson Quiz* in about 20 minutes.

3.8.2 Using the *Unit Test.* The *Unit Test* is designed to be administered upon completion of each unit. The students should be able to complete each *Test* in about 45 minutes. All the structures and vocabulary of the unit are evaluated in discrete point exercises.

For slower learners, the teacher may wish to administer the *Unit Test* over two days. The listening portion could be given on the first day and the written portion on the second day.

4. Scheduling and Lesson Plans

4.1 Scheduling

Tous ensemble is designed to be completed in one school year. It is the teacher, however, who decides how many units will ultimately be covered.

When planning the teaching of *Tous ensemble*, the teacher should be aware of the following facts:

(1) In order to complete *Tous ensemble* within the school year, each unit should take about 18 class days.

(2) Since the lessons vary in length, the units will not all take the same number of days to complete. The opening review units may take more or less time depending on the level of the students. (It is advisable to spend additional time, if needed, on these review units in order to establish confidence in the students and to create a firm base for the subsequent presentation of new vocabulary and structures.) Some of the later units in the book are shorter and can be completed more quickly.

(3) It will probably not be possible for a class to do all the suggested activities. Some will have to be shortened, and others omitted. For the teacher's convenience, certain grammatical items, exercises, and other sections are labeled "optional" in the overprint.

The following chart shows how a unit may be presented in 18 school days:

Sample Lesson Schedule for a Unit			
Day 1	Lesson 1	Day 10	Quiz 3 Lesson 4
Day 2	Lesson 1	Day 11	Lesson 4
Day 3	(Lab: Lesson 1) Lesson 1	Day 12	(Lab: Lesson 4) Lesson 4
Day 4	Quiz 1 Lesson 2	Day 13	Quiz 4 Lesson 5
Day 5	Lesson 2	Day 14	Lesson 5
Day 6	(Lab: Lesson 2) Lesson 2	Day 15	(Lab: Lesson 5) Lesson 5
Day 7	Quiz 2 Lesson 3	Day 16	Quiz 5 Unit Review (*Tests de contrôle*)
Day 8	Lesson 3	Day 17	*Unit Test*
Day 9	(Lab: Lesson 3) Lesson 3	Day 18	Test results *Variétés* or *Section Magazine*

Notes:
(1) The Tape Program may be used effectively both in the classroom and in the language laboratory.

(2) The *Unit Test* may take less than a full period.

(3) In the average school year there will be ample time to work with the selections in the *Sections Magazines*.

4.2 Lesson Plans

Drawing up lesson plans helps the teacher to visualize how a unit is going to be presented. By emphasizing certain aspects of the program and playing down others, the teacher can change the focus of a unit to meet the students' needs.

The following lesson plans show how Lesson 4.2 may be taught using some of the techniques presented in Section 3 of this manual. Suggestions are given for several types of classes.

4.2.1 Basic Lesson Plan for Lesson 4.2

Day 1
1. Go over the *À votre tour* section of Lesson 4.1. Have individual students read one of their sentences.   (5 minutes)
2. Give a brief Quiz on Lesson 4.1.   (15 minutes)
3. Have the students open their books to page 206 and ask them to describe briefly the picture in the present tense.   (5 minutes)
4. Play the tape and have the students follow the *Presentation text* in their books. Ask the comprehension questions in the overprint. (5 minutes)
5. Ask the *Observations* questions in the overprint.   (5 minutes)
6. Briefly present the forms of the imperfect in *Structure* A. (5 minutes)
7. Assignment: Bring in a magazine picture and two sentences in the imperfect describing it. Use known verbs. If time allows, have the students turn to pages 98—99 and describe what was happening during the holidays pictured. Example: **Le 14 juillet, nous regardions les feux d'artifice**.   (5 minutes)

Day 2
1. Have individual students hold up their pictures and read one of their sentences with the imperfect.   (10 minutes)
2. Review *Structure* A, especially the stems of special **-er** and irregular verbs. You may be able to use some of the students' pictures as a point of departure.   (10 minutes)
3. Do *Activités* 1, 2, 3 orally. You may have the students write out selected responses.   (15 minutes)
4. Prepare *Activité* 4 by asking questions in the present using the subjects **vous** and **nous**. Example: **Est-ce que vous faites du sport? — Oui, nous faisons du sport**.   (5 minutes)
5. Have the students do *Activité* 4 in pairs.   (5 minutes)
6. Assignment: Write out *Activités* 3 and 5. (Or: Write out the Workbook activities for Lesson 4.2.) Have the students begin the assignment.   (5 minutes)

Day 3 1. Oral review: Ask questions about the *Presentation text*, using the
          Vocabulaire spécialisé. Example: **Qu'est-ce qui se passe?**
          (5 minutes)
       2. Correction: Go over the written homework.   (10 minutes)
       3. Present *Structure* B and do *Activité* 6.   (5 minutes)
       4. Present *Structure* C and do *Activité* 7.   (5 minutes)
       5. In the language laboratory or in the classroom, do the corres-
          ponding tape activities with the Activity Masters.   (20 minutes)
       6. Assignment: Prepare for Lesson Quiz. (Give some sample Quiz
          questions.) Write *À votre tour.*   (5 minutes)

Day 4 1. Go over *À votre tour.* Have the students read some of their
          sentences.   (5 minutes)
       2. Give Lesson Quiz.   (15 minutes)
       3. Begin Lesson 4.3.

4.2.2 Variations on the Basic Lesson Plan

The basic lesson plan may easily be modified to meet the needs of individual classes. Since FRENCH FOR MASTERY offers a wealth of teaching materials and activities, it is expected that teachers will differ in the way they teach a given lesson. Here are a few sample variations.

(1) Regular class without the Tape Program

If a school does not have a language laboratory, nor the facilities to use the Tape Program in the classroom, the teacher can serve as a model by reading the *Presentations*, directing the oral activities, and guiding the pronunciation activities in Appendix 2. If the teacher does want to use the activities in the Tape Program together with the Activity Masters, he or she can work with the Tapescript, which is available separately. The teacher can, for example, read the *Listening for Signals* activities while the students record their answers on the corresponding activity sheet.

(2) Regular class with emphasis on oral skills

In order to emphasize oral skills, the teacher should have access to a high-quality tape or cassette recorder in the classroom. On Day 1 the teacher can play the recording of the *Presentation text* while the students keep their books closed. The teacher asks the students if they understood any words or phrases. The teacher plays the tape again and asks the students to write down fragments that they understand. The teacher plays the tape a third time, stopping after each exchange and asking the students to try to reconstitute what is said. Finally, the teacher plays the tape a fourth time and has the students follow with their books open.

On Days 2 and 3 the teacher plays the *Note culturelle* as a warm-up activity. The students sub-vocalize along with the speaker. The teacher uses the tape activities, playing them two or three times if needed. Insofar as possible, the teacher conducts the textbook *Activités* orally with the students' books closed.

On Day 4 the Lesson Quiz consists entirely of spoken cues: *Listening for Signals* exercises, written responses to situational cues, and perhaps a brief dictation.

(3) Regular class with emphasis on written skills

In order to develop reading and writing skills, the students need regular practice. Frequently it is effective to have one or two students write responses at the board or on an overhead transparency while the rest of the class writes at their seats. It is also helpful to use the Workbook.

On Day 1 the teacher can ask the students to answer the comprehension questions in writing. The students can also identify the supplementary *Mots apparentés* given in the overprint. Once the forms of the imperfect have been presented, the students can turn to a selection in the *Section Magazine* (e.g., *Quelques peintres impressionnistes* on pages 368–369) and pick out the verbs in the imperfect.

On Day 2 the teacher can practice the forms of the imperfect by saying an infinitive aloud and having the students write the **nous** form of the present and the **je** form of the imperfect. Selected responses to the *Activités* can also be done in writing as well as orally.

On Day 3 the students can be asked to write out answers to warm-up review questions on the *Presentation text*. Or they can write selected sentences from the *Presentation text* as a dictation exercise.

On Day 4 the Quiz can consist of written cues and written responses.

(4) Slower class

With slower learners it is important to stress comprehension, both oral and written, and to pay less attention to details of self-expression such as spelling.

On Day 1 the teacher will have to play the *Presentation text* several times before the students begin to understand what is said. Encourage the students to speak quietly along with the tape and to read along in their books. The teacher may want to give the English equivalent of a sentence from the *Presentation* and have the students find the corresponding French sentence. (Example: "Yes, but the line was busy." Students respond: **"Si, mais la ligne était occupée!"**). To check comprehension, it may be better to use true-false statements about the text rather than the questions in the overprint.

On Days 2 and 3 more time will be spent on the *Activités*. The students should first practice with full-class and half-class responses before being asked to respond individually. An exercise done chorally can then be repeated by having the students work in pairs. *Listening for Signals* activities should be repeated twice. *Structure* C can either be omitted or presented only for recognition. As a change of pace, ask the students for homework to find a comic strip in which a character can be addressed with one of the epithets in the *Note culturelle*.

On Day 4 the Quiz can consist mainly of short-answer and fill-in-the-blank items.

Part Three
How to Supplement FRENCH FOR MASTERY

5. Supplementary Material and Activities

Foreign language methodologists stress the importance of using realia and supplementary cultural activities for a number of reasons:

- They enliven the atmosphere of the class.
- They provide that needed change of pace.
- They allow for a more natural exchange between student and teacher.
- They permit the less linguistically oriented students to express themselves in other areas such as music, art, or cooking.
- They present the students with a practical application of the skills learned in the classroom.
- They provide an interdisciplinary link to the students' other studies.

5.1 Realia: Where to Find It and How to Use It

Realia — that is, authentic items relating to the contemporary French-speaking world — provide additional exposure to culture, a change of pace, and departure points for conversational activities. The students see how learning French will help them understand everyday items of interest to them. This section lists some sources of these materials and suggests how the teacher might use them. The listing is not exhaustive, but seeks to provide variety. Depending on the teacher's geographical area, some of these materials may be easier or more difficult to obtain. In addition, every teacher will have a personal preference as to what materials he or she will want to use or will feel most comfortable with.

5.1.1 Periodicals. Many of the following French-language magazines and newspapers may be purchased at shops that sell foreign language periodicals. Others are available by single copy or by subscription from the distributor.

Name	Country	Approx. Cost	Type	Useful contents	Distributor	Frequency
L'actualité	Canada	$1.00 per copy/ $9.00 per year	current events	ads, articles on travel, health, pastimes, current events	L'actualité 4059, rue Hochelaga Montréal, P.Q. H1W 9Z9	monthly
Elle	France	$2.50/$78	women's fashions	ads, trends, interior decorating, advice column, recipes, health, budget, horoscope	*	weekly

Title	Country	Price	Type	Contents	Distributor	Frequency
Le Figaro	France	$1.00/$190	newspaper	current events, sports, entertainment, ads, weather	*	daily
Le Journal Français d'Amérique	U.S.	$.60/$13.50	newspaper	current events, sports	Journal Français d'Amérique 1051 Divisadero St. San Francisco, CA 94115	bi-monthly
Jours de France	France	$2.50/$64	fashion	ads, horoscope, cartoons	*	weekly
Le Monde	France	$1.00/$170	newspaper	games, hobbies, entertainment, weather, current events	*	daily
Ok âge tendre	France	$1.00/$48	youth	youth culture, teen fashions, ads	*	weekly
Une semaine de Paris – Pariscope	France	$1.25/$55	entertainment listings	movies, dance, music, theater, sports events	*	weekly
Paris-Match	France	$2.50/$70	current events	stories, sports, opinion polls, ads, TV programs	Paris-Match P.O. Box 8500 S. 4075 Philadelphia, PA 19178	weekly
Pilote	France	$1.25/$55	humor	comics, ads, cartoons	*	weekly
La Presse	Canada (Montréal)	$.50/$250	newspaper	current events, entertainment, ads	La Presse Ltée 7, rue Saint-Jacques Montréal, P.Q. H2Y 1K9	daily
Salut	France	$2.20/$56	youth	youth culture, ads	*	weekly
Sélections de Reader's Digest	Canada or France	$1.25/$13	general	jokes, ads, stories, articles	Reader's Digest OEM Pleasantville, NY 10570 (specify Canadian or Parisian edition)	monthly
Le Soleil	Canada (Québec)	$.50/$250	newspaper	current events, entertainment,	Le Soleil C.P. 232382 Québec, P.Q. G14 7P5	daily
Télé 7 jours	France	$1.00/$41	TV guide	TV programs, articles, ads	*	weekly
TV	Canada	$.60/$35	TV guide	French version of TV Guide, with French résumés of all English and French programs; ads and articles	TV HEBDO, Inc. 1001 est, boul. de Maisonneuve Bureau 1100 Montréal, PQ H2L 4p9	weekly

* These periodicals can be purchased from any of the following distributors:

Larousse & Co., Inc.
572 Fifth Avenue
New York, NY 10036

French and European Publications, Inc.
610 Fifth Avenue
New York, NY 10020

French and European Publications, Inc.
652 Olive Street
Los Angeles, CA 90014

European Publishers Representatives, Inc.
11-03 46th Avenue
Long Island City, NY 11101

5.1.2 Radio, Television, and Film. There are a number of radio stations in the United States that broadcast in French at some point during the day. Near the Canadian border it may be possible to receive some television programs in French. Channel 10 in New York City and Channel 6 in San Francisco televise a few hours a week in French. The teacher and the students should check the newspapers for stations and times. The following is only a sampling of some of the radio stations with French broadcasts on their schedule.

City	State	Radio station call letters
Columbus	OH	WRFD
Ephrata	WA	KULE
Hartford	CT	WCCC-FM; WRTC-FM
Holyoke	MA	WREB
Honolulu	HI	KNDI
Levelland	TX	KLVT
Lewiston	ME	WCOU; WCOU-FM; WLAM
Moultrie	GA	WMGA
New Orleans	LA	WWNO-FM
Reidsville	NC	WFRC
San Francisco	CA	KQED-FM
Winnetka	IL	WNTH-FM

If the teacher or the students have a shortwave receiver, it may be possible to make tape recordings of a variety of French-language programs, including daily news broadcasts.

Teachers who live in the many states serviced by cable television and the Satellite Program Network are able to receive regular French television through the nightly program "Telefrance-USA." Although almost all students will be able to appreciate and enjoy the French variety shows, the French films (presented with subtitles) are more appropriate for intermediate and advanced classes. For programming information, write:

France-Education
Services Culturels de l'Ambassade de France
972 Fifth Avenue
New York, NY 10021

French-language videotapes and short documentaries are available, often at no charge, through the Quebec cultural services. For information, write:

Department of Communications
Québec Government House
17 West 50th Street
New York, NY 10020

5.1.3 Other sources

Brochures and posters. These are available from many sources. Local travel agents often have colorful brochures on French-speaking countries.

• Tourist offices

For additional information, the teacher or the students might want to write to the following official tourist offices:

— FRANCE
French Government Tourist Office
610 Fifth Avenue
New York, New York 10020

Commissariat Général du Tourisme
127, av. des Champs-Élysées
75008 Paris, France

Mission interministérielle pour le tourisme
17, rue de l'Ingénieur Robert Keller
75740 Paris, France

— CANADA
Canadian Government Office of Tourism
235 Queen Street
Ottawa, Ontario, Canada K1AOH6

Gouvernement de Québec
Direction Générale du Tourisme
930, Chemin Sainte Foy
Québec, P.Q., Canada

— MARTINIQUE AND GUADELOUPE
Caribbean Tourism Association
20 East 46th Street
New York, New York 10017

— TAHITI
Tahiti Tourist Board
366 Madison Avenue
New York, New York 10017

— HAITI
Haiti Government Tourist Office
30 Rockefeller Plaza
New York, New York 10020

- Embassies and consulates of French-speaking countries

The teacher or the students may request information in French or in English on the country, its educational system, or any other aspect of life in that country.

One can also write for information and posters to the Services Culturels of the French consulates in Washington, New York, Chicago, San Francisco, Los Angeles, Houston, New Orleans, and Boston.

- American offices of transportation companies

Students can write to the United States offices of airline or shipping companies of French-speaking countries requesting descriptive material in French or English, bilingual menus, bilingual brochures, or other realia. A local travel agency can furnish up-to-date addresses of companies such as Air France, Air Canada, Air Afrique, Swissair, KLM, and the French Line.

- Front offices of Canadian sports teams

Professional sports teams in French-speaking areas of Canada, such as the Expos and the Canadiens, produce bilingual programs and brochures available through their public relations departments.

- Commercial enterprises

Posters and information on wine and cheese may be obtained from:

Food and Wines from France, Inc.
Information Center for Food and Wine
1350 Avenue of the Americas
New York, NY 10019

For a list of 500 firms with investments in the United States, write:

French-American Chamber of Commerce
1350 Avenue of the Americas
New York, NY 10019

- Acquantances traveling abroad

Students, friends, and relatives who travel to French-speaking countries can be asked to bring back brochures and flyers for use in the classroom.

Recordings. Records and tapes of French music and literature may be found locally. They may also be purchased abroad or through American companies specializing in the distribution of realia. Many of these companies exhibit their their materials at state, regional, and national meetings of foreign language teacher associations.

Books. The school library is an excellent source of illustrated material on French-speaking countries. Consult encyclopedias and travel books, as well as books on art, architecture, photography, and history.

Letters. Letters from French speakers in other countries provide a direct source of information. To obtain French pen pals, write to the American Association of Teachers of French:

Bureau de Correspondence Scolaire
AATF
57 East Armory Avenue
Champaign, IL 61820

Miscellaneous realia. Friends who visit French-speaking countries often amass miscellaneous realia: tickets, maps, stamps, coins, menus, and the like. The students themselves can collect French and bilingual labels and instructions from foods and other products sold in this country.

5.1.4 How to use the material. The teacher will want to use realia to enrich classroom activities and to develop greater student awareness of the French-speaking world.

• *Preparing realia for the students.* Some types of realia, such as stamps, labels, and posters, have very little text and can be used readily with students at various levels. Other realia may be linguistically more challenging (radio and television programs, journal articles) or may contain many unfamiliar expressions (menus from better restaurants). Before using these materials, the teacher should determine their level of difficulty and perhaps prepare special glossaries. It may be appropriate to warn students that they will not understand every word but should try to see how much they can recognize.

• *Useful materials.* Newspapers and magazines not only include feature articles but a number of items that focus on the world of today and that are easy to understand. TV guides, movie schedules, weather reports, ads for restaurants, food, or clothes provide useful teaching tools and are easy for students to understand. They can be used for:

— identification of vocabulary and structures already learned
— vocabulary building (new words, especially concrete nouns)
— culture expansion
— points of departure for conversation

Examples of types of realia to teach specific points are:

— wedding or birth announcements to illustrate French names
— weather reports to illustrate weather expressions and vocabulary
— ads about clothing sales or fashion magazines to illustrate clothing
— labels from the supermarket or grocery store ads to illustrate foods

Many French periodicals contain ads for U.S. products and carry advertisements (and even articles) patterned on U.S. models. This may give the impression that the French-speaking world tends to copy the American model. Although "Americanization" is a very real phenomenon, you should make sure that your students understand that French speakers have their own traditions and values. (Observant students will notice that some U.S. products are marketed with different types of ads in French, reflecting the French rather than the American value system.)

5.2 Games: Their Preparation and Use

Games are useful learning tools accessible to every teacher and providing variety for the class. Used at the beginning of the class, games capture the students' attention. In the middle of the class, games may serve as a transition from one activity to the next. At the end of the class, they fill in the few minutes between the final activity on the lesson plan and the bell. The teacher can play some of these games with the entire class. Other games lend themselves to activities in pairs and small-groups.

The main purpose of games is to further the linguistic aim of the lesson; they should not become the exclusive focus of the class. As a teaching aid, the Activity Masters feature a Games section based on the material in the Student Text.

Following are sample games that the teacher can use or adapt.

5.2.1 Commercial games. There are many commercial games sold by companies handling foreign language realia. Some games popular in English in the United States have French counterparts: French Scrabble, Scrabble pour Juniors, and Monopoly. Mille Bornes is a popular bilingual game in which players compete in a cross-country trip by car. In Word Master Mind, players try to duplicate each other's secret words.

The "Jeux de famille" are French card games played like "Go Fish"; these games may present famous explorers, period costumes, ships, and the like. Jigsaw puzzles of France or of the Paris métro teach geography and can be put on a table at the back of the room to be worked on during free moments. Finished puzzles can be sealed and used as posters.

5.2.2 Games created by the teacher. Many games that the students are familiar with in English may be played in French. Teacher-created games have a distinct advantage over commercial games: they can be "custom made" to fit the needs of a particular class or of a particular lesson.

A. Oral Games

LE JEU DU PENDU, similar to HANGMAN

The teacher may suggest this game as a way of reviewing the vocabulary of a given unit prior to the *Unit Test*. One student thinks of a word from a ***Vocabulaire spécialisé*** from one of the five lessons in the unit. This student then writes on the chalkboard a series of blanks corresponding to the number of letters in the word and draws a noose. When someone from the class guesses a letter that appears in the word, the student at the board enters that letter in all the spaces where it occurs. When someone guesses a letter that is not in the word, the student leading the game adds a part of the body to the person in the noose. The object, of course, is to guess the word before the person in the noose is hanged. As the final activity, a student should spell the complete word and use it in a sample sentence.

DEVINEZ LE MOT!

The teacher thinks of a familiar word and announces the number of letters it contains; for example, **lit** — **"trois lettres."** The students volunteer possible three-letter words, and the teacher writes these possibilities on the board, indicating how many letters in that word are the same as those in the key word.

	0	1	2	3
qui (une lettre)		*qui*		
son (zéro lettre)	*son*			
les (une lettre)		*les*		
ton (une lettre)		*ton*		
dit (deux lettres)			*dit*	

It is a good idea to ask the student to put the word in a sentence for clarity: **Qu'est-ce qu'il** *dit* vs. *Dis* **donc!** The student who guesses the correct word goes to the board to lead the next round. The student should write the secret word on a piece of paper and share it with the teacher, who will then be able to help in confirming guesses if necessary.

DEVINEZ L'OBJET!

In this game, one student thinks of an object, and the others take turns asking questions about it to find out what it is.

LA CHAÎNE

One student says a word: **tennis**, for example. The next student must give a word that begins with the last letter of that word, such as **sympathique**. The next student continues with a word beginning with the last letter of the preceding word. In this case, the third student might say **excellent**. This game may also be played in teams, in which each player has a turn coming up with an appropriate word in five seconds. If not, the team forfeits a point.

ADIEU!

This game is similar to "Ghost" in English. Playing in groups of five or six, each student has a turn in saying a letter that contributes to the spelling of a French word. If a student completes a word, he or she gets an **A**, the next time a **D**, and so on until that student is out by having completed the word **Adieu**. The last person remaining in the game is the winner. If a student says a letter that the next person does not believe contributes toward the building of a word, the student who said it may be challenged. If the challenged student does not have a French word in mind, he or she receives a letter toward being eliminated from the game. If the challenged student does know a French word with that sequence of letters, however, the student who challenged receives one of the letters of **Adieu**.

B. Written Games

JOYEUX NOËL ET BONNE ANNÉE

The teacher writes a phrase on the board. The students have a limited amount of time to see how many words they can form using the letters contained in the phrase. In the case of **Joyeux Noël et Bonne Année** some of the words the students might find are **je, eux, non, bon, an, aux, bel,** or **beau.** The title of a lesson or of a unit frequently makes a good phrase for this kind of activity.

JE L'AI!

After distributing sheets of paper divided into 16 squares, the teacher gives a category, such as food, clothing, or school life. The students then fill in the space with French words belonging to the category. One at a time, the teacher calls out words that belong in the category, and if the students have the words, they cross them off their sheets. The first one to get four in a row horizontally, vertically, or diagonally calls **"Je l'ai!"** and wins the game. (As a variant, individual students may take turns suggesting words in the given categories.)

FIND THE WORDS

The teacher may create these puzzles as a review of unit vocabulary. Or the students themselves may create the puzzles. The letter blocks are prepared with words hidden horizontally, vertically, or diagonally.

JOUEUR
BILLET
PIECE
PLACE
CHAMBRE
MATCH
ASSISTER
SALON
SANS

In a more challenging puzzle, the unused letters form a phrase or saying.

MOTS CROISÉS

Easy to prepare, crossword puzzles provide another method of checking vocabulary. The following puzzle, **Objets courants**, is based on the *Vocabulaire spécialisé* of *Reprise*, Lesson 2.

Horizontalement

Verticalement

2.

1.

5.

3.

6.

4.

LA POÉSIE SURRÉALISTE

Using a paper cutter, the teacher cuts typing paper lengthwise into 11-inch strips, one for each student. The teacher gives a specific instruction and each student writes a word or phrase beginning at the far left side of the strip of paper. The students then fold back what they have written and pass their piece of paper to the next student. Then all students write a second word or phrase according to instructions, fold that back, and pass the paper on. This procedure continues until the sentences are completed. The students may read their sentences aloud or tack them on the bulletin board.

Sample instructions that the teacher may give are:

a. Write a possessive adjective, masculine singular.

b. Write a masculine singular adjective that precedes a noun.

c. Write a masculine singular noun.

d. Write a verb in the present tense, third-person singular (il form). Choose a verb that takes a direct object.

e. Write an expression of quantity.

f. Write a feminine plural noun.

g. Write a feminine plural adjective that follows a noun.

Possible sentences:

Mon grand sac mange beaucoup de dames furieuses.

Notre joli fromage choisit peu de trompettes rouges.

THÈMES ET CATÉGORIES

The teacher divides the class into several teams and assigns each team a section of the chalkboard. The first person of each team goes to the board and the teacher announces a category. The students at the board write as many words as they can think of in that category in ten seconds. After they return to their seats, a second student from each team goes to the board. The teacher announces a new category and the members of this group write as many words as they can think of in ten seconds. When every member of the team has been to the board, the class checks all the teams' entries and counts them. The team with the most correct words is the winner. If desired, the class can subtract the number of wrong words from the correct ones in calculating the team score. The teacher may use the themes of the *Vocabulaires spécialisés* as categories.

5.3 Poems and Songs

Poems and songs are a lively way to practice pronunciation, reinforce grammar, and teach French culture. At the beginning of the year, the teacher may want to review songs from *Salut, les amis!*, such as **Alouette** and **Frère Jacques**. In addition to the new unit songs on the Tape Program (with music and lyrics printed in the Activity Masters), the teacher may want to introduce songs by contemporary French singers (such as those presented in *Section Magazine 4*).

5.4 Cultural Activities

The opportunities for exposing the students to French culture are numerous both inside and outside the classroom.

5.4.1 Inside the classroom. The students can have a French party with French pastries or prepare an entire French meal. During Foreign Language Week celebrations, a class can organize and run a French café.

5.4.2 Outside the classroom. Field trips are an excellent way to provide an introduction to French culture. In order to be successful, these outside activities require careful planning. The students can be given special research assignments and can report their findings to the class before the trip. Some possible ideas for trips are:

• *Going to a French restaurant.* The teacher can visit the restaurant a few weeks before the trip and get copies of the menu for the students.

• *Visiting the French collections of an art museum.* Many major American museums have extensive French collections, especially nineteenth- and twentieth-century painting and sculpture. Some museums also have collections of French furniture, porcelain, and costumes. The larger museums may have guides who can describe the exhibits in French.

• *Going to French movies and plays.* Before taking a class to see a French movie or play, the teacher will want to prepare the students. For a play, the students can read the text. For a movie, it may be possible to get reviews from French magazines.

• *Taking a trip to a French-speaking country.* For those living in the Northeast, such a trip may be affordable. Long weekends in Montreal and Quebec will introduce the students to a neighboring French-speaking population. A number of secondary schools participate in student exchanges with France or Martinique.

Part Four
Reference Guide for FRENCH FOR MASTERY

This part of the Teacher's Edition contains reference materials for easy accessibility.

6. Useful Expressions

The teacher who wishes to conduct the class entirely in French may use the following vocabulary supplements.

6.1 Classroom expressions

These classroom expressions may be duplicated and distributed to the students.

6.1.1 Vocabulaire

Sur le pupitre

un stylo un crayon un cahier une feuille de papier un sac

une gomme une règle un livre un objet *object* une chose *thing*

Dans la classe

un morceau de craie un pupitre un tableau un écran une chaise une mini-cassette

un projecteur un tableau d'affichage une affiche un magnétophone un haut-parleur une carte un taille-crayon

6.1.2 Les matières

l'anglais	*English*
les maths (mathématiques)	*math*
l'algèbre	*algebra*
la géométrie	*geometry*
les sciences	*science*
la biologie	*biology*
la chimie	*chemistry*
la physique	*physics*
les sciences sociaux	*social science*
la géographie	*geography*
l'histoire	*history*
l'allemand	*German*
l'espagnol	*Spanish*
le français	*French*
l'italien	*Italian*
le latin	*Latin*
le dessin	*art*
la musique	*music*
les travaux manuels	*shop*
la gymnastique	*gym*
le sport	*sports*
la cuisine	*cooking*
la couture	*sewing*

6.1.3 Expressions pour la classe

Écoutez (bien).	*Listen (carefully).*
Écoutez la bande.	*Listen to the tape.*
Répétez. (Ne répétez pas.)	*Repeat. (Don't repeat.)*
Parlez plus fort.	*Speak up. Speak louder.*
Écoutez la question.	*Listen to the question.*
Répondez. (Ne répondez pas.)	*Answer. (Don't answer.)*
Venez ici (devant la classe).	*Come here (in front of the class).*
Prenez le rôle de . . .	*Take the part of . . .*
Jouez le rôle de . . .	*Play the part of . . .*
Commencez.	*Begin.*
Merci.	*Thank you.*
Asseyez-vous.	*Sit down.*

Prenez votre livre (votre cahier).	Take out your books (your notebooks)
Ouvrez votre livre (votre cahier) à la page . . .	Open your books (your notebooks) to page . . .
Fermez votre livre (votre cahier).	Close your books (your notebooks).
Prenez un stylo (un crayon).	Take out a pen (a pencil).
Prenez du papier.	Take out some paper.
Lisez (à haute voix).	Read (aloud).
Continuez.	Continue.
Écrivez. (N'écrivez pas.)	Write. (Don't write.)
Levez-vous.	Get up.
Allez au tableau.	Go to the board.
Effacez.	Erase.
Regardez le tableau.	Look at the board.
Regardez-moi.	Look at me.
Faites attention.	Pay attention.
Silence.	Silence.
Taisez-vous.	Quiet.
Attention à la prononciation (l'orthographe).	Careful with the pronunciation (spelling).
Dites . . .	Say . . .
Tous ensemble.	All together.
Tout le monde.	Everyone.
Encore une fois.	Once more.
C'est bien.	That's good.
C'est très bien.	That's very good.
Ce n'est pas ça.	That's not it.
Essayez encore une fois.	Try once more.
Pour demain . . .	For tomorrow . . .
Pour la prochaine fois . . .	For the next time . . .
Préparez . . .	Prepare . . .
Faites l'exercice (les exercices) . . .	Do the exercise (the exercises) . . .
Je ne sais pas.	I don't know.
Je ne comprends pas.	I don't understand.
Répétez, s'il vous plaît.	Please repeat.
Que veut dire . . .?	What does . . . mean?
Comment dit-on . . .?	How do you say . . .?

6.2 Expressions for the *Activités*

In *Tous ensemble*, the direction lines for the activities are in French. Although the students will be able to guess the meanings of most of the new terms from the context, the teacher may wish to copy and distribute the following vocabulary list for reference. This list is also included in the Activity Masters.

NOMS:

un choix	*choice*	**une colonne**	*column*
un nom	*noun*	**une ligne**	*line*
un pronom	*pronoun*	**une phrase**	*sentence*
un pronom complément	*object pronoun*		

ADJECTIFS:

chaque	*each, every*
indiqué	*indicated*
logique	*logical*
suivant	*following*

PRONOMS:

ce que	*what*
chacun(e)	*each one, every one*

VERBES:

expliquer	*to explain*
exprimer	*to express*
poser une question	*to ask a question*
utiliser	*to use*

EXPRESSIONS:

ces renseignements	*this information*
d'après	*according to*
en utilisant	*(by) using*
entre parenthèses	*in parentheses*
puis	*then*
qui convient/conviennent	*(that is/are) appropriate*
si oui ou non	*whether or not*

7. Detailed Listing of the Contents

This section lists the contents of FRENCH FOR MASTERY: *Tous ensemble* in chart form. The teacher will find these charts useful in preparing course objectives, lesson plans, study guides, and tests. As the course progresses, the teacher may use the charts to recall where specific structures, vocabulary, sounds, or cultural topics were introduced. Charts have been established under the following headings: Structure / Vocabulary / Culture.

7.1 Structure

This chart lists the grammar sections of the Student Text and cross-references the related exercises.

Structure	Text Exercises
Reprise Cinq portraits	
R.1 A. Les verbes en -*er*: formes affirmatives et négatives	1, 2
B. La construction infinitive	3, 4
C. Les questions	5, 6
D. L'impératif	7, 8
R.2 A. Les verbes *être* et *avoir*	1, 2
B. Les noms et les articles	3, 4, 5
C. Les adjectifs: formes et position	6, 7
D. *C'est* ou *Il est?*	8, 9
R.3 A. *À* et *de* + l'article défini	1, 2
B. Le verbe *aller*; *aller* + infinitif	3, 4, 5
C. Les noms géographiques	6
R.4 A. Les pronoms sujets et les pronoms accentués	1
B. La préposition *chez*	2
C. La possession avec *de*	3, 4
D. Les adjectifs possessifs	5, 6
R.5 A. Les adjectifs interrogatifs et démonstratifs	1
B. Les verbes réguliers en -*ir*	2
C. Les verbes réguliers en -*re*	3, 4
D. Les questions avec inversion	5, 6

Structure	Text Exercises
Unit 1 C'est la vie!	
1.1 A. Le verbe *prendre*	1
B. L'article partitif	2, 3, 4, 5
C. Le verbe *boire*	6
D. Le verbe *faire*	7, 8, 9
1.2 A. Le verbe *conduire*	1, 2
B. Le pronom *on*	3, 4
C. Les verbes *vouloir, pouvoir, devoir*	5, 6
D. L'expression *il faut*	7, 8, 9
1.3 A. Expressions avec *avoir*	1, 2
B. Le passé composé: formes affirmatives et négatives	3, 4, 5
C. Les questions au passé composé	6, 7
1.4 A. Le verbe *mettre*	1
B. Quelques participes passés irréguliers	2, 3, 4
1.5 A. Les verbes *sortir, partir, dormir*	1
B. Le verbe *venir; venir de* + infinitif	2
C. Le passé composé avec *être*	3, 4, 5, 6, 7
Unit 2 Jim	
2.1 A. Les verbes *dire, lire, écrire*	1, 2
B. Les pronoms *me, te, nous, vous*	3, 4, 5
C. La position des pronoms à l'impératif	6
D. Les pronoms compléments à l'infinitif	7
2.2 A. Le verbe *voir*	1, 2
B. Le verbe *connaître*	3
C. Les pronoms compléments d'objet direct: *le, la, les*	4, 5, 6, 7
D. L'accord du complément d'objet direct au passé composé	8, 9, 10
2.3 A. Le verbe *savoir; savoir* ou *connaître?*	1, 2, 3
B. Les pronoms compléments d'objet indirect: *lui, leur*	4, 5, 6, 7, 8
2.4 A. Les adjectifs *beau, nouveau, vieux*	1
B. Le pronom relatif *qui*	2, 3, 6
C. Le pronom relatif *que*	4, 5, 6
2.5 A. Quelques adjectifs irréguliers	1, 2
B. Les expressions négatives *ne...jamais* et *ne...plus*	3, 4

Structure	Text Exercises
Unit 3 Le mariage de Jacqueline	
3.1 A. Les verbes *acheter* et *espérer*	2, 3
B. La construction réfléchie	4
C. Les verbes réfléchis	5, 6, 7, 8
3.2 A. L'impératif des verbes réfléchis	3, 4
B. Le verbe *appeler*	5
C. L'adjectif *tout*	6
3.3 A. Les verbes réfléchis: occupations quotidiennes	1, 2, 3
B. La construction: *Je me lave les mains*	4
3.4 A. Le verbe *recevoir*	1, 2
B. Les verbes réfléchis: sentiments et réactions	3, 4
C. Les verbes réfléchis: usage idiomatique	5, 6
D. L'infinitif des verbes réfléchis	7
3.5 A. Les verbes réfléchis: sens réciproque	1
B. Le passé composé des verbes réfléchis (cas général)	2, 3
C. Le passé composé des verbes réfléchis (cas particuliers)	4, 5
Unit 4 Accident	
4.1 A. Les verbes en *-ger, -cer, -yer*	2
B. L'expression *il y a* + temps	3, 4
4.2 A. L'imparfait: formation	1, 2, 3, 4, 5
B. L'imparfait du verbe *être*	6
C. *Oui* ou *si*?	7
4.3 A. L'usage de l'imparfait: événements habituels	2, 3, 4
B. L'usage de l'imparfait: actions progressives	5, 6
4.4 A. L'usage de l'imparfait: circonstances d'un événement	1, 2, 3, 4, 5
B. Résumé: l'usage de l'imparfait et du passé composé	6
4.5 A. Le verbe *rire*	1
B. Le présent avec *depuis*	2, 3

Structure	Text Exercises
Unit 5 Madame R	
5.1 A. Les comparaisons avec les adjectifs	1, 2, 3
B. Les comparaisons avec les noms	4
C. Le superlatif	5, 6, 7
5.2 A. Le futur: formation régulière	2, 3, 4, 5
B. Le futur dans les phrases négatives et interrogatives	6, 7, 8
5.3 A. Futurs irréguliers (Première partie)	2, 3
B. L'usage du futur dans les phrases avec *si*	4, 5
C. L'usage du futur après *quand*	6, 7, 8
5.4 A. Futurs irréguliers (Deuxième partie)	1
B. Le verbe *vivre*	2
C. Les pronoms interrogatifs après une préposition	4
D. Les pronoms interrogatifs compléments d'objet direct	5
E. Les pronoms interrogatifs sujets	6, 7, 8
5.5 A. Le verbe *croire*	1
B. La conjonction *que*	2
C. Le conditionnel: formation	3, 4, 5
D. Le conditionnel: usage	6, 7
Unit 6 Les cinq surprises de Paul et de David	
6.1 A. Le verbe *suivre*	2
B. Révision: les pronoms compléments d'objet	3, 4, 5, 6, 7, 8
6.2 A. Révision: le verbe *ouvrir*	3
B. L'ordre des pronoms compléments (Première partie)	4, 5, 6
C. L'ordre des pronoms compléments (Deuxième partie)	7
D. L'ordre des pronoms compléments (Troisième partie)	8
6.3 A. Le pronom *y*	1
B. Révision: l'article partitif	2, 3
C. Le pronom *en*	4, 5, 6, 7
6.4 A. Les expressions de quantité	1
B. Le pronom *en* avec les expressions de quantité	2, 3
C. Le pronom *en* avec les nombres	4, 5, 6
D. L'ordre des pronoms avec *en*	7
6.5 A. Les nombres ordinaux	1
B. Révision: les adverbes en *-ment*	2
C. La position des adverbes	3, 4
D. La comparaison avec des adverbes	5

Structure	Text Exercises
Unit 7 Quelle soirée!	
7.1 A. Le verbe *tenir*	1
B. La construction: adjectif + infinitif	2, 3
C. L'expression impersonnelle: il est + adjectif...	4, 5
7.2 A. Le subjonctif: formation régulière	1, 2, 3, 4, 5
B. L'usage du subjonctif après les expressions de volonté	6, 7, 8
7.3 A. Le concept du subjonctif	1
B. Le subjonctif d'*être* et d'*avoir*	2, 3
C. L'usage du subjonctif après *il faut que*	4, 5, 6
D. L'usage du subjonctif après certaines expressions impersonnelles	7, 8, 9
7.4 A. Subjonctifs irréguliers: *aller* et *faire*	2, 3
B. Le subjonctif après les expressions d'émotion	4, 5, 6
7.5 A. Le subjonctif après les expressions de doute	3, 4, 5, 6
B. L'usage du subjonctif: résumé	7, 8
Unit 8 Camping	
8.1 A. Le pronom interrogatif *lequel*	2
B. Le pronom demonstratif *celui*	3
C. *Celui de*	4, 5
8.2 A. Révision: les pronoms relatifs *qui* et *que*	3
B. *Celui qui* et *celui que*	4, 5, 6
8.3 A. L'infinitif	3
B. La construction: verbe suivi de l'infinitif	4, 5, 6
8.4 A. L'usage de l'infinitif après une préposition	2, 3, 4
8.5 A. Le participe présent: formes	1, 2
B. Le participe présent: usages	3, 4, 5
C. L'adjectif verbal en *-ant*	6

7.2 Vocabulary

This chart summarizes the contents of the *Vocabulaire spécialisé* sections.

Vocabulary Topic	Lesson	Page
Le temps (*time*)		
Quelques expressions de temps	1.4	84
Expressions de temps	4.1	205
Le temps qui passe	6.1	287
Le monde de tous les jours		
Quelques activités	R.1	4
Les gens	R.2	16
Les objects et les animaux	R.2	20
La famille	R.4	36
Les vêtements	R.5	44
À table	1.1	58–59
Les boissons	1.1	63
Quelques loisirs	1.1	64
Quelques professions	1.2	72
L'argent	1.3	76
La maison	3.1	154
La toilette	3.3	168
L'amour et le mariage	3.5	180
Le temps (*weather*)	4.1	202
L'équipement de la maison	4.3	214
Vacances et voyages	5.2	242
Les matériaux	5.4	258
La résidence	6.2	294
Quelques quantités et quelques récipients	6.4	311
La voiture	7.4	350
Le camping	8.1	378
Les cartes	8.2	384
La nature	8.3	389
La description		
Les points cardinaux, les continents et les pays	R.3	32
Quelques adjectifs de description	2.5	142
Les parties du corps	3.3	170
Sentiments et réactions	3.4	175
Sourires et larmes	4.5	226
Quelques adjectifs de description	5.1	236
L'apparence et les sentiments	5.3	249

7.3 Culture

This chart lists the cultural topic of each *Note culturelle, Section Magazine,* and *Variétés* reading selection. A cultural reading may be listed more than once if its topic fits different categories.

Topic	Note culturelle	Section Magazine	Variétés
La France: le pays			
La France métropolitaine et la France d'outre-mer	27		
Avignon	3		
Marseille	83		
La France et ses provinces		186	
La Bretagne mystérieuse		190	
Les Pyrénées	213		
Le Midi	377		
La Corse	67		
La Guadeloupe	67		
Tahiti et la Polynésie française	35		
À Tahiti	263		
Le monde francophone			
La France métropolitaine et la France d'outre-mer	27		
La France d'outre-mer		100	
Le français au Canada	15		
Tahiti et la Polynésie française	35		
À Tahiti	263		
La Suisse	43		
La Corse	248		
Un peu d'histoire franco-américaine		108	
Le créole		100	
Paris			
Les musées	67		
Roissy: un aéroport moderne	122		
Le Paris traditionnel	129		
Le nouveau Paris	135		
La concierge	292		
La vie en ville	316		
Versailles	316		

Topic	Note culturelle	Section Magazine	Variétés
Aspects de la vie			
La voiture			
Le permis de conduire	67		
La voiture familiale	89		
Les Français et la voiture	355		
Les voitures françaises	349		
Les routes françaises	172		
Le test du bon conducteur			405
L'école			
La rentrée	3		
Le logement des étudiants	301		
Victor Schoelcher	27		
La cuisine			
Les Français et le vin	309		
Nourriture et langage			321
Au restaurant			323
Le téléphone	67		
Le mariage			
Les fiançailles et le mariage	153		
Le mariage — cérémonie civile et religieuse	161		
Le repas de noces	179		
Les noms			
Victor Schoelcher	27		
Le nom des rues en France	219		
Les animaux			
L'art des insultes	207		
Les bêtes ne sont pas si bêtes!			146
Les fêtes			
La fête foraine	235		
Le calendrier des fêtes dans le monde français		98	
La Saint-Vidian		192	

Topic	Note culturelle	Section Magazine	Variétés
Loisirs, passe-temps et vacances			
Les Français et la lecture	225		
Les jeunes Français et la musique	327		
Le camping en France	377		
Vive les vacances!	241		
Vacances à l'étranger	255		
Les grandes vacances	383		
Le sport			
Un sport dans le vent		101	
Le Tour de France		188	
La vie en campagne			
La fête foraine	235		
Le marché	75		
La nature			
La campagne française	388		
Les forêts en France	395		
Les jeunes			
Le courrier du cœur			148
Une surprise-partie	57		
Le permis de conduire	67		
Les jeunes Français et l'Amérique	141		
Comment écrire à un ami français			149
Les rendez-vous	201		
Les Français et la lecture	225		
Les jeunes Français et la musique	327		
Le service militaire	401		
Valeurs, attitudes et coutumes			
Les jeunes Français et l'Amérique	141		
Le courrier du cœur			148
Les Français et le vin	309		
La politesse française			147
L'exactitude	167		
L'autorité paternelle	333		

Topic	Note culturelle	Section Magazine	Variétés
La langue			
L'Alliance Française	286		
Dictionnaire illustré des bruits français			51
Quand vous ne comprenez pas. . .			52
Les bêtes ne sont pas si bêtes!			146
Petite histoire de la langue française		196	
L'art des insultes	207		
Comment s'exprimer			229
Nourriture et langage			321
Anatomie et langage		194	
La France et l'Amérique			
Un peu d'histoire franco-américaine		108	
Villes americaines, noms français	114		
Les jeunes Français et l'Amérique	141		
Les connaissez-vous?		280	
Personnes célèbres			
Un champion de la liberté: Toussaint Louverture		104	
Qui est-ce?		270	
Les frères Lumière		273	
D'autres inventions et découvertes françaises		273	
Ils volent!		274	
Rencontre (imaginaire) avec un explorateur (véritable)		276	
Victoire sur l'Annapurna		279	
Les connaissez-vous?		280	
Quelques peintres impressionnistes		368	
Jeanne d'Arc à Chinon		373	
Qu'est-ce qu'ils ont dit?		372	

Topic	Note culturelle	Section Magazine	Variétés
Événements historiques			
La malédiction caraïbe		102	
Les Acadiens: du Canada à la Louisiane		106	
Un champion de la liberté: Toussaint Louverture		104	
Un peu d'histoire franco-américaine		108	
Un peu d'histoire: l'Islam et l'Europe		193	
Les grands moments de l'histoire de France		370	
La littérature, la musique et les beaux-arts			
L'accent grave			52
Évangéline		107	
L'étrange histoire du diamant bleu			230
Un nouvel art est né!		272	
L'addition			322
L'incroyable histoire de l'or noir			406
Masques africaines		362	
Petite histoire de la chanson française		364	
Édith Piaf		365	
Les secrets de la Joconde		367	
La révolution impressionniste		368	
Quelques peintres impressionnistes		368	

FRENCH FOR MASTERY

Second Edition

MASTERY

Tous ensemble

Jean-Paul Valette
Rebecca M. Valette

D.C. HEATH AND COMPANY
Lexington, Massachusetts Toronto

CONSULTANTS
Gladys Bright, Arlington Heights H.S., Fort Worth, Texas
Charlotte Casgrain, Greenwich H.S., Greenwich, Connecticut
Natalie Goldschmidt, South Eugene H. S., Eugene, Oregon
Patricia McCann, Lincoln-Sudbury Regional H.S., Sudbury, Massachusetts
Patricia Wolfe, East H.S., Akron, Ohio

ACKNOWLEDGMENTS
In preparation for this revision a survey was taken of teachers using the first edition
of FRENCH FOR MASTERY. The many responses were very encouraging in their
positive evaluation of the program and very helpful in that they provided a direction
for the planning of the second edition. The authors would like to thank those who
participated.

The authors would also like to thank the following teachers for their special
assistance in the project: Madeleine Campbell, Jane Carlin, Anne Craven,
Robert Long, Michèle Respaut, Lillian Scherban, and Maria Valis.

PROJECT EDITORS   DESIGN   D. C. HEATH CONSULTANTS
Roger Coulombe   Josephine McGrath   Victoria Devlin
Valentia Dermer   *Book design*   Teresa Carrera-Hanley
Anita Raducanu   Ann Rahimi-Assa
Lawrence Lipson   *Art coordination*
                      Mel Dietmeier
                        Illustrations
                      George Ulrich
                        Maps

International Standard Book Number: 0-669-02385-X 0-669-02387-6

Library of Congress Catalog Card Number: 80-82107

Bonjour, la France!

ANGLETERRE

La Manche

BELGIQUE

ALLEMAGNE

LUXEMBOURG

Lille

Seine

PARIS

Brest

Nancy

Strasbourg

Colmar

Nantes

Tours

Loire

Dijon

FRANCE

SUISSE

ALPES

Océan Atlantique

Vichy

Clermont-Ferrand

Lyon

Annecy

Aix-les-Bains

Rhône

Grenoble

ITALIE

Bordeaux

Valence

Garonne

Monaco

Aix-en-Provence

Nice

Toulouse

Marseille

Cannes

PYRÉNÉES

Toulon

Mer Méditerranée

ESPAGNE

CORSE

iii

Bonjour, le monde français!

Europe
1. (la) France
2. Monaco
3. (la) Belgique
4. (la) Suisse
5. (le) Luxembourg

Amérique du Nord
6. (le) Canada:
   (le) Québec
7. (les) États-Unis:
   (la) Louisiane
   (la) Nouvelle-Angleterre
8. Saint-Pierre-et-Miquelon

Amérique Centrale,
Amérique du Sud
9. (la) Guadeloupe
10. (la) Martinique
11. Haïti
12. (la) Guyane Française

Asie et Océanie
13. (le) Cambodge
14. (le) Laos
15. (le) Viêt-nam
16. (la) Nouvelle-Calédonie
17. (la) Polynésie Française:
    Tahiti

Afrique
18. (l')Algérie
19. (le) Bénin
20. (le) Burundi
21. (le) Cameroun
22. (la) Côte-d'Ivoire
23. (le) Gabon
24. (la) Guinée
25. (la) Haute-Volta
26. Madagascar
27. (le) Mali
28. (le) Maroc
29. (la) Mauritanie
30. (le) Niger
31. (la) République Centrafricaine
32. (la) République Populaire du
    Congo
33. (la) République Rwandaise
34. (la) Réunion
35. (le) Sénégal
36. (le) Tchad
37. (le) Togo
38. (la) Tunisie
39. (le) Zaïre

ASIE

Océan Pacifique

AUSTRALIE

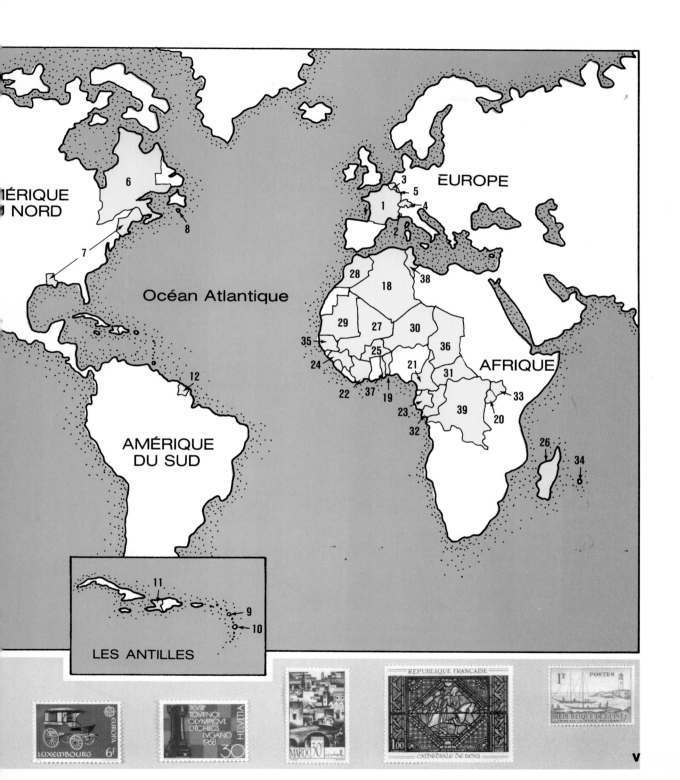

AMÉRIQUE
DU NORD

EUROPE

3
5
1
4
2

28
18
38

29
27
30

35
25
36

24
21

22 37 19
31
33

23
39
20

32

26

34

Océan Atlantique

AMÉRIQUE
DU SUD

AFRIQUE

12

6

8

7

11

9

10

LES ANTILLES

Contents

This unit and the next two (Unité 1 and Unité 2) are optional to the extent that they review the basic material presented in FRENCH FOR MASTERY, *Salut, les amis!* This review follows the general sequence in which grammar and vocabulary were introduced in Level 1.

Level 2	Review of Level 1
Reprise	Unités 1–4
Unité 1	Unités 5–6
Unité 2	Unités 7–8

This systematic organization has been developed in response to two important problems facing Level 2 teachers:

1. Articulation Between Levels 1 and 2
   In case the students have not finished Level 1, you may select the last structures taught in Level 1 as the starting point for teaching "new" material in Level 2. For instance, if your students have learned the **passé composé** with **avoir** but not with **être** (Level 1, Lesson 6.5), you may start the teaching of new material with Lesson 1.5 in Level 2.

2. Scope of Review
   The scope of the review depends on how much Level 1 material the students learned and how well they learned it. Accordingly, you may choose among the following options for any given lesson:

Light Review	Medium Review	Heavy Review
• Reading of the *Presentation text* and the **Notes culturelles** • **Conversation** • Reading the vocabulary and grammar as a homework assignment	• Reading of the *Presentation text* and the **Notes culturelles** • **Conversation** • Reading the vocabulary and grammar as a homework assignment and selected **Activités** in class	• Reading of the *Presentation text* and the **Notes culturelles** • **Conversation** • Review of the vocabulary and grammar in class and most of the **Activités** in class

Note: The pages on which a review structure was introduced in Level 1 are indicated in the overprint. You may wish to refer to *Salut, les amis!* for supplementary explanations and exercises.

OBJECTIVES
This unit reviews the material presented in Prélude, Unités 1, 2, 3, and parts of Unité 4 of Level 1.

Language
  verbs
  • the present tense of regular verbs in **-er, ir,** and **-re**
  • **être, avoir, aller,** and the construction **aller +** infinitive
  • negative and interrogative constructions
  the noun group
  • nouns and adjectives
  • definite and indefinite articles
  • possessive, demonstrative, and interrogative adjectives
  pronouns
  • subject and stress

Vocabulary
  • verbs in **-er, -ir,** and **-re**
  • people, animals, and objects
  • countries and nationality
  • adjectives of description
  • the family
  • names of places

REPRISE
Cinq portraits

	1	**Éric**
	2	**Nadine**
	3	**Philippe**
	4	**Vatea**
	5	**Marie-France**

OPPOSITE: Place Fürstemberg, Paris

1

STRUCTURES REVIEWED
• the present tense of **-er** verbs: affirmative and negative forms
• the infinitive construction
• questions
• the imperative

REPRISE
Leçon 1 Éric

This lesson is OPTIONAL.

 Bonjour!

Je m'appelle Éric Simonet.

J'habite à Avignon, une ville du *sud* de la France.   *south*

Généralement, je suis *de bonne humeur*,   *in a good mood*

   mais aujourd'hui je suis *un peu triste*.   *a little sad*

Pourquoi? Parce que les vacances sont *finies*.   *finished, over*

Demain nous rentrons en classe.   *Tomorrow*

D'accord, j'aime étudier, mais j'aime aussi aller à la plage

   et jouer au tennis.

Je ne suis pas un grand champion, mais je joue assez bien!

Et vous, est-ce que vous aimez jouer au tennis?

Est-ce que vous jouez bien?

Où habite Éric? Est-ce qu'il est généralement de bonne humeur? Pourquoi est-ce qu'il est triste aujourd'hui? Quand est-ce qu'il rentre en classe? Qu'est-ce qu'il aime faire? Comment est-ce qu'il joue au tennis?

NOTES CULTURELLES

1. **Avignon**   Avignon est une ville° de 100.000 (cent mille) habitants° située° dans le sud° de la France. Avec ses églises,° ses musées, ses remparts, son vieux pont° et son célèbre° palais des Papes,° Avignon est une ville très pittoresque. C'est aussi une ville très active. Le grand événement° de l'année° est le célèbre festival d'été.° Le Festival d'Avignon dure° quatre semaines. Des milliers° de jeunes viennent assister° ou participer aux° représentations° théâtrales, aux concerts de musique classique, aux récitals de musique folklorique, aux présentations de films,° aux expositions° de peinture,° de sculpture et de céramique.

2. **La rentrée**   La rentrée est le moment de l'année où les élèves rentrent° en classe. En général, la date de la rentrée est le 15 septembre.

ville *city* **habitants** *inhabitants* **située** *located* **sud** *south*
églises *churches* **pont** *bridge* **célèbre** *famous* **palais**
des Papes *papal palace* **événement** *event* **année** *year*
été *summer* **dure** *lasts* **Des milliers** *Thousands* **assister**
to attend **participer aux** *to participate in* **représentations**
performances **films** *movies* **expositions** *exhibitions*
peinture *painting* **rentrent** *return*

Où est situé Avignon? Quels monuments est-ce qu'il y a à Avignon? Quel est le grand événement de l'année? Quelles activités artistiques et culturelles est-ce qu'il y a à ce moment-là?   Quelle est la date de la rentrée?

You may want to mention that Avignon is known as the **Cité des Papes** (''City of the Popes''). In the fourteenth century, seven popes, all French, lived in Avignon.

Leçon un   **3**

The **Conversation** sections include samples of the grammar reviewed in the lesson. You may, therefore, modify the scope of the review according to how well the students perform the conversations.

Parlons de vous

Comment est-ce que vous vous appelez? *(What's your name?)*
Où est-ce que vous habitez?

Parlons de vos activités

En semaine . . .
Est-ce que vous parlez français en classe? à la maison?
Est-ce que vos parents parlent français? Est-ce qu'ils parlent une autre *(another)* langue? (espagnol? italien? russe? portugais? japonais?)
Est-ce que vous déjeunez à la cafétéria de l'école? À quelle heure est-ce que vous déjeunez?
À quelle heure est-ce que vous dînez?

Telling time is reviewed on pp. 13 and 25.

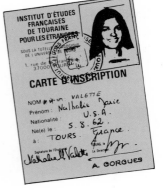

Vocabulaire spécialisé   **Quelques activités** *(Some activities)*

* **En semaine** *(During the week)*

déjeuner	*to have (eat) lunch*
dîner	*to have (eat) dinner*
écouter (la radio)	*to listen to (the radio)*
étudier (le français)	*to study (French)*
habiter (à Avignon)	*to live (in Avignon)*
parler (anglais, espagnol)	*to speak (English, Spanish)*
regarder (un magazine, la télé)	*to look at (a magazine), watch (TV)*
téléphoner (à un ami, à une amie)	*to call, phone (a friend)*
travailler	*to work*

Note: An asterisk signals new vocabulary.

Le week-end . . .

Est-ce que vous étudiez beaucoup?

Est-ce que vous travaillez? Où?

Est-ce que vous regardez la télévision? Quels programmes est-ce que vous
regardez?

Est-ce que vous téléphonez souvent? À qui est-ce que vous téléphonez?

Est-ce que vous jouez au tennis? Est-ce que vous jouez bien ou mal?

Est-ce que vous aimez nager? Est-ce que vous nagez bien?

Est-ce que vous aimez chanter? Est-ce que vous chantez bien? Est-ce que
vous chantez dans une chorale (choir)?

Est-ce que vous organisez des surprises-parties? Qui est-ce que vous
invitez?

je skie en france.. et vous?

---

*Le week-end et pendant les vacances (*On weekends and during vacation*)

chanter	*to sing*
danser	*to dance*
inviter (un ami, une amie)	*to invite (a friend)*
jouer (au football, au tennis)	*to play (soccer, tennis)*
nager	*to swim*
organiser (une surprise-partie)	*to organize (a party)*
skier	*to ski*
visiter (Paris)	*to visit (Paris)*
voyager	*to travel*

Verbs in **-ger** end in **-geons** in the **nous** form: **nous nageons.** Verbs of this type are presented on p. 203.

Note: Compare the following French and English constructions.

Henri **écoute**	. . .	un disque.
Henri listens	*to*	*a record.*

Sophie **regarde**	. . .	Paul.
Sophie looks	*at*	*Paul.*

Alain **téléphone**	**à**	Claire.
Alain phones	. . .	*Claire.*

Éric **joue**	**au**	tennis.
Eric plays	. . .	*tennis.*

You may stress these constructions by using personalized examples: **Paul écoute Robert. Jacqueline regarde Thomas. Albert téléphone à Philippe.**

Structure

REVIEW: -er verbs—Level 1, p. 67; negation—Level 1, p. 48

A. Les verbes en -er: formes affirmatives et négatives

In French the present tense is a simple tense. It consists of one word, which is formed as follows:

$$\text{stem} \quad + \quad \text{ending}$$

Review the present tense of **parler** *(to speak)* in the affirmative and negative sentences below. The stem for each form is **parl-** (the infinitive minus **-er**). Pay attention to the endings which correspond to each subject pronoun.

Infinitive	**parler**	
Present	Je parle anglais.	Je ne parle pas français.
	Tu parles français.	Tu ne parles pas anglais.
	Il/Elle parle russe.	Il/Elle ne parle pas chinois.
	Nous parlons italien.	Nous ne parlons pas espagnol.
	Vous parlez chinois.	Vous ne parlez pas russe.
	Ils/Elles parlent espagnol.	Ils/Elles ne parlent pas italien.

Most verbs ending in **-er** follow the above pattern: they are called *regular* **-er** verbs.

The French present tense has several English equivalents:

Nous **parlons** français.
$\begin{cases} \textit{We \textbf{speak} French.} \\ \textit{We \textbf{are speaking} French.} \\ \textit{We \textbf{do speak} French.} \end{cases}$

⇨ To make a sentence negative, French speakers use the following construction:

$$\textbf{ne} \quad + \quad \text{verb} \quad + \quad \textbf{pas}$$

Nous **ne** regardons **pas** la télé.
$\begin{cases} \textit{We \textbf{do not} watch TV.} \\ \textit{We \textbf{are not} watching TV.} \end{cases}$

⇨ **Je** and **ne** become **j'** and **n'** before a vowel sound. This is called *elision*.
J'habite à Paris.   Je **n'**étudie pas l'espagnol.

⇨ The final **s** of **nous, vous, ils,** and **elles** is pronounced before a vowel sound. This is called *liaison*.
Nous /z/ étudions.   Vous /z/ écoutez la radio.

REVIEW: elision—Level 1, p. 46; liaison—Level 1, p. 24

20.30
Le Nouveau Vendredi
UNE ÉMISSION D'ANDRÉ SABAS
JE NE JOUE PAS, JE TRAVAILLE

Remind the students of the difference between the informal **tu** and the formal **vous**. In the exercises of this book, students are addressed as **vous**. You may prefer addressing your students as **tu**; however, you should insist that they address you as **vous**.

ACTIVITÉ 1   On ne peut pas tout faire. *(You can't do everything.)*

Dites que les personnes suivantes font la première chose entre parenthèses, mais pas la seconde. Utilisez le même *(same)* verbe dans les deux phrases, d'après *(according to)* le modèle.

⇨ Éric (jouer au tennis / au football)   **Éric joue au tennis. Il ne joue pas au football.**

1. Paul (écouter un disque / la radio)
2. nous (étudier le français / l'espagnol)
3. Suzanne (téléphoner à Philippe / à Jacques)
4. vous (déjeuner à la cafétéria / au restaurant)
5. tu (travailler dans un restaurant / dans un café)
6. je (habiter à Louisville / à New York)
7. Jean-Claude (inviter Annie / Sylvie)
8. les touristes (visiter Paris / Avignon)
9. Claire et Marc (voyager en train / en bus)
10. Christine et Hélène (parler français / espagnol)

ACTIVITÉ 2   Oui ou non?

Dites si *(if)* les personnes suivantes font les choses indiquées entre parenthèses.

⇨ Mon meilleur ami (jouer au football? étudier beaucoup?)

Mon meilleur ami joue au football. (Mon meilleur ami ne joue pas au football.)
Il étudie beaucoup. (Il n'étudie pas beaucoup.)

1. Ma meilleure amie   (jouer au tennis? étudier le français? danser bien?)
2. Mes parents   (travailler beaucoup? voyager souvent? parler espagnol?)
3. En classe, nous   (parler français? chanter? écouter des disques français?)
4. À la maison, je   (regarder souvent la télé? étudier toujours? téléphoner souvent?)
5. En vacances, je   (nager souvent? voyager beaucoup? inviter mes amis?)
6. Le week-end, nous   (déjeuner à la maison? dîner au restaurant? travailler?)

Vocabulaire spécialisé   Quelques expressions

à	*at*	Nous déjeunons **à** une heure.
	to	Éric parle **à** Jacqueline.
	in	Vous habitez **à** Paris.
de	*of*	Albert parle **de** Jeanne.
	from	Nathalie arrive **de** Tours.
avec	*with*	Qui joue au tennis **avec** Robert?
pour	*for*	Monsieur Simon travaille **pour** Air France.
aussi	*also, too*	Ma mère parle français. Elle parle italien **aussi**.
mais	*but*	Je parle anglais, **mais** je ne parle pas espagnol.
beaucoup	*(very) much, a lot*	Nous étudions **beaucoup**!
assez	*rather*	Catherine danse **assez** bien.
	enough	Pierre ne travaille pas **assez**.
souvent	*often*	Je ne voyage pas **souvent**.
toujours	*always*	Le week-end, nous dînons **toujours** au restaurant.
maintenant	*now*	**Maintenant**, tu habites à Paris.
bien ≠ mal	*well ≠ badly, poorly*	Je chante **bien**, mais je danse **mal**.

B. La construction infinitive   REVIEW: verb + infinitive—Level 1, p. 69

Note the use of the infinitive in the following sentences:

Jacques aime **voyager**.   *Jacques likes to travel. (Jacques likes traveling.)*
Vous n'aimez pas **danser**.   *You do not like to dance. (You don't like dancing.)*

In French the infinitive consists of *one* word: **voyager, danser.** It is often
used after the following verbs and expressions:

adorer	*to love*	J'**adore** voyager en avion!
aimer	*to like*	Marc n'**aime** pas étudier le week-end.
*****aimer mieux**	*to prefer*	J'**aime** étudier mais j'**aime mieux** regarder la télé.
désirer	*to wish, desire*	Paul **désire** dîner avec nous.
détester	*to hate, dislike*	Pierre est timide. Il **déteste** parler en public!
je veux	*I want*	Je ne **veux** pas inviter Michel.
je voudrais	*I would like*	Je **voudrais** organiser une surprise-partie.

The infinitive construction is used after **vouloir, pouvoir,** and **devoir.** These verbs are reviewed on p. 70.

ACTIVITÉ 3   Préférences personnelles

Lisez les descriptions suivantes. Dites que ces personnes aiment—ou
n'aiment pas—faire ces choses.

⇨ Hélène danse.   **Elle aime danser.**
    Philippe n'étudie pas.   **Il n'aime pas étudier.**

1. Thomas chante.
2. Anne ne téléphone pas à Jacques.
3. Nous dînons au restaurant.
4. Vous n'écoutez pas la radio.
5. Paul et Denise jouent au tennis.
6. Madame Moreau ne voyage pas
   en bus.
7. Henri nage.
8. Tu ne regardes pas la télé.

AVIGNON 81

juillet au 2 août
gnements location : bureau du festival 84000 tel 90 86 24 43

ACTIVITÉ 4 Et vous?

Complétez les phrases suivantes. Dites ce que vous aimez faire et ce que vous n'aimez pas faire.

⇨ À la maison . . . **j'aime téléphoner (regarder la télé, etc.)**
je n'aime pas étudier (travailler, etc.)

1. Avec mes amis . . .
2. Avec ma famille . . .
3. Quand je suis à une surprise-partie . . .
4. Pendant les vacances . . .
5. En hiver *(winter)* . . .
6. Quand je suis seul(e) *(by myself)* . . .
7. Quand je suis de bonne humeur *(in a good mood)* . . .
8. Quand je suis de mauvaise humeur . . .

EXTRA CUES: **En été . . .**
En classe . . .
Le matin . . .
Le soir . . .

C. Les questions

REVIEW: yes/no questions—Level 1, p. 55; information questions—Level 1, pp. 62, 75–76

Sometimes when you ask a question, you are looking for a yes or no answer. At other times you are looking for specific information. Note how these questions are formed in French.

YES/NO QUESTIONS

Est-ce qu'Éric habite à Paris?   *Does Eric live in Paris? (Is Eric living in Paris?)*
Est-ce que tu travailles?   *Do you work? (Are you working?)*

INFORMATION QUESTIONS

Où est-ce que Paul habite?   *Where does Paul live?*
Quand est-ce que vous travaillez?   *When do you work?*

Short questions may be formed by inverting the subject and the verb: **Où habite Paul?** Inversion with subject pronouns is presented on p. 49.

In French, questions may be formed as follows:

yes/no questions

est-ce que   +   rest of sentence **?**

Point out the elision: **est-ce que → est-ce qu'** before a vowel sound.

information questions

question word(s)   +   **est-ce que**   +   rest of sentence **?**

⇨ Yes/no questions may also be formed—

by letting your voice rise at the end of the sentence:

    Éric habite à Avignon?

by adding **n'est-ce pas**:

    Éric habite à Avignon, **n'est-ce pas?**

Vocabulaire spécialisé   Quelques expressions interrogatives

où?	*where?*	**Où** est-ce que tu déjeunes? À la cafétéria ou au restaurant?
comment?	*how?*	**Comment** est-ce que tu joues au tennis? Bien ou mal?
pourquoi?	*why?*	**Pourquoi** est-ce que Paul voyage?
quand?	*when?*	**Quand** est-ce que vous regardez la télé?
à quelle heure?	*at what time?*	**A quelle heure** est-ce que vous dînez?
qui?	*who(m)?*	**Qui** est-ce que tu invites à la surprise-partie?
à qui	*to whom?*	**À qui** est-ce que Jacques parle?
avec qui?	*with whom?*	**Avec qui** est-ce que vous jouez au tennis?
qu'est-ce que?	*what?*	**Qu'est-ce que** tu écoutes?

Point out that the expression **qu'est-ce que** already contains the phrase **est-ce que**. In inverted questions, **que** alone is used: **Que dites-vous?**

Note: **Est-ce que** is not used when **qui** is the subject of the sentence.
     Qui organise la surprise-partie? **Qui** aime danser?

ACTIVITÉ 5   Petite conversation

Posez des questions à vos camarades en utilisant les verbes suivants et les expressions entre parenthèses. Vos camarades vont vous répondre.

⇨ jouer au tennis (comment?)   —**Comment est-ce que tu joues au tennis?**
                                 —**Je joue bien. (Je joue mal.)**

1. habiter (où?)   You may help the students answer the **où** questions.
2. parler français (comment? où? avec qui?)
3. déjeuner (où? à quelle heure? avec qui?)
4. jouer au football (où? avec qui?)
5. voyager (quand? avec qui?)
6. aimer danser (où? avec qui?)

ACTIVITÉ 6   Conversation dans le train

Vous voyagez en train avec une jeune Française. La jeune Française parle d'elle-même *(about herself)*. Vous n'entendez *(hear)* pas très bien. Demandez à la jeune Française de répéter, d'après le modèle. Note: **pardon** = *excuse me*.

⇨ J'habite à Tours.   **Pardon, où est-ce que tu habites?**

1. J'étudie à Paris.   Où?
2. Je voyage avec ma famille.   Avec qui?
3. J'étudie l'anglais.   Qu'est-ce que?
4. Je déjeune au restaurant.   Où?
5. Je dîne à six heures.   À quelle heure?
6. Je joue bien au tennis.   Comment?

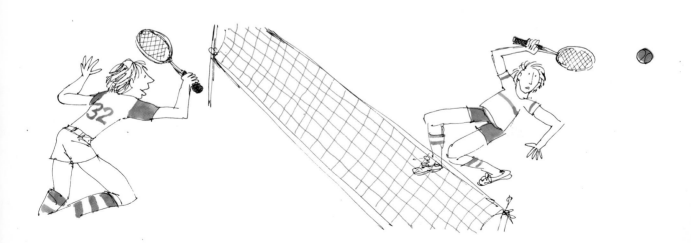

D. L'impératif   REVIEW: imperative—Level 1, pp. 238, 254

The imperative form of the verb is used to give orders and make suggestions. Review the forms of the imperative.

AFFIRMATIVE		NEGATIVE	
(tu)	**Parle!** *Speak!*	**Ne parle pas!**	*Don't speak!*
(vous)	**Parlez!** *Speak!*	**Ne parlez pas!**	*Don't speak!*
(nous)	**Parlons!** *Let's speak!*	**Ne parlons pas!**	*Let's not speak!*

Note that the forms of the imperative are the same as the present tense.
Exception: the **tu**-form of the imperative of -**er** verbs does not have an -**s**.

⇨ In French, as in English, subject pronouns are not used in the imperative.

VISITEZ le CHATEAU
de MONTREUIL-BELLAY

ACTIVITÉ 7   Le contraire *(The opposite)*

Dites aux personnes suivantes de faire le contraire
de ce qu'elles font maintenant.

⇨ Anne et Paul ne nagent pas.   **Nagez!**
  Marie travaille.   **Ne travaille pas!**

1. Stéphanie et Pierre ne dansent pas.
2. Marie ne téléphone pas à Georges.
3. Richard n'invite pas Suzanne.

4. Michèle écoute la radio.
5. Robert et Julien regardent la télé.
6. Jean-Michel parle anglais.

ACTIVITÉ 8   Suggestions

Imaginez que vous êtes avec vos camarades. Suggérez *(Suggest)* des
activités pour les situations suivantes. Utilisez la forme **nous** de
l'impératif . . . et votre imagination!

⇨ Il est midi.   **Déjeunons!**

1. Il est six heures.
2. Il est neuf heures.
3. Il fait beau aujourd'hui.

4. Vous êtes à une surprise-partie.
5. Vous êtes en classe de français.
6. C'est le week-end.

À votre tour   Correspondance

You may refer to **Expressions
pour la correspondance,** Level 1,
p. 307.

1. Imagine you are writing to Éric Simonet. Introduce yourself: give your
   name, say where you live, what you are doing now, what you do on
   weekends, what you like to do, and what you dislike doing. Begin your
   letter with "**Cher Éric . . .**" and close with "**Amicalement.**"

2. Imagine that you will be spending next term in a French boarding
   school. Write a letter describing which activities you like and which you
   dislike, so that the director of admissions can match you up with the
   right roommate. Begin your letter with "**Monsieur . . .**"

The purpose of this activity is to practice the formation and use of the present tense of -**er** verbs.

La vie de tous les jours (Daily life)

1. Les nombres de 0 à 12

0	zéro	1	un	2	deux	3	trois	4	quatre	5	cinq	6 six
		7	sept	8	huit	9	neuf	10	dix	11	onze	12 douze

proverbe:

> *Jamais deux sans trois !*

"When it rains it pours."
(literally: *Never two without three.*)

2. L'heure: les divisions de l'heure   REVIEW: telling time—Level 1, pp. 24–26

Quelle heure est-il?

Il est **une heure.**

Il est **dix heures.**

Il est **midi.**

Il est **minuit.**

Have the students note the forms **midi et demi** and **minuit et demi.**

Il est **une heure et quart.**

Il est **dix heures et demie.**

Il est **midi moins le quart.**

—**À quelle heure** est le concert?
—Le concert est **à huit heures et demie.**

Lundi	18 septembre
8h.30	classe d'anglais
9h.30	classe de maths
10h.30	classe d'histoire
12h.00	déjeuner
3h.15	match de foot
4h.15	rendez-vous avec Jacqueline
7h.15	dîner
9h.00	film

Ask questions about the calendar: **À quelle heure est la classe d'anglais?**

Leçon un   **13**

STRUCTURES REVIEWED
- **être** and **avoir**
- nouns; definite and indefinite articles
- forms and position of adjectives
- **c'est** vs. **il est**

REPRISE
Leçon 2

Nadine

This lesson is OPTIONAL.

Salut!

Je m'appelle Nadine Dumais.

J'ai un *nom* français, mais je ne suis pas française.　　　　*name*

Je suis canadienne.

J'habite à Montréal avec ma famille.

J'ai des parents *formidables* et des amis sympathiques.　　　*terrific*

J'ai deux frères, mais je n'ai pas de sœur.

J'ai aussi un chien, un chat, un canari, un *poisson rouge* . . .　　*goldfish*
　　et un tigre *en peluche*.　　　　　　　　　　　　　　　　　*stuffed*

J'adore les animaux.

Je voudrais être vétérinaire.

Et vous, est-ce que vous avez des *projets* professionnels?　　　*plans*

Quelle est la nationalité de Nadine? Où est-ce qu'elle habite? Combien de frères est-ce qu'elle a? Combien de sœurs? Quels animaux est-ce qu'elle a? Quels sont ses projets professionnels?

Combien d'habitants a Montréal? Quelle langue est-ce que les habitants de Montréal parlent? Dans quelles provinces habitent les Canadiens français? Est-ce que les Canadiens français parlent français exactement comme les Français? Expliquez les différences.

NOTE CULTURELLE

Le français au Canada Avec trois millions d'habitants,° Montréal est la plus grande ville du Canada. Après Paris, c'est aussi la deuxième ville d'expression française° du monde.° Aujourd'hui, les Canadiens français représentent 30% (trente pour cent) de la population canadienne. Ils habitent principalement dans la province de Québec, mais aussi dans l'Ontario, le Nouveau-Brunswick et la Nouvelle-Écosse.°

Les Canadiens français ont gardé° leurs traditions, leur culture . . . et leur langue.° Bien sûr, ils parlent français avec un accent canadien et ils emploient° certains mots° d'origine anglaise ou des vieux mots français qu'on n'emploie plus en France. Mais dans l'ensemble,° le français qu'on parle à Montréal n'est pas tellement° différent du français qu'on parle à Paris.

habitants *inhabitants* **d'expression française** *French-speaking*
monde *world* **Nouvelle-Écosse** *Nova Scotia* **ont gardé** *kept* **langue** *language* **emploient** *use* **mots** *words* **dans l'ensemble** *on the whole* **tellement** *that*

Montréal

CONVERSATION

Parlons de vous

Êtes-vous un garçon ou une fille?
Êtes-vous blond(e) ou brun(e)? grand(e) ou petit(e)?
Êtes-vous idéaliste? Êtes-vous optimiste ou pessimiste?
Êtes-vous calme? Êtes-vous indépendant(e)?
Êtes-vous patient(e) ou impatient(e)?
Êtes-vous discipliné(e) ou indiscipliné(e)?
En général, êtes-vous une personne tolérante ou intolérante?
En classe, est-ce que vous êtes un(e) bon(ne) élève?

Parlons des gens que vous connaissez *(people that you know)*

Est-ce que vos professeurs sont intéressants? amusants? justes *(fair)*?
Avez-vous des amis sympathiques?
Comment est votre meilleur ami? Est-ce qu'il est blond? beau? amusant? intelligent?
Comment est votre meilleure amie? Est-ce qu'elle est brune? jolie? drôle *(funny)*?
   intelligente?

_Vocabulaire spécialisé   Les gens

Quelques personnes

un ami	*friend* (male)
le meilleur ami	*best friend*
un petit ami	*boyfriend*
un camarade	*classmate*
un élève	*student*
un garçon	*boy*
un homme	*man*
un professeur	*teacher, professor*
* **un voisin**	*neighbor*
les gens	*people*
les jeunes	*young people*

une amie	*friend* (female)
la meilleure amie	*best friend*
une petite amie	*girlfriend*
une camarade	*classmate*
une élève	*student*
une fille	*girl*
une femme	*woman*
une personne	*person*
* **une voisine**	*neighbor*

VOCABULARY EXPANSION: **un jeune homme**
boy (age 15–20), **une jeune fille** *girl* (age 15–20);
un lycéen, une lycéenne *high school student;* **un
étudiant, une étudiante** *student* (usually attending
a university)

Note: The words **professeur** and **personne** may refer to men or women. **Professeur** is always *masculine.* **Personne** is always *feminine.*

   Madame Brun est **un bon professeur.** Monsieur Durand est **une personne amusante.**

Comment sont vos voisins (*neighbors*)? Sont-ils sympathiques ou pénibles (*boring*)? drôles ou embêtants (*annoying*)?

Parlons de vos possessions et de vos loisirs (*leisure-time activities*)

Est-ce que vous regardez souvent la télé? Est-ce que vous regardez les sports? les comédies? les films? les variétés (*variety shows*)?

Aimez-vous la musique? Aimez-vous le jazz? Est-ce que vous aimez mieux la musique classique ou la musique disco?

Avez-vous une guitare? une chaîne-stéréo? des disques? Avez-vous un transistor? Est-ce que c'est un transistor japonais?   Je n'ai pas de . . .

Avez-vous une raquette de tennis? une moto? un vélo? Est-ce que c'est un vélo français?

Est-ce que vos parents ont une voiture? Est-ce que c'est une voiture américaine? française? japonaise? allemande?

Aimez-vous les animaux? Avez-vous des animaux chez vous? Avez-vous un chien? un chat? un poisson rouge? une souris blanche (*white mouse*)?

Quelques adjectifs de personnalité et leurs contraires
(Some adjectives of personality and their opposites)

l'aspect physique

petit	*short; small*	≠ **grand**	*tall; big*
brun	*dark-haired*	≠ **blond**	*blond*
beau (belle)	*good-looking, beautiful*		
joli	*pretty*	≠***moche**	*plain, unattractive*
jeune	*young*	≠ **âgé**	*old*

The forms of **beau**, and the forms of **vieux** and **nouveau**, are reviewed in Lesson 2.4. Adjectives in **-eux** (**heureux, sérieux**, etc.) are reviewed in Lesson 2.5.

la personnalité

bon (bonne)	*good*	≠ **mauvais**	*bad*
intelligent	*smart, intelligent*	≠ **bête**	*stupid, dumb; silly*
amusant	*amusing*		
drôle	*funny*	≠***embêtant**	*annoying*
sympathique	*nice*	≠***désagréable**	*unpleasant*
formidable	*terrific, super*	≠ **pénible**	*boring, "a pain"*
content	*happy*	≠ **triste**	*sad*

EXPRESSIONS: **très** *very*   Guillaume est **très** intelligent . . .
  un peu *a little*   mais il est souvent **un peu** pénible.

You may want to contrast **bon/bien** and **mauvais/mal**:
Pierre est un **bon** chanteur. Il chante **bien**.
Marc est un **mauvais** danseur. Il danse **mal**.

Structure

REVIEW: être—Level 1, p. 78; avoir—Level 1, p. 105

A. Les verbes *être* et *avoir*

The verbs **être** *(to be)* and **avoir** *(to have)* are irregular. Review their
present tense forms.

Idiomatic expressions with **avoir** are reviewed on pp. 76-77.

Infinitive	être		avoir	
Present	Je **suis**	content.	J' **ai**	des amis formidables.
	Tu **es**	intelligent.	Tu **as**	des idées intéressantes.
	Paul **est**	amusant.	Il **a**	des camarades amusants.
	Nous **sommes**	en France.	Nous **avons**	des amis à Paris.
	Vous **êtes**	tristes.	Vous **avez**	un examen demain.
	Les élèves **sont**	en classe.	Ils **ont**	une classe.

⇨ The imperative forms of **être** are irregular:

This is a new structure.

Sois intelligent!	*Be smart!*	**Ne sois pas** bête!	*Don't be stupid!*
Soyez contents!	*Be happy!*	**Ne soyez pas** tristes!	*Don't be sad!*
Soyons optimistes!	*Let's be optimistic!*	**Ne soyons pas** pessimistes!	*Let's not be pessimistic!*

The imperative forms of **avoir** are used only in a few idiomatic expressions:
N'aie pas peur. Ayez confiance. N'ayons pas l'air bête.

ACTIVITÉ 1 Où est-ce qu'ils sont?

Nadine cherche ses amis. Lisez ce que chacun fait. Puis dites à Nadine si
la personne est à la maison ou non. Pour cela, utilisez l'expression **être à la
maison** dans des phrases affirmatives ou négatives.

⇨ Jacques joue au football. **Il n'est pas à la maison.**

1. Françoise regarde la télé.
2. J'écoute mes disques.
3. Alain et Claude nagent.
4. Tu visites Québec.
5. Vous étudiez.
6. Suzanne prépare le dîner.
7. Sylvie et Marc jouent au volley.
8. Anne et Béatrice déjeunent au restaurant.

J'ai le goût du Québec!

VARIATION: Say that they aren't in class. **Il n'est pas en classe.**

ACTIVITÉ 2 Le rallye automobile

Les personnes suivantes participent *(are participating)* au rallye
automobile. Dites quelle sorte de voiture chacun *(each one)* a.

⇨ Paul (une Jaguar) **Paul a une Jaguar.**

1. je (une Alfa Romeo)
2. Henri et Louis (une Audi)
3. nous (une Mercédès)
4. vous (une Renault)
5. tu (une Toyota)
6. mes voisins (une Honda)

VARIATION: Say that they don't have the map for the race. **Paul n'a pas la carte.**

B. Les noms et les articles   REVIEW: nouns and articles—Level 1, pp. 94, 96, 102, 118

Nouns

In French, all nouns have *gender (masculine* or *feminine)* and *number (singular* or *plural).*

The plural of most nouns is formed by adding **-s** to its singular form. This **-s** is silent.

un **garçon**   deux **garçons**   Remind the students that if a noun ends in **-s** or **-x** in the singular, it does not change in the plural: **un Français, deux Français.**

Articles

In French, nouns are usually introduced by *articles.* The articles must agree in gender and number with the nouns they introduce.

The definite article

Review the forms of the definite article *(the)*:

	SINGULAR	PLURAL		
Masculine	**le (l')**	**les**	**le** garçon, **l'**ami	**les** garçons, **les** amis
Feminine	**la (l')**	**les**	**la** fille, **l'**amie	**les** filles, **les** amies

⇨ The French definite article often corresponds to the English *the.*

Le professeur parle à l'élève.   ***The** teacher talks to **the** student.*

⇨ In addition, the French definite article is used with nouns taken in a general or collective sense. Contrast: REVIEW: use of definite article in general sense— Level 1, p. 224

J'aime **le** théâtre.   *I like theater (in general).*
Le tennis est un bon sport.   *(Generally speaking) tennis is a good sport.*
Les jeunes aiment **la** musique.   *(In general) young people like music.*

The indefinite article

Review the forms of the indefinite article *(a, an; some).*

	SINGULAR	PLURAL		
Masculine	**un**	**des**	**un** disque, **un** élève	**des** disques, **des** élèves
Feminine	**une**	**des**	**une** cassette, **une** auto	**des** cassettes, **des** autos

⇨ **Des** often corresponds to the English *some.* Although the word *some* may be omitted in English, the article **des** must be used in French.   REVIEW: use of des—Level 1, p. 119

J'ai **des** amis à Québec.   *I have **(some)** friends in Quebec.*
Nadine écoute **des** disques.   *Nadine is listening to **(some)** records.*

⇨ After a negative verb (other than **être**), **un, une,** and **des** become **de (d').**   REVIEW: use of de—Level 1, p. 119

Philippe a **une** moto.   Nadine **n'a pas de** moto.   *Nadine doesn't have a motorcycle.*
J'ai **des** amis à Québec.   Je **n'ai pas d'**amis à Paris.   *I don't have any friends in Paris.*

but: Monsieur et Madame Lebon **ne** sont **pas des** gens intéressants.

ACTIVITÉ 3 Préférences personnelles

Demandez à vos camarades d'indiquer *(to indicate)* leurs préférences,
d'après le modèle. N'oubliez pas *(Don't forget)* d'utiliser l'article défini.
(Les noms féminins sont marqués par *(marked with)* un astérisque: *)

⇨ jazz ou musique* classique?

    —Est-ce que tu aimes mieux le jazz ou la musique classique?
    —J'aime mieux la musique classique. (J'aime mieux le jazz.)

1. cinéma ou théâtre?
2. tennis ou ping-pong?
3. sport ou danse*?
4. cuisine* française ou cuisine* italienne?
5. autos* américaines ou autos* japonaises?
6. autos* économiques ou autos* rapides?
7. gens intelligents ou gens sympathiques?
8. westerns ou comédies* musicales?

Vocabulaire spécialisé Les objets et les animaux

Quelques objets
un objet   *object*

 un disque

un livre

un appareil-photo   **un électrophone**   **un magnétophone**

 un sac

 un transistor

 un vélomoteur

un ordinateur   **un téléviseur**   **un vélo**

Quelques animaux

un animal	*animal*	**un chien**	*dog*	**un poisson**	*fish*
un chat	*cat*	**un oiseau**	*bird*		

Note: The plural of nouns in **-al** is **-aux**; the plural of nouns in **-eau** is **-eaux**.

    un animal   des animaux   un oiseau   des oiseaux

VOCABULARY EXPANSION: un cheval, une vache, une poule, un canard, un cochon, un cochon d'Inde *(guinea pig)*,
un hamster, un lapin, un serpent, une tortue

ACTIVITÉ 4 Petite conversation

Demandez à vos camarades s'ils ont les choses suivantes. Utilisez l'article indéfini. (Si vous n'êtes pas sûr du genre *(gender)* d'un nom, consultez les Vocabulaires spécialisés.)

⇨ calculatrice? —**Est-ce que tu as une calculatrice?**
—**Oui, j'ai une calculatrice.**
(**Non, je n'ai pas de calculatrice.**)

1. moto?
2. vélo?
3. guitare?
4. chaîne-stéréo?
5. téléviseur?

6. ordinateur?
7. disques français?
8. poissons rouges?
9. cassettes?
10. chat?

11. ami à Québec?
12. amie à Montréal?
13. cousins à Boston?
14. voisine sympathique?
15. professeurs patients?

ACTIVITÉ 5 Expression personnelle

Complétez les phrases suivantes avec un ou deux objets de votre choix *(choice).*

1. Dans ma chambre *(room)*, il y a . . .
2. Dans le garage, il y a . . .
3. Dans la classe, il y a . . .
4. Dans le salon *(living room)*, il y a . . .
5. Pour mon anniversaire, je voudrais avoir . . .

VARIATION in the negative (items 1–4): **Dans ma chambre il n'y a pas de . . .** Have the students name only one object.

---

une chose *thing*

une auto

une bicyclette

*****une calculatrice**

une caméra

une cassette

*****une chaîne-stéréo**

une guitare

une montre

une moto

une radio

une raquette

une voiture

You may want to review the expressions **voici** and **voilà**, which are used to point out people and things.

EXPRESSIONS: **il y a** *there is, there are* **Il y a** 20 élèves dans la classe.
REVIEW: il y a—
Level 1, p. 121 **il n'y a pas de** *there is no,* **Il n'y a pas de** radio dans la classe.
there aren't any

VOCABULARY EXPANSION: **un cahier, un classeur** *(ring binder)*, **une feuille de papier** *(sheet of paper)*, **un crayon, un stylo,**
un stylo à bille *(ball point pen)*, **un feutre** *(felt tip pen)*, **un tableau** *(chalkboard)*

C. Les adjectifs: formes et position

REVIEW: forms and agreement of adjectives—Level 1, pp. 97, 120, 122

In French, adjectives agree in gender and number with the nouns or pronouns they modify. They are *masculine* or *feminine, singular* or *plural.*

Forms

Review the endings of the regular adjectives:

	SINGULAR	PLURAL		
Masculine	—	-s	petit	petits
Feminine	-e	-es	petite	petites

▷ Adjectives which end in **-e** in the masculine singular do not add another **-e** in the feminine singular.

Jacques est **dynamique.**   Jacqueline est **dynamique** aussi.

▷ Adjectives which end in **-s** in the masculine singular remain the same in the masculine plural.

Philippe est **français.**   Éric et Louis sont **français** aussi.

Adjectives which do not follow the above patterns are irregular.

Robert est **canadien.**   Nadine est **canadienne.**

Position   REVIEW: position of adjectives—Level 1, p. 110

Most adjectives come *after* the noun they modify.

J'ai des amis **sympathiques.**   La Toyota est une voiture **japonaise.**

...un bon restaurant!

However, the following adjectives usually come before the noun:

grand ≠ **petit**	Les voisins ont une **petite** voiture.
bon ≠ **mauvais**	Claire est une **bonne** élève.
beau	Thomas a une **belle** bicyclette.
joli	Tu as une **jolie** montre.
jeune	Nous avons un **jeune** professeur.

- The forms of **beau** are presented in Lesson 2.4. Here only **beau** and **belle** are used.
- In written French, **des** usually becomes **de** when the noun is preceded by an adjective. You may present this point for recognition. **Nous avons de bons disques.**

proverbe: *Les petits ruisseaux font les grandes rivières.*

"Little streams make great rivers."

Vocabulaire spécialisé Quelques adjectifs de nationalité

allemand	*German*	canadien(ne)	*Canadian*	italien(ne)	*Italian*
américain	*American*	espagnol	*Spanish*	japonais	*Japanese*
anglais	*English*	français	*French*	mexicain	*Mexican*

Note: Adjectives of nationality are not capitalized unless they are used as nouns.

Richard est **américain**.	*Richard is **American**.*
Les **Américains** travaillent beaucoup.	***Americans** work a lot.*

ACTIVITÉ 6 Descriptions

Décrivez les personnes suivantes. Utilisez les adjectifs suggérés (*suggested*)
dans des phrases affirmatives ou négatives.

1. Je . . .
2. Mon meilleur ami . . .
3. Ma meilleure amie . . .
4. Le président . . .
5. L'amie idéale . . .
6. Les jeunes américains . . .
7. Les filles américaines . . .
8. Les hommes . . .
9. Les femmes . . .
10. Mike Wallace . . .
11. Barbara Walters . . .
12. Charlie Brown . . .

amusant	intelligent	patient
distant	indifférent	impatient
intéressant	tolérant	optimiste
pessimiste	dynamique	égoïste (*selfish*)
timide	honnête	irresponsable
riche	sincère	idéaliste
pénible	moche	bête
triste	désagréable	drôle

The adjectives above are given in the masculine. Be sure that the
students use the correct endings.

ACTIVITÉ 7 Nationalités

Lisez où les gens suivants habitent. Dites leur nationalité. Puis dites
l'origine de l'objet entre parenthèses. Suivez (*Follow*) le modèle.

⇨ Eva habite à Berlin. (un téléviseur)
   Eva est allemande. Elle a un téléviseur allemand.

1. Paul habite à Philadelphie. (un appareil-photo)
2. Pierre et André habitent à Paris. (un magnétophone)
3. Tatsuo habite à Tokyo. (une montre)
4. Luis habite à Madrid. (une guitare)
5. Jacqueline habite à Québec. (des disques)
6. Charles habite à Oxford. (un vélo)
7. Mes cousins habitent à Rome. (un vélomoteur)
8. Mes amies habitent à Munich. (des cassettes)
9. Juanita habite à Acapulco. (un sac)

HONDA

La sécurité d'une américaine. Le confort d'une anglaise.
La robustesse d'une allemande. Le raffinement d'une italienne.
Le fonctionnel d'une française.

D. *C'est ou Il est?*   REVIEW: **c'est** vs. **il est**—Level 1, p. 112

Note the use of **c'est** and **il/elle est** in the following sentences:

Qui **est-ce?**
  C'est Jacques.
  C'est un ami.
  C'est un ami français.

Comment **est-il?**

  Il est sympathique.
  Il est français.

Ça, c'est une auto.

CITROËN ⌃ VISA

Qu'est-ce que **c'est?**
  C'est une Renault.
  C'est une auto.
  C'est une bonne voiture.
  C'est une voiture économique.

Comment **est-elle?**

  Elle est française.
  Elle est confortable.
  Elle est petite.

To describe people or things, the French use the following constructions:

c'est + name		
c'est + article	{ + noun	
	+ noun + adjective	
	+ adjective + noun	

il/elle est + adjective

 Note the *negative* and *plural* forms of **c'est**:

C'est une auto économique.   **Ce n'est pas** une voiture confortable.
Ce sont des amis français.   **Ce ne sont pas** des amis anglais.
C'est is used instead of *ce sont* with proper names.

ACTIVITÉ 8   Qu'est-ce que c'est? Qui est-ce?

Décrivez les choses et les personnes suivantes. Faites une phrase avec **c'est** et une seconde phrase avec **il/elle est**. Utilisez des adjectifs.

    C'est une voiture. Elle est petite.
  (C'est une jolie voiture. Elle est anglaise.)

1.   2.   3.   4.   5.   6.

À votre tour

The purpose of this activity is to practice the forms and uses of articles, nouns, and adjectives as well as the distinction between **c'est** and **il est**.

1. Le club de correspondance   Imagine that you belong to a pen pal club. Compose a short letter describing yourself.

2. Descriptions   Describe two people that you know. You may write about their looks, their personality, and the things they own.

⟹ Mon professeur de français s'appelle Monsieur Paris. Il est grand et blond. C'est un bon professeur. Il a une petite voiture. Il a aussi trois chiens.

La vie de tous les jours

1. Les nombres de 13 à 60   REVIEW: numbers (11–60)—Level 1, p. 20.

13	treize	20	vingt	32	trente-deux
14	quatorze	21	vingt et un		. . .
15	quinze	22	vingt-deux	40	quarante
16	seize	23	vingt-trois		. . .
17	dix-sept		. . .	50	cinquante
18	dix-huit	30	trente		. . .
19	dix-neuf	31	trente et un	60	soixante

DÉPARTS	
Bruxelles	9 h.05
Genève	9 h.27
Dakar	10 h.02
Abidjan	10 h.37
Alger	11 h.24
Tunis	11 h.49

ARRIVÉES	
Pointe-à-Pitre	8 h.18
Fort-de-France	8 h.37
Montréal	9 h.23
New York	9 h.36
Miami	10 h.52
Londres	11 h.17

2. L'heure et les*minutes   REVIEW: telling time—Level 1, p. 26

You may use the schedule with questions such as: **Charles va à Bruxelles. À quelle heure est-ce qu'il part? Monsieur Thomas arrive de Pointe-à-Pitre. À quelle heure est-ce qu'il arrive?**

Il est **deux heures cinq.**

Il est **six heures vingt.**

Il est **quatre heures moins cinq.**

Il est **onze heures moins vingt.**

STRUCTURES REVIEWED
• the contractions of **à** and **de** with the definite article
• **aller** and **aller** + infinitive
• geographical names

Leçon 3

REPRISE

Philippe

This lesson is OPTIONAL.

 Salut, les amis!
Je m'appelle Philippe Bayard.
J'ai seize ans et j'habite à Fort-de-France.
C'est la ville principale de la Martinique.
Je suis français, mais je ne *connais* pas la France métropolitaine.   *know*
(Un jour, je vais aller en France *pour* continuer mes *études* . . .   *in order to; studies*
    et pour faire mon service militaire.)
Pour le moment, je vais au lycée Schoelcher.
Le samedi après-midi je vais à la plage avec mes *copains,*   *pals*
    ou bien je travaille dans la station-service de mon père.   *or else*
Avec l'*argent* que je *gagne,* je vais *acheter* une moto.   *money; earn; to buy*
Et vous, est-ce que vous travaillez le samedi?
    Qu'est-ce que vous allez acheter avec votre argent?

Quel âge a Philippe? Où est-ce qu'il habite? Quelle est sa nationalité? Pourquoi
est-ce qu'il va aller en France? Où est-ce qu'il va le samedi après-midi? Qu'est-ce
qu'il va acheter avec son argent?

As a result of the French Revolution, France was divided into departments. Today there are 95 departments in metropolitan France and 4 overseas departments (**la Martinique, la Guadeloupe, la Guyane française,** and **la Réunion**). France also has several overseas territories (including **la Polynésie française** and **la Nouvelle-Calédonie**).

Fort-de-France, Martinique

NOTES CULTURELLES

1. **La France métropolitaine et la France d'outre-mer°** La France métropolitaine, c'est la France européenne. La France d'outre-mer est constituée par° des départements et des territoires situés° en Amérique, en Afrique et dans le Pacifique Sud.° La Martinique est un département d'outre-mer. C'est une île° de la mer des Antilles.°

2. **Victor Schoelcher** (1804–1893) Les écoles françaises ont souvent le nom de personnes illustres.° Victor Schoelcher est l'homme politique français qui a aboli° l'esclavage° dans les colonies françaises en 1848.

d'outre-mer *overseas* **constituée par** *made up of* **situés** *located* **Sud** *South* **île** *island* **mer des Antilles** *Caribbean Sea* **illustres** *famous* **a aboli** *abolished* **esclavage** *slavery*

France, in 1791, became the first country to abolish slavery. In 1799, however, Napoleon reestablished slavery in the French colonies.

Où sont situés les départements d'outre-mer? Où est située la Martinique?

Qui est Victor Schoelcher?

Leçon trois **27**

CONVERSATION

Parlons de vos talents et de vos loisirs

Est-ce que vous aimez les sports?
Est-ce que vous jouez au tennis?
Est-ce que vous jouez au ping-pong?
Est-ce que vous allez souvent au stade?
Est-ce que vous allez souvent à la plage?
Est-ce que vous allez souvent à la piscine?

Est-ce que vous êtes musicien(ne) (*musical*)?
Est-ce que vous jouez de la guitare?
Est-ce que vous jouez du piano?
Est-ce que vous jouez dans un orchestre?
Est-ce que vous allez aux concerts?

Parlons de vos projets (*plans*)

Est-ce que vous avez des projets pour le week-end? Est-ce que vous allez travailler? étudier? inviter des amis? organiser une surprise-partie? aller au cinéma?

Est-ce que vous avez des projets pour les vacances? Est-ce que vous allez travailler? voyager? visiter Paris?

Après le lycée, est-ce que vous allez aller à l'université? Qu'est-ce que vous allez étudier? les maths? l'anglais? la physique? la biologie? les sciences sociales? la musique?

Est-ce que vous avez des projets professionnels? Est-ce que vous allez être professeur? ingénieur? dentiste? médecin (*doctor*)?

Vocabulaire spécialisé   Où et comment?

Quelques noms d'endroits (*Some names of places*)

un café	*café*	***une banque**	*bank*
un cinéma	*movie theater*	**une bibliothèque**	*library*
***un endroit**	*place*	**la campagne**	*country, countryside*
un hôpital	*hospital*	**une école**	*school*
un lycée	*high school*	**une église**	*church*
un magasin	*store*	**une maison**	*house*
un musée	*museum*	**une piscine**	*swimming pool*
un parc	*park*	**une plage**	*beach*
un restaurant	*restaurant*	***la poste**	*post office*
un stade	*stadium*	***une université**	*university*
***un supermarché**	*supermarket*		
un théâtre	*theater*		

VOCABULARY EXPANSION: **la gare** (*station*), **le temple** (*Protestant church*), **la synagogue**

Structure

A. À et de + l'article défini
REVIEW: contractions—Level 1, pp. 136, 144

Review the forms of the definite article with the prepositions **à** *(to, at)* and **de** *(of, from)*.

Voici **le** café.	Paul est **au** café.	Jacqueline rentre **du** café.
Voici **la** plage.	Sylvie est **à la** plage.	Nous rentrons **de la** plage.
Voici **l'**hôpital.	Le docteur est **à l'**hôpital.	Je rentre **de l'**hôpital.
Voici **les** élèves.	Je parle **aux** élèves.	Vous parlez **des** élèves.

The prepositions **à** and **de** contract with the definite articles **le** and **les**.

à + le → au	de + le → du
à + les → aux	de + les → des

There is no contraction with **l'** and **la**.

➪ Note the following constructions with **jouer** *(to play)*:

jouer à + sport, game   Est-ce que tu **joues au** tennis?
jouer de + musical instrument   Mon cousin **joue de** la guitare.

REVIEW: **jouer à/de**—Level 1, p. 145

MAISON DES JEUNES ET DE LA CULTURE
49 rue des martyrs
JOUÉ LES TOURS

Quelques transports

un autobus:	**en autobus**	*by bus*	**en auto** *by car*
un avion:	**en avion**	*by plane*	**en voiture** *by car*
un bateau:	**en bateau**	*by boat*	**à vélo** *by bicycle*
un train:	**en train**	*by train*	**à pied** *on foot*

EXPRESSIONS: **ici**   *here*   J'habite **ici.**
            là   *there*   Mes livres sont **là.**
            là-bas   *over there*   Pierre est **là-bas.**

VERBES: **arriver (à, de)**   *to arrive, come*   Nous **arrivons à** Paris.
          rentrer (à, de)   *to go home, return, come back*   Marc **rentre de** la piscine.

ACTIVITÉ 1   Un jeu de correspondances

Le matin *(In the morning)*, les personnes suivantes vont à leur endroit habituel *(usual)* de travail *(work)*. Le soir, elles rentrent de cet endroit. Faites correspondre *(Match)* chaque personne avec son endroit habituel de travail, d'après le modèle.

les personnes	les endroits
le docteur, l'athlète, le professeur, la pharmacienne, le sénateur, le chef, le mécanicien, la chimiste, l'actrice, les élèves	le stade, le laboratoire, l'université, la station-service, le théâtre, le lycée, le restaurant, le sénat, la pharmacie, l'hôpital

⇨ **Le docteur va à l'hôpital. Il rentre de l'hôpital.**   VARIATION: Have the students provide times. **Le docteur va à l'hôpital à sept heures. Il rentre de l'hôpital à onze heures.**

ACTIVITÉ 2   Petite conversation

Posez des questions à vos camarades sur *(about)* leurs loisirs *(leisure-time activities)*. Utilisez le verbe **jouer** et la préposition **à** ou **de** qui convient.

⇨ le volley? —**Est-ce que tu joues au volley?**
   —**Oui, je joue au volley. (Non, je ne joue pas au volley.)**
  le piano? —**Est-ce que tu joues du piano?**
   —**Oui, je joue du piano. (Non, je ne joue pas du piano.)**

1. le baseball?
2. le football?
3. le football américain?
4. les cartes *(cards)*?
5. le Monopoly?
6. la clarinette?
7. la guitare?
8. le trombone?
9. la flûte?
10. le tuba?
11. le violon?
12. les cymbales?

EXTRA CUES: **les échecs** *(chess)*, **les dames** *(checkers)*, **le violoncelle** *(cello)*, **la batterie** *(drums)*

B. Le verbe *aller; aller* + infinitif   REVIEW: **aller**—Level 1, p. 134; **aller** + infinitive—Level 1, p. 137

Review the forms and uses of **aller** *(to go)* in the following sentences:

Je	**vais**	à Paris.	Je	**vais**	visiter le Centre Pompidou.
Tu	**vas**	à la plage.	Tu	**vas**	nager.
Hélène	**va**	au musée.	Elle	**va**	regarder les sculptures modernes.
Nous	**allons**	au restaurant.	Nous	**allons**	dîner.
Vous	**allez**	à la bibliothèque.	Vous	**allez**	étudier.
Ils	**vont**	au stade.	Ils	**vont**	regarder le match de foot.

To express a future event, the French use the construction:

aller + infinitive

This construction corresponds to the English *to be going to* + infinitive.

Philippe va jouer au football.   *Philippe **is going to play** soccer.*
Il ne va pas étudier.   *He **is not going to study**.*

Remind the students that in the negative **ne . . . pas** goes around the verb **aller**.

ACTIVITÉ 3 Où et comment?

Dites où vont les personnes suivantes. Dites aussi comment elles vont à chaque endroit, en suggérant *(by suggesting)* un moyen de transport *(means of transportation)* logique.

➪ Philippe / Paris   **Philippe va à Paris. Il va à Paris en avion.**

1. nous / la campagne
2. ma mère / le supermarché
3. je / le cinéma
4. mes voisins / New York
5. les touristes / la Statue de la Liberté
6. tu / la Martinique
7. vous / l'église
8. les élèves / l'école

ACTIVITÉ 4 Le week-end prochain

Le week-end prochain, Philippe et ses amis vont faire ce qu'ils aiment faire. Ils ne vont pas faire ce qu'ils détestent faire. Exprimez cela, d'après le modèle.

➪ Philippe aime aller à la plage.   **Il va aller à la plage.**

Il déteste étudier.   **Il ne va pas étudier.**

1. Michèle aime danser.
2. Elle déteste travailler.
3. Nous aimons inviter des amis.
4. Nous détestons étudier.
5. J'aime jouer au tennis.
6. Je déteste regarder la télé.
7. Paul et Marc aiment aller au stade.
8. Ils détestent aller au théâtre.

ACTIVITÉ 5 C'est évident! *(It's obvious!)*

En général, quand nous allons à un endroit, c'est parce que nous allons faire quelque chose là-bas. Exprimez cela dans des phrases logiques. Combien de phrases pouvez-vous faire en cinq minutes?

A	B	C
je	le restaurant	danser
tu	la maison	étudier
nous	la bibliothèque	nager
vous	la piscine	regarder la télé
Philippe	la discothèque	regarder les magazines
Anne et Marie	le lycée	regarder les animaux
les élèves	le zoo	regarder les gens
	le café	déjeuner
		dîner
		téléphoner

➪ **Vous allez à la discothèque. Vous allez danser.**

REVIEW: definite article with geographical names—Level 1, p. 116

REVIEW: prepositions with names of countries—Level 1, p. 217

C. Les noms géographiques

The definite article is not used with the following countries: **Israël, Cuba, Haïti, Porto Rico.**

• A few names of cities contain definite articles: **La Nouvelle-Orléans, Le Havre, Le Caire, La Havane.**

In French the *definite* article is used with geographical names (countries, states, rivers, mountains, etc.), except for names of cities.

Le Colorado est un état américain.   *Colorado is an American state.*
Paris est la capitale de **la** France.   *Paris is the capital of France.*

• You may point out that with feminine countries the prepositions **en** and **de** are used without articles.

• Remind the students that **à** and **de** are used with names of cities: **Je suis à Fort-de-France. Nous arrivons de New York.**

Review the prepositions used with names of countries.

NAME OF COUNTRY	(in, to)	(from)
Masculine: **le** Canada	Nadine habite **au** Canada.	Éric arrive **du** Canada.
Feminine: **la** France	Je vais **en** France.	Vous arrivez **de** France.
Plural: **les** États-Unis	Nous sommes **aux** États-Unis.	Tu arrives **des** États-Unis.

Be sure that the students remember the required liaison: **les États-Unis.**

ACTIVITÉ 6   Un peu de géographie

With masculine states, *to* and *in* are expressed by **au** and/or **dans le**, depending on usage: **Jacques habite au Texas. Paul habite dans le Vermont.** Note also: **Mon oncle habite dans l'état de New York.**

Note: **le Maine**

Connaissez-vous la géographie? Dans quel pays sont les personnes suivantes? Dans vos phrases utilisez la préposition qui convient.

⇨   Henri est à Paris.   **Il est en France.**

1. Albert est à Berlin.
2. J'ai un ami à Montréal.
3. Nous arrivons à Londres.
4. Vous habitez à Chicago.
5. Tu arrives à Rome.
6. Philippe est à Mexico (*Mexico City*).
7. Carlos visite Madrid.

If the students have difficulty with this activity, have them first give the name of the country with the appropriate article: **la France, l'Allemagne, etc.**

VARIATION: Review adjectives of nationality. **Henri est français.**

Vocabulaire spécialisé   Les points cardinaux, les continents et les pays

les points cardinaux = *compass points*

*un continent	*continent*
un pays	*country*
* le nord	
* l'ouest	* l'est
* le sud	
le Canada	*Canada*
les États-Unis	*United States*
le Mexique	*Mexico*

l'Afrique	*Africa*
l'Asie	*Asia*
*l'Australie	*Australia*
l'Europe	*Europe*
*l'Amérique du Nord	*North America*
*l'Amérique du Sud	*South America*
*l'Océanie	*South Pacific*
l'Allemagne	*Germany*
l'Angleterre	*England*
l'Espagne	*Spain*
la France	*France*
l'Italie	*Italy*

Note: Countries which end in **-e** are *feminine*. All others are masculine.
    Exception: **le Mexique.**   OTHER EXCEPTION: **le Zaïre**

VOCABULARY EXPANSION: **la Belgique, la Suisse, la Hollande, le Luxembourg, le Portugal, l'Autriche, la Grèce, l'URSS/la Russie, la Chine, le Japon, le Viêt-nam, l'Inde, le Brésil, le Pérou**

You may want to practice names of countries with the world map on pp. iv–v.

À votre tour   Projets de week-end

The purpose of this activity is to practice **aller** and the construction **aller** + infinitive.

What are your plans for next weekend? Write a paragraph of 6 to 8 sentences saying what you are going to do. You may want to use some of the following suggestions:

aller au cinéma (quand? où? avec qui?)   aller à une surprise-partie
inviter des amis (qui? quand?)   (où? avec qui?)

La vie de tous les jours

Remind the students that one *never* uses **dans** to say *in the morning (etc.)*; one simply says **le matin** (etc.).

1. Les parties de la journée (The parts of the day)

le matin	morning, in the morning	ce matin	this morning
l'après-midi	afternoon, in the afternoon	cet après-midi	this afternoon
le soir	evening, in the evening	ce soir	this evening, tonight
la nuit	night, at night	cette nuit	tonight

Note that in French **la nuit** generally refers to that part of the night when one sleeps; **le soir** is the period when one is awake.

2. Les jours de la semaine (The days of the week)

lundi	(on) Monday	lundi matin	(on) Monday morning
mardi	(on) Tuesday	mardi après-midi	(on) Tuesday afternoon
mercredi	(on) Wednesday	mercredi soir	(on) Wednesday evening
jeudi	(on) Thursday	jeudi soir	(on) Thursday night
vendredi	(on) Friday	ce vendredi	this Friday
samedi	(on) Saturday	samedi prochain	next Saturday
dimanche	(on) Sunday	dimanche dernier	last Sunday
un week-end	weekend	le week-end	on (the) weekends

hier *yesterday*   **aujourd'hui** *today*   **demain** *tomorrow*

Note: To indicate that an event occurs regularly on a given day, the French use:

$$\boxed{\text{le} \; + \; \text{day}}$$

Remind the students that one *never* uses **sur** to say *on Saturday(s) (etc.)*; one says **samedi** or **le samedi** (etc.).

Jeudi, je vais au cinéma.   **(On) Thursday I am going to the movies.**
Le jeudi, j'ai une leçon de piano.   **On Thursdays I have a piano lesson.**

lundi: examen d'anglais
mardi: anniversaire de Suzanne
mercredi: rendez-vous avec Henri
jeudi: dîner chez Marc
vendredi: cinéma
samedi: surprise-partie chez Annie
dimanche: déjeuner avec Antoine

You may ask questions about the weekly schedule: **Qu'est-ce que la personne va faire lundi?** You may also use it as a point of departure for personal questions: **Qu'est-ce que tu vas faire lundi? Quels jours est-ce que vous avez une classe de français? etc.** You may ask your students to prepare a similar weekly schedule.

STRUCTURES REVIEWED:
• subject and stress pronouns
• **chez**
• possession with **de**
• possessive adjectives

REPRISE
Leçon 4

Vatea

Tahitian names do not have accents.

Salut, amis américains!

Je m'appelle Vatea Tamara.

J'ai dix-sept ans et j'habite à Tahiti. **à Tahiti:** The definite article is not used with the names of many islands.

Mon père travaille dans une banque et ma mère est employée
à la poste de Papeete. **Papeete** is pronounced /papeete/.

J'ai un frère et deux sœurs.

Ma sœur *aînée* habite en Californie.   *oldest*

Elle est *mariée* et son *mari* travaille dans un restaurant français.   *married; husband*

Je vais aller chez eux l'été prochain. *Quelle chance!*   *What good luck!*

Et vous, quand est-ce que vous allez venir chez nous à Tahiti?

C'est une belle *île* . . .   *island*

Bien sûr, c'est un peu *loin des* États-Unis, mais si vous aimez voyager,   *far from the*
notre maison est toujours *ouverte* à nos amis!   *open*

Quel âge a Vatea? Où est-ce qu'elle habite? Où travaille son père? Où travaille sa mère?
Où habite la sœur de Vatea? Où travaille son mari? Où va aller Vatea l'été prochain?

NOTE CULTURELLE

Tahiti et la Polynésie française Savez-vous qu'à Tahiti vous êtes en France? Tahiti est la plus grande île° de la Polynésie française, un groupe d'îles situées° dans le Pacifique Sud.° La Polynésie française est un territoire d'outre-mer.° Cela signifie° qu'elle fait partie° de la France et que ses habitants° sont des citoyens° français. Les Tahitiens ont donc° la nationalité française. Ils parlent français et tahitien, une langue° assez proche de° l'hawaïen.

île *island* **situées** *located* **Sud** *South* **d'outre-mer** *overseas*
signifie *means* **fait partie** *is part* **habitants** *inhabitants*
citoyens *citizens* **donc** *therefore* **langue** *language*
proche de *close to*

Où est situé Tahiti? Est-ce que les Tahitiens sont français? Quelles langues est-ce qu'ils parlent?

CONVERSATION

Parlons de vos amis

Où habite votre meilleur ami? Est-ce que vous allez souvent chez lui?
Est-ce que vous étudiez avec lui? Est-ce que vous êtes toujours d'accord
(Do you always agree) avec lui?

Où habite votre meilleure amie? Est-ce que vous allez souvent chez elle?
Est-ce que vous allez au cinéma avec elle? Est-ce que vous êtes toujours
d'accord avec elle?

Est-ce que vous invitez vos amis chez vous? Est-ce que vous organisez des
surprises-parties chez vous? En semaine, est-ce que vous déjeunez chez
vous? Et le week-end?

Parlons de votre famille

Quel âge a votre père? Comment est-il? grand? blond? sévère *(strict)*?

Quel âge a votre mère? Comment est-elle? grande? brune? tolérante?

Est-ce que vous aimez voyager avec vos parents? Êtes-vous toujours
d'accord avec eux?

Est-ce que vous avez des frères et des sœurs? Quel âge est-ce qu'ils ont?
Est-ce que vous jouez souvent avec eux?

Où habitent vos grands-parents? Est-ce que vous allez souvent chez eux?
Est-ce que vous allez chez eux pendant les vacances d'été? à Noël?

Où habitent vos cousins? Comment sont-ils?

Vocabulaire spécialisé   La famille

les parents	*parents*		
le père	*father*	**la mère**	*mother*
*****le mari**	*husband*	*****la femme** /fam/	*wife*
les enfants	*children*		
le fils /fis/	*son*	**la fille**	*daughter*
le frère	*brother*	**la sœur**	*sister*
les grands-parents	*grandparents*		
le grand-père	*grandfather*	**la grand-mère**	*grandmother*
les parents	*relatives*		
l'oncle	*uncle*	**la tante**	*aunt*
le cousin	*cousin*	**la cousine**	*cousin (female)*

EXPRESSION: **avoir . . . ans** *to be . . . (years old)*   —**Quel âge avez-vous?**
—**J'ai** quinze **ans.**

VOCABULARY EXPANSION: **le beau-père** *(stepfather, father-in-law)*, **la belle-mère** *(stepmother, mother-in-law)*,
le beau-frère, la belle-sœur; le neveu *(nephew)*, **la nièce; le parrain** *(godfather)*, **la marraine** *(godmother)*; **les petits-enfants**
(grandchildren), **un petit-fils, une petite-fille**

Structure

A. Les pronoms sujets et les pronoms accentués

REVIEW: subject and stress pronouns—Level 1, p. 127

Compare the pronouns in the following sentences:

SUBJECT PRONOUNS	STRESS PRONOUNS
Je voyage souvent.	**Moi** aussi!
Tu vas à Tahiti?	Oui, et **toi**?
Il est avec Michèle.	Est-ce que Michèle est souvent avec **lui**?
Elle danse bien.	Qui danse avec **elle**?
Nous allons au cinéma.	**Nous** aussi!
Vous avez les billets (*tickets*)?	Non, c'est **vous**!
Où est-ce qu'**ils** sont?	Ils sont chez **eux**.
Où est-ce qu'**elles** vont?	**Elles**, elles vont à San Francisco.

Stress pronouns are used:

(1) in sentences with no verb   Qui va au restaurant? **Eux!**

(2) after **c'est**   C'est **lui**.

(3) to reinforce the subject   **Moi** aussi, j'aime voyager.

(4) before and after **et** and **ou** (*or*)   **Lui** et **moi**, nous allons au restaurant.

(5) after prepositions, such as   Philippe étudie avec **moi**.
pour, avec, à, de, and **chez.**   Nous étudions chez **lui**.

⇨ Note the following expressions with **être**:

être à (*to belong to*)

Ce disque n'**est** pas **à** Paul.   *This record **doesn't belong to** Paul.*
Il **est à** moi.   *It **belongs to** me. (It's mine.)*

être d'accord avec (*to agree with*)

Qui **est d'accord avec** moi?   *Who **agrees with** me?*

ACTIVITÉ 1   Un peu de discrétion

Lisez les activités des personnes suivantes. Ne dites pas l'identité de ces personnes. Remplacez (*Replace*) les noms par (*with*) des pronoms, d'après le modèle.

⇨ Michèle danse avec Pierre.   **Elle danse avec lui.**

1. Jacques dîne avec Thérèse.
2. Daniel travaille avec mes cousins.
3. Hélène déjeune avec mes amies.
4. Paul travaille pour Madame Moreau.
5. Thomas et moi, nous déjeunons avec Caroline.
6. Sylvie et toi, vous parlez souvent avec mon oncle.

B. La préposition *chez*   REVIEW: chez—Level 1, p. 142

Note the use of **chez** in the sentences below.

Je suis **chez un ami**.	*I am at a friend's (house).*
Philippe est **chez lui**.	*Philippe is (at) home.*
Chez qui est-ce que tu dînes?	***At whose home** are you having dinner?*
Tu vas **chez Vatea**.	*You are going **to Vatea's (house)**.*
Je vais **chez le dentiste**.	*I am going **to the dentist's (office)**.*
Nous rentrons **chez nous**.	*We are going back **home**.*

⇨ The preposition **chez** is never used alone. It is always followed by a noun, a stress pronoun, or **qui**.

⇨ **Chez** has several English equivalents: *home, at home, at the house (office, shop, etc.) of, to the house (office, shop, etc.) of.*

After **chez**, liaison is required before **un(e)** and before a stress pronoun (elle/elles/eux): **chez une petite ami**, **chez elle**. There is no liaison before a proper name: **chez Alice**.

ACTIVITÉ 2   L'orage *(The storm)*

À cause de l'orage, tout le monde *(everyone)* reste *(is staying)* ou rentre à la maison. Exprimez cela en complétant *(by completing)* les phrases suivantes avec **chez** et le pronom accentué *(stress pronoun)* qui convient.

⇨ Charles rentre . . .   **Charles rentre chez lui.**

1. Vatea va . . .
2. Caroline et Suzanne sont . . .
3. Tu vas . . .
4. Je suis . . .
5. Nous regardons la télé . . .
6. Ma tante dîne . . .
7. Mes cousins arrivent . . .
8. Vous rentrez . . .
9. Le professeur travaille . . .
10. Les élèves étudient . . .

VARIATION: It is a beautiful day and no one is home.
Charles n'est pas chez lui.

C. La possession avec *de*   REVIEW: possession with de—Level 1, p. 143

Note the use of **de** and the word order in the following sentences:

Où est l'auto **de Pierre?**	*Where is **Pierre's** car?*
Louise est la sœur **de Marc**.	*Louise is **Marc's** sister.*
Voici le livre **du professeur**.	*Here is **the teacher's** book.*

To express possession or relationship, the French may use the construction:

$$\boxed{\text{noun} \; + \; \textbf{de} \; + \; \begin{cases} \text{name of a person} \\ \text{article} + \text{noun} \end{cases}}$$

Remind the students that **de** + **le** → **du**, **de** + **les** → **des**.

You may want to review the construction noun + **de** + noun (Level 1, p. 154).
Here the second noun is used to modify the first one:

38 Reprise   **une raquette de tennis**   *a tennis racket*
In this construction the definite article is not used.

ACTIVITÉ 3   Vive la famille!   You may first want to review the nouns in the **Vocabulaire spécialisé**, p. 36.

Expliquez les rapports *(relationships)* entre les gens (et les animaux) que vous voyez sur l'illustration.

⇨ Anne Mercier / Antoine   **Anne Mercier est la mère d'Antoine.**

1. Philippe / Nathalie
2. Nathalie / Marc
3. Antoine et Marc / Thomas
4. Édouard Legrand / Catherine
5. Charles Mercier / Philippe
6. Jacqueline Legrand / Marc
7. Hélène Legrand / Philippe
8. Catherine / Antoine
9. Anne Mercier / Hélène Legrand
10. Antoine et Marc / Charles Mercier
11. Charles Mercier / Anne Mercier
12. Jacqueline Legrand / Paul Legrand
13. Rufus / Catherine
14. Pompon / Nathalie
15. Gaspard / Thomas

Édouard Legrand   +   Hélène Legrand

Paul Legrand   +   Jacqueline Legrand

Charles Mercier   +   Anne Mercier

Philippe   Nathalie   Thomas

Pompon   Gaspard

Antoine   Marc   Catherine

Rufus

ACTIVITÉ 4   Un tapeur *(A constant borrower)*

Marc emprunte *(borrows)* toujours beaucoup de choses. Dites à qui il emprunte les choses suivantes, d'après le modèle.

⇨ la guitare / le garçon espagnol   **Il a la guitare du garçon espagnol.**

1. les disques / l'ami de Paul
2. le livre / le professeur
3. la moto / les cousines de Jacques
4. la radio / la sœur d'Anne
5. la caméra / le père de Denis
6. le vélo / les cousins de Suzanne

D. Les adjectifs possessifs

REVIEW: possessive adjectives—Level 1, pp. 150, 158–159, 164–165

Another way to express possession or relationship is to use *possessive adjectives*. In French, possessive adjectives agree in gender and number with the nouns they introduce.

Voici **un** disque.   C'est **mon** disque.
Voici **une** maison.   C'est **ma** maison.
Voici **des** livres.   Ce sont **mes** livres.

Review the possessive adjectives in the chart below:

THE OWNER	THE POSSESSIVE ADJECTIVE			ENGLISH EQUIVALENT
	before a singular noun		before a plural noun	
	Masculine	*Feminine*		
je	**mon**	**ma (mon)**	**mes**	*my*
tu	**ton**	**ta (ton)**	**tes**	*your*
il, elle	**son**	**sa (son)**	**ses**	*his, her, its*
nous	**notre**		**nos**	*our*
vous	**votre**		**vos**	*your*
ils, elles	**leur**		**leurs**	*their*

▷ The possessive adjectives in parentheses are used before a vowel sound.
Voici **une** auto.   C'est **mon** auto.

▷ The gender and the number of a possessive adjective are determined only by the noun it introduces.

Voici Louise et **sa** voiture.   *Here is Louise and **her** car.*
Voici Paul et **sa** voiture.   *Here is Paul and **his** car.*

Voici Nathalie et **son** vélo.   *Here is Nathalie and **her** bicycle.*
Voici Marc et **son** vélo.   *Here is Marc and **his** bicycle.*

ACTIVITÉ 5   Invitations

Il y a un grand match de football samedi après-midi. Les personnes suivantes invitent leurs parents et leurs amis. Exprimez cela, d'après le modèle.

▷ Henri / une cousine   **Henri invite sa cousine.**

1. Jacques / un frère
2. Annie / un ami
3. Paul / une amie anglaise
4. Louise / des voisins
5. Sylvie / des amis espagnols
6. Thérèse / un frère
7. Albert / une sœur et des cousins
8. Hélène / une cousine et des amis

ACTIVITÉ 6 Les objets trouvés (*Lost and found*)

Les personnes suivantes vont au bureau des objets trouvés. Dites ce qu'elles cherchent, en utilisant les adjectifs possessifs qui conviennent. (Note: **chercher** = *to look for*)

⇨ Monsieur Denis / une calculatrice   **Monsieur Denis cherche sa calculatrice.**

1. toi / un livre et des disques
2. ma sœur / un appareil-photo et une caméra
3. Paul et Henri / des livres
4. mes cousins / un magnétophone
5. nous / un transistor et des cassettes
6. vous / un chien et des chats

À votre tour   Votre famille

The purpose of this activity is to practice the possessive adjectives and the **Vocabulaire spécialisé.**

Describe at least three members of your family. Write two or three sentences about each person. You may want to use the adjectives on page 17.

La vie de tous les jours

1. Les saisons (*The seasons*)

| le printemps | l'été | l'automne | l'hiver |

| au printemps | en été | en automne | en hiver |

2. Les mois (*The months*)

janvier	avril	juillet	octobre
février	mai	août	novembre
mars	juin	septembre	décembre

3. La date

Quelle est la date aujourd'hui?
C'est (Nous sommes) **le 27 septembre.**
Mon anniversaire est **le premier mars.**

Remind the students that to express the date the French use the pattern: **le** + number + month (+ year). The first of the month is **le premier.**

Le calendrier des fêtes:° 1982		Fêtes à souhaiter°	
1er janvier	le jour de l'An	André	le 30 novembre
23 février	Mardi Gras	Barbara	le 4 décembre
11 avril	Pâques°	Charles	le 4 novembre
1er mai	la fête du Travail°	Édouard	le 5 mai
6 juin	la fête des Mères	François	le 24 janvier
20 juin	la fête des Pères	Hélène	le 18 août
14 juillet	la fête nationale	Jacqueline	le 8 février
1er novembre	la Toussaint°	Jean	le 24 juin
11 novembre	l'Armistice	Marie	le 15 août
25 décembre	Noël	Robert	le 30 avril
		Véronique	le 4 février

fêtes *holidays*   **Pâques** *Easter*   **la fête du Travail** *Labor Day*   **la Toussaint** *All Saints' Day*   **Fêtes à souhaiter** *Name days to remember*

Remind the students that in abbreviations the day comes before the month: 4/12   **le 4 décembre.**

REPRISE
Leçon 5 **Marie-France**

STRUCTURES REVIEWED
- interrogative and demonstrative adjectives
- regular verbs in -**ir** and -**re**
- inverted questions

Bonjour!

Je m'appelle Marie-France Ducamp.

J'habite à Lausanne.

Je ne suis pas étudiante *comme* vous. Je travaille dans un   *like*
  grand magasin.   *department store*

Je commence à neuf heures le matin et je finis à six heures le soir.

Je vends des livres et des posters.

Je vends aussi des disques et des cassettes,
  et *de temps en temps* je réponds au téléphone.   *once in a while*

Souvent mes *clients* ont des problèmes *à choisir.*   *customers; in choosing*

«—Pardon, Mademoiselle. Je voudrais acheter un disque
  pour l'anniversaire de mon fils. Quels disques
  recommandez-vous?   *recommend*

—Ça dépend, Monsieur! Quel âge a votre fils et quelle
  sorte de musique aime-t-il?

—Il va avoir seize ans et c'est un fana de musique disco!

—Bon, alors. Choisissez ce disque-ci ou ce disque-là.»

Je travaille toujours beaucoup . . . et je ne suis pas très
  bien *payée.*   *paid*

Mais mes clients sont *satisfaits* et mon *patron* est content   *satisfied; boss*
  de moi. C'est l'*essentiel,* non?   *with; important*
                                                                        thing

Où habite Marie-France? Est-ce qu'elle est étudiante? Où est-ce qu'elle travaille? Qu'est-ce
qu'elle vend? Est-ce qu'elle est contente de son travail *(job)*? Pourquoi ou pourquoi pas?

Quelles langues est-ce qu'on parle en Suisse? Quelle langue est-ce qu'on parle à Genève? Quelles organisations importantes est-ce qu'il y a à Genève?

NOTE CULTURELLE

La Suisse La Suisse a quatre langues nationales: l'allemand, le français, l'italien et le romanche.[1] Lausanne et Genève sont situés° dans la partie française de la Suisse. Genève est un centre international important. C'est le siège° de certaines agences des Nations Unies et de la Croix-Rouge° Internationale (société fondée° en 1863 par un Suisse, Henri Dunant). Lausanne est un centre commercial et culturel.

situés *located* **siège** *seat* **Croix-Rouge** *Red Cross* **fondée** *founded*

Lausanne

[1] **Romanche** *(Romansh)* is a language spoken in the eastern part of Switzerland, in a region known for its ski resorts.

CONVERSATION

Parlons de vos vêtements

Choisissez-vous vos propres *(own)* vêtements?

Quelle est votre couleur préférée *(favorite)*?

Quels vêtements portez-vous aujourd'hui? De quelle couleur sont-ils?

Quels vêtements portez-vous quand vous allez à un concert? à un match de
football? à une surprise-partie? au restaurant?

Remind the students that nouns ending in -eau in
the singular add -x in the plural:

un manteau	des manteaux
un chapeau	des chapeaux

Vocabulaire spécialisé   Les vêtements

Quelques vêtements
des vêtements *clothes*

un anorak *ski jacket*   des bas   un blue-jeans   * un bonnet   un chemisier

un chapeau

un short

un pull

un maillot de bain

un costume   un manteau   un pantalon   un tee-shirt

Quelques accessoires

* un collier   * une bague   * des boucles d'oreille

* un bracelet

des lunettes de soleil

des lunettes

VOCABULARY EXPANSION: **un foulard** *(silk scarf)*, **une écharpe** *(long wool scarf)*, **des collants** *(tights)*, **des sous-vêtements**
(underwear), **une ceinture** *(belt)*, **une médaille** *(medal)*, **un médaillon** *(medallion)*, **des gants** *(gloves)*, **des chaussures de tennis**
44 Reprise *(sneakers)*, **des verres de contact** *(contact lenses)*

Quels vêtements portez-vous en hiver? en été?

Quels vêtements portez-vous quand vous jouez au tennis? quand vous allez
à la plage? quand vous skiez?

Portez-vous des lunettes? En été, portez-vous des lunettes de soleil?

Portez-vous une bague? Portez-vous une médaille *(medal)*? Qu'est-ce
qu'elle représente?

une veste *jacket*   des bottes   des chaussettes   une cravate

des chaussures

des sandales

une jupe   une chemise   une robe

Quelques adjectifs de couleur

blanc (blanche)	*white*	**noir**	*black*
bleu	*blue*	* **rose**	*pink*
* **brun**	*dark brown*	**rouge**	*red*
gris	*gray*	**vert**	*green*
jaune	*yellow*	* **violet (violette)**	*purple*

VERBE: **porter**   *to wear*   **Portez**-vous des lunettes?

You may want to introduce **marron** *(brown)* and **orange**. Since these names of colors are derived from nouns (**un marron,**
chestnut; **une orange),** they are invariable. Similarly, names of colors modified by **clair** *(light)* and **foncé** *(dark)* are invariable:
une chemise bleu clair, une robe bleu foncé.

Structure

A. Les adjectifs interrogatifs et démonstratifs

Interrogative and *demonstrative* adjectives agree in gender and number with the nouns they introduce. Review the forms of these adjectives.

Interrogative adjectives (*which, what* + noun)   REVIEW: interrogative adjectives—Level 1, p. 194

	SINGULAR	PLURAL		
Masculine	quel	quels	quel pull?	quels vêtements?
Feminine	quelle	quelles	quelle veste?	quelles chemises?

You may want to contrast **quel** and **qu'est-ce que.**
- **Quel** introduces a noun: **Quel pull est-ce que tu regardes?**
- **Qu'est-ce que** introduces a verb (other than **être**): **Qu'est-ce que tu regardes?**

Demonstrative adjectives (*this, that, these, those* + noun)   REVIEW: demonstrative adjectives—Level 1, p. 195

	SINGULAR	PLURAL		
Masculine	ce (cet)	ces	ce pull, cet anorak	ces pantalons
Feminine	cette	ces	cette cravate	ces chaussures

⇨ The form in parentheses is used before a vowel sound.

⇨ To distinguish between *this (over here)* and *that (over there)*, the French add **-ci** or **-là** after the noun.

Jacques aime **cette** chemise-**ci**.	*Jacques likes **this** shirt.*
Paul aime mieux **cette** chemise-**là**.	*Paul prefers **that** shirt.*

ACTIVITÉ 1   Au grand magasin (*At the department store*)

Marie-France et Julien sont dans un grand magasin. Marie-France indique (*points out*) certaines choses et Julien demande des clarifications. Jouez les deux rôles, d'après le modèle.

⇨ une veste   Marie-France: **Regarde la veste!**
Julien: **Quelle veste?**
Marie-France: **Cette veste-là.**

1. un pull
2. un anorak
3. des chaussures
4. des chaussettes
5. des jeans
6. un collier
7. un appareil-photo
8. une médaille (*medal*)
9. une cravate

B. Les verbes réguliers en -ir
REVIEW: -ir verbs—Level 1, p. 184

Many verbs ending in **-ir** are conjugated like **finir** (*to finish*). Note the forms of this verb, paying special attention to the endings.

Infinitive	finir			
Present	je	finis	nous	finissons
	tu	finis	vous	finissez
	il/elle	finit	ils/elles	finissent

⇨ The *imperative* forms of **finir** are the same as those of the present tense.

Finis!   Finissez!   Finissons!

Vocabulaire spécialisé   Quelques verbes réguliers en -ir

choisir	*to choose, pick*	Qu'est-ce que vous **choisissez?**
finir	*to finish, end*	Le concert **finit** à sept heures.
grossir	*to gain weight, get fat*	Est-ce que vous **grossissez?**
maigrir	*to lose weight, get thin*	Nous, nous **maigrissons.**
obéir (à)	*to obey*	Nathalie **obéit** à ses parents.
réussir	*to succeed*	Jean va **réussir** dans la vie (*life*).
réussir à un examen	*to pass a test*	Les bons élèves **réussissent aux examens.**
rougir	*to blush*	Pourquoi est-ce que tu **rougis?**

proverbe: *Tout est bien qui finit bien.*

"All's well that ends well."

VOCABULARY EXPANSION: **désobéir (à)** *(to disobey)*

ACTIVITÉ 2   Au choix (*Choose one*)

Nous allons à certains endroits pour obtenir (*to obtain*) certaines choses. Les personnes suivantes sont aux endroits indiqués. Dites quelle chose elles choisissent.

une robe / des sandales / des fruits / un livre / un disque / une raquette / une omelette / un Coca-Cola / une Kawasaki

⇨ Alain est au café.   **Il choisit un Coca-Cola.**

1. Nous sommes au restaurant.
2. Vous êtes à la bibliothèque.
3. Je suis dans un magasin de motos.
4. Tu es dans un magasin de disques.
5. Mes cousins sont au supermarché.
6. Marie-France est dans un magasin de sport.
7. Mes sœurs sont dans un magasin de vêtements.
8. Nous sommes dans un magasin de chaussures.

C. Les verbes réguliers en -re   REVIEW: -re verbs—Level 1, p. 214

Many verbs ending in **-re** are conjugated like **perdre** *(to lose)*. Note the forms of this verb, paying special attention to the endings.

Infinitive	perdre			
Present	je	perds	nous	perd**ons**
	tu	perds	vous	perd**ez**
	il/elle	perd	ils/elles	perd**ent**

☞ The **imperative** forms of **perdre** are the same as those of the present tense.

Perds!   Perdez!   Perdons!

Remind the students that the final **d** of the stem is silent in the singular forms and pronounced in the plural forms.

Champion canadien de hockey sur gazon

Le Québec perd 2-0

Vocabulaire spécialisé   Quelques verbes réguliers en -re

attendre	*to wait, wait for*	J'**attends** un ami.
entendre	*to hear*	Est-ce que tu **entends** la musique?
perdre	*to lose*	Paul **perd** toujours ses notes.
perdre son temps	*to waste one's time*	Pourquoi est-ce que tu **perds** ton temps?
*rendre	*to give back, return*	**Rends** le disque à Marie-France!
rendre visite (à)	*to visit (a person)*	Vous **rendez visite à** votre oncle.
répondre (à)	*to answer*	**Répondez au** professeur!
vendre	*to sell*	À qui est-ce que tu **vends** ta guitare?

Note: The English verb *to visit* has two French equivalents:

visiter	*to visit* (a place)	Nous **visitons** Lausanne.
rendre visite à	*to visit* (a person)	Nous **rendons visite** à Marie-France.

Remind the students that **pour** is *never* used with **attendre** to mean *to wait for.* Simply: **Elle attend le bus.** *She waits (is waiting) for the bus.*

ACTIVITÉ 3 À vendre *(For sale)*

Pendant les vacances, les étudiants suivants travaillent dans différents magasins. Dites ce que chacun vend.

☞ Henri / des posters   **Henri vend des posters.**

1. Marc / des caméras
2. nous / des chaînes-stéréo
3. vous / des disques
4. moi / des guitares
5. Suzanne / des boucles d'oreille
6. Sylvie et Louise / des vêtements
7. François et Pierre / des chaussures
8. toi / des maillots de bain

Vends guitare électrique excellente condition téléphonez à Michel Dupuis 25.37.16

The purpose of this activity is to practice vocabulary and the forms of -ir and -re verbs. If the students have difficulty with a specific response, you may expand it into a substitution exercise by varying the subjects: **Nous ne réussissons pas aux examens.** (Claire) **Claire ne réussit pas aux examens.** (Moi) **Je ne réussis pas aux examens.** etc.

ACTIVITÉ 4   Oui ou non?

Lisez les descriptions suivantes. Puis dites si les personnes font les choses indiquées entre parenthèses. Soyez logique!

⇨ Nous n'étudions pas assez. (réussir aux examens?)
  Nous ne réussissons pas aux examens.

1. Jacques et Thomas mangent beaucoup. (maigrir?)
2. Vous êtes très timide. (rougir?)
3. Caroline joue très souvent au tennis. (grossir?)
4. Henri est bon en français. (réussir à l'examen?)
5. Rufus est un excellent chien. (obéir toujours?)
6. Nous ne sommes pas patients. (attendre nos amis?)
7. Mes cousins sont à l'aéroport. (entendre les avions?)
8. Vous regardez des programmes idiots. (perdre votre temps?)
9. Madame Lebon est la secrétaire du directeur. (répondre au téléphone?)
10. Mes voisins adorent voyager. (rendre visite à leurs amis canadiens?)

D. Les questions avec inversion

REVIEW: inverted questions—Level 1, pp. 76, 273

In Leçon 1 you reviewed questions with **est-ce que.** When the subject of the sentence is a pronoun, questions can also be formed by *inverting* (that is, reversing the order of) the subject and the verb. Compare the following statements and questions.

Vous choisissez une robe.	**Choisissez-vous** une veste?
Ils sont dans un magasin.	**Sont-ils** dans un magasin?
Il maigrit.	**Maigrit-il?**
Elle vend sa voiture.	**Vend-elle** sa voiture? In liaison, **d** is pronounced /t/.

⇨ In inverted questions, the verb and subject pronoun are linked with a hyphen.
⇨ If the subject pronoun begins with a vowel (**il, elle, ils, elles**), a liaison /t/ is pronounced between the verb and the subject pronoun.

Note that if the **il/elle** form of the verb ends in a vowel, the letter **-t-** is inserted between the verb and the pronoun.

Il va en France.	**Va-t-il** à Paris?
Elle travaille en Suisse.	**Travaille-t-elle** à Genève?

You may point out that it is never necessary to insert -t- with the **ils/elles** forms of the verb, since these forms always end in **t**.

⇨ Inversion may also be used with information questions.

Où **vas-tu** demain?	Où **va-t-il?**
Quand **dînez-vous?**	Pourquoi **voyagent-ils?**

You may point out that with infinitive constructions it is always the conjugated verb and the subject pronoun that are inverted: **Aimez-vous voyager? Va-t-il visiter Lausanne?**

ACTIVITÉ 5   Le club des jeunes

Imaginez que vous êtes président d'un club des jeunes en Suisse. Vous voulez connaître les talents des membres du club. Posez des questions, d'après le modèle.

⇨ Paul / jouer au tennis?   **Joue-t-il au tennis?**

1. Catherine / jouer au volleyball?
2. Louise et Lucie / jouer au basket?
3. Henri / jouer de la guitare?
4. Sylvie / chanter bien?
5. Robert et Marc / parler anglais?
6. Mélanie / parler espagnol?

ACTIVITÉ 6 Petite conversation

Posez des questions à vos camarades. Utilisez l'inversion.

⇨ Où / déjeuner? —**Où déjeunes-tu?**
   —**Je déjeune chez moi (à l'école, etc.).**

1. À quelle heure / rentrer chez toi?
2. Quand / regarder la télé?
3. Quels programmes / regarder?
4. À quelle heure / dîner?

5. À quel cinéma / aller?
6. Où / aller le week-end?
7. Combien de frères / avoir?
8. Combien de disques / avoir?

À votre tour Au magasin

The purpose of this activity is to practice interrogative and demonstrative adjectives and questions with inversion.

Imagine that you are working in a clothing shop in Lausanne. A customer comes to you for help. Compose a short dialog between you and the customer. (You may read again the text on page 42 for suggestions.)

La vie de tous les jours

1. Les nombres de 60 à 1.000.000

REVIEW: numbers (60–1,000,000)—Level 1, pp. 186, 194

60	soixante	80	quatre-vingts	100	cent
61	soixante et un	81	quatre-vingt-un	101	cent un
62	soixante-deux	82	quatre-vingt-deux	102	cent deux
63	soixante-trois	83	quatre-vingt-trois		. . .
. . .		. . .		200	deux cents
70	soixante-dix	90	quatre-vingt-dix	300	trois cents
71	soixante et onze	91	quatre-vingt-onze	1.000	mille
72	soixante-douze	92	quatre-vingt-douze	10.000	dix mille
. . .		. . .		1.000.000	un million

In writing numbers, French uses periods where English uses commas, and vice versa.

2. *Le temps (The weather)

REVIEW: weather—Level 1, p. 36

Quel temps fait-il? *How's the weather?*

Il fait beau.   **Il fait mauvais.**

Il pleut.   **Il neige.**

Il fait chaud.

Il fait froid.

3. *La température

Quelle est la température?

REVIEW: temperature—Level 1, p. 36

 Il fait 18 degrés.   **Il fait zéro.**   **Il fait moins cinq.**

Dictionnaire illustré des bruits° français

L'accent grave

Jacques Prévert (1900–1977) est le grand poète de l'humour et de la fantaisie. Le poème que vous allez lire est une parodie du célèbre° monologue d'Hamlet: «Être ou ne pas être» ("To be or not to be").

famous

LE PROFESSEUR

Élève Hamlet!

L'ÉLÈVE HAMLET *(sursautant)°*

(sitting up with a start)

. . . Hein . . . Quoi . . . Pardon . . . Qu'est-ce qui se passe . . . Qu'est-ce qu'il y a . . . Qu'est-ce que c'est? . . .

LE PROFESSEUR *(mécontent)°*

(displeased)

Vous ne pouvez° pas répondre «présent» comme tout le monde?° Pas possible,° vous êtes encore° dans les nuages.°

can; like everyone else
I don't believe it; still; clouds

L'ÉLÈVE HAMLET

Être ou ne pas être dans les nuages!

LE PROFESSEUR

Suffit.° Pas tant de manières.° Et conjuguez-moi° le verbe être, comme tout le monde, c'est tout ce que° je vous demande.

Enough; Don't show off; Conjugate for me
that

L'ÉLÈVE HAMLET

To be . . .

LE PROFESSEUR

En français, s'il vous plaît, comme tout le monde.

Quand vous ne comprenez pas quelque chose, vous pouvez dire:

Hein?	*Huh?*
Quoi?	*What?*
Pardon?	*Excuse me?*
Je n'y suis pas . . .	*I don't get it. I'm not with it.*
Qu'est-ce qu'il y a?	*What's up? What's wrong?*
Qu'est-ce que c'est?	*What is it?*
Qu'est-ce qui se passe?	*What's happening?*

L'ÉLÈVE HAMLET

Bien, monsieur. *(Il conjugue:)*
Je suis ou je ne suis pas
Tu es ou tu n'es pas
Il est ou il n'est pas
Nous sommes ou nous ne sommes pas . . .

LE PROFESSEUR *(excessivement mécontent)*
Mais c'est vous qui n'y êtes pas, mon pauvre ami!

L'ÉLÈVE HAMLET

C'est exact,° monsieur le professeur,   right
Je suis «où» je ne suis pas
Et, dans le fond,° hein, à la réflexion,°   after all; if you think
Être «où» ne pas être   about it
C'est peut-être aussi la question.

Jacques Prévert, *Paroles*
© Éditions Gallimard

Cognates and their problems are presented on p. 57. Partial cognates are featured in the **Art de la lecture** of **Variétés 2** (p. 147). False cognates are introduced on p. 213.

Cognates and their problems are presented on p. 57. Partial cognates are featured in the **Art de la lecture** of **Variétés 2** (p. 147). False cognates are introduced on p. 213.

Cognates

When you read a new selection in French, you should first read it through for the general meaning. To arrive at this general meaning, pay attention to the words you know or can guess easily. Usually a French text will contain many words which look like English words and have similar meanings. In "L'accent grave," for example, you easily recognized words like **présent, verbe, question.** These words are called "cognates." Beginning with Unité 1, each lesson will contain a brief section called **Mots apparentés** *(Related words)*, which will teach you to recognize common cognate patterns.

Reading carefully

After reading the text rapidly, you should be able to understand its general meaning. Then you should read it again to understand the details. This second reading should be done much more carefully. In particular, you should pay attention to the spelling of words. Sometimes a minor difference in spelling makes a big difference in meaning! This is illustrated in the poem "L'accent grave," which plays on the difference between **ou** *(or)* and **où** *(where).* What is the question: **être ou ne pas être** or **être où ne pas être?**

L'ART DE LA LECTURE

OBJECTIVES

The main objective of this unit is to review the verbs presented in part of Unité 4 and in Unités 5 and 6 of Level 1.

Structures reviewed
- uses and forms of the partitive article
- present tense of **faire, vouloir, pouvoir, devoir, boire, prendre, mettre, sortir, partir, dormir**
- the **passé composé** with **avoir** and **être**; irregular past participles

Two *new* structures are introduced: the verb **conduire** and the construction **il faut +** infinitive.

Vocabulary
- foods and drinks
- leisure-time activities
- expressions with **avoir** and **faire**
- professions
- verbs of motion

UNITÉ 1
C'est la vie!

Leçon 1 **Une allergie**

STRUCTURES REVIEWED
- **prendre**
- the partitive article
- **boire**
- **faire** and expressions with **faire**

Jean-Louis et Béatrice sont très occupés.
Ils organisent une surprise-partie pour le week-end.
Jean-Louis *décore* le *salon*.
Béatrice fait la liste des *courses*.

*is decorating;
living room
shopping*

JEAN-LOUIS: Qu'est-ce que tu vas acheter?

BÉATRICE: Du jambon, du fromage et du beurre. Nous allons faire des sandwichs.

JEAN-LOUIS: Et *comme boisson*, tu achètes de la bière?　　　*as a drink*

BÉATRICE: Non, pas de bière. Je vais prendre du coca et du jus de fruits.

JEAN-LOUIS: Et n'*oublie* pas d'acheter aussi de l'aspirine.　　　*forget*

BÉATRICE: De l'aspirine? Pourquoi?

JEAN-LOUIS: Mais pour Papa, *voyons!* Tu sais bien qu'il a *mal à la tête* chaque *fois* que nous donnons une surprise-partie.

*come on;
headache
time*

BÉATRICE: Oui, c'est vrai. Je *crois* qu'il est allergique à la musique disco!　　　*believe*

Pourquoi est-ce que Jean-Louis et Béatrice sont occupés? Qu'est-ce que fait Jean-Louis? Qu'est-ce que fait Béatrice? Qu'est-ce qu'elle va acheter? Pourquoi est-ce qu'elle va acheter de l'aspirine? Est-ce que son père aime la musique disco?

Qu'est-ce que les jeunes Français font à une surprise-partie?
Qu'est-ce qu'ils mangent? Qu'est-ce qu'ils boivent?

NOTE CULTURELLE

Une surprise-partie Une surprise-partie française est différente d'une surprise-partie américaine. C'est une petite fête° où les jeunes écoutent de la musique et dansent. Il y a généralement un buffet où l'on sert° des sandwichs (sandwichs au jambon, sandwichs au fromage, etc.) et des boissons° non-alcoolisées (jus de fruits, eau minérale, Coca-Cola, etc.).

fête *party* **l'on sert** *one serves* **boissons** *drinks*

The full conjugation of verbs like **acheter** is formally reviewed in Unité 3. At this point the students will be using only the infinitive and the forms, **j'achète, tu achètes,** and **vous achetez.**

Vocabulaire pratique

ADJECTIFS:	occupé ≠ *libre	*busy ≠ free*	Je suis **occupé** ce soir, mais je suis **libre** demain.
VERBE:	acheter	*to buy*	Qu'est-ce que tu **achètes?**
EXPRESSION:	*chaque	*each*	Est-ce que **chaque** étudiant a son livre?

MOTS APPARENTÉS

hôpital/*hospital*   chocolat/*chocolate*   une surprise-partie/*party*

(Cognates) Many French words are related to English words. Words which are similar both in spelling and meaning in French and English are called *cognates*. Note the following:

1. French-English cognates are often spelled differently.
2. French-English cognates are always pronounced differently.
3. French-English cognates often have slightly different meanings.

French adjectives and nouns in **-ique** often have English cognates in *-ic:*

-ique	↔	*-ic*	
aller**gique**		*allergic*	
la mus**ique**		*music*	

fantastique *fantastic*
dynamique *dynamic*
artistique *artistic*
romantique *romantic*
le Pacifique *Pacific*
l'Atlantique *Atlantic*

The pattern **-ique** ↔ *-ical* (**classique** ↔ *classical*) is presented on p. 201.

CONVERSATION

Parlons de vos repas

Aimez-vous manger? Aimez-vous la soupe? la salade? la glace? les spaghetti? le rosbif? le homard *(lobster)*? En général, aimez-vous mieux la viande ou le poisson?

Déjeunez-vous à la cafétéria de votre école? Est-ce que vous mangez souvent de la soupe? de la salade? de la glace? des spaghetti? du rosbif? du homard? Et chez vous? If the students answer in the negative, cue **pas de.**

Quand vous mangez un hamburger, est-ce que vous utilisez du ketchup? de la moutarde?

- The word **spaghetti** is borrowed from Italian and therefore is usually written without a final **-s.**
- Because the word **homard** begins with an aspirate **h,** there is no elision.

Vocabulaire spécialisé   À table

There is no liaison before **hors-d'œuvre** and **haricot** (aspirate **h**).

* **les hors-d'œuvre**   *appetizers*

* **le plat principal**   *main dish*
la viande   *meat*
* **le poisson**   *fish*

de la soupe

un œuf   /œf/
des œufs   /ø/

une omelette

* **du céleri**

du poulet

du jambon

du rosbif

* **de la sole**

* **du thon**   *tuna*

les autres *(other)* **ingrédients**

du beurre	*butter*	**de la confiture**	*jam*
du pain	*bread*	**de l'huile**	*oil*
du poivre	*pepper*	* **de la moutarde**	*mustard*
du sel	*salt*		
du sucre	*sugar*		
du vinaigre	*vinegar*		

VOCABULARY EXPANSION: **de la soupe à l'oignon; du bœuf, du porc, de l'agneau, un rôti, une cotelette, de la dinde** *(turkey);* **des épinards** *(spinach),* **du riz** *(rice);* **une fraise, une cerise, une pêche, un abricot, du raisin** *(grapes),* **un melon, une pastèque** *(watermelon),* **du miel** *(honey),* **de la mayonnaise, de la farine** *(flour);* **prendre le petit déjeuner, déjeuner, dîner** (Note: One never uses **avoir** or **manger** with names of meals.)

Quand vous mangez un sandwich, est-ce que vous utilisez de la moutarde?
de la mayonnaise?

Est-ce que vous mangez du pain avec vos repas? Est-ce que vous aimez
mieux le pain français ou le pain américain?

Aimez-vous faire la cuisine? Quels ingrédients est-ce que vous utilisez
quand vous préparez votre sandwich favori?

Quand vous faites les courses (do the shopping), est-ce que vous achetez   Cue j'achète.
du Coca-Cola? de la limonade? du chewing-gum? de l'aspirine?

Est-ce que vous faites du camping pendant (during) les vacances? Avec
qui? Qui fait la cuisine?

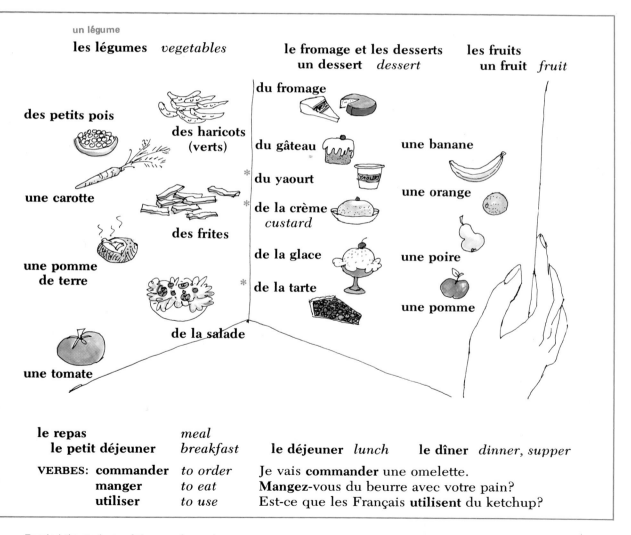

un légume

les légumes *vegetables*

des petits pois

**des haricots
(verts)**

une carotte

des frites

**une pomme
de terre**

de la salade

une tomate

le fromage et les desserts
un dessert *dessert*

du fromage

du gâteau

* **du yaourt**

* **de la crème**
custard

de la glace

* **de la tarte**

les fruits

un fruit *fruit*

une banane

une orange

une poire

une pomme

le repas   *meal*
le petit déjeuner   *breakfast*   **le déjeuner** *lunch*   **le dîner** *dinner, supper*

VERBES: **commander** *to order*   Je vais **commander** une omelette.
          manger   *to eat*   **Mangez**-vous du beurre avec votre pain?
          utiliser *to use*   Est-ce que les Français **utilisent** du ketchup?

Remind the students of the **nous** form of **manger**: **nous mangeons.**

Structure

A. Le verbe *prendre*   OPTIONAL   REVIEW: prendre—Level 1, p. 252

Review the forms and uses of the irregular verb **prendre** *(to take)*.

Infinitive		**prendre**	Nous allons **prendre** du café.
Present	je	**prends**	Je **prends** le taxi.
	tu	**prends**	Est-ce que tu **prends** le bus?
	il/elle	**prend**	À quelle heure **prend**-il le petit déjeuner?
	nous	**prenons**	Nous **prenons** le petit déjeuner à sept heures.
	vous	**prenez**	Est-ce que vous **prenez** du sucre avec le café?
	ils/elles	**prennent**	Mes amis **prennent** une omelette.

The imperative is regular: **Prends! Prenez! Prenons!**

⇨ When used with meals, foods, and beverages, **prendre** means
to have, eat, or *drink.*

Je vais **prendre** un sandwich.   *I'm going **to have** a sandwich.*

⇨ The following verbs are conjugated like **prendre:**

apprendre	*to learn*	Nous **apprenons** l'espagnol.
apprendre à (+ infinitive)	*to learn how to*	Paul **apprend** à jouer du piano.
comprendre	*to understand*	Je ne **comprends** pas votre question.

• The verb **apprendre** may also mean *to teach:* **Philippe apprend à nager à sa sœur.**
• Review the forms of **prendre** by having the students rapidly do simple substitution drills: **Je prends le bus. (Marie, nous, tu, les enfants, vous) Je ne prends pas l'avion. J'apprends le français. Je ne comprends pas.**

ACTIVITÉ 1   Questions personnelles

1. Prenez-vous beaucoup de notes en classe de français? en classe d'anglais?
2. Est-ce que vos amis apprennent le français?
3. Est-ce que les élèves comprennent quand le professeur parle français? Est-ce que vous comprenez le professeur?
4. Est-ce que vous apprenez à jouer d'un instrument? De quel instrument?   du piano? de la flûte? de la clarinette? de la guitare? du violon?
5. Apprenez-vous à conduire *(to drive)*? Avec quelle voiture?
6. À quelle heure prenez-vous le petit déjeuner en semaine? le dimanche?
7. Est-ce que vous prenez le bus pour aller à l'école?
8. Est-ce que vos parents voyagent beaucoup? Est-ce qu'ils prennent souvent l'avion?
9. Avez-vous un appareil-photo? Prenez-vous beaucoup de photos? Sont-elles bonnes?
10. D'après vous *(In your opinion)*, est-ce que les adultes comprennent les jeunes? Est-ce que les jeunes comprennent les adultes?

In Book 1, for the sake of simplicity, only the singular form of the partitive article was presented. Here we are introducing the plural form, which is similar to (and should be distinguished from) the plural form of the indefinite article. For instance: **des tomates,** when referring to several fresh tomatoes, is a plural count noun (indefinite article). When referring to a dish of stewed tomatoes, however, **des tomates** is a plural mass noun (partitive article).

B. L'article partitif   OPTIONAL   REVIEW: partitive article—Level 1, pp. 230, 231, 239-240

Certain nouns designate things which can be counted: eggs, bananas, oranges, etc. Such nouns are called *"count nouns"* and can be introduced by *indefinite* articles:

un œuf   **une** banane   **des** oranges

However, some nouns designate things which cannot be counted: soup, bread, spaghetti, etc. These nouns are called *"mass nouns"* and are often introduced by *partitive* articles. Review the forms of the partitive article in the chart below:

	SINGULAR	PLURAL		
Masculine	du (de l')	des	du pain, de l'agneau *(lamb)*	des spaghetti
Feminine	de la (de l')	des	de la soupe, de l'eau	des céréales

⇨ The forms in parentheses are used before a vowel sound.

⇨ In negative sentences **du, de la (de l'), des → de (d')** after **pas.**
Je **ne** mange **pas de** pain.   Nous n'avons **pas d'**aspirine.

⇨ The partitive article expresses the idea of *a certain quantity of, a certain amount of,* and often corresponds to *some* or *any.* Although the words *some* and *any* are often omitted in English, the partitive article *must* be used in French.

Paul prend **de la** salade.   *Paul takes (some) salad.*
Je n'ai **pas d'**argent.   *I do not have (any) money.*

⇨ The partitive article may also be used with *abstract* nouns.
Janine a **de** l'ambition.   *Janine has ambition.*

⇨ The partitive article is often used after the following verbs and expressions:

avoir	Est-ce que tu **as de** l'argent?	
acheter	Nathalie va **acheter de la** glace.	
commander	**Commandons du** rosbif!	
manger	**Mangez**-vous **du** jambon?	
prendre	**Prenons de la** crème!	
vendre	Le pharmacien **vend de** l'aspirine.	
il y a	Est-ce qu'**il y a du** beurre dans le réfrigérateur?	

You may want to contrast:
J'aime le fromage.   *I like cheese* (in general).
Je prends le fromage.   *I am taking the cheese.*
Je prends un fromage.   *I am taking a* (whole) *cheese.*
Je prends du fromage.   *I am taking some* (a certain quantity of) *cheese.*
See the chart and illustrations in Book 1, p. 239.

The partitive article is not used to introduce the subject of a sentence: **Le beurre est dans le réfrigérateur.**

⇨ Note: The definite article is used to introduce mass nouns when they are taken in a general sense.

Béatrice aime **la** glace, mais elle n'aime pas **le** fromage.

The definite article may also be used with mass nouns to designate specific items: **Où est la glace? Jacques aime le gâteau de sa mère.**

VARIATIONS: (1) A customer asks the waiter if he has these items.
Client: Avez-vous du céleri? Garçon: Oui, nous avons du céleri.
(2) A customer asks for the items, and the waiter replies in the negative.
Client: Avez-vous du céleri? Garçon: Non, nous n'avons pas de céleri.

ACTIVITÉ 2   Au restaurant

Jean-Louis et Béatrice sont au restaurant. Béatrice dit ce qu'elle aime. Jean-Louis suggère (suggests) de commander ces choses. Jouez les deux rôles.

⇨ le céleri   Béatrice: **J'aime le céleri!**
Jean-Louis: **Commandons du céleri!**

1. le melon
2. le caviar
3. le rosbif

4. la sole
5. la salade
6. les spaghetti

7. le fromage
8. la glace
9. la crème

ACTIVITÉ 3   Le réfrigérateur

Dites s'il y a les choses ci-dessus (above) dans votre réfrigérateur.

⇨ le céleri   **Oui, il y a du céleri.**
(Non, il n'y a pas de céleri.)   VARIATION: Expand the exercise by using items from the **Vocabulaire spécialisé.**

ACTIVITÉ 4   Aimez-vous faire la cuisine? (Do you like to cook?)

Imaginez que vous préparez un repas pour le Club de français. Vous allez préparer les plats suivants. Pour chaque plat, demandez à un ami français d'acheter les choses nécessaires.

⇨ des sandwichs au fromage (cheese sandwiches)
Achète du pain, du beurre et du fromage.

1. des sandwichs au jambon
2. une soupe aux légumes

3. une omelette au fromage
4. une salade de tomates

5. une salade de fruits

ACTIVITÉ 5   Êtes-vous qualifié(e)?

Pour faire certaines choses, certaines qualifications sont nécessaires. Dites que chaque personne a les qualifications indiquées. Puis dites si oui ou non vous avez ces qualifications.

⇨ les professeurs / la patience   **Les professeurs ont de la patience.**
J'ai de la patience. (Je n'ai pas de patience.)

1. les artistes / le talent
2. les poètes / l'imagination
3. le président / l'ambition

4. les diplomates / le tact   /takt/
5. les explorateurs (explorers) / le courage
6. les athlètes / l'énergie

OPTIONAL
C. Le verbe boire   REVIEW: boire—Level 1, p. 232

Review the forms of the irregular verb **boire** (to drink).

Infinitive	boire			
Present	je	bois	nous	buvons
	tu	bois	vous	buvez
	il/elle	boit	ils/elles	boivent

The imperative is regular: **Bois! Buvez! Buvons!**

ACTIVITÉ 6 Au café   VARIATION: Say what they are not drinking. **Linda ne boit pas de vin.**

Les personnes suivantes sont dans un café à Montréal. Étudiez leurs caractéristiques. D'après vous (*In your opinion*), qu'est-ce qu'ils boivent?

⇨ Linda est une jeune Américaine.   **Elle boit du lait. (Elle boit du Coca-Cola.)**

1. Monsieur Schmidt est allemand.
2. Mes cousines sont anglaises.
3. Nous sommes américains.
4. Tu habites en Floride.

5. Silvia est brésilienne.
6. Vous êtes français.
7. Je ne veux pas grossir.
8. Paul a un examen cet après-midi.

VOCABULARY EXPANSION: **le chocolat, le café au lait, l'eau gazeuse** (*soda water*)

Vocabulaire spécialisé   **Les boissons**

le Coca-Cola (le coca)   la limonade   le jus d'orange   le café   le lait

le vin   l'eau *water*   l'eau minérale   la bière   le thé

* **le jus de fruits** *fruit juice*   **une boisson** *beverage, drink*

French **limonade** is actually somewhat similar to ginger ale. For *lemonade* the French say **un citron pressé.**

D. Le verbe *faire*   OPTIONAL   REVIEW: **faire**/expressions with **faire**—Level 1, pp. 244, 245

Review the forms and uses of the irregular verb **faire** (*to do, make*).

Infinitive	**faire**	Qu'est-ce que tu vas **faire?**
Present	je **fais**	Je **fais** des progrès en français.
	tu **fais**	Est-ce que tu **fais** des projets pour les vacances?
	il/elle **fait**	Mélanie **fait** une promenade à vélo.
	nous **faisons**	Nous **faisons** un match de tennis. /fəzɔ̃/
	vous **faites**	Est-ce que vous **faites** les courses?
	ils/elles **font**	Mes amis **font** un pique-nique.

Faire is one of the most common verbs in French. It is used in many phrases and expressions:

faire attention (à)	*to pay attention (to), be careful (about)*
faire les courses	*to go shopping* (for food), *do the shopping*
* faire la cuisine	*to cook, do the cooking*
faire un match	*to play a game*
faire des progrès	*to make progress*
faire des projets	*to make plans*
faire une promenade	*to go for a walk, go for a ride*
(à pied, en auto)	
faire un voyage	*to go on a trip, take a trip*

proverbe:

L'argent ne fait pas le bonheur.

"*Money can't buy happiness.*"

Faire is also used with the partitive article in the following constructions:

faire	+ partitive article +	sport	*to play, participate in*
		school subject	*to study, learn*
		instrument	*to play, learn to play*
		pastime	*to do, be active in, go*

Fais-tu **du** camping?   *Do you go camping?*
Non, je ne **fais** pas **de** camping.   *No, I don't go camping.*

jouer à/faire de/pratiquer:
- **jouer à** is usually used wi
  sports and activities, whe
  English uses *to play:* joue
  au football, jouer au
  hockey.
- **faire de** is used with all
  other sports and leisure-
  time activities: faire du
  jogging, faire du camping
- **pratiquer** is used with
  sports in general, and is
  often expressed in Englis
  by *to engage (take part)*
  Quels sports pratiquez-vc

Vocabulaire spécialisé   Quelques loisirs *(Some leisure-time activities)*

* l'alpinisme	*mountain climbing*	la natation	*swimming*
* le camping	*camping*	* la planche à voile	*wind-surfing*
le patin à glace	*ice-skating*	la voile	*sailing*
le patin à roulettes	*roller-skating*		
* le patinage	*skating*		
* le ski	*skiing*		
* le ski nautique	*water-skiing*		

VOCABULARY EXPANSION: **la plongée sous-marine** *(scuba diving),* **le dessin** *(drawing),* **la couture** *(sewing),* **la gymnastique,** **l'équitation** *(horseback riding),* **l'escrime** *(fencing),* **la pêche** *(fishing),* **la planche à roulettes** ou **le skate-board, l'athlétisme** *(track and field),* **le jogging; le basketball, le hockey, le volleyball, le golf, le badminton, le ping-pong, le judo, le karaté; la boxe, le catch** *(wrestling)*

ACTIVITÉ 7   Questions personnelles
1. Faites-vous des maths? de la biologie? de l'anglais? du latin?
2. Faites-vous attention en classe? quand vous avez un examen?
3. Faites-vous des progrès en français?
4. Qui fait les courses chez vous? Faites-vous les courses avec vos parents? Dans quels magasins faites-vous les courses?
5. Aimez-vous faire la cuisine? Quelles sont vos spécialités? Est-ce que votre mère fait bien la cuisine? Et votre père?
6. Aimez-vous faire des promenades à pied? à vélo? Où allez-vous?
7. Le week-end, faites-vous des promenades en voiture avec vos parents? avec vos amis? Où allez-vous?

8. Jouez-vous au tennis? Faites-vous des matchs avec vos amis? Quand vous faites un match, est-ce que c'est pour gagner *(to win)*?
9. Allez-vous faire un voyage pendant les vacances? Où allez-vous aller?
10. Quels sont vos talents? Faites-vous de la photo? du théâtre? de la poterie? de la danse? de la peinture *(painting)*? de la sculpture?
11. Êtes-vous sportif /sportive *(athletic)*? Faites-vous de la gymnastique? des exercices? du jogging? Où? Quand? Avec qui?

ACTIVITÉ 8   Petite conversation

Demandez à vos camarades s'ils font les choses suivantes.

⇨ le sport   —**Fais-tu du sport?**
          —**Oui, je fais du sport. (Non, je ne fais pas de sport.)**

1. le volleyball	5. le ski	9. le vélo
2. le ping-pong	6. le ski nautique	10. le basketball
3. le camping	7. le patin à glace	11. la planche à voile
4. l'alpinisme	8. le patin à roulettes	12. la voile

ACTIVITÉ 9   Qu'est-ce qu'ils font?

Lisez ce que font les personnes suivantes et dites quels sports ou quelles activités elles pratiquent *(take part in)*. Utilisez **faire** et une des expressions du vocabulaire.

⇨ Charles va dans le Colorado en hiver.   **Il fait du ski.**

1. Nous avons une tente.
2. Vous avez un bateau.
3. Jacqueline a un bateau et des skis nautiques.
4. Thomas aime les montagnes *(mountains)*.
5. Mes amis habitent en Californie.
6. Robert habite en Floride.
7. Tu as des patins à roulettes.

À votre tour   OPTIONAL

1. Un repas familial *(A family meal)*

Décrivez un repas familial typique en un paragraphe de six lignes.

⇨ Chez nous, il y a souvent du poisson. Je déteste le poisson. Mais il y a aussi . . .   The purpose of this activity is to practice the partitive article.

2. Vos activités

Composez un petit paragraphe où vous décrivez vos activités et les activités de vos amis. Vous pouvez parler de vos activités artistiques et de vos activités sportives. Décrivez aussi les diverses *(various)* choses que les gens peuvent faire dans la région où vous habitez.

The purpose of this activity is to practice the construction **faire de** + partitive article + activity.

NEW STRUCTURES
· conduire
· il faut

STRUCTURES REVIEWED
· on
· vouloir, pouvoir, devoir

UNITÉ 1

Leçon 2 Petits problèmes simples

Connaissez-vous bien la France?   *know*
Oui! Alors, vous pouvez *trouver* facilement la solution de ces cinq   *find*
petits problèmes simples.   The answers to these problems are to be found in the **Notes culturelles.**

1. Sylvie est dans un petit village. Elle veut téléphoner à un ami à
   Paris. Où est-ce qu'elle doit aller pour téléphoner?
   ☐ Elle doit aller dans une pharmacie.
   ☐ Elle doit aller à la poste.
   ☐ Elle doit aller à la station d'autobus.

2. Des touristes américains sont en voyage en France. Ils veulent *voir*   *to see*
   la «Mona Lisa». Où est-ce qu'ils doivent aller?
   ☐ Ils doivent aller au Musée d'Art Moderne.
   ☐ Ils doivent aller au Musée du Louvre.
   ☐ Ils doivent aller au *Château* de Versailles.   *Castle*

3. Les Duval habitent à Nice. Ils décident d'aller en *Corse* cet été.   *Corsica*
   Comment peuvent-ils aller là-bas?
   ☐ Ils peuvent prendre le train.
   ☐ Ils peuvent prendre le bus.
   ☐ Ils peuvent prendre le bateau.

4. Jacques va passer les vacances de février à la Guadeloupe. Quel sport
   est-ce qu'on peut *pratiquer* là-bas?   *take part in*
   ☐ On peut faire du ski.
   ☐ On peut faire du ski nautique.
   ☐ On peut jouer au hockey.

5. Des *lycéens* américains vont passer l'été en France. Ils veulent louer   *high school
   une voiture pendant les vacances. Quel âge *est-ce qu'il faut avoir*   students
   pour conduire* une voiture en France?   is it necessary
   ☐ Il faut avoir 16 ans.   to be
   ☐ Il faut avoir 18 ans.   to drive*
   ☐ Il faut avoir 21 ans.

NOTES CULTURELLES

1. **Le téléphone** En France, 50% (cinquante pour cent) seulement° des maisons ont le téléphone. Les gens qui n'ont pas le téléphone chez eux peuvent aller à la poste où il y a toujours un téléphone public.

2. **Le Louvre** Le Louvre est un ancien° palais° royal transformé en° musée. Chaque année, ce musée reçoit° des millions de visiteurs qui viennent admirer les tableaux° célèbres° comme° la «Mona Lisa» du peintre italien, Léonard de Vinci.

3. **La Corse** La Corse est une île° de la mer Méditerranée. Pour aller en Corse, on peut prendre le bateau.

4. **La Guadeloupe** La Guadeloupe est une île tropicale, proche de° la Martinique. On peut faire du ski nautique ou de la planche à voile en hiver comme° en été.

5. **Le permis de conduire°** Pour conduire° une voiture, il faut° un permis.° Pour avoir ce permis, il faut avoir dix-huit ans.

seulement only   **ancien** former   **palais** palace   **transformé en** transformed into   **reçoit** welcomes   **tableaux** paintings   **célèbres** famous   **comme** like   **île** island   **proche de** close to   **comme** as well as   **permis de conduire** driver's license   **Pour conduire** To drive   **il faut** one needs   **permis** license

Est-ce que la majorité des familles françaises ont le téléphone? Où peut-on aller quand on n'a pas le téléphone? Comment s'appelle le musée où on peut admirer la «Mona Lisa»? Où est située la Corse? Comment peut-on aller là-bas? Où est la Martinique? Quels sports peut-on pratiquer là-bas? Qu'est-ce qu'il faut avoir si on veut conduire? Quel âge est-ce qu'il faut avoir?

Vocabulaire pratique

NOMS:	**un problème**	*problem*	**les vacances** *vacation*
VERBES:	*louer	*to rent*	Je vais **louer** une petite voiture.
	passer	*to spend* (time)	Je vais **passer** les vacances à Nice.
		to pass, come by	Martine va **passer** chez moi ce soir.
EXPRESSIONS:	**alors**	*then, so*	**Alors,** tu vas faire de la voile en Corse?
	pendant	*during*	Pierre travaille **pendant** le week-end.
	pour + infinitive	*(in order) to*	J'étudie le français **pour** aller en France.

MOTS APPARENTÉS

French adverbs in **-ment** often have English cognates in *-ly*.

-ment	↔	-ly		
général**ement**		*generally*	naturel**ment**	*naturally*
immédiat**ement**		*immediately*	calm**ement**	*calmly*
			serieus**ement**	*seriously*
			distinct**ement**	*distinctly*

The formation of adverbs is formally reviewed on p. 317.

CONVERSATION

Parlons de vos projets *(plans)* **de vacances**

Voulez-vous aller en France? visiter Paris?

Voulez-vous passer un mois dans une famille française?

Voulez-vous visiter la Guadeloupe? faire du ski nautique? louer une
planche à voile? faire de la planche à voile?

Pendant les vacances de Noël, allez-vous rendre visite à vos
grands-parents? Pour aller chez vos grands-parents, est-ce que vous
prenez l'avion? le train?

Point out Paris, Guadeloupe, and Corsica on the maps on pp. iii–v.

Structure

A. Le verbe *conduire*   This is a new verb.

Note the forms of the irregular verb **conduire** *(to drive)* in the chart below.

Infinitive	**conduire**			
Present	Je	**conduis** bien.	Nous	**conduisons** une Renault.
	Tu	**conduis** mal.	Vous	**conduisez** une Alfa Romeo.
	Jacques	**conduit** une moto.	Mes cousins	**conduisent** une Mercédès.

The following verbs are conjugated like **conduire**:

* **construire**   *to build*   Mon oncle **construit** une maison à la campagne.

* **détruire**   *to destroy*   Pourquoi **détruis**-tu ce document?

* **produire**   *to produce*   Est-ce que la France **produit** des bons vins?

* **traduire**   *to translate*   **Traduisez** ce poème, s'il vous plaît.

ACTIVITÉ 1   **Bon conducteur? Mauvais conducteur?** *(A good driver? A bad driver?)*

Lisez les descriptions et dites si les personnes suivantes conduisent bien ou mal.

⇨   Je suis très patient.   **Je conduis bien.**

1. Pierre est très nerveux.
2. Marie a d'excellents réflexes.
3. Nous ne regardons pas les autres
   (other) voitures.
4. Vous allez très vite *(fast)* en ville.

5. Mes parents obéissent aux agents de police.
6. Je fais attention à la limitation de
   vitesse *(speed limit)*.
7. Tu adores rouler *(to roll along)* à 150
   kilomètres à l'heure.

For additional practice, have the students rapidly do simple substitution drills: **Mon oncle construit une maison. (je, nous, tu,
Philippe, vous, mes parents) Il ne traduit pas ce texte.**

ACTIVITÉ 2   **Questions personnelles**

1. Est-ce que vous apprenez à conduire? Avec quelle voiture?
2. Quelle voiture est-ce que vos parents conduisent?
3. Est-ce que votre père conduit bien? Et votre mère?
4. D'après vous, est-ce que l'industrie américaine construit des voitures
   économiques? des voitures confortables? Quelle compagnie produit les
   meilleures voitures?

68   Unité un

B. Le pronom *on*   REVIEW: on—Level 1, p. 215   *expliquer*

Review the uses of the subject pronoun **on** in the following sentences:

À Québec, **on** parle français.   {*In Quebec **people** speak French.*
{*In Quebec **they** speak French.*

Quand **on** est jeune, **on** aime les sports.   {*When **you** are young, **you** like sports.*
{*When **one** is young, **one** likes sports.*

The impersonal subject pronoun **on** has several English equivalents: *they,*
you (in general), *people, one.* It is always followed by the **il/elle** form of the verb.

⇨ **On** is used with masculine singular adjectives and with the possessive
adjectives **son / sa / ses.**

On est toujours **content** quand on est avec **ses** amis.

⇨ In conversational French, **on** is often used instead of **nous.**

Eh Paul, **on** va au cinéma?   *Hey Paul, are **we** going to the movies?*

Remind the students that there is liaison after **on**: on est, on aime.

ACTIVITÉ 3   Dans quel pays?

Dites dans quel pays on fait les choses suivantes—en Angleterre? en
France? ou aux États-Unis? Parfois *(sometimes),* plusieurs réponses
(several answers) sont possibles.

⇨ parler anglais?   **On parle anglais en Angleterre.**
(On parle anglais aux États-Unis.)   *just 5*

1. parler français?
2. jouer au baseball?
3. jouer au cricket?
4. manger bien?
5. boire du thé?
6. boire du vin avec le repas?
7. conduire à gauche *(on the left)*?

8. conduire à droite *(on the right)*?
9. produire des Renault?
10. produire des Rolls-Royce?
11. faire du ski?
12. faire de la planche à voile?
13. vendre des magazines dans les pharmacies?
14. aller à la poste pour téléphoner?

ACTIVITÉ 4   Conséquences

Certaines situations peuvent provoquer *(bring about)* certaines conséquences.
Exprimez cela dans des phrases affirmatives ou négatives. Étudiez
attentivement *(carefully)* le modèle!

⇨ être jeune / être indépendant?   **Quand on est jeune, on est indépendant.**
(Quand on est jeune, on n'est pas indépendant.)

1. être jeune / être pessimiste?
2. être riche / avoir beaucoup d'amis?
3. être timide / rougir?
4. manger beaucoup / maigrir?
5. étudier / réussir?
6. être impatient / attendre?

7. aller à l'école / perdre son temps?
8. faire du sport / grossir?
9. avoir un examen / être nerveux?
10. habiter en France / regarder les matchs
de baseball?

C. Les verbes *vouloir, pouvoir, devoir*

REVIEW: vouloir, pouvoir, devoir—Level 1, pp. 364–365, 366

Review the forms of the verbs **vouloir** *(to want)*, **pouvoir** *(can, may, to be able)*, and **devoir** *(must, to have to)*.

Infinitive	vouloir	pouvoir	devoir
Present	je **veux**	je **peux**	je **dois**
	tu **veux**	tu **peux**	tu **dois**
	il/elle/on **veut**	il/elle/on **peut**	il/elle/on **doit**
	nous **voulons**	nous **pouvons**	nous **devons**
	vous **voulez**	vous **pouvez**	vous **devez**
	ils/elles **veulent**	ils/elles **peuvent**	ils/elles **doivent**

Uses of *vouloir*

Vouloir is rarely used alone, except in the negative. It is generally followed by a noun or an infinitive. To accept an offer, the French use the expression **vouloir bien.**

Veux-tu ce disque?	*Do you want this record?*
Voulez-vous aller au cinéma?	*Do you want to go to the movies?*
Oui, nous **voulons bien.**	*Yes, we do (want to go to the movies).*

➪ Note the expression **vouloir dire** *(to mean)*:

Qu'est-ce que cette phrase **veut dire?**   *What does this sentence mean?*

To make a request, the French use **je voudrais,** which is more polite than **je veux.**

Uses of *pouvoir*

Pouvoir has several English equivalents:

Tu **peux** aller au cinéma.
{
You can go to the movies.
You may go to the movies.
You are able to go to the movies.
You are allowed to go to the movies.

The construction **savoir** + infinitive, meaning *to know how to (be able to)* do something, is reviewed on p. 130. **Sais-tu conduire?** *Can you drive? Do you know how to drive?*

proverbe: *Quand on veut, on peut.*

"Where there's a will there's a way."
(literally: *When you want to, you can.*)

The uses of *devoir*

Devoir has several English equivalents:

Je **dois** aller à la bibliothèque.
{
I must go to the library.
I have to go to the library.
I am supposed to go to the library.

➪ **Devoir** cannot stand alone. It is usually followed by an infinitive.

| Est-ce que je **dois étudier?** | *Do I have to study?* |
| Oui, tu **dois étudier.** | *Yes, you have to (study).* |

➪ When **devoir** is followed by a noun, it means *to owe.*

Je **dois** dix francs à Janine.   *I owe Janine ten francs.*

ACTIVITÉ 5 On ne fait pas ce qu'on veut.

Les élèves suivants ont un examen. Ils veulent faire certaines choses, mais ils ne peuvent pas. Exprimez cela, d'après le modèle.

3 examples

⇨ Charles / aller au cinéma   **Charles veut aller au cinéma, mais il ne peut pas.**

1. Isabelle / inviter ses amies
2. nous / aller à la plage
3. vous / faire un pique-nique
4. moi / organiser une surprise-partie
5. toi /jouer au football

6. mes amis / faire une promenade en moto
7. Sylvie / danser
8. Jacques / jouer au Monopoly

ACTIVITÉ 6 Quand on veut, on peut!

Les personnes suivantes veulent réaliser *(achieve)* certains objectifs. Décrivez ces objectifs et dites si oui ou non elles doivent faire certaines choses. Utilisez les verbes **vouloir** et **devoir**.

⇨ Charles / maigrir / manger des frites?
   Charles veut maigrir. Il ne doit pas manger de frites.

1. Monique / avoir un «A» / étudier?
2. nous / avoir une auto / apprendre à conduire?
3. vous / avoir des amis / être égoïstes *(selfish)*?
4. mes cousins / être millionnaires / travailler?
5. moi / acheter un disque / aller au supermarché?

6. toi / être interprète / parler français?
7. Suzanne / prendre des photos / avoir un appareil-photo?
8. mes amis / visiter la tour Eiffel / aller à Nice?

D. L'expression *il faut*   This is a new structure.

Note the use of the expression **il faut** in the sentences below.

Il faut étudier.	{*One has to study.* {*You should study!*
Pour conduire, **il faut** avoir 18 ans.	*In order to drive,* {*one must be 18 years old.* {*you need to be 18 years old.*
Pour aller en France, **il faut** avoir un passeport.	*In order to go to France,* {*it is necessary to have a passport.* {*you have to have a passport.*

To express a *general obligation* or *necessity*, the French use the following construction:

> **il faut + infinitive**

To indicate that a specific person has (or that specific persons have) an obligation to do something, the French use **devoir**: **Tu dois étudier. Nous devons travailler. etc.** The construction **il faut que + subjunctive** is presented on p. 344.

⇨ To indicate that something should not be done, the following negative construction is used: **il ne faut pas + infinitive.**

Il ne faut pas perdre son temps.   ***You should not** waste your time.*

• The French equivalent of *you don't have to (if you don't want to)* or *it is not necessary to* is expressed by the constructions
  il n'est pas nécessaire de } + infinitive.
  il ne faut pas nécessairement

• The expression **il faut** may also be followed by a noun: **Pour être professeur, il faut de la patience.**

Vocabulaire spécialisé Quelques professions

* un architecte /*une architecte — architect
  un avocat / une avocate — lawyer
  un garçon / une serveuse — waiter / waitress
* un infirmier /*une infirmière — nurse
  un ingénieur — engineer
* un mécanicien /*une mécanicienne — mechanic
  un médecin — doctor
* un ouvrier /*une ouvrière — worker
* un patron /*une patronne — boss
  un pharmacien / une pharmacienne — pharmacist, druggist
  un professeur — professor, teacher
* un programmeur /*une programmeuse — programmer
  un vendeur / une vendeuse — salesperson

Jeunes Programmeurs AIR FRANCE

Notes: 1. Certain professions (**un médecin, un ingénieur, un professeur**) are always masculine in French.

Madame Dupont est **un** excellent médecin.

2. After **être,** the French do *not* use **un/une** before the names of professions. Contrast:

Madame Thomas est	. . .	avocate.
Madame Thomas is	*a*	*lawyer.*

Je veux être	. . .	médecin.
I want to be	*a*	*doctor.*

Exception: **un/une** is used if the name of the profession is modified by an adjective.

Monsieur Charles est **un bon vendeur.**

VOCABULARY EXPANSION: **un/une dentiste, un/une interprète, un/une journaliste, un/une secrétaire; un bureau** *(office),* **une usine** *(factory),* **le tribunal** *(court)*

ACTIVITÉ 7 Qualifications professionnelles

Pour certaines professions il faut certaines qualifications. Expliquez cela en faisant *(by making)* des phrases logiques d'après le modèle. Combien de phrases pouvez-vous faire en cinq minutes?

faire en class

A			B
professeur	programmeur	étudier la biologie	être aimable *(friendly)*
interprète	avocat	bien conduire	être bon en maths
patron	chauffeur de taxi	être patient	avoir de l'autorité
médecin	*(taxi driver)*	aller à l'université	être responsable
vendeur	ingénieur	avoir un diplôme	parler bien français

▷ **Pour être ingénieur, il faut être bon en maths.**
   (Pour être ingénieur, il faut aller à l'université.)

ACTIVITÉ 8 Qu'est-ce qu'il faut faire?

Complétez les phrases suivantes avec la construction **il faut** et une expression de votre choix *(choice)*. Utilisez votre imagination.

▷ Pour réussir à l'examen de français, . . .
   Pour réussir à l'examen de français, il faut étudier (apprendre les verbes, etc.).

1. Pour aller à la Guadeloupe, . . .
2. Pour être riche, . . .
3. Pour passer des bonnes vacances, . . .
4. Pour aller à l'université, . . .
5. Pour réussir dans la vie *(life)*, . . .

ACTIVITÉ 9 Non!

Les personnes suivantes ne doivent pas faire ce qu'elles font. Exprimez cela, en utilisant la construction **il ne faut pas** + infinitive.

▷ Hélène est pessimiste.   **Il ne faut pas être pessimiste.**   Remind the students that **il faut** is invariable.

1. Paul est intolérant.
2. Albert mange en classe.
3. Antoine conduit à gauche *(on the left)*.
4. Sylvie est impatiente.

5. Sylvie mange toujours.
6. Isabelle fume *(smokes)*.
7. Caroline perd son temps.
8. Philippe insulte son chien.

ask for composition

À votre tour   **Quand on est étudiant . . .**   OPTIONAL

Expliquez l'existence *(life)* des étudiants américains à un(e) ami(e) français(e). Expliquez ce qu'on fait, ce qu'on peut faire, ce qu'on doit faire, ce qu'on ne doit pas faire. Utilisez le pronom **on**. Vous pouvez utiliser des verbes comme *(like)*:

étudier / jouer / aimer / avoir / être / aller / faire / pouvoir / devoir

▷ Quand on est étudiant en Amérique, on (n') étudie (pas) beaucoup.
   On . . .

The purpose of this activity is to practice the pronoun **on** and the verbs **pouvoir** and **devoir**.

Leçon 3 L'alibi

STRUCTURES REVIEWED:
· expressions with **avoir**
· the **passé composé** of regular verbs: affirmative, negative, and interrogative forms

Samedi dernier à deux heures de l'après-midi, il y a eu une *panne d'électricité* dans la petite ville de Marcillac-le-Château. La panne a duré 40 minutes. Un *audacieux cambrioleur a profité* de cette panne pour pénétrer dans la Banque Populaire de Marcillac-le-Château. Bien sûr, le signal d'alarme n'a pas fonctionné et c'est seulement lundi matin que le directeur de la banque a remarqué le *cambriolage:* un million de francs.

power failure

daring burglar took advantage

burglary

Lundi après-midi, le *commissaire* Leflic a interrogé quatre suspects, mais chacun a un alibi.

police commis-sioner

Marc Laroulette

Qu'est-ce que j'ai fait samedi?
J'ai rendu visite à mes cousins.
Nous avons déjeuné.
Ensuite nous avons joué aux *cartes.*
C'est moi qui ai gagné!
J'*ai quitté* mes cousins à cinq heures.

Then; cards

left

Aline Malin

Ce n'est pas moi, Monsieur le Commissaire.
Samedi après-midi j'ai été au *marché.*
J'ai acheté des vêtements.
J'ai choisi une robe bleue.
Tenez, c'est la robe que je porte aujourd'hui!

market

Look

André Lescrot

Voyons, samedi dernier . . .
Ah oui! J'ai invité des amis chez moi.
Nous avons déjeuné.
Ensuite nous avons regardé la télé.
Nous avons regardé le match France-Allemagne.
Quel match! *Malheureusement,* c'est la France qui a perdu!
Quel dommage!

Unfortunately
Too bad!

Suzanne Filou

Euh, . . . excusez-moi, Monsieur le Commissaire.
Ma mémoire n'est pas très bonne.
Voyons, qu'est-ce que j'ai fait?
Samedi . . . Ah oui, moi aussi j'ai déjeuné chez moi . . .
Et après? Eh bien, j'*ai dormi!*

slept

Lisez les quatre déclarations. Selon vous, qui est le cambrioleur ou la cambrioleuse? Pourquoi? (Vous pouvez comparer votre *réponse* avec la réponse du commissaire à la page 81.)

answer

A qui est-ce que Marc Laroulette a rendu visite? Qu'est-ce qu'il a fait avec eux?
Où a été Aline Malin? Qu'est-ce qu'elle a fait là-bas?
Qui est-ce qu'André Lescrot a invité? Qu'est-ce qu'il a fait avec eux?
Qu'est-ce que Suzanne Filou a fait? Qu'est-ce qu'elle a fait après?

NOTE CULTURELLE

Le marché°   En France, il y a un très grand nombre de petites villes et de villages. Ces petites villes et ces villages n'ont pas toutes° les facilités commerciales des grandes villes, mais elles ont un «marché». Le marché est un endroit public, généralement en plein air,° où les marchands des environs° viennent vendre leurs produits:° fruits, légumes, viandes, et aussi vêtements, ustensiles de cuisine,° etc. Le marché a lieu° un jour fixe° de la semaine: le samedi, par exemple. Le jour du marché est toujours un jour très animé.°

marché *market*   **toutes** *all*   **en plein air** *in the open*   **des environs** *neighboring areas*   **produits** *products*   **ustensiles de cuisine** *kitchen utensils*   **a lieu** *takes place*   **fixe** *specific*   **animé** *animated*

Quelles villes françaises ont un marché?
Qu'est-ce qu'on peut acheter au marché?
Quand a lieu le marché?

Vocabulaire pratique

QUELQUES VERBES EN -er:

* **durer**	*to last*	Le film **dure** deux heures.
* **fonctionner**	*to work* (= function)	Mon vélomoteur ne **fonctionne** pas bien.
gagner	*to win*	Si tu joues bien, tu vas **gagner** le match.
quitter	*to leave*	Le matin je **quitte** la maison à sept heures.
remarquer	*to notice, remark*	Éric n'a pas **remarqué** l'accident.

EXPRESSIONS:

* **chacun**	*each one, each person*	**Chacun** veut gagner.
quel + noun!	*what (a) . . .!*	**Quel** match intéressant!
* **selon** =*d'après	*according to*	**Selon** Aline, ta voiture fonctionne maintenant.
* **seulement**	*only*	Le concert a duré **seulement** quarante minutes.

The verb **marcher** is a synonym of **fonctionner**: Mon vélomoteur ne marche pas bien.

MOTS APPARENTÉS

à lire

Some French verbs in -er have English cognates in *-ate*.

-er	↔	-ate
interroger		*interrogate*
pénétrer		*penetrate*

célébrer	*celebrate*
conjuguer	*conjugate*
participer	*participate*
animer	*animate*

CONVERSATION

Parlons de vous et de votre argent

Avez-vous envie d'être riche? d'être millionnaire?

Avez-vous un job maintenant? Gagnez-vous de l'argent?

Dépensez-vous l'argent que vous gagnez? ou faites-vous des économies?

Avez-vous souvent besoin de conseils *(advice)*? d'encouragements? d'énergie?

Avez-vous besoin d'argent aujourd'hui? de combien d'argent?

Combien coûtent les repas à l'école? Combien coûte un billet *(ticket)* de cinéma?

start here

Vocabulaire spécialisé L'argent

NOMS:

l'argent	*money*
* un franc	*franc*
un dollar	*dollar*

Remind the students that **bon marché** is invariable:
Ces sandales sont bon marché.

ADJECTIFS:

bon marché	*cheap*	Le pain est **bon marché,**
≠ cher (chère)	≠ *expensive*	mais les tartes sont **chères.**

VERBES:

coûter	*to cost*	Cette lampe **a coûté** cent dollars.
dépenser	*to spend*	Je n'aime pas **dépenser** mon argent.
* faire des économies	*to save money*	J'aime mieux **faire des économies.**
* gagner	*to earn*	Veux-tu **gagner** de l'argent cet été?

EXPRESSION:

combien?	*how much?*	**Combien** coûte ce gâteau?

The expression **combien de** is formally reviewed on p. 310.

proverbe: *Plaie d'argent n'est pas mortelle.*

"Money isn't everything."
(literally: *Injury due to money is not mortal.*)

Structure

A. Expressions avec *avoir*   OPTIONAL   REVIEW: expressions with **avoir**—Level 1, pp. 208, 209

Note the use of **avoir** in the following expressions:

J'ai faim.	*I am hungry.*
J'ai envie d'aller au restaurant.	*I feel like going to the restaurant.*

The verb **avoir** is used in many expressions.

The purpose of this section is to review the forms of **avoir** in preparation for the presentation of the **passé composé.** You may wish to do some rapid substitution drills in the affirmative, negative, and interrogative: **J'ai froid. (tu, nous, Jean, mes cousins, vous) Je n'ai pas soif. Avez-vous sommeil? (tu, il, elle, nous, elles, ils)**

Vocabulaire spécialisé   **Expressions avec *avoir***

phrases

avoir chaud	*to be warm, be hot*	**avoir froid**	*to be cold*
avoir faim	*to be hungry*	**avoir soif**	*to be thirsty*
avoir raison	*to be right*	**avoir tort**	*to be wrong*
avoir sommeil	*to be sleepy*	**avoir de la chance**	*to be lucky*
avoir besoin de	*to need*	**avoir envie de**	*to feel like, want*

Soif d'aujourd'hui. Coca-Cola.

Note: The expressions **avoir besoin de** and **avoir envie de** may be followed by either a *noun* or an *infinitive*.

> J'ai envie de **manger**.   J'ai envie de **ce gâteau**.
> J'ai besoin de **travailler**.   J'ai besoin d'**argent**.

Note that no article is used with **avoir besoin de.**

The expression **avoir mal à** is used with parts of the body. These are reviewed on p. 170.

ACTIVITÉ 1   C'est logique!

Expliquez pourquoi les personnes suivantes font certaines choses. Complétez les phrases suivantes avec une expression avec **avoir.** Soyez logique!

à faire

⇨ Jean-Louis veut déjeuner . . .   **parce qu'il a faim.**

1. Jeannette porte un pull . . .
2. Nous commandons un Coca-Cola . . .
3. Vous allez au lit *(to bed)* . . .
4. Je mange un sandwich . . .
5. Jacqueline gagne toujours à la loterie . . .
6. Nous insistons . . .
7. Tu ôtes *(take off)* ta veste . . .
8. Vous n'insistez pas . . .

ACTIVITÉ 2   Projets

Dites ce que les personnes suivantes ont envie de faire. Dites ensuite de quels objets elles ont besoin pour réaliser *(to fulfill)* leurs projets. Soyez logique!

lisez l'ex.

un appareil-photo / un vélo / un passeport / un électrophone / un dollar / une raquette / un téléviseur / une tente / une planche à voile / un job

⇨ Jacques / aller au Canada
   Jacques a envie d'aller au Canada. Il a besoin d'un passeport.

une minute

1. Thérèse / faire de la planche à voile
2. nous / prendre des photos
3. moi / écouter un disque
4. vous / acheter un magazine
5. toi / jouer au tennis
6. mes cousins / faire du camping
7. Jean / aller à la campagne
8. nous / regarder la télé
9. Anne et Sylvie / gagner de l'argent

B. Le passé composé: formes affirmatives et négatives

REVIEW: passé composé (-er, -ir, -re verbs; negative)—Level 1, pp. 280-281, 282, 290, 2

French speakers use the **passé composé** to describe past events. Review the affirmative and negative forms of the **passé composé** of the verb **visiter** in the sentences below.

J'ai visité Lyon.	Je n'ai pas visité Paris.
Tu as visité Boston.	Tu n'as pas visité New York.
Il/Elle/On a visité Québec.	Il/Elle/On n'a pas visité Montréal.
Nous avons visité Rome.	Nous n'avons pas visité Milan.
Vous avez visité Moscou.	Vous n'avez pas visité Léningrad.
Ils/Elles ont visité Mexico.	Ils/Elles n'ont pas visité Acapulco.

For most verbs the **passé composé** is formed as follows:

> present tense of **avoir** + past participle
> (affirmative or negative)

Remind the students that **passé composé** means *compound past*— that is, a past tense composed of two words: the auxiliary verb (**avoir** or **être**) and the past participle.

⇨ The past participles of regular verbs are formed as follows:

verbs in -er: -er → -é	**parler**	J'ai **parlé** à Henri.
verbs in -ir: -ir → -i	**finir**	Vous avez **fini** ce livre.
verbs in -re: -re → -u	**répondre**	Janine a **répondu** au téléphone.

⇨ The **passé composé** has several English equivalents:

J'ai maigri. { *I lost weight.*
{ *I have lost weight.*
{ *I did lose weight.*

Je n'ai pas grossi. { *I did not gain weight.*
{ *I have not gained weight.*

ACTIVITÉ 3 Oui ou non?

This activity uses only the **je** form to practice formation of the past participle and basic affirmative and negative word order.

Dites si oui ou non vous avez fait les choses suivantes dans le courant de *(during)* la semaine dernière.

⇨ jouer au ping-pong? **Oui, j'ai joué au ping-pong.**
(Non, je n'ai pas joué au ping-pong.)

only 6

1. jouer aux cartes *(cards)*?
2. dîner dans un restaurant français?
3. manger des spaghetti?
4. visiter un musée?
5. travailler?
6. gagner de l'argent?
7. dépenser dix dollars?
8. choisir un blue-jeans?
9. maigrir?
10. grossir?
11. réussir à l'examen de maths?
12. perdre mon temps?
13. perdre patience?
14. rendre visite à mes cousins?
15. vendre ma bicyclette?

Be sure that the students use **de** if they answer items 3, 4, 6, or 8 in the negative.

ACTIVITÉ 4 On ne peut pas tout faire. *(You can't do everything.)*

Dites que les personnes suivantes ont fait la première chose entre
parenthèses mais pas la seconde. Utilisez d'abord *(first)* le verbe **avoir** à la
forme *affirmative*, et ensuite à la forme *négative*.

⇨ Charles   (jouer au tennis / au volley)
   Charles a joué au tennis. Il n'a pas joué au volley.

1. Jeannette   (danser avec Raymond / avec Philippe)
2. nous   (choisir ce disque-ci / ce disque-là)
3. vous   (acheter une Renault / une Mercédès)
4. mes cousins   (vendre leurs disques / leur chaîne-stéréo)
5. moi   (travailler dans un café / dans un restaurant)
6. toi   (organiser un pique-nique / une surprise-partie)
7. Brigitte et Sophie   (voyager en bus / en avion)
8. Jacques et Louise   (visiter Tokyo / Pékin)

ACTIVITÉ 5 Conséquences

Dites que les personnes ont fait la première chose entre parenthèses.
Utilisez ces renseignements *(this information)* pour dire si oui ou non elles
ont fait la seconde.

⇨ Georges   (jouer très mal au tennis / gagner?)
   Georges a joué très mal au tennis. Il n'a pas gagné.

1. nous   (jouer comme [*like*] des champions / perdre?)
2. vous   (visiter Paris / parler espagnol?)
3. tu   (étudier / réussir à l'examen?)
4. Christine   (manger beaucoup de spaghetti / maigrir?)
5. mes cousins   (travailler cet été / gagner de l'argent?)
6. moi   (étudier / perdre mon temps?)

C. Les questions au passé composé

REVIEW: questions in **passé composé**—Level 1, p. 292

There are several ways of asking questions in the **passé composé**. Note how the following questions are expressed.

Est-ce que tu as parlé à Marc?
As-tu parlé à Marc? } *Did you talk to Marc?*

Où est-ce qu'il a dîné?
Où a-t-il dîné? } *Where did he have dinner?*

Questions in the **passé composé** can be formed with **est-ce que** or, if the subject is a pronoun, by inversion. Note the following patterns:

In conversation, yes/no questions can also be formed with a rising intonation: **Tu as parlé à Marc?**

| question words (if any) | + **est-ce que** + subject + | present of **avoir** + past participle | + rest of sentence |

| question words (if any) | + present of **avoir** | + subject pronoun | + past participle | + rest of sentence |

Before doing the activities you may want to do some rapid drills. *Substitution:* **As-tu travaillé hier?** (nous, vous, il, elle, ils, elles) **As-tu fini la leçon? As-tu répondu à la question?** *Transformation:* **Tu as nagé.** → **As-tu nagé? Nous avons travaillé. Vous avez dansé. Il a attendu Marie. Elle a gagné 5 dollars. Ils ont dîné. On a réussi? Elles ont maigri. Tu as grossi.**

ACTIVITÉ 6 Petite conversation

Demandez à vos camarades ce qu'ils ont fait hier. Utilisez les éléments suivants.

⇨ à qui / téléphoner? —**À qui as-tu téléphoné hier?**
—**J'ai téléphoné à un ami (à une amie, à Paul, etc.).
(Je n'ai pas téléphoné.)**

1. où / déjeuner?
2. quand / étudier?
3. à quelle heure / dîner?
4. quel programme de télé / regarder?
5. avec qui / jouer au volley?
6. où / nager?
7. pour qui / travailler?
8. combien d'argent / dépenser?

TELEPHONE

ACTIVITÉ 7 Quand?

Imaginez que vous êtes le chef *(head)* d'une agence de détectives. Vous voulez savoir quand les personnes suivantes ont fait certaines choses. Posez les questions nécessaires à vos associés *(associates)*. Pour cela, utilisez **quand** et l'*inversion*.

⇨ Sylvie Laval a dîné avec un ami.　　**Quand a-t-elle dîné avec un ami?**

1. Philippe Lamblet a téléphoné.
2. Louis Lemaître a acheté un revolver.　　/revɔlvεr/
3. Pauline Lescrot a attendu un taxi.
4. Henri et Paul Jacomme ont vendu leur auto.
5. Lise et Caroline Dumas ont visité un musée.

À votre tour　**Avez-vous bonne mémoire?**　OPTIONAL

Décrivez ce que vous avez fait hier. Utilisez les verbes suivants dans des phrases au passé composé. Donnez des détails: où? à quelle heure? avec qui? à qui? quelles choses?

déjeuner / regarder / téléphoner / rendre visite / jouer / dîner / manger / écouter　　*a faire chez vous*

The purpose of this activity is to practice the **passé composé**.

(La réponse du commissaire: C'est André Lescrot le cambrioleur. Samedi après-midi, il y a eu une panne d'électricité. André Lescrot n'a pas pu regarder la télé. Son alibi n'est pas valable [*valid*].)

UNITÉ 1
Leçon 4   Il n'y a pas de justice!

STRUCTURES REVIEWED
• **mettre**
• irregular past participles

Monsieur et Madame Moreau habitent à Marseille. Monsieur Moreau travaille dans un bureau. Madame Moreau *reste* chez elle. Qu'est-ce qu'ils font *toute la journée?* Voici *ce qu'*ils ont fait aujourd'hui:

stays

all day long; what

Le matin
D'abord, Madame Moreau a fait le lit.
Ensuite, elle a fait la vaisselle.
Puis, elle a fait le ménage.

First
Then

L'après-midi
Madame Moreau a voulu aller au cinéma,
  mais elle n'a pas pu.
Elle a dû faire les courses.
Elle a pris la voiture pour aller au
  centre commercial.
Quand elle *est rentrée,* elle a mis les *provisions* dans le réfrigérateur.
Puis, elle a fait la cuisine.
Enfin, elle a mis la table pour le dîner.

shopping center
came back; food

Oui, Madame Moreau a été très occupée aujourd'hui.
Et maintenant, elle est très fatiguée.

Qu'est-ce que Madame Moreau a fait ce matin? Qu'est-ce qu'elle a voulu faire l'après-midi?
En réalité, qu'est-ce qu'elle a fait? Est-ce qu'elle a beaucoup travaillé aujourd'hui?

Le matin
Monsieur Moreau a acheté le journal.
  Au bureau, il a lu la page des sports.
  Il a fait les *mots croisés.*

crossword puzzle

L'après-midi
Monsieur Moreau a téléphoné à un ami
  et il a eu une longue conversation avec lui.
Il a bu du café.
Finalement, à quatre heures, il a dicté une
  lettre à sa secrétaire.
Puis, il a quitté son bureau et il a été au café
  où il a fait une partie de cartes avec ses
  copains.

friends

Discussion Pourquoi est-ce que Monsieur Moreau dit qu'il n'y a pas de justice? Pourquoi est-ce que Madame Moreau dit qu'il n'y a pas de justice? Selon vous, est-ce que la situation est réaliste? Pourquoi ou pourquoi pas? Est-ce que les femmes qui restent à la maison travaillent beaucoup? Est-ce que les hommes qui vont au bureau travaillent beaucoup? Est-ce que les hommes et les femmes doivent partager *(share)* les travaux domestiques? Pourquoi ou pourquoi pas?

Maintenant Monsieur Moreau rentre chez lui.
Il est en pleine forme!

Qu'est-ce que Monsieur Moreau a fait ce matin? Qu'est-ce qu'il a fait cet après-midi? Qu'est-ce qu'il a fait au café? Est-ce qu'il a beaucoup travaillé aujourd'hui?

M. MOREAU: Comment vas-tu, *chérie?*   *darling*

MME MOREAU: Je suis fatiguée!

M. MOREAU: Je ne comprends pas! C'est moi qui travaille et c'est toi qui es fatiguée. Il n'y a pas de justice!

MME MOREAU: C'est vrai! Il n'y a pas de justice!

Qu'est-ce que Madame Moreau a dit *(said)* à son mari?
Qu'est-ce qu'il a répondu?

You may mention that "La Marseillaise," the French national anthem, takes its name from Marseille. The song was first sung by volunteers from Marseille (**les Marseillais**) during the French Revolution.

NOTE CULTURELLE   *à lire*

Marseille Avec une population d'un million d'habitants, Marseille est la deuxième ville française, après Paris. C'est une ville très ancienne:° Elle a été fondée° au sixième siècle° avant Jésus-Christ par des marins° grecs.° Aujourd'hui, Marseille est une ville moderne et active. C'est le centre de l'industrie pétrolière° et chimique° française. Situé° sur la Méditerranée, le port de Marseille assure le trafic commercial entre la France et les pays d'Orient° et d'Extrême-Orient.°

Les Marseillais (les habitants de Marseille) ont la réputation d'être des gens toujours heureux° . . . et d'exagérer parfois° la vérité!°

ancienne *old* **fondée** *founded* **siècle** *century* **marins** *sailors* **grecs** *Greek* **pétrolière** *petroleum* **chimique** *chemical* **Situé** *Located* **Orient** *East* **Extrême-Orient** *Far East* **heureux** *happy* **parfois** *sometimes* **vérité** *truth*

Est-ce que Marseille est une grande ville? Pourquoi est-ce que c'est une ville ancienne? Pourquoi est-ce que c'est une ville active?

Vocabulaire pratique

NOMS:	*un bureau *office; desk*	les cartes *cards*
ADJECTIFS:	fatigué ≠ en pleine forme	*tired ≠ in great shape*
EXPRESSIONS:	*faire le lit	*to make the bed*
	*faire le ménage	*to clean the house*
	*faire la vaisselle	*to do (wash) the dishes*
	*faire une partie de	*to play a game of*
PRÉPOSITIONS:	dans *in, into*	Monsieur Moreau n'est pas **dans** son bureau.
	sur *on*	La lettre est **sur** la table.

MOTS APPARENTÉS

French nouns in **-re** often have English cognates in *-er.*

-re	↔	-er
un cent**re**		*cent**er***
une let**tre**		*let**ter***

un théâtre	*theater*
un mètre	*meter*
un litre	*liter*
le cidre	*cider*
Septembre	*September*
un ordre	*order*

CONVERSATION

Parlons de vos activités d'hier

Est-ce que vous avez fait votre lit?

À quelle heure est-ce que vous avez déjeuné? Qu'est-ce que vous avez fait avant? Qu'est-ce que vous avez fait après?

Avez-vous mis la table avant le dîner?

À quelle heure avez-vous dîné?

Avez-vous fait la vaisselle après le dîner? Qu'est-ce que vous avez fait ensuite? Avez-vous fait une partie de cartes?

Vocabulaire spécialisé Quelques expressions de temps
(Some expressions of time)

avant	*before*	J'étudie **avant** le dîner.
après	*after*	**Après** le dîner, je regarde la télé.
*d'abord	*first, at first*	**D'abord,** nous allons déjeuner.
ensuite	*then, after*	**Ensuite,** nous allons faire une promenade.
*puis	*then*	**Puis,** je vais aller dans un café.
enfin	*at last*	**Enfin,** je vais rentrer chez moi.
finalement	*finally*	**Finalement,** je vais étudier un peu.

enfin des livres
pour voyager intelligemment

Structure

A. Le verbe *mettre*   OPTIONAL

REVIEW: mettre— Level 1, p. 296

You may want to review the forms of **mettre** with simple substitution drills: **Paul met la radio. (je, nous, mes amis, vous, tu, on) Martine ne met pas la table. Est-ce que Marc met des lunettes de soleil?**

Review the forms and uses of the verb **mettre** *(to put)*.

Infinitive	mettre				
Present	je	mets	Je	mets	les cartes sur la table.
	tu	mets	Tu	mets	la télé.
	il/elle/on	met	On	met	un programme de musique.
	nous	mettons	Nous	mettons	des sandales.
	vous	mettez	Vous	mettez	la table.
	ils/elles	mettent	Elles	mettent	vingt minutes pour aller au bureau.

The imperative forms are regular: **Mets la table! Mettez la télé! Mettons ce disque!**

The main meaning of **mettre** is *to put* or *place*. It is also used in many other expressions where it may mean *to put on* (clothing), *to turn on* (the radio), *to set* (the table), *to take* (time to do something).

à lire

⇨ The following verbs are conjugated like **mettre**:   The verb **permettre** is new.

permettre   *to let, allow, permit*   Je **permets** à mon frère d'écouter mes disques.
promettre   *to promise*   **Promets**-tu à tes parents de rentrer avant minuit?

You may want to introduce the construction **permettre/promettre à quelqu'un de faire quelque chose.**

proverbe:

*Il ne faut pas mettre
la charrue devant les bœufs.*

"Don't put the cart before the horse."
(literally: *You shouldn't put the cart in front of the oxen.*)

ACTIVITÉ 1   Questions personnelles

utiliser le Voc. P.

1. Quels vêtements mettez-vous quand vous allez en classe? quand vous allez à une surprise-partie? quand il fait froid? quand il fait chaud?

You may want to review clothing on pp. 44–45.

2. Quand un homme va au bureau, quels vêtements met-il? Et une femme?

à faire

3. Gagnez-vous de l'argent? Est-ce que vous mettez cet argent à la banque ou dans une tire-lire *(piggy bank)*?
4. Quand vous étudiez, mettez-vous la radio? la télé? un disque?
5. Quels programmes de télé mettez-vous le dimanche? le samedi soir?
6. Combien de temps mettez-vous pour aller à l'école? pour faire vos devoirs *(assignments)*? pour déjeuner? pour dîner?
7. Permettez-vous à vos amis d'utiliser vos disques? votre bicyclette? vos notes de français?

B. Quelques participes passés irréguliers

REVIEW: irregular past participles—Level 1, pp. 284, 291, 298

Some irregular verbs have irregular past participles.

avoir	eu	Charles **a eu** un accident de moto.
être	été	Hier j'**ai été** très fatigué.
faire	fait	Est-ce que vous **avez fait** les courses?
devoir	dû	Nous **avons dû** préparer l'examen.
pouvoir	pu	Isabelle n'a pas **pu** aller au cinéma avec vous.
vouloir	voulu	Mes amis n'**ont** pas **voulu** jouer aux cartes hier.
boire	bu	En France, nous **avons bu** du champagne.

voir → vu

conduire	conduit	Albert **a conduit** la voiture de sa sœur.
mettre	mis	J'**ai mis** la table.
prendre	pris	Qui **a pris** mes disques?

The present tense of **conduire** is presented i[n] Level 2, p. 68.

➪ The verb **être** has two meanings in the **passé composé.**

Paul **a été** très malade.   *Paul **has been** very sick.*
Il **a été** à l'hôpital.   *He **went** to the hospital.*   This is a new structure.

➪ Verbs conjugated like those above form their past participles in a similar manner.

traduire	(like **conduire**)	Nous **avons traduit** un article très intéressant.
promettre	(like **mettre**)	J'**ai promis** à mes professeurs d'étudier.
comprendre	(like **prendre**)	Henri n'**a** pas **compris** ma question.

ACTIVITÉ 2   Petite conversation

This activity practices the **passé composé** of **avoir, être,** and **faire** in affirmative and negative sentences.

Demandez à vos camarades s'ils ont fait les choses suivantes dans le courant du *(during the)* mois dernier.

Be sure that the students use **de** if they answer questions 2, 3, 4, 8, 9, or 10 in the negative.

➪ avoir une bonne surprise?   —**Est-ce que tu as eu une bonne surprise?**
                  —**Oui, j'ai eu une bonne surprise.**
                  (Non, je n'ai pas eu de bonne surprise.)

1. avoir une mauvaise surprise?
2. avoir une dispute *(quarrel)* avec tes parents?
3. avoir un rendez-vous avec une personne intéressante?
4. avoir un «A» en français?
5. être malade *(sick)*?
6. être au cinéma?
7. être au restaurant?
8. faire un pique-nique?
9. faire un voyage?
10. faire une promenade en moto?

ACTIVITÉ 3 Accusations

Jean-François a passé le week-end chez son oncle. Pendant son absence,
ses amis ont utilisé ses affaires *(things)*. Maintenant Jean-François veut
savoir qui a fait les choses suivantes.

⇨ prendre mes disques?　　**Qui a pris mes disques?**　　3 or 4

1. prendre mon transistor?
2. conduire ma moto?
3. boire mon Coca-Cola?
4. être dans ma chambre *(room)*?
5. mettre le poisson rouge dans la baignoire *(bathtub)*?
6. prendre des photos avec mon appareil-photo?
7. vouloir prendre mon album de photos?

ACTIVITÉ 4 Chance et malchance *(Good luck and bad luck)*

Dites ce que les personnes suivantes ont fait le week-end dernier. D'après
vous, dites aussi si ces personnes ont eu de la chance ou non.

passé comp.

⇨ Paul / devoir travailler　　**Paul a dû travailler.**
　　　　　　　　　　　　　　Il n'a pas eu de chance. (Il a eu de la chance.)

1. Jacqueline / avoir un rendez-vous avec un garçon sympathique
2. toi / avoir un accident
3. vous / être malades *(sick)*
4. nous / être dans un restaurant français
5. Monsieur Durand / boire du champagne
6. Thomas / conduire la Jaguar de son oncle
7. moi / faire une promenade en moto
8. Charles / faire le ménage
9. mes cousins / faire de la planche à voile
10. les élèves / devoir préparer l'examen
11. nous / pouvoir prendre de très bonnes photos
12. vous / pouvoir organiser une surprise-partie

À votre tour　Une carte postale　OPTIONAL

Lisez la carte de Denise:

> Ma chère Michèle,
> Il a fait très beau le
> week-end dernier et j'ai
> fait une promenade à la
> campagne avec mes cousins.
> J'ai pris beaucoup de photos.
> Samedi soir nous avons
> été au restaurant.
> Je t'embrasse,
> Denise

> Mademoiselle Michèle Guignard
> 43, rue Jeanne d'Arc
> 63000 Clermont-Ferrand
> FRANCE

Je t'embrasse
*Love and
kisses*

Composez une carte postale similaire. Dans votre carte, utilisez deux ou
trois verbes qui ont un participe passé irrégulier.

The purpose of this activity is to practice the **passé composé** of verbs with irregular past participles.

Leçon 5   **Ici tout va bien!**

STRUCTURES REVIEWED:
- **sortir, partir, dormir**
- **venir** and **venir de** + infinitive
- **passé composé** with **être**

Monsieur Durand travaille pour une compagnie internationale. Dans son travail, il voyage beaucoup. Cette *année* il est allé passer un mois au Canada. Sa femme est allée avec lui, mais leur fils Patrick, 18 ans, est resté à la maison. Un jour ils *ont reçu* la lettre suivante.

year

received

Chers parents,

J'espère° que vous faites bon voyage. Ici tout va bien. Vendredi dernier je suis allé dîner chez mon amie Michèle et ensuite nous sommes sortis. Samedi, Michèle est venue à la maison avec des amis. Je leur ai proposé de faire une promenade dans votre nouvelle° voiture. (J'ai trouvé° les clés dans la boîte de cigares de Papa!) Nous sommes allés à la campagne. Ensuite, nous sommes allés dans une discothèque et nous sommes rentrés à quatre heures du matin.

J'ai eu un petit problème avec la voiture, mais heureusement° ce n'est pas grave. En rentrant° à la maison, je suis rentré dans° le mur du voisin. Nous sommes sortis indemnes° de cet accident. C'est l'essentiel, n'est-ce pas?

Je vous embrasse et je vous attends avec impatience.

         Patrick

P. S. 1. La voiture est assez endommagée,° mais ne soyez pas inquiets.° Le mécanicien est venu la chercher° ce matin.

P. S. 2. Les voisins sont furieux et attendent aussi votre retour° avec impatience.

hope

new; found

Où est allé Monsieur Durand?
Avec qui est-il allé là-bas?
Est-ce que leur fils est allé avec eux?
Qu'est-ce qu'il a fait vendredi?

fortunately
As I was coming back; ran into

unhurt
Qui est venu samedi?
Où sont allés Patrick et Michèle?
Quel problème est-ce qu'ils ont eu?
Comment est la voiture?
Pourquoi est-ce que les voisins sont furieux?

damaged
worried
to get it

return

Discussion **D'après vous, est-ce que Patrick est un garçon responsable? Pourquoi ou pourquoi pas? Avez-vous des amis qui ont eu une expérience semblable** *(similar)*? **Décrivez cette expérience.**

En général, combien de voitures ont les familles françaises? Est-ce que les parents français prêtent leur voiture à leurs enfants? Quel âge faut-il avoir pour conduire une voiture?

NOTE CULTURELLE

La voiture familiale° En général, les familles françaises ont une voiture, rarement deux. C'est le père qui conduit la voiture familiale. Pour lui, cette voiture est l'objet d'une grande° attention,° et il la prête° rarement à ses enfants. En France, 18 ans est l'âge minimum pour conduire une voiture. Il faut aussi avoir un permis de conduire° qu'on obtient° après un examen assez difficile.

familiale *family* **grande** *great* **attention** *care* **la prête**
lends it **permis de conduire** *driver's license* **obtient** *gets*

Vocabulaire pratique

NOMS:	*un accident *accident*	*une boîte *box*
	*un mur *wall*	*une clé *key*
	*le travail *work*	

ADJECTIFS: *grave *serious* Cet accident n'est pas **grave**.
*suivant *following* Étudiez la leçon **suivante**.

EXPRESSIONS: *Cher Michel,*chère Nicole *Dear Michel, dear Nicole*
*Je vous embrasse . . . *Love and kisses* (literally: *I hug and kiss you.*)
tout *all, everything*

MOTS APPARENTÉS

French nouns in **-ème** often have English cognates in *-em*.
These French nouns are masculine.

-**ème**	↔	*-em*	un emblème	*emblem*
un problème		*problem*	un poème	*poem*
un système		*system*		

CONVERSATION

Parlons de vous et de votre famille

À quelle heure partez-vous de votre maison le matin? À quelle heure
êtes-vous parti(e) ce matin?

À quelle heure part votre père? votre mère?

À quelle heure sortez-vous de l'école?

Aimez-vous sortir avec vos camarades? Où allez-vous?

Sortez-vous souvent le samedi soir? Allez-vous sortir samedi prochain?

Êtes-vous sorti(e) le week-end dernier? Avec qui? Où êtes-vous allé(e)?

Est-ce que vous allez partir en vacances à Noël? l'été prochain?

Êtes-vous parti(e) en vacances l'été dernier? Où êtes-vous allé(e)?

Est-ce que vous dormez bien ou mal? Combien d'heures est-ce que vous
dormez par *(per)* jour? Combien d'heures avez-vous dormi la nuit dernière?

Est-ce que vous dormez pendant la classe de français? pendant la classe d'anglais?

Structure

A. Les verbes *sortir, partir, dormir*   OPTIONAL   REVIEW: sortir, partir, dormir—Level 1, p. 302

Review the forms of the verbs **sortir** *(to go out)*, **partir** *(to leave)*, and
dormir *(to sleep)*.

Infinitive	sortir		partir		dormir	
Present	je	**sors**	je	**pars**	je	**dors**
	tu	**sors**	tu	**pars**	tu	**dors**
	il/elle/on	**sort**	il/elle/on	**part**	il/elle/on	**dort**
	nous	**sortons**	nous	**partons**	nous	**dormons**
	vous	**sortez**	vous	**partez**	vous	**dormez**
	ils/elles	**sortent**	ils/elles	**partent**	ils/elles	**dorment**

➪ **Partir** is the opposite of **arriver**. Note the following constructions:

partir	*to leave*	Le train **part** à deux heures.
partir de	*to leave* (a place)	Le bus **part de** Paris à une heure.
partir à	*to leave for* (a place)	Quand **partez**-vous **à** Québec?

One can also say: **partir pour Paris, partir en France.**

Note: The verb **quitter** also means *to leave;* however it must always
be followed by a noun.

Je **quitte** la maison à huit heures.   *I leave the house at eight (o'clock).*

➪ **Sortir** has several English equivalents:

sortir	*to go out*	Le samedi je **sors** avec mes camarades.
sortir de	*to get out of*	À quelle heure **sortez**-vous **de** l'école?

The verb **sortir** may also be used with
a noun: **Sortez vos livres.** *Get out
your books.*

➪ These verbs have regular past participles in **-i**.

J'ai dormi huit heures hier soir.

The **passé composé** of **sortir** and **partir** is reviewed in Section C, pp. 92–93.

proverbe: *Qui dort dîne.*

"He who sleeps forgets his dinner."

ACTIVITÉ 1 Sorties *(Going out)*

Lisez ce que les personnes suivantes font ce week-end. Dites qui sort et qui ne sort pas.

⇨ Henri étudie. **Il ne sort pas.**

1. Pierre et Nathalie vont au cinéma.
2. Nous regardons la télé.
3. Je suis à un concert.
4. Ma sœur a un rendez-vous.
5. Vous préparez l'examen.
6. Jacqueline va au théâtre.
7. Tu dînes chez des amis.
8. Mes cousins vont au restaurant.

OPTIONAL

B. Le verbe *venir; venir de* + infinitif   REVIEW: venir—Level 1, p. 247; venir de —Level 1, p. 254

Review the forms of **venir** *(to come)* in the following sentences:

Infinitive	**venir**			
Present	Je	**viens** du café.	Nous	**venons** du restaurant.
	Tu	**viens** de la piscine.	Vous	**venez** de la bibliothèque.
	Paul	**vient** de Paris.	Mes amis	**viennent** du cinéma.

⇨ The past participle of **venir** ends in **-u: venu.**

The following verbs are conjugated like **venir:**   The verb **devenir** is new.

devenir	*to become*	Vous **devenez** très bons en français!
revenir (de)	*to come back (from)*	Mon frère **revient de** Paris demain.

⇨ To indicate that an event has just taken place, the French use the construction:

> **venir de + infinitive**

Thérèse **vient de sortir.**   *Thérèse **has just gone out.** (Thérèse **just went out.**)*
Mes amis **viennent de partir.**   *My friends (have) **just left.***
Nous **venons de dîner.**   *We (have) **just had dinner.***

You may want to contrast the following sentences:

Nous venons dîner. ⎫
Nous venons pour dîner. ⎬ *We are coming to have dinner.*
Nous venons de dîner. ⎭ *We have just had dinner.*

ACTIVITÉ 2   C'est évident!

Quand on sait d'où viennent certaines personnes, on sait souvent ce que ces personnes viennent de faire. Exprimez cela en utilisant les éléments des colonnes A, B et C et les verbes **venir de** et **venir de** + infinitif. (N'oubliez pas [*Don't forget*] la contraction **de** + **le** → **du**!) Combien de phrases logiques pouvez-vous construire en cinq minutes?

A	B	C	
je	le café	danser	téléphoner
tu	le restaurant	nager	regarder les filles
Monique	la plage	faire de la planche	étudier
Patrick	le stade	à voile	travailler
nous	la bibliothèque	faire un match	regarder un magazine
vous	la discothèque	jouer au volley	acheter de l'aspirine
mes amis	le supermarché	dîner	acheter des oranges
	la piscine	déjeuner	boire un coca
	la pharmacie		
	le bureau		

⇨ **Tu viens du café. Tu viens de téléphoner.**

C. Le passé composé avec *être*

Review the forms of the **passé composé** of **aller** in the sentences below.

Je **suis allé** à Paris.
Tu **es allé** à la plage.
Il **est allé** au café.

Je **suis allée** à Montréal.
Tu **es allée** à la piscine.
Elle **est allée** au restaurant.

Nous **sommes allés** à Tahiti.
Vous **êtes allés** en France.
Ils **sont allés** dîner.

Nous **sommes allées** à la Martinique.
Vous **êtes allées** au Canada.
Elles **sont allées** danser.

Here **vous** is presented as a plural pronoun. When **vous** refers to *one* person, the past participle takes singular endings: **Êtes-vous allée à Montréal, Mademoiselle?**

The **passé composé** of many verbs of motion is formed with **être** (rather than **avoir**) according to the following pattern:

present tense of **être** (affirmative or negative)	+	past participle

Es-tu allé au cinéma?   *Did you go to the movies?*
Non, **je ne suis pas allé** au cinéma.   *No, I did not go to the movies.*

⇨ When the **passé composé** of a verb is conjugated with **être**, the *past participle* agrees in gender and number with the *subject*.

Vocabulaire spécialisé   Quelques verbes conjugués avec *être*

aller	*to go*	Mélanie **est allée** au cinéma.
venir	*to come*	Ensuite, elle **est venue** chez moi.
revenir	*to come back*	Ma sœur **est revenue** avec elle.
arriver	*to arrive*	Nous **sommes arrivés** à une heure.
partir	*to leave*	Vous **êtes partis** à minuit.
entrer	*to enter, go in*	Qui **est entré** dans le garage?
sortir	*to go out, get out*	Qui **est sorti** de la classe?
rentrer	*to go back*	Nous **sommes rentrés** chez moi.
*****rentrer dans**	*to run (bump) into*	Je **suis rentré dans** un mur.
rester	*to stay*	**Êtes-vous restés** dans votre appartement? –
monter	*to go up*	Le chat **est monté** sur la table.
descendre	*to go down*	Le chien **est descendu** dans le garage.
tomber	*to fall*	Caroline **est tombée** de sa bicyclette.
passer	*to go, pass*	Nous **sommes passés** par cette avenue.

Notes: 1. The above verbs can be used alone or followed by the name of a place. These place names must always be introduced by a preposition such as: **à, de, chez, dans, par** *(by, through),* **sur.**

        Janine **est entrée dans** son appartement.   *Janine entered her apartment.*

    2. Other verbs conjugated with **être** are:

naître (né)	*to be born*	Ma mère **est née** au Canada.
*****devenir (devenu)**	*to become*	Paul **est devenu** président de sa classe.
mourir (mort)	*to die*	Quand est-ce que votre grand-père **est mort?**

proverbe: *Quand le chat est parti les souris dansent.*

                "When the cat's away the mice will play."

The verbs **sortir, monter, descendre,** and **passer** may be used with a direct object. In such cases, their **passé composé** is formed with **avoir:**
Jacqueline est sortie. Elle a sorti la voiture du garage.
Je suis monté dans ma chambre. J'ai monté mes livres dans ma chambre.

ACTIVITÉ 3 Week-end This activity practices the affirmative and negative forms of **sortir** in the **passé composé**.

Lisez ce que les personnes suivantes ont fait le week-end dernier. Dites
qui est sorti et qui n'est pas sorti.

➡ Adèle a fait le ménage.   **Elle n'est pas sortie.** VARIATION with **rester à la maison:**
Adèle est restée à la maison.

1. Nous avons regardé la télé.
2. J'ai préparé mon examen.
3. Paul a déjeuné chez Jacques.
4. Nos voisins ont fait une promenade.
5. J'ai conduit la voiture de mon père.
6. Vous avez étudié.
7. Tu as dormi.
8. Jacqueline a fait les courses.
9. Mon père a préparé le dîner.
10. Tu as acheté des chaussures.

ACTIVITÉ 4 C'est évident! This activity provides a contrast between the **passé composé** with **être** and with **avoir**.

Ce que nous achetons dépend du magasin où nous allons. Exprimez cela en
utilisant les verbes **aller** et **acheter** et les éléments des colonnes A, B et C.
Combien de phrases logiques pouvez-vous faire en cinq minutes?

A	B	C
je	à la librairie (*bookstore*)	du parfum
tu	à la pharmacie	du yaourt
Nicole	au supermarché	un kilo de pommes de terre
nous	à la poste	un litre de limonade
vous	dans un magasin de chaussures	des sandales
mes cousins	dans une parfumerie (*perfume store*)	un magazine
		de l'aspirine
		des timbres (*stamps*)

➡ **Nicole est allée au supermarché. Elle a acheté du yaourt.**

ACTIVITÉ 5   L'été dernier

Dites ce que les personnes ont fait l'été dernier. Pour cela, utilisez le passé composé des verbes entre parenthèses. Attention: Certains verbes sont conjugués *(conjugated)* avec **avoir**; les autres sont conjugués avec **être**.

⇨ Jean-Paul   (aller au Canada / visiter Québec)
   Jean-Paul est allé au Canada. Il a visité Québec.

1. Nathalie   (visiter Paris / monter à la tour Eiffel) –
2. mes cousins   (aller dans l'Arizona / descendre dans le Grand Canyon)
3. moi   (aller à la Martinique / faire de la planche à voile)
4. toi   (rendre visite à tes cousins / rester chez eux) –
5. nous   (faire un voyage en Suisse / passer par Genève) ·
6. vous   (rester chez vous / travailler)
7. Mélanie   (aller en France / sortir avec un Français)
8. Jacques et Denis   (venir chez moi / partir le 15 août)

ACTIVITÉ 6   Petite conversation

Demandez à vos camarades ce qu'ils ont fait le week-end dernier. Pour cela utilisez les expressions et les verbes au passé composé. Attention: Certains verbes sont conjugués *(conjugated)* avec **avoir**; les autres verbes sont conjugués avec **être**.

⇨ inviter (qui?)   **—Qui est-ce que tu as invité?**
                    —J'ai invité Paul.

1. téléphoner (à qui?)
2. aller (où?)
3. sortir (avec qui?)
4. dîner (où?)
5. rentrer à la maison (à quelle heure?)
6. regarder (quel programme?)
7. aller au lit (à quelle heure?)

ACTIVITÉ 7   Avez-vous bonne mémoire?

Décrivez trois événements *(events)* qui ont eu lieu *(that took place)* aux moments suivants. Vous pouvez parler de vous, de votre famille, de vos amis. Si vous préférez, vous pouvez aussi décrire des événements sportifs ou historiques.

1. Ce matin . . .
2. Hier . . .
3. L'année dernière *(Last year)* . . .
4. Quand j'avais dix ans *(was ten)* . . .

À votre tour Un voyage   OPTIONAL

Décrivez un voyage réel *(real)* ou imaginaire. Si vous voulez, vous pouvez utiliser les suggestions suivantes.

aller (où? quand? comment? avec qui?)
arriver (quand?)
rester (où?)
visiter (quels endroits?)
acheter (quelles choses?)
prendre des photos (de qui? de quelles choses?)
faire (quelles choses?)
partir (quand? comment?)
rentrer (quand?)

The purpose of this activity is to practice the **passé composé** with **être** and with **avoir.** For additional practice with the **passé composé,** ask the students to keep a diary in which they write down one or two activities every evening.

Section Magazine

Notre monde

Le calendrier des FÊTES°

Le Carnaval à la Martinique

À la Martinique, le Carnaval est toujours une fête extraordinaire. C'est la fête de la musique, de la danse, du rythme, de l'exubérance. C'est surtout° la fête de la bonne humeur. On prépare le Carnaval des semaines à l'avance° . . . Finalement la semaine du Carnaval arrive. Le lundi, les jeunes gens et les jeunes filles mettent leurs masques et leurs costumes. Dans les rues, les orchestres de musique créole (clarinette, tambour° et banjo) jouent des airs° typiques. Tout le monde° chante et danse . . . Le mardi, c'est le jour des diables.° Aujourd'hui tout le monde porte des vêtements rouges. Le Carnaval finit le mercredi. Ce jour-là, on met des vêtements blancs et noirs. Le soir, on brûle° «Vaval», une immense effigie de papier mâché qui représente le Carnaval. Le Carnaval est fini. «Au revoir, Vaval! À l'année prochaine!»

fêtes *festivals*   **monde** *world*   **surtout** *above all*
à l'avance *in advance*   **tambour** *drum*   **airs** *tunes*
Tout le monde *Everybody*   **diables** *devils*   **on brûle** *they burn*
À l'année prochaine! *Until next year!*

La Saint-Jean à Québec

La Saint-Jean a lieu° le 24 juin. C'est la grande fête du Canada français. Saint Jean-Baptiste est en effet° le saint patron des Canadiens français. La Saint-Jean est une fête particulièrement importante à Québec. Le matin, il y a des processions et des défilés° dans les rues de la ville. À midi, on pique-nique sur l'herbe.° L'après-midi, il y a des compétitions sportives. Le soir, la ville entière assiste à° un concert de musique folklorique et populaire sur les plaines d'Abraham, le grand parc historique. On chante et on allume° un feu de joie° gigantesque. À minuit, il y a des feux d'artifice.° «Vive le Québec!» «Vive les Canadiens français!» Aujourd'hui tout le monde est important!

C'est la fête au pays...
Tout le monde est important
PLAINES D'ABRAHAM

a lieu *takes place*   **en effet** *in fact*   **défilés** *parades*
herbe *grass*   **assiste à** *attends*   **on allume** *they light*
feu de joie *bonfire*   **feux d'artifice** *fireworks*

dans le monde° français

Le 14 juillet à Paris

Le 14 juillet est la fête nationale de la France. À Paris, le président de la République passe en revue° le défilé militaire. Le soir, les jeunes gens et les jeunes filles dansent dans les rues et tout le monde assiste aux feux d'artifice. «Oh, regarde cette fusée!° La belle bleue! Et la belle rouge! Et la belle verte!»

Les fêtes de juillet à Tahiti

En juillet, toute l'île° de Tahiti est en fête. Il y a des danses folkloriques. Il y a des cérémonies traditionnelles. Il y a des défilés. Il y a des épreuves° sportives. Mais le grand événement° est la course de pirogue.° Chaque village a son équipage.° Ces équipages s'entraînent° pendant° des semaines. Finalement le jour de la course arrive. Les équipages sont prêts.° Le signal du départ° est donné. Qui va gagner cette année?

passe en revue *reviews*   **fusée** *rocket*   **île** *island*
épreuves *competitions*   **événement** *event*
course de pirogue *canoe race*   **équipage** *crew*
s'entraînent *train*   **pendant** *for*   **prêts** *ready*   **départ** *start*

Noël en France

Noël est la fête de la famille dans le monde entier.° En France, toute la famille assiste à la messe° de minuit. Après la messe, il y a le «réveillon». Le réveillon est un repas léger:° huîtres,° boudin blanc° . . . et champagne! La veille° de Noël, les enfants mettent leurs chaussures dans la cheminée.° Est-ce que le père Noël va venir cette nuit? Qu'est-ce qu'il va mettre dans leurs chaussures?

monde entier *whole world*   **messe** *Mass*   **léger** *light*
huîtres *oysters*   **boudin blanc** *white sausage*   **veille** *eve*
cheminée *fireplace*

La France d'outre-mer°

Il y a une France européenne et une France d'outre-mer. La France d'outre-mer est constituée par° un certain nombre de territoires dispersés dans le monde entier.°

Voici quelques-uns° de ces territoires:

	population	capitale	produits
la Martinique	350.000	Fort-de-France	sucre, rhum, bananes, ananas°
la Guadeloupe	400.000	Basse-Terre	sucre, rhum, bananes, tabac°
la Guyane française	60.000	Cayenne	fruits tropicaux, sucre, bananes
la Polynésie française	137.000	Papeete	fruits tropicaux, café, vanille, noix de coco°

Le créole

Quelle est la langue° officielle de la Martinique? C'est le français, bien sûr! Mais à la maison et avec leurs amis, les jeunes Martiniquais parlent créole. Le créole reflète° la personnalité et l'histoire de la Martinique. Cette langue originale est née° du contact entre° les Européens et les esclaves° noirs. Influencé par° les langues africaines, le créole contient° des mots° d'origine française, anglaise, espagnole et portugaise. On parle aussi créole à la Guadeloupe et en Guyane française.

Voici certaines expressions créoles:

créole	français
Ça ou fé?	Comment allez-vous?
Moin bien.	Je vais bien.
Ça ou lé?	Qu'est-ce que vous voulez?
Moin pa savé.	Je ne sais pas.

Et voici un proverbe créole:

Gro poisson ka mangé piti.	Les gros poissons mangent les petits.

d'outre-mer *overseas*   constituée par *made up of*   monde entier *whole world*   quelques-uns *some*
ananas *pineapples*   tabac *tobacco*   noix de coco *coconuts*   langue *language*   reflète *reflects*
est née *was born*   entre *between*   esclaves *slaves*   par *by*   contient *contains*   mots *words*

UN SPORT DANS LE VENT°

Le nouveau sport qui fait fureur° en France est un sport d'origine américaine. Ce sport, c'est la planche à voile. Chaque été, 100.000 Français et Françaises descendent vers° les plages de la Méditerranée et de l'Atlantique pour pratiquer° leur sport favori. Qui sont ces «fanas»° de la planche à voile? Des étudiants, bien sûr, mais aussi des cadres d'entreprise,° des médecins, des professeurs ... et des retraités° de 65 ans. La folie° n'a pas d'âge!

L'équipement est simple: une planche° de 3 mètres 60 de long, un mât° et une voile.° La technique, par contre,° est beaucoup plus difficile. Pour pratiquer cette technique correctement, il ne faut pas seulement avoir des muscles. Il faut aussi avoir le sens de l'équilibre.° Un faux° mouvement et plouf! on est à l'eau! Heureusement,° on peut apprendre la technique de la planche à voile dans des écoles spécialisées. Aujourd'hui, il y a 200 écoles de planche à voile dans toute la France.

La planche à voile est un sport récent, mais elle a déjà° ses champions et ses records. En 1978, un Français fait la traversée° Angleterre–France sur une planche à voile. Cette année-là, un autre Français fait la traversée Martinique–Guadeloupe. En 1979, le champion Arnaud de Rosnay franchit° le détroit° de Bering, de l'Alaska à la Sibérie après huit heures de navigation. En 1980, il établit° un nouveau record de distance: 1.500 kilomètres de navigation entre° les îles° Marquises et Tahiti. Aujourd'hui on parle de la traversée de l'Atlantique en planche à voile ... mais est-ce vraiment possible?

dans le vent *"with it"*	**fait fureur** *is the rage*	**vers** *toward*
pour pratiquer *to engage in*	**fanas** *fans*	
cadres d'entreprise *executives*	**retraités** *retired people*	
folie *folly*	**planche** *board*	**mât** *mast*	**voile** *sail*
par contre *on the other hand*	**équilibre** *balance*	
faux *wrong*	**Heureusement** *Fortunately*	
déjà *already*	**traversée** *crossing*	**franchit** *crossed*
détroit *strait*	**établit** *established*	**entre** *between*
îles *islands*		

La malédiction caraïbe

Nous sommes à la Martinique en 1900. À cette époque,° Saint-Pierre est la ville la plus importante de l'île.° Avec ses distilleries, ses docks, ses magasins, ses banques, c'est un centre économique et commercial très actif. Dans le port, on peut voir° des bateaux français, mais aussi des bateaux anglais, des bateaux américains, des bateaux italiens, des bateaux japonais, des bateaux chiliens . . . Sur ces bateaux, les marins° chargent° le sucre, le rhum et les produits° tropicaux de l'île.

Saint-Pierre est aussi une ville artistique et culturelle. Le dimanche, les gens vont au concert ou au théâtre. Il y a, en effet,° un théâtre, le seul° théâtre de toutes les Antilles.° Saint-Pierre mérite bien° son nom° de «Paris des Antilles».

time
island

see

*sailors; are
loading
products*

*indeed
only; West
Indies;
definitely de-
serves; name*

Saint-Pierre avant l'explosion de la Montagne Pelée

Saint–Pierre après la catastrophe

En réalité, Saint-Pierre est une ville en danger. La ville est située° aux pieds d'un volcan, la montagne Pelée. Le 8 mai 1902, à sept heures cinquante du matin, la montagne Pelée explose! À huit heures, la ville est totalement dévastée. La cathédrale, le théâtre, le jardin° botanique, les monuments, les maisons sont maintenant un immense désert de ruines. En moins de° cinq minutes, toute la population de Saint-Pierre a péri.° Il y a 30.000 victimes . . . et un survivant.° Ce survivant est un prisonnier. Ironiquement, les murs de la prison l'ont protégé contre° la violence de l'explosion.

L'explosion de la montagne Pelée est une des grandes catastrophes dans l'histoire de l'humanité. Cette catastrophe a été annoncée dans une vieille légende caraïbe.° Les Indiens Caraïbes sont les premiers habitants de la Martinique. Quand les Français arrivent en 1635, ils veulent faire des Caraïbes leurs esclaves.° Les Caraïbes résistent, mais ils sont finalement battus.° Courageusement, ils préfèrent la mort° à l'esclavage.°

Avant de mourir, le dernier chef° caraïbe donne sa malédiction° aux Français:

«Aujourd'hui, vous êtes les plus forts,° mais demain la montagne de feu° va nous venger.»°

La «montagne de feu», c'est bien sûr la montagne Pelée. Le 8 mai 1902, la malédiction caraïbe s'est réalisée!°

located

garden

In less than perished; survivor protected against

= of the Carib Indians

slaves
beaten
death; slavery
chief
curse

strongest
fire; to avenge us

was fulfilled

Un Indien caraïbe

103

Un champion
de la liberté:

Toussaint Louverture
(1743-1803)

Vous savez° certainement où est Haïti. Savez-vous aussi qu'Haïti a été la première nation noire indépendante? Le héros de l'indépendance haïtienne est un esclave.° Il s'appelle Toussaint Louverture. Voici l'histoire de ce grand champion de la liberté.

Cette histoire commence à la fin° du dix-huitième siècle.° La France est alors une nation très puissante.° Elle a des colonies en Amérique et dans les Antilles.° La colonie la plus prospère° est Haïti, qui s'appelle alors Saint-Domingue. À Saint-Domingue, il y a 20.000 Blancs et 500.000 Noirs. Les Noirs travaillent comme° esclaves dans les plantations des Blancs.

En 1789, ces esclaves ont un grand espoir.° Une révolution libérale vient d'éclater° en France. Est-ce que cette révolution va émanciper les Noirs? En principe,° oui. Les révolutionnaires français décident d'abolir° l'esclavage° dans les colonies. Malheureusement,° Saint-Domingue est loin de° Paris et les Blancs de l'île° refusent de libérer leurs esclaves. Pour les Noirs, il y a une seule° solution: la révolte. En 1791, les Noirs de Saint-Domingue entrent en rébellion contre° leurs maîtres.°

Trois ans plus tard,° en 1794, les Anglais, qui sont en guerre contre° la France, veulent

savez *know* **esclave** *slave* **fin** *end* **siècle** *century*
puissante *powerful* **Antilles** *West Indies*
prospère *prosperous*

comme *as* **espoir** *hope* **vient d'éclater** *has just broken out* **En principe** *In principle* **abolir** *to abolish*
esclavage *slavery* **Malheureusement** *Unfortunately*
loin de *far from* **île** *island* **une seule** *only one* **contre** *against* **maîtres** *masters* **plus tard** *later* **en guerre contre** *at war with*

occuper Saint-Domingue. Pour les Français, la situation est extrêmement grave. Le gouverneur de Saint-Domingue décide alors de rencontrer le chef° des esclaves révoltés Ce chef s'appelle Toussaint Louverture. Il a 4.000 hommes sous° ses ordres. Il propose au gouverneur un marché:° «Garantissez° la liberté des Noirs et mes troupes vont combattre° avec vous contre les Anglais.» Le gouverneur n'a pas le choix.° Il accepte.

Quelques° semaines après, Toussaint Louverture, l'ancien° esclave, est nommé° commandant. C'est un brillant stratège. Ses troupes chassent les Anglais de Saint-Domingue. En juillet 1795, Toussaint Louverture est nommé général de brigade et vice-gouverneur de Saint-Domingue. En réalité, c'est maintenant lui le chef de l'île.

Avec l'émancipation des esclaves, Toussaint Louverture a réalisé° sa première ambition. Il a maintenant une autre° ambition: obtenir° l'indépendance de Saint-Domingue. Oui, mais comment? Il faut d'abord organiser le pays. Toussaint Louverture crée une administration moderne. Il ouvre des écoles. Il développe le commerce. S'il réussit dans ses projets, c'est

parce que c'est un homme juste.° Il ne fait pas de distinction entre les anciens maîtres blancs et les anciens esclaves noirs. Ainsi,° il peut mobiliser tous les talents. Les résultats de cette politique° sont immédiats. En 1800, Saint-Domingue est un pays riche et prospère. Économiquement, c'est un pays indépendant.

Administrativement, cependant,° Saint-Domingue est toujours° une colonie française. La France, à ce moment-là, est gouvernée par Napoléon Bonaparte. Napoléon est un général brillant mais très autoritaire. Il n'aime pas l'indépendance de Toussaint Louverture. Il décide de rétablir° l'esclavage à Saint-Domingue. Pour cela il prépare une formidable expédition. Le premier février 1802, 22.000 soldats français arrivent dans l'île. C'est la guerre! La guerre d'indépendance commence mal pour les Noirs. Toussaint Louverture est fait prisonnier. Il est déporté en France. Le 7 avril 1803, il meurt après dix mois de captivité.

La mort de Toussaint Louverture encourage la résistance des Noirs. Ceux-ci° battent° l'armée française et, le premier janvier 1804, Saint-Domingue devient une nation indépendante et prend le nom d'Haïti.

chef *leader* sous *under* marché *deal* Garantissez *Guarantee* combattre *to fight* choix *choice* Quelques *A few* ancien *former* nommé *named* a réalisé *saw come true* une autre *another* obtenir *to obtain*

juste *fair* Ainsi *Therefore* politique *policy* cependant *however* toujours *still* rétablir *to reestablish* Ceux-ci *The latter* battent *beat*

Les ACADIENS: du Canada à la Louisiane

Prenez une carte° de la Louisiane et regardez bien la région à l'ouest° et au sud° de la Nouvelle-Orléans. Les paroisses° de cette région ont des noms° français: Lafourche, Terrebonne, Vermilion, Saint Martin, Acadia, Lafayette, Iberville et, plus au nord,° Avoyelles, Évangéline, Pointe Coupée.

    Ici, nous sommes au centre du pays° «cajun». Le mot° «cajun» est la corruption du mot français «acadien». Dans ces paroisses en effet,° la majorité de la population est d'origine acadienne et comprend le français. Qui sont les Acadiens? Quelle est leur origine? Pourquoi parlent-ils français? Voici leur histoire . . .

map
west
south
parishes;
   names

north

country; word

as a matter of
   fact

L'histoire des Acadiens commence non pas en Louisiane mais au Canada. Les Acadiens sont en effet les descendants des premiers colons° français au Canada. Ces colons arrivent en 1604 dans l'est° du Canada. Là, ils établissent° une colonie très prospère° qu'ils appellent l'Acadie. (Cette région est aujourd'hui la Nouvelle-Écosse.°) En 1713, la France signe un traité° qui donne l'Acadie à l'Angleterre. L'Acadie devient une colonie britannique,° mais les Acadiens veulent rester fidèles° à la France. Ils décident de préserver leurs traditions, leur culture et leur langue° qui est le français. Ils refusent de prêter serment° à la couronne° britannique.

    Le gouverneur anglais décide alors d'expulser° les Acadiens. En juin 1755, l'armée° anglaise attaque les villages acadiens qui sont sans défense. Toute la population est prisonnière. Le gouverneur donne l'ordre de brûler° les maisons, de détruire les villages et finalement de déporter la population. Pour la majorité des Acadiens, un long et terrible exode° commence.

    C'est l'époque° du «grand dérangement».° Les soldats° anglais séparent les familles. Les hommes sont déportés d'abord, puis les femmes et les enfants. Des groupes arrivent dans le Massachusetts, d'autres° en Virginie, d'autres en Géorgie, d'autres dans les Antilles° . . . Éventuellement, les

colonists
east
establish;
   prosperous
Nova Scotia
treaty
British; faithful
language
pledge alle-
   giance; crown
to expel
army

to burn

exodus

period; turmoil;
   soldiers
others
West Indies

Évangéline

Le grand poète américain, Longfellow, a immortalisé l'exode cruel et tragique des Acadiens dans son poème *Evangeline*. Ce poème est basé sur une histoire vraie. Évangéline Bellefontaine, une jeune Acadienne, est fiancée° à Gabriel Lajeunesse. Au moment où ils vont se marier,° Évangéline et Gabriel sont déportés en Louisiane. Malheureusement,° ils prennent des bateaux différents. Évangéline et Gabriel sont séparés. Évangéline passe le reste de son existence° à rechercher° la trace de son fiancé. Finalement, elle trouve Gabriel au moment où il va mourir. Aujourd'hui on peut voir° la statue d'Évangéline à côté de° l'église Saint Martin de Tours à St. Martinville (Louisiane).

fiancée *engaged* **se marier** *to get married*
Malheureusement *Unfortunately* **existence** *life*
à rechercher *searching for* **voir** *see* **à côté de** *next to*

familles acadiennes vont se regrouper. Certaines° décident d'aller en Louisiane qui est alors une colonie française. — *Some*

Les premiers Acadiens arrivent en Louisiane vers° 1760, après un voyage de 3.000 kilomètres et cinq ans d'exode. Là, ils reconstruisent° leurs maisons, leurs écoles, leurs églises. Ils commencent une nouvelle existence où ils sont finalement libres. — *around* / *rebuild*

VIVE LA DIFFERENCE
LA LOUISIANE
EST BILINGUE

De nouveaux immigrants arrivent en pays «cajun»: ce sont des Allemands, des Espagnols, des Anglais, des Noirs . . . Certains apprennent le français et deviennent Acadiens d'adoption. Aujourd'hui les Acadiens sont très nombreux,° peut-être un million, peut-être plus . . . En 1968, la legislature de la Louisiane a reconnu° leur importance culturelle en créant° «Le Conseil° pour le Développement du Français en Louisiane» (CODOFIL). — *numerous* / *recognized* / *by creating* / *Council*

UN PEU D'HISTOIRE FRANCO-AMÉRICAINE

Où parle-t-on français en Amérique du Nord?° Au Canada, bien sûr, *North*
où le français est l'une des deux langues° officielles du pays. Les *languages*
Canadiens français habitent principalement dans la province de
Québec et dans les Provinces Maritimes.

Aux États-Unis, on parle encore° français dans de nombreuses° *still; numerous*
familles franco-américaines de la Nouvelle-Angleterre. Les
Franco-Américains sont les descendants de Canadiens français qui
sont venus aux États-Unis aux dix-neuvième et vingtième siècles.° *centuries*
En Louisiane, on parle français dans un grand nombre de familles
d'origine acadienne.

La présence française sur le continent américain est très ancienne.
Voici quelques° dates dans l'histoire des relations américaines. *a few*

1534

Un navigateur français, Jacques Cartier,
découvre° le Canada et explore le
Saint-Laurent.° Il arrive à cap° Gaspé le
24 juillet. Là, il plante° une croix° dans le
sol.° Cet événement° marque le commencement de la présence française au Canada.

1604–1640

Les premiers colons° français arrivent au
Canada, qui s'appelle alors la Nouvelle-
France. Samuel de Champlain fonde°
Québec.

1670–1700

C'est l'époque° des explorations françaises sur le continent américain. Duluth
explore la région du lac Supérieur.
Cadillac fonde Détroit. Joliet et Marquette
découvrent le Mississippi. La Salle explore
la vallée° du Mississippi et descend ce
fleuve° jusqu'au° golfe du Mexique.

1700–1760

Des Français arrivent en Louisiane, qui
devient une colonie française. Les Français
fondent Mobile, Biloxi, la Nouvelle-
Orléans.

découvre *discovers* **Saint-Laurent** *Saint Lawrence River*
cap *Cape* **plante** *drives* **croix** *cross* **sol** *ground*
événement *event*

colons *colonists* **fonde** *founds*
époque *period* **vallée** *valley* **fleuve** *river*
jusqu'au *down to*

1756–1763

La France cède° le Canada à l'Angleterre. L'Acadie, à l'est,° est devenue anglaise en 1713. Le reste du Canada devient anglais en 1763.

1776–1783

La France signe un traité° d'alliance avec les États-Unis. Un général de vingt ans, le marquis de La Fayette, s'illustre° dans la guerre° de l'Indépendance. Washington gagne la bataille° de Yorktown avec l'aide de la marine° et de l'armée° françaises.

1803

Napoléon vend la Louisiane aux États-Unis.

La Nouvelle–Orléans en 1860

1917–1918

Les Américains aident les Français pendant la Première Guerre mondiale.°

1944

Les troupes alliées sous° le commandement du Général Eisenhower libèrent la France.

Eisenhower à Paris en 1944

PROJETS CULTURELS

1. Préparez une exposition (*exhibit*) sur les fêtes du Mardi Gras dans le monde francophone (*French-speaking world*): le Carnaval de Nice, le Carnaval de Québec avec le Bonhomme Carnaval (*Old Man Snow*), le Mardi Gras à la Nouvelle-Orléans, le Carnaval à Haïti.

2. Sur une carte (*map*) du monde, indiquez la position des territoires d'outre-mer mentionnés dans le texte. Indiquez aussi la position d'autres (*other*) territoires français comme (*like*) Saint-Pierre-et-Miquelon et la Réunion.

3. Préparez une exposition sur une région francophone: le Québec, Haïti, la Martinique, Tahiti, la Louisiane, un pays francophone d'Afrique comme le Sénégal ou la Côte-d'Ivoire. Vous pouvez utiliser des cartes, des posters, des photos et des brochures touristiques.

4. Lisez le poème *Evangeline* de Longfellow.

---

cède *gives up*   **est** *east*   **traité** *treaty*
s'illustre *becomes famous*   **guerre** *war*   **bataille** *battle*
marine *navy*   **armée** *army*   **Guerre mondiale** *World War*

sous *under*

In order to stimulate and maintain student interest, the remaining units of *Tous ensemble* are built around continuous stories. The five episodes of each story constitute the *Presentations* of each lesson. The story developed in this unit centers around a case of mistaken identity.

OBJECTIVES
The main objective of this unit is to review and expand on the presentation of the object pronouns from Level 1 and to introduce the relative pronouns **qui** and **que**.
Other structures reviewed
  • negative expressions
  • irregular adjectives
  • **lire, dire, écrire, voir, savoir, connaître**
Vocabulary
  • reading and writing
  • verbs taking direct objects
  • verbs taking direct objects and indirect objects
  • irregular adjectives

UNITÉ 2

OPPOSITE: Jardin des Tuileries and Arc de Triomphe du Carrousel, Paris

STRUCTURES REVIEWED
- **dire, lire, écrire**
- the object pronouns **me, te, nous, vous**
- the position of object pronouns in the imperative

UNITÉ 2
Leçon 1   Une lettre des États-Unis

Le *facteur* vient de passer. Nicole va chercher le courrier.

NICOLE: *Tiens!* Il y a une lettre avec un timbre américain.

MARC *(le frère de Nicole)*: C'est sûrement pour moi. Passe-moi cette lettre, s'il te plaît.

Marc ouvre l'enveloppe et lit la lettre suivante.

mailman

Look!

> *Louisville, le 21 juin*
>
> Mon cher Marc,
>
> Je t'annonce une bonne nouvelle: Mes cousins de Genève m'invitent pour les vacances. Je vais donc passer l'été en Suisse. Mais avant, je voudrais passer vingt-quatre heures à Paris. J'ai pris mon billet. Mon avion arrive à Roissy le 2 juillet à six heures du soir. Est-ce que je peux passer cette nuit-là chez toi?
>
> Écris-moi vite si c'est possible et dis-moi si tu peux me chercher à l'aéroport.
>
> Ton ami américain,
> Jim Mitchell

piece of news

NICOLE: *Qui est-ce qui* t'écrit?

MARC: C'est Jim, mon *correspondant* américain.

NICOLE: Et qu'est-ce qu'il te dit?

MARC: Écoute, tu es vraiment trop curieuse! *Tiens*, lis sa lettre si tu veux.

Who

pen pal

Here

Qui vient de passer? Qu'est-ce qu'il y a au courrier? Pour qui est la lettre? D'où vient la lettre? Qui a écrit à Marc? Où est-ce que Jim va passer l'été? Qu'est-ce qu'il veut faire avant d'aller en Suisse? Est-ce que Nicole va aller avec Marc à Roissy? Qu'est-ce que Nicole pense de Jim?

112 Unité deux

Discussion Aimez-vous écrire? Avez-vous un correspondant francais? Quels sont les avantages d'avoir un correspondant français?

Nicole lit la lettre de Jim. Puis elle dit à son frère:

NICOLE: Réponds tout de suite à Jim. Tiens, voilà du papier et un stylo . . . Dis à ton ami que nous allons *l'attendre* à Roissy. *pen; wait for him*

MARC: Pourquoi dis-tu «nous allons»? Tu as l'intention d'aller à l'aéroport avec moi? For information about Roissy, see **Note culturelle,** page 122.

NICOLE: Bien sûr! *(en elle-même)* Mon frère me parle toujours de son ami Jim. *(to herself)* C'est certainement un garçon très sympathique . . . et je vais enfin faire sa connaissance!

• Remind the students that **chercher** also means *to look for.*
• The full conjugation of **ouvrir** is reviewed on p. 296.

faite des phrases

Vocabulaire pratique

NOMS:	**un billet**	*ticket*		***une adresse**	*address*
	le courrier	*mail*		***une enveloppe**	*envelope*
	un timbre	*stamp*			

VERBES: ***annoncer** to announce On **annonce** du beau temps *(good weather).*

Point out that **c → ç** in the **nous** form.

chercher to get, pick up Je viens **chercher** le courrier.

ouvrir to open Marc **ouvre** l'enveloppe.

***avoir l'intention de** to intend to, plan to Jim **a l'intention de** venir à Paris.

***faire la connaissance de** to meet Il **fait la connaissance de** Marc.

The expression **faire la connaissance de** means *to meet for the first time.* *To meet* in the sense of "to arrange to get together (with someone)" is **rencontrer.**

EXPRESSIONS: **tout de suite** *right away, immediately* Je viens **tout de suite!**

trop *too much, too* Nicole mange **trop.**

***vite** *fast, quickly* Ne conduis pas trop **vite!**

attention · **vraiment** *really, truly* Éric a **vraiment** travaillé hier.

Note: In the present tense, **ouvrir** is conjugated like an **-er** verb: **j'ouvre, tu ouvres,** etc.

MOTS APPARENTÉS French-English cognates are often spelled somewhat differently. Sometimes the word has a single consonant in one language and a double consonant in the other language. Compare:

une enve**lo**ppe	*envelope*	un gi**r**afe	*giraffe*
une a**d**resse	*address*	le ma**r**iage	*marriage*
		une re**ss**ource	*resource*
		un a**pp**artement	*apartment*

You may ask the students to name other cities with French names. Examples: **Beaumont** (Texas), **La Grange** (Alabama), **Des Moines** (Iowa), **Grand Marais** and **Mille Lacs** (Minnesota), **Eau Claire**, **Fond du Lac**, **Prairie du Chien** (Wisconsin), **Terre Haute** (Indiana), **Havre de Grace** (Maryland). As a class project, you may ask the students to explain the origins of these cities.

NOTE CULTURELLE   OPTIONAL

Villes américaines, noms français

Connaissez-vous° l'origine du nom° de Louisville? Cette ville a été nommée° en l'honneur de Louis XVI, roi° de France (1754–1793). Voici d'autres° villes dont° le nom est d'origine française:

Louis Seize

La Nouvelle-Orléans   C'est l'ancienne° capitale de la Louisiane française. Son nom est celui° d'une ville française, Orléans.

Détroit   Détroit signifie° *strait*. C'est un nom très approprié.° Détroit est sur un détroit entre° le lac Saint-Clair et le lac Érié.

Joliet   Ville nommée en l'honneur de l'explorateur° français Joliet (1645–1700) qui a découvert° le Mississippi.   This Canadian-born explorer often wrote his name **Jolliet**.

Louis Quinze

Saint Louis   Ville nommée en l'honneur de Louis XV, roi de France (1710–1774), et de son patron° Saint Louis (le roi Louis IX, 1214–1270).   Louis Neuf

Mobile   L'ancien nom de cette ville est Fort Louis de la Mobile. Mobile (ou Mauvilla) est le nom d'une tribu indienne.°

Bâton Rouge   Bâton rouge signifie *red post.* Pourquoi ce nom? On ne sait pas. On pense que c'est à cause d'un° bâton rouge planté° là par° les Indiens.

Connaissez-vous *Do you know*   **nom** *name*   **nommée** *named*
roi *king*   **d'autres** *other*   **dont** *whose*   **ancienne** *former, old*
celui *that*   **signifie** *means*   **approprié** *appropriate*   **entre** *between*   **explorateur** *explorer*   **a découvert** *discovered*
patron *patron saint*   **tribu indienne** *Indian tribe*   **à cause d'un** *because of a*   **planté** *fixed*   **par** *by*

LOUISVILLE

Detroit

Baton Rouge

joliet

Saint Louis founded the Sorbonne, France's oldest university.

Structure

A. Les verbes *dire, lire, écrire*   OPTIONAL   REVIEW: dire, lire, écrire—Level 1, p. 343

Review the forms of the verbs **dire** *(to say, tell)*, **lire** *(to read)*, and **écrire** *(to write)*.
Point out the irregular form **vous dites.** Ask the students to name two other verbs with **vous** forms in **-tes: vous êtes, vous faites.**

Infinitive	dire		lire		écrire	
Present	je	dis	je	lis	j'	écris
	tu	dis	tu	lis	tu	écris
	il/elle/on	dit	il/elle/on	lit	il/elle/on	écrit
	nous	disons	nous	lisons	nous	écrivons
	vous	dites	vous	lisez	vous	écrivez
	ils/elles	disent	ils/elles	lisent	ils/elles	écrivent
Passé composé	j'ai	dit	j'ai	lu	j'ai	écrit

▭➤ Other verbs which follow the above pattern are: The verbs **contredire** and **prédire** are new.

(like **écrire**)	**décrire**	*to describe*	**Décrivez** vos vacances!
(like **dire**)	**contredire**	*to contradict*	Est-ce que tu **contredis** souvent tes amis?
	prédire	*to predict*	On a **prédit** du beau temps *(good weather)* pour le week-end.

Exception: The **vous** forms of **contredire** and **prédire** are regular:

vous contredisez, vous prédisez

▭➤ The conjunction **que** is used after verbs like **dire, lire,** and **écrire** to introduce a clause.[1] In English the word *that* is often left out.

Marc dit **que** Jim est son ami.   *Mark says (**that**) Jim is his friend.*
Jim écrit **qu'**il va aller à Genève.   *Jim writes (**that**) he is going to Geneva.*

You may want to practice the verb forms with substitution exercises:
Je dis la vérité. (nous, Marie, vous, mes amis, tu, on) Je lis le journal. J'écris une carte postale. Je n'ai pas lu ce livre.

[1] A clause is a part of a sentence consisting of a subject and verb, plus any related words.

Vocabulaire spécialisé On lit, on écrit, on dit

On lit . . .

un journal *newspaper* **un magazine** **un article**
une histoire *story* **une nouvelle** *news item* **une revue** *magazine*
*les nouvelles *the news* **des bandes dessinées** *comics*

On écrit . . .

une carte *card* **une carte postale** *postcard* **une lettre** *letter*

On écrit avec . . .

un crayon *pencil* **un stylo** *pen*

On écrit sur . . .

du papier *paper*

On écrit dans . . .

un cahier *notebook* **un carnet** *small notebook*

On dit . . .

un mot *word* **un mensonge** *lie* **la vérité** *truth*

JOURNAL FRANÇAIS D'AMÉRIQUE

VOCABULARY EXPANSION: **un stylo à bille** *(ball point pen)*, **un feutre** *(felt tip pen)*, **de la craie** *(chalk)*, **un tableau** *(chalk-board)*, **un roman** *(novel)*, **un poème**, **les petites annonces** *(classified ads)*, **les réclames** *(ads)*

ACTIVITÉ 1 **Questions personnelles**

1. Est-ce qu'il y a des journaux ou des magazines français à la bibliothèque de votre école? Quels journaux? Est-ce que vous lisez ces journaux?
2. Quand vous lisez un journal ou un magazine, est-ce que vous lisez les nouvelles? l'horoscope? la page des sports? les bandes dessinées? Quelles sont vos bandes dessinées favorites?
3. Avez-vous lu un livre intéressant récemment *(recently)*? Quel livre? Avez-vous lu un article intéressant? Sur quel sujet *(topic)*?
4. Aimez-vous écrire? Est-ce que vous écrivez souvent à vos grands-parents?
5. Avez-vous écrit des cartes postales à vos amis pendant les vacances?
6. Avez-vous écrit beaucoup de cartes de vœux *(Christmas cards)* l'année dernière? À qui?
7. En classe, est-ce que vous écrivez avec un crayon ou un stylo?
8. Quand vous écrivez une lettre, écrivez-vous avec un crayon ou un stylo?
9. En classe, est-ce que les élèves contredisent souvent le professeur?
10. Avez-vous un carnet d'adresses? Quand vous faites la connaissance d'une personne, est-ce que vous écrivez son adresse dans un carnet?

11. Est-ce que vous dites toujours la vérité à vos amis? à vos parents? à vos professeurs?
12. À quel âge avez-vous parlé? Quel est le premier mot que vous avez dit?

ACTIVITÉ 2 **Nouvelles de France**   The purpose of this activity is to practice the forms of **écrire** and the use of **que**.

Les étudiants suivants passent les vacances en France. Dites ce que chacun écrit à sa famille.

⇨ Jacqueline fait du camping.   **Jacqueline écrit qu'elle fait du camping.**

1. Paul fait de la planche à voile.
2. Robert et Louis font du sport.
3. Tu es allé à Nice.
4. Nous avons visité Marseille.
VARIATION with **dire**.

5. J'ai fait la connaissance d'une Française.
6. Nous avons loué une voiture.
7. Vous allez souvent à la plage.
8. Hélène et Suzanne font des progrès en français.

OPTIONAL

B. Les pronoms *me, te, nous, vous*   REVIEW: **me, te, nous, vous**—Level 1, p. 313

In the sentences below, the words in heavy type are object pronouns. Note the forms and position of these pronouns.

SUBJECT PRONOUNS	OBJECT PRONOUNS	It is not important at this point to distinguish between direct and indirect object pronouns. You may want to remind the students that **me** may mean *me* or *to me*, and so on.
je (j') tu	me (m') te (t')	Marc **me** téléphone. Il **m'**annonce la nouvelle. Nicole **te** parle. Elle **t'**écoute.
nous vous	nous vous	Tu **nous** téléphones? Tu **nous** invites? Je **vous** réponds. Je **vous** écris une lettre.

⇨ The forms in parentheses are used before a vowel sound.

⇨ In French, object pronouns come immediately *before* the verb. Note that in negative sentences the object pronouns come between **ne** and the verb.

Marc ne **me** téléphone pas.   *Marc does not call me.*
Il ne **vous** invite pas.   *He is not inviting you.*

ACTIVITÉ 3 **Pierre et Paul**

Pierre et Paul parlent des personnes qu'ils connaissent *(whom they know).* Ces personnes font certaines choses pour Pierre mais pas pour Paul. Jouez le rôle de Pierre et de Paul.

⇨ Jacqueline / inviter   Pierre: **Jacqueline m'invite.**
                            Paul: **Elle ne m'invite pas.**

1. Sylvie / téléphoner
2. Louise et Caroline / parler
3. Henri / rendre visite
4. Albert et Thomas / écrire

5. Antoine / dire la vérité
6. mes cousins / inviter
7. mes professeurs / comprendre
8. mon chien / obéir

ACTIVITÉ 4   Bien sûr!

Henri est secrètement amoureux *(in love)* de Françoise. Françoise demande certaines choses à Henri. Henri répond affirmativement. Jouez les deux rôles, d'après le modèle.

▷ téléphoner ce soir?   Françoise: **Tu me téléphones ce soir?**
    Henri: **Bien sûr, je te téléphone ce soir!**

ADDITIONAL CUES: donner *(give)* ton adresse? donner ton numéro de téléphone? parler de tes projets? Note: Henri changes ton/tes to mon/mes.

1. téléphoner demain?
2. inviter ce week-end?
3. attendre après la classe?
4. dire la vérité?

5. écrire un poème?
6. écouter?
7. inviter au restaurant?
8. aimer?

ACTIVITÉ 5   Petite conversation

Demandez à vos camarades si les personnes suivantes font certaines choses pour eux. Vos camarades vont répondre affirmativement ou négativement.

▷ tes cousins / écrire souvent?   —**Est-ce que tes cousins t'écrivent souvent?**
    —**Oui, ils m'écrivent souvent.**
      (Non, ils ne m'écrivent pas souvent.)

1. ton meilleur ami / écrire pendant les vacances?
2. ta meilleure amie / téléphoner souvent?
3. tes amis / inviter chez eux?
4. tes parents / comprendre?
5. ton père / prêter *(to lend)* sa voiture?
6. tes professeurs / mettre des bonnes notes *(grades)*?
7. tes sœurs / dire toujours la vérité?
8. tes amis / écouter?

OPTIONAL
C. La position des pronoms à l'impératif

REVIEW: position of pronouns in the imperative—Level 1, p. 329, Activité 4

In the following sentences the verbs are in the imperative. Note the position and the forms of the object pronouns.

Téléphone-**moi** ce soir!   *Call me tonight!*
Ne **me** téléphone pas après minuit!   *Don't call me after midnight!*

Invite-**nous** demain.   *Invite us tomorrow.*
Ne **nous** invite pas ce week-end.   *Don't invite us this weekend.*

When the verb is in the affirmative imperative, the object pronouns come immediately *after* the verb and are attached to it by a hyphen.

▷ In the affirmative imperative, me becomes **moi**.

proverbe: *Dis-moi qui tu fréquentes. Je te dirai qui tu es.*

"Tell me what company you keep, and I'll tell you what you are."

118   Unité deux

ACTIVITÉ 6   S'il te plaît

Demandez à vos camarades de faire les choses suivantes pour vous. Ils vont accepter ou refuser.

⇨ inviter ce week-end
—**Invite-moi ce week-end!**
—**D'accord, je t'invite ce week-end.**
     (Non, je ne t'invite pas ce week-end.)

1. téléphoner demain
2. attendre après la classe
3. vendre tes disques
4. vendre ta bicyclette

5. écrire pendant les vacances
6. parler de ta famille
7. passer ton livre de français
8. passer tes notes de français

In items 3, 4, 6, 7, and 8, the students should reply with **mon/ma/mes.**

VARIATION with **nous/vous:** —Invite-nous ce week-end!
     —D'accord, je vous invite ce week-end.

D. Les pronoms compléments à l'infinitif   OPTIONAL

Note the position of the object pronouns in the answers to the questions below.

Tu me téléphones?   Oui, je vais **te** téléphoner ce soir.
Tu nous écris?   Non, je ne vais pas **vous** écrire.

When a pronoun is the object of an infinitive, it comes immediately *before* that infinitive.

ACTIVITÉ 7   Pas maintenant!

Aujourd'hui Marc est très occupé. Il dit à ses amis qu'il va faire certaines choses pour eux plus tard *(later)*. Jouez le rôle de Marc, d'après le modèle.

⇨ Je ne te téléphone pas maintenant. (ce soir)   **Je vais te téléphoner ce soir.**

1. Je ne vous téléphone pas maintenant.   (demain)
2. Je ne t'écris pas maintenant.   (samedi)
3. Je ne vous invite pas maintenant.   (ce week-end)
4. Je ne te parle pas maintenant.   (après la classe)
5. Je ne vous réponds pas maintenant.   (dans une semaine)

À votre tour   Une lettre   OPTIONAL

Imaginez que vous allez passer l'été en France. Puisque *(Since)* votre budget est limité *(limited)*, vous avez décidé de rendre visite à vos amis. Vous avez un ami à Paris qui s'appelle Philippe. Écrivez une lettre à Philippe pour demander si vous pouvez passer une semaine chez lui. Vous pouvez utiliser la lettre de Jim comme *(as a)* modèle.

The purpose of this activity is to practice the pronouns **me, te, nous, vous** and their position.

NEW STRUCTURE
• agreement of past participle with preceding direct object (in **passé composé**)
STRUCTURES REVIEWED
• **voir**
• **connaître**
• direct object pronouns

UNITÉ 2

Leçon 2   Qui est Jim?

Scène 1. Le 2 juillet à six heures du soir

Nicole et Marc sont à l'aéroport de Roissy. Mais là, ils ont un problème.

NICOLE: Au fait, tu connais bien Jim?

MARC: Bien sûr! Je le connais bien! C'est mon *correspondant*.   *pen pal*

NICOLE: Alors, comment est-il? Blond ou brun? Grand ou petit?

MARC: Eh bien, là, je ne peux pas te dire. Je ne l'ai jamais vu!

NICOLE: Est-ce que tu as sa photo au moins?

MARC: Euh, non . . .

NICOLE: Alors, comment est-ce que nous allons le *reconnaître*?   *to recognize*

MARC: Zut! Je n'ai pas pensé à cela!

Scène 2.

L'avion de New York vient d'arriver. Il y a beaucoup de passagers:
des touristes, des *hommes d'affaires* et évidemment beaucoup   *businessmen*
d'étudiants . . . Mais qui est donc Jim?

NICOLE: Le voilà! Le voilà!

MARC: Qui?

NICOLE: Jim!

MARC: Où est-ce que tu le vois?

NICOLE: *Comment?* Tu ne le vois pas? Regarde là-bas. Ce grand blond   *What?*
 avec la raquette de tennis! C'est lui!

MARC: Tu es sûre?

NICOLE: Mais évidemment . . . Attends-moi ici!

Scène 3.

Nicole va parler au jeune homme.

NICOLE: Vous êtes américain, n'est-ce pas?

LE JEUNE HOMME: Euh, oui . . .

NICOLE: Et vous êtes *bien* Jim?   *indeed*

LE JEUNE HOMME: Euh, oui . . .

NICOLE (*à Marc*): Mon cher Marc, je te *présente* ton ami Jim!   *introduce*
 (*plus bas*) Alors, qu'est-ce que tu penses de mon   (*in a low*
 intuition féminine?   *voice*)

Où sont Nicole et Marc le 2 juillet à six heures? Pourquoi est-ce qu'ils ont un problème? Qui reconnaît Jim? Comment est Jim? Qu'est-ce qu'il a? Qui aide Jim avec ses bagages? Qui va chercher un taxi?

120 Unité deux   *Discussion* Imaginez que vous allez en France. Quels objets est-ce que vous allez prendre avec vous? Expliquez votre choix.

Nicole va chercher un taxi. Pendant ce *temps*, Marc aide Jim avec ses bagages.   *time*

MARC: Où sont tes valises?

JIM: Je les ai mises là-bas.   This is an example of the agreement of the past participle with a preceding direct object.

MARC: Bon, je les prends! Est-ce que tu as un sac?

JIM: Oui. Je l'ai mis avec les valises. Le voilà.

Marc cherche le sac et les valises de Jim et il les met dans le taxi . . .

You may want to point out the use of conversational fillers in these dialogs: **au fait, alors, eh bien, euh . . . , donc.**

VOCABULARY EXPANSION: **un sac à main** (*handbag*), **un sac à dos** (*knapsack, backpack*), **une serviette** (*briefcase*), **un porte-documents** (*attaché case*), **un passeport** (*passport*), **un billet** (*ticket*)

Vocabulaire pratique

NOMS:	**les bagages**	*baggage, luggage*		*****une passagère**	*passenger*
	un passager	*passenger*		**une photo**	*picture, photograph*
				*****une valise**	*suitcase*

VERBES:	**penser**	*to think*	Je **pense** que vous avez de la chance.
	*****penser à**	*to think about*	Jim **pense à** son voyage à Paris.
	*****penser de**	*to think of*	Qu'est-ce que tu **penses de** cette photo?

EXPRESSIONS:	*****au fait** /ofɛt/	*by the way*	**Au fait,** où sont nos bagages?
	au moins	*at least*	Éric a **au moins** trois valises.
	*****ceci ≠ cela**	*this ≠ that*	**Ceci** est très intéressant. **Cela** est stupide.
	donc	*therefore, so*	Je pars. **Donc,** j'ai besoin de mon passeport.
	évidemment	*obviously, evidently*	**Évidemment,** les passagers n'aiment pas attendre.

Notes: 1. **Penser de** is used to ask someone's opinion about something.

2. In conversation, **cela** frequently becomes **ça.**

   Est-ce que tu comprends **ça?**   *Do you understand **that?***

3. **Donc** is often used as a conversational filler to stress what is being said. When used in this way it has no English equivalent.

   Mais qui est **donc** Jim?   *But who is Jim?*

The formation of adverbs is presented on p. 317.

The endings **-emment** and **-amment** are pronounced /amã/.

MOTS APPARENTÉS

French adverbs in **-emment** and **-amment** often correspond to English adverbs in *-ently, -antly.*

-emment	↔	*-ently*		**-amment**	↔	*-antly*
évi**demment**		*evidently*		constamment		*constantly*
ré**cemment**		*recently*				
intelligemment		*intelligently*				
patiemment		*patiently*				
violemment		*violently*				
brillamment		*brilliantly*				

Charles de Gaulle (1890–1970) was the leader of the Free French during World War II and later became president of France. For more information, see **Section Magazine 4**, p. 372.

NOTE CULTURELLE

Roissy: un aéroport moderne   Paris n'est pas seulement la capitale de la France. C'est aussi un centre international très actif. Chaque année,° des millions de touristes et d'hommes d'affaires° viennent à Paris. Paris a donc besoin d'aéroports modernes et bien équipés.° Roissy (aussi appelé° aéroport Charles de Gaulle) est le nouvel° aéroport de Paris. Dans quelques° années, cet aéroport à l'architecture futuriste,° sera° le plus grand aéroport d'Europe.

année *year*   **hommes d'affaires** *businessmen*   **équipés** *equipped*   **appelé** *called*   **nouvel** *new*   **quelques** *a few* **à l'architecture futuriste** *with its futuristic architecture* **sera** *will be*

Structure

A. Le verbe *voir*   OPTIONAL   Review: **voir**—Level 1, p. 289

Review the forms of the verb **voir** *(to see)* in the sentences below.

Infinitive	voir		
Present	Je **vois** Nicole. Tu **vois** tes amis. Il/Elle/On **voit** un avion.		Nous **voyons** un film. Vous **voyez** une comédie. Ils/Elles **voient** leurs cousins.
Passé composé	J'ai **vu** ton père hier.		

ACTIVITÉ 1   Hier et aujourd'hui

On fait chaque jour des choses différentes. Dites ce que les personnes suivantes ont vu hier et ce qu'ils voient aujourd'hui.

⇨ Jacques   (un match de football / un match de hockey)
   Hier, Jacques a vu un match de football. Aujourd'hui, il voit un match de hockey.

1. nous   (un western / une comédie musicale)
2. les touristes   (la tour Eiffel / Notre-Dame)
3. vous   (un musée / un monument)
4. Paul   (Marc / Philippe)
5. moi   (mes cousins / mes amis)
6. toi   (Catherine / Nicole)

ACTIVITÉ 2 Questions personnelles

1. Est-ce que vous voyez bien? Est-ce que vous portez des lunettes? des verres de contact (contact lenses)?
2. Est-ce que vous voyez souvent vos cousins? vos grands-parents?
3. Qu'est-ce que vous voyez à la télé? les films? les comédies? les matchs de football?
4. Avez-vous été au cinéma récemment? Quel film avez-vous vu?
5. Avez-vous vu des choses extraordinaires dans votre existence? Avez-vous vu une éclipse? un fantôme (ghost)? une soucoupe volante (flying saucer)?

OPTIONAL

B. Le verbe connaître   REVIEW: connaître—Level 1, p. 320

Review the forms of the verb **connaître** (to know) in the sentences below.

Infinitive	connaître		
Present	Je **connais** Marc. Tu **connais** sa sœur. Il/Elle/On **connaît** Paris.		Nous **connaissons** Québec. Vous **connaissez** nos voisins. Ils/Elles **connaissent** ce café.
Passé composé	J'ai **connu** Paul à Genève.		

⇨ **Connaître** means to know people, places, and things in the sense of to be acquainted or familiar with. It is always used with a direct object.

⇨ In the **passé composé, connaître** means to meet, make the acquaintance of. J'ai **connu** Nathalie en France.   I met Nathalie in France.

⇨ **Reconnaître** (to recognize) is conjugated like **connaître**. The verb **reconnaître** is new. Je n'ai pas **reconnu** Nicole sur cette photo.

proverbe: On reconnaît l'arbre à ses fruits.

"The tree is known by its fruit."
(literally: You can recognize a tree by its fruit.)

ACTIVITÉ 3 Questions personnelles

1. Connaissez-vous les parents de vos amis? Est-ce qu'ils vous connaissent?
2. Où avez-vous connu votre meilleur ami? Et votre meilleure amie?
3. Avez-vous des photos de votre école élémentaire? Pouvez-vous reconnaître tous (all) les élèves?
4. Connaissez-vous bien votre ville? Connaissez-vous un restaurant français?
5. Avez-vous beaucoup voyagé? Connaissez-vous New York? Chicago? Louisville? Dallas? San Francisco? le Grand Canyon?
6. Est-ce que vos parents connaissent Paris? Montréal? Genève?

C. Les pronoms compléments d'objet direct: *le, la, les*   REVIEW: le/la/les—Level 1, pp. 321–322

In the questions below, the nouns in heavy type are the direct objects of the verbs. Note the forms and position of the direct object pronouns which replace the nouns in the answers.

Tu connais **Marc**?	Oui, je **le** connais. Ma sœur ne **le** connaît pas.
Vous voyez **Nicole**?	Je **la** vois. Henri ne **la** voit pas.
Vous prenez **ces disques**?	Je **les** prends. Hélène ne **les** prend pas.

The following direct object pronouns refer to either people or things.

	SINGULAR	PLURAL
Masculine	le (l')	les
Feminine	la (l')	

Some verbs that commonly take a direct object: **aimer, avoir, choisir, connaître, écouter, finir, inviter, porter, regarder, vendre, voir**

⇨ Before a vowel sound, **le** and **la** become **l'**.

Vous invitez Marc?   Oui, je l'invite.   There is liaison after **les** before a vowel sound: **Je les invite.**

⇨ The direct object pronouns **le, la, l'**, and **les** come immediately *before* the verb. Note that in negative sentences they come between **ne** and the verb.

Exception: In the affirmative imperative the pronouns come after the verb and are attached to it by a hyphen.   REVIEW: position of pronouns in imperative—Level 1, p. 328

Voici Thomas.	Invite-**le**!	(Ne l'invite pas!)
Voici mes photos.	Regarde-**les**!	(Ne **les** regarde pas!)

⇨ In an infinitive construction, direct object pronouns come immediately before the infinitive.   REVIEW: position of pronouns with infinitive—Level 1, p. 368

Tu vas mettre ce disque?	Oui, je vais **le** mettre.
Tu veux prendre ta guitare?	Non, je ne veux pas **la** prendre.

Have the students notice that the position of **le, la, les** is the same as that of **me, te, nous, vous.**

⇨ Direct object pronouns are used with **voici** and **voilà**.   REVIEW: pronoun + **voici/voilà**—Level 1, p. 328

Où sont tes valises?   **Les** voici.   *Here they are.*

This construction may also be used with **me, te, nous, vous: Me voici!** *Here I am!*

ACTIVITÉ 4   Est-ce que vous les connaissez bien?

Dites si oui ou non vous connaissez bien les personnes suivantes.

⇨ le père de votre meilleur ami?   **Oui, je le connais bien.**
                                     (Non, je ne le connais pas bien.)

1. la mère de votre meilleur ami?
2. vos voisins?
3. le facteur *(mailman)*?
4. le directeur / la directrice de l'école?
5. l'infirmière de l'école?
6. le président des États-Unis?
7. votre médecin?
8. votre dentiste?

ACTIVITÉ 5 Petite conversation

Demandez à vos camarades s'ils font les choses suivantes. Vos camarades
vont répondre avec un pronom dans des phrases affirmatives ou négatives.

⇨ écouter souvent la radio? —**Est-ce que tu écoutes souvent la radio?**

—**Oui, je l'écoute souvent.**
  (Non, je ne l'écoute pas souvent.)

1. écouter souvent tes disques?
2. écouter ton père?
3. écouter ta mère?
4. regarder la télé le samedi soir?
5. préparer tes examens?
6. choisir tes propres (own) vêtements?

7. inviter ton meilleur ami à dîner?
8. comprendre le professeur?
9. lire le journal le matin?
10. conduire la voiture de tes parents?
11. aimer le cinéma?
12. aimer les sports violents?

Vocabulaire spécialisé   Quelques verbes qui utilisent un complément d'objet direct

aider	to help	J'aide mes amis. Et vous?
chercher	to look for	Où sont mes valises? Je les **cherche**.
*oublier	to forget	Zut, j'ai **oublié** l'adresse de Christine.
rencontrer	to meet	Tu connais Jim? Je vais le **rencontrer** à l'aéroport.
trouver	to find	Je cherche mon vélo, mais je ne le **trouve** pas.
		Comment **trouves**-tu Paul? Moi, je le **trouve** sympathique.

proverbe: *Qui cherche trouve!*

"*Seek and ye shall find.*" (literally: *Who looks, finds.*)

* Remind the students that **chercher** also means *to get* or *to pick up:* **Où est Philippe? Je dois le chercher à Roissy.**

* You may wish to point out that there is not always a word-for-word correspondence between French and English.
What do you think of Paul? I think he is nice.

ACTIVITÉ 6 Opinions personnelles

Exprimez votre opinion personnelle sur les sujets de la colonne B. Pour
cela, utilisez le verbe **trouver** et les éléments des colonnes A, B et C dans
des phrases affirmatives ou négatives. Soyez logique! Étudiez attentivement
l'exemple.

A	B		C
aimer	mon meilleur ami	mes disques	intelligent
admirer	ma meilleure amie	le journal	amusant
écouter souvent	Howard Cosell	le livre de français	formidable
regarder souvent	Barbara Walters	Woody Allen	idiot
	les Muppets		mignon(ne) (cute)
			intéressant

⇨ **J'écoute souvent Barbara Walters. (Je n'écoute pas souvent Barbara Walters.)**
  Je la trouve intéressante. (Je ne la trouve pas intéressante.)

ACTIVITÉ 7 Des amis parfaits *(Perfect friends)*

Les personnes suivantes sont parfaites. Exprimez cela en répondant *(by answering)* affirmativement ou négativement aux questions suivantes.

⇨ Henri oublie ses amis? **Non, il ne les oublie pas.**

VARIATION: <u>Des amis impossibles.</u>
→ Henri oublie <u>ses amis?</u> Oui, il les oublie.

1. Catherine oublie l'anniversaire de sa mère?
2. François oublie les insultes?
3. Jacqueline aide sa cousine?
4. Paul et André aident leurs amis?
5. Thomas trouve son cousin intelligent?
6. Adèle trouve ses amis snobs?
7. Philippe rencontre souvent sa petite amie?
8. Alice cherche ses amis à l'aéroport?

D. L'accord du complément d'objet direct au passé composé

This is a new structure.

Note the position of the direct object pronouns in the sentences on the right. Note also the forms of the past participle.

As-tu invité **Marc?**	Oui, je l'ai invité.
As-tu invité **Nicole?**	Non, je ne l'ai pas invitée.
As-tu invité **tes cousins?**	Non, je ne **les** ai pas invités.
As-tu invité **tes amies?**	Oui, je **les** ai invitées.

You may want to practice the **passé composé** word order with a simple substitution drill: **Je l'ai vu. (tu, Marc, nous, vous, mes amis) Je ne l'ai pas invité.**

⇨ In the **passé composé,** as in the present tense, the direct object pronoun comes immediately *before* the verb. Remember that in negative sentences the object pronouns come between **ne** and the verb.

⇨ In the **passé composé,** the past participle agrees in gender and number with a *direct object* that comes *before* the verb. (If the direct object follows the verb, there is no agreement.) Compare:

direct object follows the verb:
NO AGREEMENT

direct object comes before the verb:
AGREEMENT

Marc a **vu Nicole et Sylvie?**　　　Oui, il **les** a **vues.**

Jim n'a pas **pris sa guitare?**　　　Non, il ne **l'**a pas **prise.**

The agreement of the past participle is mainly a matter of spelling. This is because the four forms of the past participles in **-é, -i,** or **-u** sound the same.

le poème:　Je l'**ai lu.**　　les journaux:　Je **les** ai **lus.**

la lettre:　Je l'**ai lue.**　　les revues:　Je **les** ai **lues.**

If appropriate to the level of your students, you may want to point out that the agreement rule also applies to **me, te, nous,** and **vous: Paul et Marc, je ne vous ai pas vus hier.**

However, when the past participle ends in **-s** (as in **pris** or **mis**) or **-t** (as in **fait** or **écrit**), the final consonant is silent in the masculine forms and pronounced in the feminine forms.

Ton chapeau? Je l'**ai mis** là-bas.　Ta veste? Je l'**ai mise** là-bas.　/mi/ → /miz/

ACTIVITÉ 8 Déjà fait! (Already done!)

Pierre dit à Nathalie ce qu'il a fait. Nathalie dit qu'elle a déjà (already) fait ces choses. Jouez le rôle de Nathalie, en utilisant un pronom complément d'objet direct.

⟹ J'ai invité Janine. (hier) **Moi, je l'ai invitée hier.**

1. J'ai acheté ces revues. (la semaine dernière)
2. J'ai lu ce livre. (en octobre)
3. J'ai rencontré Paul et Henri. (jeudi)
4. J'ai regardé ces magazines. (cet après-midi)
5. J'ai appris la leçon. (lundi)
6. J'ai fait les courses. (samedi)
7. J'ai écrit les lettres. (hier soir)
8. J'ai mis les lettres à la poste. (ce matin)

If done orally, this activity presents no agreement problems. If appropriate, you may ask your students to spell the past participles.

The agreement should be heard in items 5–8.

EXTRA CUES: **oublier tes notes? aider tes parents? préparer le petit déjeuner? écouter la radio?**

ACTIVITÉ 9 Petite conversation

Demandez à vos camarades si oui ou non ils ont fait les choses suivantes ce matin.

⟹ regarder la télé? **—Est-ce que tu as regardé la télé?**
 —Oui, je l'ai regardée.
 (Non, je ne l'ai pas regardée.)

1. regarder le journal?
2. regarder les bandes dessinées?
3. préparer la leçon?
4. faire ton lit?

5. chercher ton cahier?
6. attendre le bus?
7. rencontrer tes amis?
8. oublier ton livre de français?

ACTIVITÉ 10 Où?   In this activity, one hears the agreement of the past participle.

Nicole veut savoir où Marc a mis certaines choses. Jouez les deux rôles, d'après le modèle. Utilisez le passé composé de **mettre**.

⟹ la valise / dans le taxi   Nicole: **Où as-tu mis la valise?**
 Marc: **Je l'ai mise dans le taxi.**   /miz/

1. mon sac / dans la voiture   /mi/
2. la voiture / dans le garage   /miz/
3. la radio / sur la table   /miz/
4. le courrier / sur le bureau   /mi/

5. les disques / sur le piano   /mi/
6. les revues / sur le lit   /miz/
7. les bagages / dans le taxi   /mi/
8. les photos / dans mon sac   /miz/

À votre tour   **Votre meilleur ami**   OPTIONAL

Décrivez vos relations avec votre meilleur(e) ami(e). Pour cela, composez un petit paragraphe de 8 à 10 phrases. Vous pouvez utiliser le présent ou le passé composé des verbes suivants.

connaître / voir / écouter / comprendre / inviter / trouver / aider / oublier / rencontrer

The purpose of this activity is to practice the direct object pronouns **le/la** and their position in the present and in the **passé composé**.

UNITÉ 2

Leçon 3

STRUCTURES REVIEWED:
* **savoir** vs. **connaître**
* indirect object pronouns

Un garçon timide et fatigué

Dans le taxi, Nicole et Marc *font connaissance* avec leur ami américain.   *become*
Nicole lui demande s'il a fait bon voyage.   *acquainted*
Marc lui parle de ses projets de vacances.
Mais Jim n'est pas très bavard . . . Il écoute ses amis, mais il ne leur
   répond pas toujours. Il préfère regarder le paysage.
   «*Mon Dieu*, quel garçon timide!» pense Nicole.   *My goodness*

Enfin le taxi entre dans Paris.
Marc *montre* plusieurs monuments à Jim.   *points out*
Il lui montre l'Arc de Triomphe. Puis il lui dit:
   «Je sais que tu vas reconnaître les Champs-Élysées.
   Mais je ne sais pas si tu connais le Grand *Palais*. Le voilà!»   *Palace*

Quelques minutes plus tard, Marc lui montre la *tour* Eiffel: *tower*
   «Je sais que tu as vu des photos de la tour Eiffel. Mais est-ce que tu sais
   qu'il y a un restaurant *là-haut*?»   *up there*
Jim ne répond pas . . . Alors Marc voit que son ami est profondément
   endormi!   *asleep*
   «Pauvre Jim, dit Nicole. Après ce long voyage en avion, il est
   certainement très fatigué!»
   «Je vais lui *prêter* ma chambre, répond Marc. Il va bien dormir. Demain   *lend*
   nous allons lui montrer notre ville.» `

**Qu'est-ce que Nicole demande à faire? Est-ce que Jim répond? Quels monuments est-ce que Marc
montre à Jim? Pourquoi est-ce que Jim ne répond pas? Qu'est-ce que Marc et Nicole vont faire demain?**
        Discussion **Imaginez qu'un ami français visite votre ville. Quelles choses est-ce
        que vous allez lui montrer?**

128 Unité deux

NOTE CULTURELLE

Le Paris traditionnel

Paris est une des plus belles villes du monde. C'est par conséquent° une ville très touristique. Chaque année,° des millions de touristes viennent visiter ses monuments. Voici quelques monuments parisiens:

La tour Eiffel   Pour beaucoup de gens, la tour Eiffel est le symbole de Paris. Elle a été construite entre 1887 et 1889 par l'ingénieur Gustave Eiffel. Cette tour de fer° a 300 mètres de hauteur° et pèse° seulement 6.400 tonnes. Sa construction représente un grand exploit° technique pour l'époque.°

L'Arc de Triomphe   Ce monument commémore° les victoires de Napoléon (1769–1821).

Le Grand Palais   Ce monument est utilisé pour des nombreuses° expositions° et manifestations° artistiques.

par conséquent *consequently*   **année** *year*   **fer** *iron*
de hauteur *in height*   **pèse** *weighs*   **exploit** *feat*   **époque**
period   **commémore** *commemorates*   **nombreuses** *numerous*
expositions *exhibits*   **manifestations** *demonstrations*

MUSÉES
EXPOSITIONS
MONUMENTS
DE PARIS
ET DE
L'ÎLE DE FRANCE

Vocabulaire pratique

NOMS:	**un monument**	*monument*	**une ville** *city, town*	
	le paysage	*landscape*		
ADJECTIFS:	*****bavard**	*talkative*	Mon petit frère est très **bavard**.	
	fatigué	*tired*	Le soir, ma mère est toujours **fatiguée**.	
	pauvre	*poor*	**Pauvre** Maman! Elle travaille trop.	
EXPRESSIONS:	*****plus tard**	*later*	Anne n'est pas ici. Elle va arriver **plus tard**.	
	*****plusieurs**	*several*	J'ai **plusieurs** livres pour elle.	
	*****quelques**	*some, a few*	Attendez **quelques** minutes. Elle vient.	
	si	*if, whether*	Dis-moi **si** tu vas à Roissy.	

Note: **Si** becomes **s'** before **il** and **ils**.
  S'il pleut, je vais prendre le bus.
  However, there is no elision with **elle** or **elles**.
  Je demande à Sylvie **si** elle a une valise.

MOTS APPARENTÉS   French adjectives in **-e** may have English cognates which end in a consonant.

-e	↔	**-(no vowel)**
timide		*timid*
moderne		*modern*

riche	*rich*
stupide	*stupid*
rapide	*rapid*
calme	*calm*
splendide	*splendid*

Structure

A. Le verbe *savoir*; *savoir* ou *connaître*?

OPTIONAL   REVIEW: savoir—Level 1, p. 329; savoir vs. connaître—Level 1, p. 330

Review the forms of the verb **savoir** *(to know)* in the sentences below.

Infinitive	savoir		
Present	Je **sais** où tu habites. Tu **sais** quand je pars. Il/Elle/On **sait** avec qui tu sors.		Nous **savons** où vous êtes. Vous **savez** où je travaille. Ils/Elles **savent** que tu es anglais.
Passé composé	**J'ai** **su** pourquoi tu es allé à Paris.		

Although **connaître** and **savoir** both mean *to know*, they are used differently.

Connaître means *to know—in the sense of "to be acquainted with."* It is used with nouns or pronouns designating people, places, and sometimes things. **Connaître** *cannot* stand alone but must be used with a noun or a pronoun.

Savoir means *to know—as a result of having learned, studied, or found out something.* It is used in the following instances:

alone	Oui, je **sais**.
with a clause	Je ne **sais** pas **où** (**avec qui, quand, . . .**) **vous travaillez**.
with an infinitive	Je **sais parler** français. *(I know how to speak French.)*

⇨ **Savoir** may also be used with a noun describing something which has been learned. **Savez**-vous la leçon?   **Savez**-vous la date de l'examen?

⇨ Note the following constructions: Remind the students that **que** may not be omitted in French.

Je sais **que** tu es américain.   *I know (that) you are American.*
Je ne sais pas **si** tu parles français.   *I don't know **whether** you speak French.*

In the **passé composé**, the verb **savoir** also means *to have learned, found out.*

ACTIVITÉ 1   Leurs talents

VARIATION: Personalize these talents in a dialog format.
—Sais-tu parler italien?
—Oui, je sais (Non, je ne sais pas) parler italien.

Lisez ce que les personnes suivantes font. Ensuite expliquez leurs talents en utilisant le verbe **savoir**, d'après le modèle.

⇨ Janine parle italien.   **Elle sait parler italien.**

1. Nous parlons français.
2. Thomas chante en espagnol.
3. Mes cousins jouent de la guitare.
4. Tu danses le rock.
5. Catherine pilote un avion.
6. Vous développez vos photos.
7. Je conduis.
8. Vous faites la cuisine.
9. Nathalie fait de la planche à voile.

LA DESCENTE DE LA LOIRE EN PLANCHE À VOILE DU 28 AU 31 MAI

ACTIVITÉ 2   Jim

Imaginez que vous êtes un ami de Jim. Exprimez cela en complétant
(by completing) les phrases par **Je sais** ou **Je connais.**

⇨ . . . Jim   **Je connais Jim.**

1. . . . où il habite.
2. . . . pourquoi il va en France.
3. . . . sa sœur.
4. . . . les amis de sa sœur.

5. . . . quand il rentre à New York.
6. . . . avec qui il est ce soir.
7. . . . le restaurant où il va.
8. . . . l'école où il étudie.

OPTIONAL

B. Les pronoms compléments d'objet indirect: *lui, leur*   REVIEW: lui/leur—Level 1, p. 335

Review the forms and the position of the *indirect* object pronouns in the answers
to the questions below.

Tu téléphones à **Marc?**	Oui, je **lui** téléphone.
Tu écris à **Nicole?**	Non, je ne **lui** écris pas.
Tu parles à **tes amis?**	Oui, je **leur** parle.
Tu as téléphoné à **Lucie et à Paul?**	Oui, je **leur** ai téléphoné.
Tu as écrit à **tes cousines?**	Non, je ne **leur** ai pas écrit.

Indirect object pronouns replace **à** + *person*. They have two forms:

Singular: **lui**	*Plural:* **leur**

⇨ The following verbs take indirect objects:

parler à   **écrire à**   **rendre visite à**   also: **dire à, permettre à, promettre à**
téléphoner à   **répondre à**   **obéir à**

Like other object pronouns, **lui** and **leur** come immediately before the verb,
except in the affirmative imperative. In infinitive constructions, **lui** and **leur**
come immediately before the infinitive.

Voici Marc.   Parle-**lui!**
Tu vas téléphoner à tes parents?   Non, je ne vais pas **leur** téléphoner.

⇨ In the **passé composé**, the past participle does *not agree* with **lui** and **leur**.   This is a new structure.

Compare: (direct object)	Tu as invité **Michèle?**	Oui, je l'ai invité**e.** *qui*
(indirect object)	Tu as parlé à **Michèle?**	Oui, je **lui** ai parlé. *à qui*

ACTIVITÉ 3   Déjà fait *(Already done)*

Marc demande à Nicole si elle fait certaines choses. Nicole dit qu'elle a   *Comp. d'objet ind.*
déjà fait ces choses. Jouez les deux rôles, d'après le modèle.

⇨ téléphoner à Charles / hier   Marc: **Tu téléphones à Charles?**
                                  Nicole: **Non, je ne lui téléphone pas. Je lui ai téléphoné hier.**

1. téléphoner à Jeannette / ce matin
2. parler au professeur / jeudi
3. parler à nos amis / à neuf heures

4. écrire à tante Simone / samedi
5. écrire à nos cousins / lundi
6. rendre visite aux voisins / hier

VARIATION in the plural, changing **tes** to **vos**, where necessary:
—**Admirez-vous le président?**
—**Oui, nous l'admirons.**

ACTIVITÉ 4   Petite conversation

Demandez à vos camarades s'ils font les choses suivantes. Vos camarades vont utiliser les pronoms compléments d'objet *direct* ou *indirect* qui conviennent.

⇨ admirer le président?   —**Est-ce que tu admires le président?**
                             —**Oui, je l'admire.**
                                (Non, je ne l'admire pas.)

1. admirer tes professeurs?
2. écrire à tes professeurs pendant les vacances?
3. obéir à tes parents?
4. aider tes amis?
5. aimer Miss Piggy?
6. rendre visite à tes grands-parents?

You may have the students identify the direct and indirect objects in the sample sentences. Point out that whereas the direct object may be a person or a thing, the indirect object is almost always a person.

Vocabulaire spécialisé   Quelques verbes qui utilisent deux compléments d'objet

demander	*to ask, ask for*	Paul **a demandé** dix francs à Henri.
donner	*to give*	J'**ai donné** mon adresse à Christine.
montrer	*to show*	Marc **montre** ses photos à Sylvie.
présenter	*to introduce*	Nicole **présente** Jim à ses amis.
prêter	*to loan, lend*	**Prêtes**-tu tes disques à tes camarades?

Note: **Demander** is used in the following constructions:

Jacques **demande** à Sophie **de** sortir.   *Jacques **asks** Sophie **to** go out.*
Je **demande** à Nicole **si** elle sait   *I **ask** Nicole **if** she knows how to*
conduire.   *drive.*

proverbe: *Qui donne aux pauvres prête à Dieu!*

"He that hath pity upon the poor lendeth unto the Lord."

Double object pronouns are presented on pp. 296–297, 298, and 299.

ACTIVITÉ 5   Entre amis *(Among friends)*

Les personnes suivantes veulent faire certaines choses, mais elles n'ont pas les choses nécessaires. Dites quel objet leurs amis (indiqués entre parenthèses) leur prêtent. Choisissez l'un des objets suivants:

une raquette / des stylos / un électrophone / des bicyclettes /
un appareil-photo / un anorak / un maillot de bain

⇨ Jim veut prendre des photos.   (Nathalie)   **Nathalie lui prête son appareil-photo.**

1. Catherine veut jouer au tennis.   (Paul)
2. Alain veut aller à la plage.   (Robert)
3. Anne et Jean veulent aller à la campagne.   (nous)
4. Louise et André veulent écrire.   (je)
5. Philippe veut faire du ski.   (tu)
6. Sylvie veut écouter un disque.   (vous)

VARIATION in the **passé composé: Nathalie lui a prêté son appareil-photo.**

VARIATION using the near future: **Nathalie va lui prêter son appareil-photo.**

ACTIVITÉ 6   **Et vous?**

Marc dit ce qu'il fait. Dites si oui ou non vous faites les mêmes *(same)* choses.

⇨ Je demande de l'argent à mes parents.
   Moi aussi, je leur demande de l'argent. (Moi, je ne leur demande pas d'argent.)

1. Je demande la voiture à mon père.
2. Je demande des conseils *(advice)* à mes professeurs.   negative: **pas de**
3. Je montre mes photos à mes amis.
4. Je montre mes notes *(grades)* à ma mère.   *et au p. c.*
5. Je donne des conseils à mon meilleur ami.   negative: **pas de**
6. Je donne de l'argent à mes camarades.   negative: **pas de**
7. Je présente mes amis à mes parents.
8. Je dis la vérité à mes amis.

VARIATION in the **passé composé** with **hier**: Hier, j'ai demandé de l'argent à mes parents.

ACTIVITÉ 7   **Décisions**

Lisez les situations suivantes et dites ce que vous allez faire pour les personnes en question. Pour cela, utilisez les verbes entre parenthèses et le pronom complément d'objet *direct* ou *indirect* qui convient. Vos phrases peuvent être affirmatives ou négatives.

⇨ Un ami est à l'hôpital. (rendre visite?)   **Je lui rends visite. (Je ne lui rends pas visite.)**

1. Il y a un étudiant français à votre école. Cet étudiant ne parle pas anglais. (parler français? inviter? présenter à vos amis? téléphoner?)   *à faire seul(e)*
2. Il y a une nouvelle *(new)* élève dans votre classe. Cette fille est très timide. (téléphoner? inviter? aider?)
3. Un ami veut emprunter *(to borrow)* votre disque favori. En général, cet ami rend rarement les choses qu'il emprunte. (dire oui? dire non? prêter vos disques?)
4. Votre meilleur ami est en France. (écrire? téléphoner souvent? oublier?)
5. Vous avez une amie qui est très curieuse . . . et très bavarde. (inviter chez vous? montrer vos photos? dire toujours la vérité?)
6. Vous avez un correspondant *(pen pal)* français qui arrive à l'aéroport. (chercher en voiture? montrer votre ville? inviter chez vous?)

À votre tour   **Une personne de ma famille**   OPTIONAL

Choisissez une personne de votre famille. Décrivez vos relations avec cette personne en un petit paragraphe de 6 à 8 lignes. Si vous voulez, vous pouvez utiliser les verbes suivants au présent ou au passé composé.

dire / écrire / parler / téléphoner / promettre / donner / prêter / rendre visite / montrer / obéir

The purpose of this activity is to practice the indirect object pronouns **lui/leur** and their position in the present and in the **passé composé.**

NEW STRUCTURES:
• relative pronouns **qui** and **que**
STRUCTURE REVIEWED:
• **beau, nouveau, vieux**

UNITÉ 2
Leçon 4   Une mauvaise journée

Scène 1. Le matin

N Le lendemain Jim *n'est plus* fatigué . . . mais il est de mauvaise humeur.   *no longer*
Marc lui propose quelques promenades, mais Jim refuse.

MARC: Allons voir Notre-Dame.
JIM: Ah non! Je déteste visiter les églises.
MARC: Alors, allons au Quartier Latin. Les étudiants américains aiment
beaucoup cette partie de Paris.
NICOLE: C'est vrai! C'est un vieux quartier qui est très pittoresque.
JIM: Eh bien, c'est un quartier qui ne m'intéresse pas.

N Nicole, *qui* est toujours très patiente, propose d'aller visiter le Centre   *which; This*
Pompidou, *qui* est le nouveau musée de Paris. *Cette fois-ci,* Jim accepte,   *time*
mais pendant la visite ses *réflexions* désagréables continuent.   *remarks*

JIM: D'accord, c'est un musée *qui* est moderne . . . mais *qui* a un style   *that*
vraiment bizarre!
Les gens qui viennent ici sont des snobs . . .
Les statues qui sont dans cette salle n'ont pas d'intérêt . . .

Scène 2. L'après-midi

N Marc, qui est fatigué, propose d'aller dans un café. Là, ils rencontrent des
amis. Malheureusement Jim continue ses *critiques*.   *criticisms*

JIM: Le disque que vous avez mis n'est pas extraordinaire . . .
Le sandwich que j'ai commandé n'est pas formidable . . .
Ce garçon que nous avons rencontré n'est pas très sympathique . . .
Cette fille que vous connaissez est assez jolie,
mais elle est trop bavarde . . .

Scène 3. Le soir

Nicole et Marc sont très surpris de l'attitude de Jim.

NICOLE (*à voix basse*): Dis, Marc, pourquoi est-ce que tu as invité Jim?   *(in a low*
MARC: Ce n'est pas moi qui l'ai invité. C'est lui qui a voulu venir à Paris.   *voice)*
NICOLE: Alors, pourquoi est-ce qu'il critique tout?

Heureusement cette journée désagréable va *bientôt* finir. Jim doit prendre   *soon*
son train à sept heures et demie. Nicole et Marc l'*accompagnent* à la gare.   *accompany*
«*Enfin!*» pense Nicole.   *At last!*

Est-ce que Jim est content le lendemain? Où est-ce qu'il refuse d'aller? Qu'est-ce qu'il aime au musée?
Où est-ce que Marc va après la visite du musée? Qu'est-ce que Jim fait au café?
À quelle heure est-ce que Jim doit partir? Est-ce que Nicole est triste à cause
du départ de Jim?   *Discussion* Qu'est-ce que vous faites quand vous êtes de mauvaise humeur?

NOTE CULTURELLE

Centre Pompidou

Le nouveau Paris Paris est une ville traditionnelle. C'est aussi une ville dynamique qui change rapidement. Comme° il est difficile de construire au centre, on construit les nouveaux° immeubles° dans la banlieue° de Paris. À l'ouest° de Paris, les tours° de la Défense sont des gigantesques constructions de verre° et de béton° assez semblables° aux gratte-ciel° américains.

Mais le véritable° symbole du nouveau Paris est peut-être le Centre Pompidou (ou Beaubourg). Ce musée ultra-moderne est situé° dans l'un des quartiers les plus vieux de la ville. Ce contraste entre° l'ancien et le moderne, le passé et le futur, est aussi le symbole du dynamisme français.

Comme *Since* **nouveaux** *new* **immeubles** *apartment buildings* **banlieue** *suburbs* **ouest** *west* **tours** *towers* **verre** *glass* **béton** *concrete* **semblables** *similar* **gratte-ciel** *skyscrapers* **véritable** *true* **situé** *located* **entre** *between*

Vocabulaire pratique

à lire ensuite faire des phrases ensemble

NOMS:	*le lendemain — *the next day*	*une gare	*station*
	*un quartier — *district, neighborhood*	*une partie	*part*
		*une salle	*hall, large room*

VERBES:	*accepter	*to agree, accept*	J'**accepte** ton invitation.
	*critiquer	*to criticize*	Ne **critique** pas tes amis!
	*intéresser	*to interest*	Est-ce que la visite du musée t'a **intéressé**?
	proposer	*to suggest, propose*	Je vous **propose** d'aller au cinéma. D'accord?
	*refuser	*to refuse, say no*	Pourquoi **refuses**-tu de venir avec nous?

EXPRESSIONS: de bonne humeur   *in a good mood*
                      ≠ de mauvaise humeur   ≠ *in a bad mood*
                      heureusement ≠ malheureusement   *fortunately ≠ unfortunately*

MOTS EMPRUNTÉS

(Borrowed words) French borrows words from English, just as English borrows words from French.

English	→ French	un snob, un sandwich, le football, le golf, un short, un pull-over
French	→ English	café, restaurant, chic, résumé, crêpe, soufflé, hors d'œuvre, boutique

English → French: **un snack-bar, un hot-dog, le jazz, le volleyball, le jogging**
French → English: ballet, collage, omelet, cuisine, eclair, encore

Structure

A. Les adjectifs *beau, nouveau, vieux*

OPTIONAL   REVIEW: beau, nouveau, vieux—Level 1, p. 201

Review the forms of the irregular adjectives **beau** *(beautiful, good-looking)*,
nouveau *(new),* and **vieux** *(old).*

SINGULAR			
Masculine	le **beau** monument le **bel** appartement	le **nouveau** monument le **nouvel** appartement	le **vieux** monument le **vieil**/j/ appartement
Feminine	la **belle** ville	la **nouvelle** ville	la **vieille** ville

PLURAL			
Masculine	les **beaux** quartiers les **beaux**/z/ hôtels	les **nouveaux** quartiers les **nouveaux**/z/ hôtels	les **vieux** quartiers les **vieux**/z/ hôtels
Feminine	les **belles** salles	les **nouvelles** salles	les **vieilles** salles

The adjectives **beau, nouveau,** and **vieux** usually come *before* the noun.

⇨ When these adjectives are used in front of a noun, liaison is required.

   les **nouvelles** autos   ces **vieilles** histoires

⇨ French has two adjectives which correspond to the English *new:*

   nouveau: *new to the owner*   Mes parents ont une **nouvelle** voiture.
   neuf/neuve: *brand-new*   Ce n'est pas une voiture **neuve.**   The adjective **neuf** is new.

Remind the students that **bel, nouvel,** and **vieil** are used before a masculine singular noun beginning with a vowel sound. The feminine forms are the same before a vowel sound: **une belle église, les nouvelles autos, les vieilles écoles.**

ACTIVITÉ 1 Descriptions

Décrivez les choses en italiques. Pour cela, utilisez la forme
appropriée *(appropriate)* de **beau, nouveau** ou **vieux.**

⇨ J'ai un . . . *vélo.*
   J'ai un beau vélo.
   (J'ai un vieux [nouveau] vélo.)

1. Notre école est *une . . . école.*
2. Ma maison est *une . . . maison.*
3. Mon quartier est *un . . . quartier.*
4. Dans mon quartier, il y a *des . . . maisons.*
5. Dans mon quartier il y a *des . . . magasins.*
6. Nous faisons les courses dans *un . . . supermarché.*
7. Mes parents ont *une . . . voiture.*
8. Quand je vais à une surprise-partie, je mets *des . . . vêtements.*
9. Quand mon père travaille dans le garage, il met *des . . . vêtements.*

Le nouvel appareil Polaroid : 150 F.*

proverbe: *Tout nouveau tout beau.*

"*What's new seems beautiful.*"

B. Le pronom relatif *qui*   This is a new structure.

The two sentences on the left can be joined to form the single sentence on the right. Note which pronoun connects these sentences.

J'ai un ami.

Cet ami habite à Paris.

> J'ai un ami **qui** habite à Paris.
> *I have a friend **who** lives in Paris.*

Nous avons des cousins.

Ces cousins sont en France.

> Nous avons des cousins **qui** sont en France.
> *We have cousins **who** are in France.*

Voici un monument.

Ce monument est très intéressant.

> Voici un monument **qui** est très intéressant.
> *Here is a monument **which** is very interesting.*

Marc lit une lettre.

Cette lettre vient de Louisville.

> Marc lit une lettre **qui** vient de Louisville.
> *Marc is reading a letter **that** comes from Louisville.*

The relative pronoun **qui** (*who, that, which*) may refer to people or things.

⇨ **Qui** functions as the *subject* of the verb which follows it.

⇨ The noun or pronoun to which **qui** refers is called its *antecedent*. The verb which follows **qui** agrees with the antecedent.

> C'est **Paul qui parle** français.   *It is **Paul who speaks** French.*
>
> C'est **vous qui parlez** espagnol.   *It is **you who speak** Spanish.*

This point is presented mainly for recognition. Note also that a predicate adjective agrees with the antecedent: **Voici une salle qui est très belle.**

ACTIVITÉ 2   À Paris

Nicole fait une promenade à Paris. Elle décrit ce qu'elle fait et ce qu'elle voit. Jouez le rôle de Nicole.

⇨ Je vois une jeune fille. Elle entre dans un café.
   Je vois une jeune fille qui entre dans un café.

1. Je vois un étudiant. Il va au cinéma.
2. Je vois des touristes. Ils prennent des photos.
3. Je regarde une femme. Elle cherche un taxi.
4. Je vois des taxis. Ils vont très vite.
5. Je visite un quartier. Il est très intéressant.
6. Je rencontre un ami. Il vient d'un concert.
7. Je lis un magazine. Il parle de politique.
8. Je prends un bus. Il va à Notre-Dame.

ACTIVITÉ 3   Opinions personnelles

Lisez les descriptions suivantes. Dites ensuite si vous aimez ou non ce
genre *(this type)* de personnes ou de choses.

⇨ Cette fille parle beaucoup.   **J'aime les filles qui parlent beaucoup.**
                                (Je n'aime pas les filles qui parlent beaucoup.)

1. Ce garçon est snob.
2. Ce professeur donne des examens difficiles.
3. Cette personne a des idées bizarres.
4. Cette voiture est petite.
5. Cette voiture consomme *(consumes)* beaucoup
   d'essence *(gas).*
6. Ce magasin est cher.
7. Ce journal parle de sports.
8. Ce sport est violent.

C. Le pronom relatif *que*   This is a new structure.

Note the form of the pronoun in the sentences on the right, which connects
the two sentences on the left.

Quels sont ces amis? Tu invites ces amis.	Quels sont les amis **que** tu invites? *Which are the friends (**whom**) you are inviting?*
Nicole est une fille. Je trouve cette fille amusante.	Nicole est une fille **que** je trouve amusante. *Nicole is a girl (**whom**) I find amusing.*
Le Louvre est un musée. Je visite souvent ce musée.	Le Louvre est un musée **que** je visite souvent. *The Louvre is a museum (**which, that**) I often visit.*
Je ne connais pas ce journal. Marc lit ce journal.	Je ne connais pas le journal **que** Marc lit. *I don't know the paper (**that**) Marc is reading.*

The relative pronoun **que** *(whom, that, which)* may refer to people or things.

⇨ **Que** functions as the *direct* object of the subject and verb which follow it.
   Note: In French, **que** may never be left out.   In English, *which, that, whom* may be omitted.

⇨ **Que** becomes **qu'** before a vowel sound.
   Voici le garçon **qu'**Alice va inviter.   *Here is the boy **whom** Alice is going to invite.*

If appropriate, remind the students that in the **passé composé** the past participle agrees with a preceding direct object. In
sentences of this type, **que** is a preceding direct object: **Voici la fille que j'ai invitée. Où sont les valises que tu as cherchées?**

ACTIVITÉ 4 Imitations

Philippe fait les mêmes (*same*) choses que son ami Marc. Jouez le rôle de
Philippe, d'après le modèle.

➭ J'invite cette fille.   **C'est une fille que j'invite aussi.**

1. J'admire ce professeur.
2. J'aime ce musée.
3. J'aide ce garçon.
4. Je regarde ce magazine.
5. Je lis ce journal.
6. Je connais cette étudiante.

7. Je vois souvent cet ami.
8. Je déteste ce restaurant.
9. J'ai critiqué ce film.
10. J'ai oublié ce rendez-vous.
11. J'ai cherché cet hôtel.
12. J'ai accepté ce cadeau (*gift*).

If you choose to teach the agreement of the past participle with a preceding direct object in the **passé
composé**, you may wish to use the following variations: 9. **histoire** 10. **billets** 11. **maison** 12. **lunettes de soleil**

ACTIVITÉ 5 Opinions

Dites comment vous trouvez les choses ou les personnes suivantes. Étudiez
le modèle.

➭ Marc / un garçon / sympathique? **Marc est un garçon que je trouve sympathique.**
            (Marc n'est pas un garçon que je trouve sympathique.)

1. Jim / un garçon / amusant?
2. Nicole / une fille / patiente?
3. mes parents / des gens / sympathiques?
4. le président / un homme / intelligent?

5. les Red Sox / une équipe (*team*) / fantastique?
6. le football américain / un sport / trop violent?
7. la photo / une activité / intéressante?
8. New York / une ville / splendide?

ACTIVITÉ 6 Expression personnelle

Complétez les phrases suivantes. Utilisez votre imagination. (Attention à la
distinction entre **qui** et **que**!)

➭ J'ai un ami qui . . .   **J'ai un ami qui joue de la flûte (qui habite à Boston, etc.).**
  J'ai un ami que . . .   **J'ai un ami que j'invite souvent (que j'admire beaucoup, etc.).**

1. J'ai une amie qui . . .
2. J'ai une amie que . . .
3. Je connais un garçon qui . . .
4. Je connais une fille qui . . .

5. J'ai vu un film qui . . .
6. J'ai vu un film que . . .
7. Mes parents ont une voiture qui . . .
8. C'est une voiture que . . .

À votre tour Une devinette (*guessing game*)   OPTIONAL

Choisissez une personne, un endroit, ou un objet. Faites cinq ou six
phrases où vous décrivez ce que vous avez choisi, mais ne mentionnez pas
son nom (*name*). Proposez cette devinette à vos camarades.

➭ C'est une ville qui est en France. C'est une ville qui a beaucoup de
  monuments. C'est une ville que les touristes visitent . . .
  (Réponse: **Paris**)

The purpose of this activity is to practice the relative pronouns **qui** and **que**.

UNITÉ 2
Leçon 5   Il y a plus d'un Jim en Amérique!

Scène 1.

Marc et Nicole viennent de laisser Jim à la gare.
Nicole est une fille toujours calme.
Elle n'est jamais de mauvaise humeur.
Pourtant aujourd'hui elle est furieuse . . . et Marc est *vexé*.   *upset*

    MARC: Ce Jim est vraiment quelqu'un d'*étrange!*   *strange*
NICOLE: C'est un garçon qui critique tout!
    MARC: . . . Et qui n'aime rien!
NICOLE: Je ne connais personne *d'aussi* négatif!   *that, so*
    MARC: Pourtant, c'est un garçon qui est si aimable dans les lettres qu'il
          m'écrit.
NICOLE: Vraiment, je ne comprends pas son attitude!

Scène 2.

Marc et Nicole rentrent chez eux, fatigués et *déçus*.   *disappointed*
Madame Duval, leur mère, les attend.

MADAME DUVAL: Marc, il y a un télégramme pour toi!
        MARC: Un télégramme? D'où?
MADAME DUVAL: Des États-Unis!
        MARC: Des États-Unis? C'est curieux, ça!

Marc prend le télégramme et lit le message suivant:

J'AI RATÉ MON AVION MERCREDI. ARRIVE DEMAIN 4 JUILLET.

PEUX-TU M'ATTENDRE À L'AÉROPORT? MILLE EXCUSES. AMITIÉS.°   *Best regards.*

    JIM MITCHELL

    MARC: *Ça, par exemple!* C'est un télégramme de Jim!   *What do you*
NICOLE: De Jim? Mais c'est impossible! Nous venons de le laisser à la gare.   *mean!*

Où est-ce que Marc et Nicole laissent Jim? Quels sont leurs sentiments *(feelings)?* Qu'est-ce que Marc
pense de Jim? Qui attend Marc et Nicole quand ils rentrent? Qu'est-ce que Madame Duval donne à Marc?
Que dit le télégramme?

140   Unité deux   *Discussion* Que pensez-vous de "Jim"? Que pensez-vous de Marc? Que pensez-
vous de Nicole?

Marc montre le télégramme à sa sœur.

NICOLE: C'est absolument incroyable! Mais alors . . . qui est ce *fameux*   *notorious*
Jim qui a été si désagréable avec nous?

MARC: Qui sait? Il y a plus d'un Jim en Amérique!
Et, s'il te plaît, ne me parle plus de ton intuition féminine!

NOTE CULTURELLE

Les jeunes Français et l'Amérique Qu'est-ce que les Français pensent des États-Unis? D'après un sondage,° les Français considèrent les Américains comme° les meilleurs amis de la France. Les jeunes, en particulier, connaissent et apprécient la culture américaine. Ils écoutent les disques de musique pop américaine et vont voir les derniers films américains. En vacances, ils portent des blue-jeans et au café ils boivent du Coca-Cola. On dit que la jeunesse° française s'américanise° . . .

sondage *poll* **comme** *to be* **jeunesse** *youth* **s'américanise** *is becoming Americanized*

You may contrast **laisser, quitter,** and **partir.**
- The verbs **laisser** and **quitter** must be used with a direct object. Both verbs may be used with either people or things. The verb **laisser** means *to leave* in the sense of "leaving," "letting off," or "dropping off" a person or a thing at a given place: **Je laisse ma valise ici. Laisse-moi à l'aéroport.** The verb **quitter** means *to leave* in the sense of "taking leave of" or "going away from": **Jacques a quitté ses parents. Il quitte Paris.**
- The verb **partir** is never used with a direct object. It means *to leave* in the sense of "going away": **Le bus part à une heure.**

Vocabulaire pratique

ADJECTIFS:	*aimable	pleasant, nice	Robert est un garçon très **aimable.**
	*incroyable	unbelievable, incredible	Tu as gagné cent dollars à la loterie? C'est **incroyable!**
VERBES:	*laisser	to leave	Nous **avons laissé** nos cousins à la gare.
	*rater	to fail (an exam)	Christine **a raté** son examen d'anglais.
		to miss (a train)	Pierre **a raté** son train hier.
EXPRESSIONS:	*pourtant	however	Nicole est triste. **Pourtant,** c'est une fille généralement heureuse *(happy)*!
	*si	so	Pourquoi es-tu **si** fatigué?

MOTS APPARENTÉS

Many French adjectives in **-eux / -euse** have English cognates in *-ous.*

-eux / -euse	↔	-ous		
furieux / furieuse		*furious*	dangereux/dangereuse	*dangerous*
sérieux / sérieuse		*serious*	nerveux/nerveuse	*nervous*
curieux / curieuse		*curious*	généreux/généreuse	*generous*
			studieux/studieuse	*studious*
			superstitieux/superstitieuse	*superstitious*
			courageux/courageuse	*courageous*

Exceptions:
heureux/heureuse   *happy*
malheureux/malheureuse   *unhappy*

Structure

- This is a new structure.
- Before beginning this section you may want to review the formation of regular adjectives.

A. Quelques adjectifs irréguliers

Regular French adjectives add **-e** in the feminine, and **-s** in the plural. Adjectives which do not follow this basic pattern are considered *irregular*. Here are some irregular adjectives.

Adjectives in **-eux**: Remind the students that the feminine of **vieux** is **vieille**.

	SINGULAR	PLURAL		
Masculine	**-eux**	**-eux**	François est **sérieux**.	Marc et Éric sont **sérieux**.
Feminine	**-euse**	**-euses**	Martine est **sérieuse**.	Anne et Claire sont **sérieuses**.

Adjectives in **-al**: This plural form is similar to that of nouns in **-al**: **un journal, des journaux.**

	SINGULAR	PLURAL	
Masculine	**-al**	**-aux**	Paul est **original**. Il a des amis **originaux**.

Note: The feminine forms are regular: une fille origin**ale**, des filles origin**ales**.

Adjectives with irregular feminine forms: The plural forms of these adjectives are regular.

Masculine	Feminine		
-if	-ive	Paul est **actif**.	Sylvie est **active**.
-el	-elle	Éric est **ponctuel**.	Sa sœur est **ponctuelle**.
/ɔ̃/ /ɔn/ -on	-onne	Ce vin est **bon**.	Cette bière est **bonne**.
/ɛ̃/ /ɛn/ -en	-enne	Marc est **canadien**.	Lisette est **canadienne**.

Vocabulaire spécialisé   Quelques adjectifs de description

ADJECTIFS:

en **-eux/-euse**	*ambitieux	généreux	*heureux *happy*
	*courageux	sérieux	*malheureux *unhappy*
	*curieux	*superstitieux	*paresseux *lazy*

en **-if/-ive**	*actif	*impulsif	*naïf
	*imaginatif	*intuitif	*sportif *active in sports*

en **-on/-onne**   mignon *cute*

en **-el/-elle**   *intellectuel   naturel

en **-en/-enne**   *musicien *musical*

ACTIVITÉ 1   Expression personnelle

oral

Demandez à vos camarades quelles qualités ils préfèrent, d'après le modèle. (Attention: le mot «personne» est féminin.) *

⇨ impulsif ou patient?
—**Préfères-tu les personnes impulsives ou les personnes patientes?**
—**Je préfère les personnes impulsives.**
  (Je préfère les personnes patientes.)

1. sportif ou intellectuel?
2. imaginatif ou réaliste?
3. actif ou paresseux?
4. intuitif ou logique?
5. superstitieux ou rationnel?
6. calme ou ambitieux?
7. heureux ou malheureux?

ACTIVITÉ 2   Les amies de Nicole

Lisez la description des amies de Nicole. Complétez cette description en utilisant un adjectif du vocabulaire.

oral

⇨ Sylvie regarde souvent l'horoscope.   **Elle est superstitieuse.**

1. Jacqueline déteste étudier.
2. Louise fait du ski et du tennis.
3. Anne étudie la philosophie.
4. Nathalie étudie beaucoup.
5. Hélène est toujours contente.
6. Charlotte est jolie.

a discuter

B. Les expressions négatives *ne . . . jamais* et *ne . . . plus*

REVIEW: ne . . . jamais—Level 1, p. 312. The structure ne . . . plus is new.

Note the word order in the sentences below.

Je **ne** voyage **pas**.	*I don't travel. I am not traveling.*
Je **ne** voyage **jamais**.	*I never travel.*
Je **ne** voyage **plus**.	*I don't travel anymore. I no longer travel.*
Marc **n'a pas** invité Paul.	*Marc did not invite Paul. (Marc has not invited Paul.)*
Marc **n'a jamais** invité Paul.	*Marc never invited Paul. (Marc has never invited Paul.)*
Marc **n'a plus** invité Paul.	*Marc did not invite Paul anymore (any longer).*

In French, negative expressions consist of two parts and follow this pattern:

$$\text{ne} \;+\; \text{verb} \;+\; \begin{cases} \text{pas} \\ \text{jamais} \\ \text{plus} \end{cases}$$

⇨ In the **passé composé**, the negative expressions **ne . . . pas, ne . . . jamais**, and **ne . . . plus** go around **avoir** and **être**.

After **jamais** and **plus**, **un, une, du, de la**, and **des** become **de (d')**:
Je ne dis jamais de mensonges. Je n'ai plus d'argent.

ACTIVITÉ 3 Bonnes décisions!

Les personnes suivantes faisaient *(used to do)* les choses entre parenthèses.
Maintenant elles ne font plus ces choses. Décrivez leurs bonnes résolutions,
d'après le modèle.

⇨ Nicole (critiquer ses amis)   **Maintenant Nicole ne critique plus ses amis.**

1. Henri (critiquer ses parents)
2. mes cousins (rater leurs examens)
3. Monsieur Moreau (fumer *to smoke*)
4. toi (être paresseux)
5. vous (être impatients)

6. Sylvie (perdre son temps)
7. nous (dormir en classe)
8. Thérèse (dire des mensonges)
9. moi (contredire mes professeurs)

ACTIVITÉ 4 Accusations   You may want to review the past participles before doing this activity.

Jacques accuse Henri de certaines choses. Henri dit qu'il n'a jamais fait ces
choses. Jouez le rôle de Jacques et d'Henri, d'après le modèle.

use Vous nous ch.

⇨ critiquer mes amis   Jacques: **Tu as critiqué mes amis.**
          Henri: **Je n'ai jamais critiqué tes amis!**

Remind the students to use **être**
in items 2, 6, and 8.

1. critiquer ma famille
2. entrer dans ma chambre
3. prendre ma raquette
4. regarder mes photos

VARIATION with ob-
ject pronouns: **Je ne les
ai jamais critiqués.**

5. lire mon journal *(diary)*
6. aller dans le garage
7. prendre mon vélo
8. sortir avec ma petite amie

REVIEW: quelqu'un/ne . . . personne, quelque chose/ne . . . rien—Level 1, p. 334

Vocabulaire spécialisé Quelques expressions et leurs contraires
(Some expressions and their opposites)

quelqu'un   *someone, somebody*   Marc parle à **quelqu'un.**
ne . . . personne   *no one, nobody, not anyone*   Sylvie **ne** parle à **personne.**

quelque chose   *something*   Dis-moi **quelque chose!**
ne . . . rien   *nothing, not anything*   Pierre **ne** dit **rien.**

VOCABULARY EXPANSION: quelque part *(somewhere)*, nulle part *(nowhere)*

Notes: 1. The above expressions may be used as subjects.

Quelqu'un parle à Catherine.   *Someone is talking to Catherine.* *explain*
Personne ne connaît Jim.   *Nobody knows Jim.*

2. **Personne** and **rien** are negative words which require **ne** before the verb.

3. In the **passé composé, rien** comes *before* the past participle, but **personne**
   comes *after* it.

Vous n'avez **rien** vu.   *You saw nothing.*
Nous n'avons vu **personne.**   *We didn't see anyone.*

4. When the above expressions are used with an *adjective*, the construction is:

> expression + **de** + adjective

Je connais **quelqu'un de** très **drôle.**   *I know someone very funny.*
Je **ne** fais **rien de spécial.**   *I'm not doing anything special.*

Note 3: This word order is used when **rien** and **personne** are the direct object of the verb. Compare: **Personne n'a téléphoné.**
Je n'ai parlé à personne.

Note 4: When these expressions are used with an infinitive, the construction is: expression + **à** +
infinitive. **As-tu quelque chose à lire? Je n'ai rien à faire.**

proverbe:

Qui ne risque rien n'a rien.

"*Nothing ventured, nothing gained.*"
(literally: *People who risk nothing have nothing.*)

ACTIVITÉ 5   Questions personnelles

1. Connaissez-vous quelqu'un à Paris?
2. Connaissez-vous quelqu'un à Dakar?
3. Ce soir, invitez-vous quelqu'un à dîner?
4. Ce soir, faites-vous quelque chose de spécial?
5. Maintenant, est-ce que vous faites quelque chose d'important?

ACTIVITÉ 6   Non

Hier l'appartement de Monsieur Dupont a été cambriolé *(burglarized)*.
Un inspecteur de police pose certaines questions à Monsieur Dupont,
qui répond négativement. Jouez le rôle de Monsieur Dupont.

L'inspecteur: Monsieur Dupont:

⇨ Vous avez vu quelqu'un?   **Non, je n'ai vu personne.**

1. Vous avez vu quelque chose?
2. Vous avez parlé à quelqu'un?
3. Vous avez fait quelque chose?
4. Vous avez entendu quelqu'un?
5. Vous avez entendu quelque chose?
6. Vous avez reconnu quelqu'un?

À votre tour   Week-end   OPTIONAL

Décrivez votre dernier week-end, mais soyez discret/discrète! Faites six
phrases où vous allez utiliser les expressions du Vocabulaire spécialisé.

⇨ Je suis sorti avec quelqu'un de sympathique.
Nous sommes allés au cinéma et nous avons vu quelque chose
d'intéressant.

The purpose of this activity is to practice the **Vocabulaire spécialisé** on p. 142.

Les bêtes° ne sont pas si bêtes!

Les Français attribuent beaucoup de qualités et beaucoup de défauts°
aux animaux, sauf° la bêtise.° En français on dit . . .

= animaux

faults
= **excepté;**
= **stupidité**

Lent° comme une tortue.

Rapide comme une gazelle. *Slow*

Paresseux comme un lézard.

Muet° comme une carpe. *Quiet*

Jaloux° comme un tigre.

Heureux comme un poisson dans l'eau. *Jealous*

Sauvage° comme un ours.   Rusé° comme un renard.

Bête comme une oie. *Unsociable;*
Sly

Comme vous le voyez, l'oie est la seule° bête vraiment bête.   *only*

❧LA POLITESSE FRANÇAISE❧

Quelles sont les règles° de la politesse française? La règle générale, comme° aux États-Unis, est de respecter les autres.° Si vous allez en France un jour, voici quelques conseils particuliers:°

*rules
as; others
specific
advice*

❧ Ne dites pas «tu» à une personne que vous ne connaissez pas. Dites-lui «vous».

❧ Ne dites pas «tu» à une personne plus âgée que vous. Ne l'appelez° pas par son prénom.°

*call; first
name*

❧ Serrez° la main à une personne que vous rencontrez pour la première fois.° Serrez-lui la main la seconde fois, la troisième fois . . . En fait,° serrez-lui la main chaque fois que vous la rencontrez.

*Shake
time
In fact*

❧ À table, ne mettez pas les mains sous° la table. Mettez-les sur la table.

under

❧ N'interrompez° pas les grandes personnes quand elles vous parlent. Écoutez-les même si elles n'ont pas grand-chose° à dire.

*interrupt
= **beaucoup***

❧ Ne passez pas devant° une personne plus âgée que vous. En général, ne passez pas devant les gens, même° si on vous dit de le faire.

*in front of
even*

Un dernier conseil: Ne critiquez pas les habitudes° françaises. Laissez-les critiquer par vos amis français!°

*customs
Let your
French
friends
criticize
them!*

Partial cognates

There are many French words which closely resemble English words but whose meanings differ to some extent. For instance:

Grand may mean *grand*, but it often means *big*. The expression **grandes personnes** (= *big people*) corresponds to **adultes**.

Passer may mean *to pass*, but it often means *to walk* or *to go*.

Un conseil may mean *counsel*, but it usually means *advice*.

When reading French, you may often encounter cognates whose English equivalents do not seem quite appropriate to the sentence in which they occur. Try to determine the meaning that best fits the context.

Le courrier du coeur

Chère **Lucile**,

J'ai 16 ans. J'ai des parents généreux, des amis sympathiques . . . et pourtant je suis malheureux. Voici mon problème: je suis amoureux° d'une jeune fille très timide. En classe, elle me regarde tout le temps,° mais elle ne me parle jamais. Et pourtant, je suis sûr qu'elle me trouve sympathique.

Qu'est-ce que je dois faire? Est-ce que vous pouvez m'aider?

Désespéré°

in love

all the time

Desperate

Cher **Désespéré**,

Qui est le plus timide? Votre amie ou vous? Si vous êtes vraiment amoureux d'elle, faites le premier pas.°

Lucile

step

Chère **Lucile**,

Je connais un garçon très sympathique. Il s'appelle Gérard. Il dit qu'il m'aime . . . Le problème est que j'ai une rivale. Non, ce n'est pas une autre° fille. C'est la moto de Gérard. Le week-end, il passe plus de temps° avec elle° qu'avec moi. Qu'est-ce que je peux faire contre° une Kawazaki?

Désolée°

another
more time; = la
moto
against

Sad

Chère **Désolée**,

Vous avez tort d'être jalouse. Bien sûr, votre rivale a des séductions mécaniques que vous n'avez pas. Mais elle ne peut pas parler ni° penser et surtout° elle ne peut pas aimer.

Votre problème est que vous avez peur° de monter à moto . . . et vous avez raison!

Lucile

nor
above all

are afraid

Chère Lucile,

Ce week-end, je dois sortir avec un garçon qui m'a offert° une bouteille de parfum très cher pour mon anniversaire. Le problème est que je déteste ce parfum. Quand je le mets, je suis toujours malade. Je ne veux pas offenser° mon ami, mais il m'est impossible de mettre son parfum. Qu'est-ce que vous me conseillez?°

= donné

to offend

advise

Allergique

*Chère **Allergique**,*

Soyez honnête avec vous-même.° Votre véritable° allergie n'est pas le parfum. C'est le garçon qui vous l'a offert. Êtes-vous sûre de vos sentiments° envers° lui?

yourself; real

feelings
towards

Lucile

Comment écrire à un ami français

- En principe, ne tapez° pas votre lettre à la machine à écrire.° Utilisez un stylo. C'est plus personnel!

type; type-
writer

- Mettez la date en haut° et à droite de la page.

at the top

- Commencez votre lettre avec le nom de votre ami(e):

Cher Paul,

Chère Natalie,

Si vous connaissez très bien cette personne, vous pouvez écrire:

Mon cher Paul,

Ma chère Natalie,

- Écrivez votre lettre.
- Terminez° votre lettre par l'une des formules suivantes:

End

Je t'embrasse,

Je t'embrasse affectueusement,

Bien à toi,°

Amicalement,°

Yours

In friendship

ou plus simplement:

Ton ami(e),

- Signez lisiblement.°

legibly

PRESENTATION
It is Jacqueline's wedding day, and everything is ready, or so it seems. The Lefèvres realize
that Jean-Claude, the best man, is not there. He finally arrives, dusty and disheveled—his car
ran out of gas and he had to walk.

OBJECTIVES
Language
  main objective
  • reflexive verbs: forms and uses
  other objectives
  • review of **acheter** and **espérer**
Vocabulary
  • the wedding
  • personal hygiene
  • parts of the body
  • daily activities

UNITÉ 3
Le mariage de Jacqueline

Betty Jensen, une jeune Américaine, a passé l'été
en France avec la famille Lefèvre. Pendant deux
mois, elle a participé aux événements *(events)* de
la vie familiale *(family life)*. Le grand événement a été le mariage de Jacqueline, la fille aînée
(oldest) des Lefèvre, avec Louis Jacomme.

UNITÉ 3
Leçon 1

Derniers préparatifs

Derniers préparatifs
Last preparations

Demain, Jacqueline Lefèvre va *se marier avec* Louis Jacomme.
Aujourd'hui, la famille de Jacqueline est très occupée.

to marry

STRUCTURE TO OBSERV
• the reflexive
STRUCTURES REVIEWED
• **acheter** and **espérer**

The *Presentation text* contrasts the verbs **regarder** and **se regarder, couper** and **se couper, préparer** and **se préparer.**

Au salon

Jacqueline est au salon avec sa mère.
Madame Lefèvre regarde sa fille.
Jacqueline regarde sa robe.
Puis elle *se regarde* dans la *glace*.
Est-ce qu'elle *se trouve* jolie?

looks at herself;
  mirror
find herself

Au jardin

Betty et Lisette, la sœur de Jacqueline, préparent
un grand bouquet de *fleurs*.

BETTY: Je coupe *d'autres* fleurs?
LISETTE: Oui, mais fais attention!
Ne te coupe pas avec le *sécateur!*

Au jardin In
  the garden

flowers

other

garden shears

Au garage

Monsieur Lefèvre lave sa voiture.
Puis il va se laver dans la salle de bains.

Avec qui est-ce que Jacqueline va se marier? Où est-ce qu'elle est? Que fait sa mère? Que fait Jacqueline?
Où sont Betty et Lisette? Qu'est-ce qu'elles font? Où est Monsieur Lefèvre? Qu'est-ce qu'il fait? Qui est
Robert? Où est-il? Qu'est-ce qu'il fait?

1. Have the students read the following sentences:
   (a) **Voici Louis. Jacqueline le regarde.**   *Here is Louis. Jacqueline is looking at him.*
   (b) **Maintenant Jacqueline se regarde dans la glace.**   *Now Jacqueline is looking at herself in the mirror.*

Dans la chambre de Robert

Robert, le frère de Jacqueline, prépare son appareil-photo.
Il a l'intention de prendre beaucoup de photos demain!
Puis, il se prépare pour la cérémonie.

Questions

- Quelle personne est-ce que Jacqueline regarde dans la phrase (a)? (Louis)
  Par quel pronom cette personne est-elle désignée? (le)
- Quelle personne est-ce que Jacqueline regarde dans la phrase (b)? (Jacqueline)
  Par quel pronom cette personne est-elle désignée? (se)   Quel est l'équivalent anglais de ce pronom? *(herself)*

Explication

Dans la phrase (b), le sujet (Jacqueline) et le complément (se) représentent la même personne. L'action est réfléchie *(reflected)* sur le sujet. On dit que le pronom **se** est un pronom réfléchi *(reflexive pronoun)*.

2. Have the students find other examples of the reflexive in the *Presentation text.*

NOTE CULTURELLE

Les fiançailles° et le mariage Dans beaucoup de familles françaises, le mariage est précédé par° la cérémonie des fiançailles. C'est une cérémonie familiale° simple où le jeune homme et la jeune fille décident officiellement de se marier. Comme° symbole de cette promesse,° le fiancé offre° une bague—la bague de fiançailles—à sa fiancée.

Le mariage a lieu° dans une période de six mois à un an après les fiançailles. C'est une cérémonie très importante où sont invités tous les membres de la famille. Le mariage a lieu traditionnellement chez les parents de la jeune fille. Le mariage de Jacqueline se passe° dans un petit village de Normandie où les Lefèvre ont une maison de campagne.

fiançailles *engagement*   **précédé par** *preceded by*
familiale *family*   **Comme** *As a*   **promesse** *promise*
offre *gives*   **a lieu** *takes place*   **se passe** *takes place*

MONSIEUR ET MADAME BERNARD LEFÈVRE   MONSIEUR ET MADAME HENRI JACOMME

ONT L'HONNEUR DE VOUS FAIRE PART DU MARIAGE DE   ONT L'HONNEUR DE VOUS FAIRE PART DU MARIAGE DE LEUR

LEUR FILLE, JACQUELINE, AVEC MONSIEUR LOUIS JACOMME   FILS, LOUIS, AVEC MADEMOISELLE JACQUELINE LEFÈVRE

ET VOUS DEMANDENT DE PARTAGER LEUR JOIE EN PARTICIPANT

À LA CÉLÉBRATION DU MARIAGE QUI AURA LIEU

LE SAMEDI 10 AOÛT EN L'ÉGLISE DE VIDAUBAN

LE CLOS   83550 VIDAURAN   14, AVENUE MARBEAU 75016 PARIS

Vocabulaire pratique

couper	*to cut*	**se couper**	*to cut oneself*
laver	*to wash*	**se laver**	*to wash (oneself), wash up*
préparer	*to prepare, fix*	**se préparer**	*to prepare (oneself), get ready*

MOTS APPARENTÉS

French nouns ending in **-ie** often have English cognates in *-y.*

-ie	↔	-y
une cérémon**ie**		*ceremony*
la géograph**ie**		*geography*

la photographie	*photography*
la biologie	*biology*
une pharmacie	*pharmacy*
une biographie	*biography*
l'astrologie	*astrology*
une catégorie	*category*

VOCABULARY EXPANSION: **le sous-sol** *(basement)*, **le toit** *(roof)*, **le plancher** *(floor)*, **le plafond** *(ceiling)*, **un escalier** *(staircase)*, **un couloir** *(corridor, hall)*, **un placard** *(closet)*, **les toilettes** *(toilet).* For other house-related vocabulary, see p. 214.

Vocabulaire spécialisé   **La maison**

une pièce   *room* (in general)

You may ask the students to draw a floor plan of their house or apartment.

proverbe:

On ne peut pas être en même temps à la cave et au grenier.

"One cannot be two places at once."
(literally: *One cannot be in the cellar and in the attic at the same time.*)

ACTIVITÉ 1 À la maison

Les personnes suivantes sont à la maison. Lisez ce que chacune fait et
dites où elle est.

⇨ Nous déjeunons. **Nous sommes dans la salle à manger (dans la cuisine).**

1. Pierre prépare une pizza.
2. Tu coupes des fleurs (*flowers*).
3. Christine lave sa voiture.
4. Vous écoutez des disques.
5. Je dors.
6. Henri se lave.
7. Mes parents parlent avec leurs amis.
8. Louise a trouvé un vieil album de photos.

Structure

A. Les verbes *acheter* et *espérer* OPTIONAL REVIEW: acheter—Level 1, p. 193; espérer—Level 1, p. 225

Review the forms of **acheter** (*to buy*) and **espérer** (*to hope*), paying special
attention to the last vowel of the stem. That is: the **e** of acheter, the **é** of espérer.

Infinitive		acheter		espérer
Present	j'	achète	j'	espère
	tu	achètes	tu	espères
	il/elle/on	achète	il/elle/on	espère
	nous	achetons	nous	espérons
	vous	achetez	vous	espérez
	ils/elles	achètent	ils/elles	espèrent
Passé composé	j'ai	acheté	j'ai	espéré

Point out that in spoken French these verbs have two distinct stems: /aʃte, aʃtɔ̃/ vs. /aʃɛt/; /ɛspere, ɛsperɔ̃/ vs. /ɛspɛr/.

attention aux accents

Point out that the past participle is regular.

The **e** of **acheter** and the **é** of **espérer** become **è** when the ending of the
verb is silent. This occurs in the **je, tu, il,** and **ils** forms of the present
tense.

⇨ Other verbs which follow the above patterns are:

(like **acheter**)
  amener *to take, bring (along)* J'**amène** ma sœur au cinéma.

(like **espérer**)
  préférer *to prefer* Paul **préfère** acheter une moto.
  répéter *to repeat* **Répétez** la question, s'il vous plaît.

faire des phrases

Note: In French there are two verbs which correspond to the English
  to bring or *take along*:
  amener (used mainly with people) J'**amène** un ami à la surprise-partie.
  apporter (used only with things) J'**apporte** aussi ma guitare.

ACTIVITÉ 2   Un pique-nique

amener et apporter

Les amis suivants vont à un pique-nique. Dites quelles personnes ils amènent et quelles choses ils apportent.

⇨ Henri / sa sœur   **Henri amène sa sœur.**

   Denise / des sandwichs   **Denise apporte des sandwichs.**

1. nous / nos cousins
2. Janine / son fiancé
3. moi / ma guitare
4. Richard / son transistor
5. Pierre et André / leurs petites amies
6. Daniel / du Coca-Cola
7. vous / quelqu'un de sympathique
8. toi / quelque chose à boire
9. moi / un ami américain
10. toi / une amie canadienne

VARIATION in the **passé composé: Henri a amené sa sœur.   Denise a apporté des sandwichs.**

ACTIVITÉ 3   Questions personnelles

1. Préférez-vous aller au cinéma ou au théâtre?
2. Quand vous allez à une surprise-partie, est-ce que vous amenez quelqu'un? Qui?
3. Espérez-vous sortir ce week-end? Où espérez-vous aller?
4. Quand vous invitez vos amis chez vous, dans quelle pièce est-ce que vous les amenez? Quelle est votre pièce préférée *(favorite)*?
5. Quand vous êtes invité(e) à un pique-nique, qu'est-ce que vous apportez?
6. Est-ce que le professeur répète les questions en classe?
7. Est-ce que vos parents répètent souvent les mêmes *(same)* choses? Qu'est-ce qu'ils répètent?

B. La construction réfléchie

Read the illustrated sentences below, noting the different pronouns used in situations A and B.

A   **B**

Pierre a une moto.

 Pierre **la** lave.

 Ensuite, Pierre **se** lave.

Nicole a un ami.

 Nicole **le** regarde.

 Puis, Nicole **se** regarde dans la glace.

Janine a un frère.

 Janine **lui** achète un gâteau.

 Janine **s'**achète un gâteau aussi.

⇨ In the sentences of column A, Pierre, Nicole, and Janine perform actions on or for *something* or *someone else:*

Pierre washes his motorcycle, Nicole looks at her friend, Janine buys a piece of cake for her brother.

⇨ In the sentences of column B, Pierre, Nicole, and Janine are performing actions on or for *themselves:*

Pierre washes himself, Nicole looks at herself, Janine buys herself a piece of cake.

The pronoun **se (s')** represents the same person as the subject. **Se** is called a *reflexive pronoun* because it indicates that the action is "reflected" back on the subject.

⇨ Verbs which use a reflexive pronoun (**se laver, se regarder, s'acheter**) are called *reflexive verbs.*

ACTIVITÉ 4 **Chacun pour soi!** *(Everyone for himself!)*

Dites que les personnes suivantes font certaines choses pour elles-mêmes *(themselves)*. Utilisez **se** ou **s'**, d'après le modèle.

⇨ Madame Boucher achète le journal.   **Madame Boucher s'achète le journal.**

1. Georges prépare une omelette.
2. Marie achète une nouvelle robe.
3. Christine cherche une orange.
4. Simon fait un sandwich.
5. Monsieur Dupont construit une maison.
6. Brigitte fait un gâteau.

C. Les verbes réfléchis

The chart below shows the reflexive pronouns and the present tense of the reflexive verb **se laver** *(to wash oneself).*

SUBJECT PRONOUN	REFLEXIVE PRONOUN	se laver	to wash oneself
je	me (m')	Je me lave.	*I wash myself.*
tu	te (t')	Tu te laves.	*You wash yourself.*
il	se (s')	Il se lave.	*He washes himself.*
elle	se (s')	Elle se lave.	*She washes herself.*
on	se (s')	On se lave.	*One washes oneself.*
nous	nous	Nous nous lavons.	*We wash ourselves.*
vous	vous	Vous vous lavez.	*You wash yourselves.*
ils	se (s')	Ils se lavent.	*They wash themselves.*
elles	se (s')	Elles se lavent.	*They wash themselves.*

also: *yourself*

➡️ The forms in parentheses are used before a vowel sound.
Avec mon argent, je **m'**achète des disques.

For practice, you may have the students conjugate the expression **s'acheter un disque.**

➡️ Except for **se**, reflexive pronouns have the same forms as the corresponding object pronouns. You may point out that reflexive pronouns are object pronouns that refer to the subject. Their position in the sentence is the same as that of object pronouns.

➡️ Reflexive pronouns, like other object pronouns, usually come before the verb. In negative sentences the construction is:

> subject + **ne** + reflexive pronoun + verb + **pas (jamais, plus)** . . .

Tu **ne** te laves **pas.**
Vous **ne** vous préparez **pas** pour le concert.

Questions are formed with reflexive verbs according to the usual pattern: **Est-ce que tu te laves? Pourquoi est-ce que tu te regardes dans la glace?** You may want to present inverted questions for recognition only: **Te prépares-tu pour le concert? Pourquoi se regarde-t-il dans la glace?**

ACTIVITÉ 5   Vanité

Il y a une glace *(mirror)* dans le couloir *(corridor)* de l'école. Dites que les personnes suivantes se regardent dans la glace avant d'aller en classe. Dites aussi qu'elles s'admirent. Utilisez les verbes réfléchis **se regarder** et **s'admirer.**

➡️ Paul   **Paul se regarde dans la glace. Il s'admire.**

1. les élèves
2. le professeur de maths
3. moi
4. vous
5. toi
6. nous
7. ma sœur
8. mes camarades

VARIATION in the negative:
Paul ne se regarde pas dans la glace.

ACTIVITÉ 6   Préparatifs *(Preparations)*

Lisez ce que font les personnes suivantes et dites pour quel événement *(event)* elles se préparent. Utilisez le verbe **se préparer** et l'expression entre parenthèses.

➡️ Charles étudie.   (l'examen)   **Il se prépare pour l'examen.**

1. Mes cousins cherchent leur passeport.   (leur voyage)
2. Nathalie met une jolie robe.   (un rendez-vous)
3. Nous jouons de la guitare.   (le concert)
4. J'apprends la leçon.   (la classe)
5. Tu achètes un maillot de bain.   (l'été)
6. Vous achetez des bottes.   (l'hiver)
7. Jean fait des exercices.   (le match de football)
8. Je mets mon short.   (le match de tennis)

ACTIVITÉ 7 Après le match

Après le match de basket, certains joueurs *(players)* se lavent. Les autres *(others)* vont directement chez eux. Dites qui se lave et qui ne se lave pas.

▷ Pierre (non)   **Pierre ne se lave pas.**

1. Louis et Robert (oui)
2. Annette et Louise (oui)
3. toi (non)
4. nous (oui)
5. vous (non)
6. Philippe (oui)
7. mes amis (oui)
8. moi (non)

ACTIVITÉ 8 Le coût de la vie *(The cost of living)*   OPTIONAL

Ce que nous nous achetons dépend souvent de l'argent que nous voulons dépenser. Exprimez cela d'une manière *(manner)* logique en utilisant le verbe **s'acheter** et les éléments des colonnes A, B et C. Combien de phrases logiques pouvez-vous faire en cinq minutes?

A	B	C
un dollar	je	une montre
cinq dollars	tu	un disque
dix dollars	mon père	une revue
vingt dollars	nous	un appareil-photo
cinquante dollars	vous	un électrophone
cent dollars	mes amis	un maillot de bain
deux cent dollars		un anorak
trois mille dollars		une valise
dix mille dollars		une vieille voiture
		une nouvelle voiture
		un tee-shirt

▷ **Avec cinq dollars, tu t'achètes un tee-shirt (un disque).**

À votre tour **Avec notre argent**   OPTIONAL

Dites ce que vous vous achetez avec votre argent de poche *(allowance)*: des magazines? des disques? des livres? des vêtements?

Puis demandez à cinq personnes différentes ce qu'elles s'achètent et écrivez leurs réponses *(answers)*.

▷ Avec mon argent, je . . .
   Avec son argent, Paul . . .

The purpose of this activity is to practice the formation of reflexive verbs.

STRUCTURES TO OBSERVE
• the imperative of reflexive verbs
  (presented with the verb **se mettre**)
• **appeler**
• the adjective **tout**

UNITÉ 3
Leçon 2 Un absent

Un absent
An absent person

Scène 1.

Le grand jour est arrivé . . .
Tous les invités sont *réunis* chez les Lefèvre.
Robert, photographe amateur, veut prendre quelques photos avant la cérémonie. Il donne ses instructions:

> «Toi, Betty, mets-toi *à côté de* Jacqueline.
> «Vous, oncle André, mettez-vous *à droite de* Maman.
> «Toi, Lisette, ne te mets pas *derrière* Betty. Mets-toi *devant* elle.
> «Vous, tante Denise, ne vous mettez pas trop *loin*. Je ne vous vois pas.
> Mettez-vous ici!
> «*Tout le monde* est prêt? Un *sourire* maintenant!»

Clic clac!

gathered

next to
to the right of
behind; in front of
far away
Everyone; smile

Où sont les invités? Qui prend les photos? Qu'est-ce qu'il remarque? Qui est Jean-Claude? Qu'est-ce que Louis demande à tout le monde? À qui est-ce qu'il téléphone? Est-ce que Jean-Claude répond?

Scène 2.

Robert a pris plusieurs photos. Il va prendre la dernière photo quand il remarque que Jean-Claude n'est pas là. Jean-Claude est le meilleur ami de Louis Jacomme. C'est aussi son *témoin*. Sans lui, la cérémonie ne peut pas commencer. Où est Jean-Claude?

Dix minutes passent . . . Une heure passe . . . Jean-Claude n'est *toujours* pas là! Madame Lefèvre est inquiète. Monsieur Lefèvre commence à perdre patience. Louis demande à tout le monde de rester calme:

> «Je sais bien que Jean-Claude n'est pas très ponctuel, mais il m'a promis d'être *à l'heure*.»

Mais Jacqueline n'est pas très rassurée.

best man

still

on time

JACQUELINE: Alors, pourquoi est-ce qu'il n'est pas là?
           Est-ce qu'il a oublié?
    LOUIS: Oublié? *Voyons*, c'est impossible!
JACQUELINE: *Appelle-le!*
    LOUIS: Bon, d'accord! Je vais l'appeler!

Louis va appeler son ami . . . Pas de *réponse!*

Come on
Call him!

answer

OBSERVATIONS Le pronom réfléchi
1. Have the students read the following sentences:
   Mettez-vous ici.   *Place yourself here.*
   Ne vous mettez pas là.   *Do not place yourself there.*
   Dans ces phrases, certains ordres sont donnés.

The **livret de famille** must also be presented at the town (or city) hall each time a child is born, for it is the official record of births and deaths in the family.

NOTE CULTURELLE

Le mariage—cérémonie civile et religieuse En France, le mariage est une cérémonie à la fois° officielle et religieuse. Le mariage est célébré d'abord obligatoirement° à la mairie° par le maire,° en présence de deux témoins.° À la fin° de cette cérémonie civile, le maire délivre° aux nouveaux époux° un document officiel, le livret° de famille.

Après la mairie, les époux vont à l'église pour le mariage religieux. En France, la cérémonie religieuse est généralement beaucoup plus solennelle° que la cérémonie civile. C'est la véritable° cérémonie familiale!°

à la fois *at the same time* **obligatoirement** *as required by law* **mairie** *town hall* **maire** *mayor* **témoins** *witnesses* **fin** *end* **délivre** *gives* **époux** *husband and wife* **livret** *booklet* **solonnelle** *solemn* **véritable** *true* **familiale** *family*

Vocabulaire pratique

The spelling change of **commencer—nous commençons**—is reviewed on p. 203.

NOMS:	**un invité** *guest*	**une invitée** *guest*
ADJECTIFS:	**inquiet (inquiète)** ≠ **rassuré**	*worried, concerned* ≠ *reassured*
	premier (première) ≠ **dernier (dernière)**	*first* ≠ *last*
	prêt	*ready*
VERBES:	**commencer** *to begin*	À quelle heure **commence** la cérémonie?
	remarquer *to notice, remark*	Les invités **ont remarqué** l'absence de Jean-Claude.
EXPRESSION:	**sans** *without*	Ils ne veulent pas partir **sans** Robert.

MOTS APPARENTÉS

French words in **-que** often have English cognates in -*k*.

-que	↔	-k
je remar**que**		*I remark*
la ban**que**		*bank*

une attaque	*attack*
une marque	*mark*
un disque	*disk*
un masque	*mask*
une remarque	*remark*
un risque	*risk*
un kiosque	*kiosk*

uestions
Est-ce que le verbe est à l'impératif? (oui)
Quel est le pronom réfléchi? (vous)
Est-ce que ce pronom vient avant ou après le verbe
dans les phrases affirmatives? (après)

• Et dans les phrases négatives? (avant)
2. Have the students find other examples of commands in **Scène 1**. Have them note the position of the reflexive pronouns.

Vocabulaire spécialisé Où?

devant	*in front (of)*	**à gauche (de)**	*to the left (of)*
entre	*between, among*	**à droite (de)**	*to the right (of)*
derrière	*behind, in back (of)*		
		en face (de)	*across (from), opposite*
loin (de)	*far (from), far away (from)*	**à côté (de)**	*beside, next to*
près (de)	*near*		
autour (de)	*around*		
au milieu (de)	*in the middle (of)*		
au centre (de)	*in the center (of)*		

Note: The above expressions may stand alone. When used with a *noun* or *stress pronoun*, many of them must be followed by **de**.

Louis n'est pas **loin**.	*Louis is not far away.*
Louis n'est pas **loin de** nous.	*Louis is not far from us.*

VOCABULARY EXPANSION: **sur** *(on)*, **sous** *(under)*, **au-dessus (de)** *(above)*, **au-dessous (de)** *(below)*

ACTIVITÉ 1 La table de mariage

Jacqueline a préparé le plan de la table principale. Indiquez *(Indicate)* la position des personnes suivantes par rapport *(in relationship)* aux personnes indiquées entre parenthèses.

Monsieur Lefèvre   **Betty**   **Robert**   **Lisette**   **Monsieur Jacomme**

Madame Jacomme   **Jacqueline**   **Louis**   **Madame Lefèvre**

⇨ Jacqueline (Louis)   **Jacqueline est à côté de (à gauche de) Louis.**

1. Louis (Jacqueline)
2. Louis (Madame Lefèvre)
3. Robert (Louis)
4. Madame Jacomme (Monsieur Jacomme)
5. Robert (Lisette et Betty)

ACTIVITÉ 2 Questions personnelles

1. Habitez-vous près de l'école?
2. En classe, qui est à votre droite? à votre gauche?
3. Qui est devant vous en classe d'anglais? Qui est derrière vous?
4. Qui habite à côté de chez vous? en face de chez vous?
5. Est-ce qu'il y a un jardin autour de votre maison?

You may wish to review vocabulary for table settings: **une assiette** *(plate)*, **une tasse** *(cup)*, **un verre** *(glass)*, **une fourchette** *(fork)*, **un couteau** *(knife)*, **une cuillère** *(spoon)*, **une serviette** *(napkin)*. Ask questions like: **Mettez-vous la fourchette à droite ou à gauche de l'assiette? Où mettez-vous la serviette?**

Structure

A. L'impératif des verbes réfléchis

Read the examples below and note how orders, hints, or suggestions are given with reflexive verbs.

AFFIRMATIVE IMPERATIVE		NEGATIVE IMPERATIVE	
Prépare-toi!	*Get ready.*	**Ne te prépare pas!**	*Don't get ready.*
Préparons-nous!	*Let's get ready.*	**Ne nous préparons pas!**	*Let's not get ready.*
Préparez-vous!	*Get ready.*	**Ne vous préparez pas!**	*Don't get ready.*

In an affirmative command the reflexive pronoun comes *after* the verb and is attached to it with a hyphen. This pattern is similar to that of object pronouns in the imperative.

Note that **te** becomes **toi.**

In a negative command the reflexive pronoun comes *before* the verb.

⇨ The following reflexive verbs are frequently used in the imperative:

s'asseoir	*to sit down*	**se taire**	*to be quiet*
Assieds-toi!	*Sit down.*	**Tais-toi!**	*Be quiet!*
Asseyez-vous!	*Sit down.*	**Taisez-vous!**	*Be quiet!*

Once the students know the imperative, they should be able to recognize the other forms of these verbs: **je m'assieds, tu t'assieds, il/elle s'assied, nous nous asseyons, vous vous asseyez, ils/elles s'asseyent; je me tais, tu te tais, il/elle se tait, nous nous taisons, vous vous taisez, ils/elles se taisent.** The past participles are regular: **je me suis assis, je me suis tu.**

proverbe:

Aide-toi et le ciel t'aidera!

"Heaven helps those who help themselves."
(literally: *Help yourself and heaven will help you.*)

ACTIVITÉ 3 Les instructions de Lisette

Lisette place les invités pour le repas de mariage. Jouez le rôle de Lisette, d'après le modèle.

⇨ Toi, Hélène   Lisette: **Toi, Hélène, mets-toi ici.**

VARIATION: Lisette asks everyone to be quiet. **Tais-toi, Hélène.**

1. Vous, oncle André
2. Vous, tante Denise
3. Toi, Betty
4. Toi, Jean-François
5. Toi, Alain   VARIATION with s'asseoir: **Assieds-toi, Hélène.**
6. Vous, Charles et Henri
7. Vous, Claudine et Michèle
8. Toi, Louis

ACTIVITÉ 4 Paresse (*Laziness*)

Dites aux personnes suivantes de faire ce qu'elles ne font pas.

⇨ Jacques ne se lave pas.   **Lave-toi, Jacques.**

1. Stéphanie ne se lave pas.
2. Éric et Pierre ne se lavent pas.
3. François ne se prépare pas pour l'examen.
4. Jean et Paul ne se préparent pas pour le match.
5. Philippe et Claude ne se taisent pas.
6. Richard ne se tait pas.
7. Annie ne s'achète pas de manteau.   . . . un manteau

B. Le verbe *appeler*
Another verb conjugated like **appeler** is **jeter** *(to throw)*.

Note the forms of **appeler** *(to call)* in the chart below.

Infinitive	appeler	
Present	j' **appelle** tu **appelles** il/elle/on **appelle**	nous **appelons** vous **appelez** ils/elles **appellent**
Passé composé	j' ai **appelé**	

In spoken French, **appeler** follows the pattern of **acheter**. Where **acheter** shows **è**, **appeler** shows a double consonant. Be sure that the students pronounce the two stems correctly: **tu t'appelles** /apɛl/, **vous appelez** /aple/.

The final consonant (**l**) of the stem of **appeler** is doubled when the ending is *silent*. This occurs in the **je, tu, il,** and **ils** forms of the present tense.

The students have already learned the phrases **comment t'appelles-tu? comment s'appelle-t-il/elle?** and **je m'appelle.** The formal presentation of the reflexive verb **s'appeler** is given on pp. 175–176.

ACTIVITÉ 5 Appels *(Calls)*

Lisez ce que font les personnes suivantes et dites qui elles vont appeler. Choisissez l'une de ces personnes ou de ces choses.

le médecin / le dentiste / le mécanicien / le vendeur / le garçon / un architecte / un taxi / la police

⇨ François a mal aux dents.   **Il appelle le dentiste.**

1. Mon père a une panne *(breakdown)*.
2. Vous voulez construire une maison.
3. Je veux dîner.
4. Nous avons de la fièvre.
5. Mes parents n'ont pas leur voiture.
6. Tu as un accident grave.
7. Vous voulez acheter des disques.

C. L'adjectif *tout*

The adjective **tout** (**le**) agrees in gender and number with the noun it introduces. Here are the four forms of **tout:**

	SINGULAR	PLURAL		
Masculine	**tout** (le)	**tous** (les)	**tout le** groupe	**tous les** garçons
Feminine	**toute** (la)	**toutes** (les)	**toute la** famille	**toutes les** filles

⇨ **Tout le** or **toute la** usually means *the whole.*
Toute la classe parle français.   ***The whole class*** *speaks French.*

⇨ **Tous les** or **toutes les** usually means *all the, all, every.*
Je parle français **tous les jours.**   *I speak French* ***every day.***
Tous les invités sont ici.   ***All the guests*** *are here.*

Tous les films de la semaine

➡ The definite article (**le**, **la**, **les**) may be replaced by a possessive or a demonstrative adjective.

Où sont **tous vos camarades**?   *Where are all your classmates?*
Qui sont **tous ces gens**?   *Who are all these people?*

➡ **Tout** is used in several common expressions:

tout le monde   *everybody*   Est-ce que **tout le monde** est prêt?
tout le temps   *all the time*   François parle **tout le temps**.

➡ When **tout** is used alone, it means *all* or *everything*.

Je sais **tout**.   *I know everything.*
Tout est possible.   ***Everything** is possible.*

In this use, **tout** *(everything)* is an impersonal pronoun. Its opposite is **ne . . . rien** *(nothing)*. In the plural the pronouns **tous** and **toutes** *(all)* refer to specific people or things: **J'ai des amies. Elles ne sont pas toutes sympathiques.**

ACTIVITÉ 6   Généralisations

Quelqu'un fait des observations sur certaines personnes ou certaines choses. Faites des généralisations personnelles dans des phrases affirmatives ou négatives.

➡ Ce garçon est intelligent.   **Tous les garçons sont intelligents.**
(**Tous les garçons ne sont pas intelligents.**)

1. Cet étudiant est paresseux.
2. Ce professeur est sympathique.
3. Cette Américaine est blonde.
4. Cet Américain est sportif.
5. Cette classe est intéressante.
6. Ce sport est violent.
7. Cette auto consomme *(consumes)* de l'essence *(gas)*.
8. Cette voiture pollue *(pollutes)*.

À votre tour   Votre maison   OPTIONAL

Décrivez la position de votre maison par rapport à d'autres endroits *(in relation to other places)*: l'école, le supermarché, la pharmacie, la maison de vos amis, la poste, le centre de la ville, etc. Dites aussi qui sont vos voisins et où ils habitent par rapport à votre maison. Utilisez les mots du Vocabulaire spécialisé.

➡ J'habite près d'un supermarché mais loin de l'école. Il n'y a pas de pharmacie à côté de chez moi . . .

The purpose of this activity is to practice the **Vocabulaire spécialisé** on p. 162.

UNITÉ 3
Leçon 3 **Un garçon pressé**

STRUCTURES TO OBSERVE
- use of the reflexive to describe daily occupations
- the construction: **Je me lave les mains**

D'habitude, Jean-Claude *se couche* tard et *se lève* tard. Voilà pourquoi il est souvent en retard. Mais aujourd'hui, Jean-Claude a décidé d'être à l'heure.

Usually; goes to bed; gets up

Ce matin, donc, . . .

Jean-Claude se lève tôt.   Il se rase.   Il se lave.

Il s'habille vite.   Il se brosse les cheveux.

Puis, il *se précipite dans* sa voiture.

dashes into

Pour aller plus vite, Jean-Claude prend les petites *routes* où il n'y a pas beaucoup de *circulation* . . . Jean-Claude *se dépêche* . . . Encore dix kilomètres . . . Non, il ne va pas être en retard aujourd'hui!

highways
traffic; hurries

En général, est-ce que Jean-Claude se lève tôt? Est-ce qu'il se lève tôt aujourd'hui? Qu'est-ce qu'il fait après?

166   Unité trois

Have the students read the following sentences:
Jean-Claude se lave les mains. Il se brosse les cheveux.
Dans ces phrases, Jean-Claude accomplit certaines actions sur lui-même.

Questions
• Est-ce que les verbes sont des verbes réfléchis? (oui)
• Quel article est-ce qu'on utilise avec les parties
  du corps? (l'article défini)

NOTE CULTURELLE

L'exactitude° Un proverbe français dit que «l'exac-titude est la politesse° des rois».° Est-ce que cela si-gnifie° que les Français sont très ponctuels? Cela dépend avec qui et dans quelles circonstances. Les Français sont généralement à l'heure dans leur vie° profes-sionnelle et pour les cérémonies officielles. Dans ces occasions, on dit: «L'heure c'est l'heure. Avant l'heure, ce n'est pas l'heure et après l'heure, ce n'est plus l'heure.»

Dans leurs relations avec leurs amis, les Français sont plus flexibles. Vous pouvez arriver à un rendez-vous avec dix minutes de retard.° Si vous êtes invité à dîner à sept heures, vous pouvez arriver à sept heures et quart . . . ou même° à sept heures et demie. Quand on est avec ses amis, «le temps° n'est pas de l'argent!»

exactitude *punctuality* **politesse** *politeness* **rois** *kings*
signifie *mean* **vie** *life* **avec . . . de retard** *late* **même** *even*
temps *time*

Vocabulaire pratique

ADJECTIFS:	**pressé**	*in a hurry*		
	rapide ≠ lent	*fast ≠ slow*		
EXPRESSIONS:	**encore**	*still, yet*	J'ai **encore** dix dollars. Et vous?	
	plus	*more*	Étudiez **plus** sérieusement!	
	vite	*quickly, fast*	Vous conduisez **vite**!	
	tôt	*early*	**être en avance**	*to be early*
	tard	*late*	**être en retard**	*to be late*
	à l'heure	*on time*	**être à l'heure**	*to be on time*

Note: **Rapide** is an *adjective* and is used with *nouns*:
   une voiture **rapide**

Vite is an *adverb* and is used with *verbs*:
   Cette voiture va **vite**.

proverbe: *Mieux vaut tard que jamais.*

"Better late than never."

MOTS APPARENTÉS

Most French nouns in **-tion** have English cognates in *-tion*. The French nouns are feminine.

-tion	↔	***-tion***
la circula**tion**		*circulation*
une ac**tion**		*action*

une nation	*nation*
une condition	*condition*
une conversation	*conversation*
une définition	*definition*
une station	*station*
la population	*population*

• Make sure that the students pronounce the ending **-tion** correctly: /sjɔ̃/.
• In the *Presentation text,* **la circulation** means *traffic.*

Structure

A. Les verbes réfléchis: occupations quotidiennes *(daily activities)*

Note the use of reflexive verbs in the sentences below.

Nicolas **se lève** tôt.   *Nicolas **gets up** early.*

Nous **nous couchons** tard.   *We **go to bed** late.*

Reflexive verbs are very common in French. Such verbs are often used to describe actions which we do every day, such as getting up, washing, going to bed, etc.

ACTIVITÉ 1   Tôt ou tard?

Lisez les phrases suivantes. Utilisez ces renseignements pour dire si les personnes se lèvent tôt ou tard. Utilisez le verbe **se lever**.

You may want to conjugate **se lever** orally first so that the students hear the two stems clearly: **tu te lèves** /lɛv/; **vous vous levez** /vuvulve/ or /vuvuləve/.

⇨   Paul a une classe à sept heures.   **Il se lève tôt.**

1. Je prends un avion à cinq heures du matin.
2. Tu es malade *(sick)*.
3. Vous êtes très paresseux.
4. Nous avons un examen important aujourd'hui.
5. Ma mère a travaillé jusqu'à *(until)* une heure du matin.
6. Mon père prend le bus à six heures et demie.
7. Mes cousins ont une classe à neuf heures.

Vocabulaire spécialisé   La toilette

Here **la toilette** means *washing and dressing;* the *toilet* is **les toilettes.**

VOCABULARY EXPANSION: **prendre un bain** *(to take a bath),* **prendre une douche** *(to take a shower)*

le matin

se réveiller	*to wake up*
se lever	*to get up*
se laver	*to wash (up)*
se raser	*to shave*
se brosser (les dents)	*to brush (one's teeth)*
se peigner	*to comb one's hair*
s'habiller	*to get dressed*
se maquiller	*to put on make-up*

le soir

se déshabiller	*to get undressed*
se coucher	*to go to bed*

Note: **Se lever** is conjugated like **acheter:**

Je **me lève** tôt. Vous **vous levez** tard.

Pour l'Hygiène de la Bouche
Consultez périodiquement
votre Chirurgien-Dentiste
et achetez chez votre Pharmacien
votre Dentifrice

SANOGYL

proverbe: Comme on fait son lit on se couche.

"As you make your bed so you must lie on it."

You may want to point out that although English does not use *myself, yourself,*... with most of the above verbs, French considers them reflexive. They may be used nonreflexively with a direct object: **Je réveille mon frère. La mère habille sa fille. Le père couche ses enfants.**

ACTIVITÉ 2 Questions personnelles

1. À quelle heure est-ce que vous vous levez le lundi?
2. À quelle heure est-ce que vous vous réveillez le dimanche?
3. À quelle heure est-ce que vous vous couchez le lundi? le samedi soir?
4. Est-ce que vous vous lavez avec de l'eau froide (*cold*)?
5. Est-ce que vos amies se maquillent?
6. Est-ce que votre meilleur ami se rase?
7. Est-ce que vous vous brossez les dents après le dîner?
8. Avec quel dentifrice est-ce que vous vous brossez les dents? Avec quel savon est-ce que vous vous lavez?
9. Est-ce que vous vous habillez bien quand vous allez au restaurant? quand vous allez à une surprise-partie? quand vous travaillez dans le jardin?
10. Est-ce que vous vous peignez le matin? pendant la journée (*day*)?

ACTIVITÉ 3 Qu'est-ce qu'ils font?

Lisez les phrases suivantes et dites ce que les personnes suivantes font.
Pour cela, utilisez les verbes du vocabulaire.

⇨ Jacqueline ne dort plus.   **Elle se réveille.**

1. Philippe sort de son lit.
2. Mon père utilise son rasoir.
3. Isabelle met une robe.
4. Pierre utilise un peigne.

5. Thomas utilise du savon.
6. Nathalie utilise du rouge à lèvres (*lipstick*).
7. Bernard ôte (*takes off*) sa chemise.
8. Jean va au lit.

VARIATION: To practice the first and second person forms, vary the subjects of the cue sentences. **Tu ne dors plus. Tu te réveilles. Vous sortez de votre lit. Vous vous levez.**

articles de toilette   VOCABULARY EXPANSION: **du parfum, de l'eau de cologne, du rouge a lèvres** (*lipstick*), **du maquillage** (*makeup*)

du dentifrice

un peigne

des ciseaux

une brosse à dents

une brosse à cheveux

un rasoir

du savon

une glace

du shampooing
/ʃɑ̃pwɛ̃/

B. La construction: *je me lave les mains*

Note the use of the definite article in the following sentences:

Je me lave **les** mains.	*I am washing **my** hands.*
Lisette se coupe **les** cheveux.	*Lisette is cutting **her** hair.*
Louis se brosse **les** dents.	*Louis is brushing **his** teeth.*

The French use the definite article (**le, la, les**) with parts of the body. (In English the equivalent constructions generally use a possessive adjective.)

To indicate that the subject performs an action on a part of his/her body, the French use the following construction:

$$\boxed{\text{subject} + \text{reflexive verb} + \frac{\text{definite article}}{\textbf{(le, la, les)}} + \text{part(s) of the body}}$$

Je	me lave	les	cheveux.

You may also have the students note the use of the definite articles in sentences like: **J'ai les yeux bleus. Vous avez les cheveux bruns. Tu mets les mains sur la table.**

Vocabulaire spécialisé Les parties du corps

SUGGESTED REALIA: pictures of teenagers from French magazines. Have the students identify the parts of the body.

la figure *face*

l'œil (les yeux) **les cheveux** **le nez** **les oreilles** *ears* **la bouche** *mouth* **les dents** **la gorge** *throat* **le cou** *neck* **les ongles** *nails* **le doigt** *finger* **le dos** **la tête** **le cœur** **le bras** **la main** **le ventre** **la jambe** **le pied**

Note: **Les cheveux** is usually used in the plural. **Un cheveu** is *a strand of hair.*

VOCABULARY EXPANSION: **le coude** *(elbow)*, **le poignet** *(wrist)*, **l'épaule** *(shoulder)*, **le genou** *(knee)*, **la cuisse** *(thigh)*, **la taille** *(waist)*, **la lèvre** *(lip)*, **le front** *(forehead)*, **le sourcil** *(eyebrow)*, **le cil** *(eyelash)*, **le doigt de pied** *(toe)*, **la cheville** *(ankle)*, **la barbe** *(beard)*, **la moustache**

You may want to practice parts of the body with the expression **avoir mal à**: **J'ai mal à la tête.**

proverbe:

> *Loin des yeux, loin du cœur!*

"Out of sight, out of mind."
(literally: *Far from the eyes, far from the heart.*)

ACTIVITÉ 4 Dans la salle de bains

Les personnes suivantes sont dans la salle de bains. Dites ce qu'elles font en utilisant les éléments des colonnes A, B, C et D dans des phrases logiques. Combien de phrases pouvez-vous faire en cinq minutes?

A	B	C	D
je	se laver	les dents	du shampooing
tu	se brosser	les mains	du dentifrice
Jacqueline	se couper	les pieds	du savon
Paul et André		les cheveux	une brosse à dents
nous		les ongles	une brosse à ongles
vous		la figure	une brosse à cheveux
			des ciseaux

➪ **Je me coupe les cheveux avec des ciseaux.**

À votre tour

OPTIONAL **La routine quotidienne** *(The daily routine)*

Décrivez les choses que vous faites tous les jours. Donnez l'heure ou l'endroit où vous faites ces choses.

➪ Je me réveille à sept heures moins le quart . . .

The purpose of this exercise is to practice reflexive verbs of daily activities.

STRUCTURES TO OBSERVE
• **recevoir** (and **apercevoir**)
• use of reflexive verbs to indicate feelings
• idiomatic use of reflexive verbs
• the infinitive of reflexive verbs

OBSERVATIONS L'infinitif des verbes réfléchis
Have the students read the following sentences:
Je vais me préparer. *I am going to get myself ready.*
Louis va se préparer. *Louis is going to get himself ready.*
Dans la conversation on emploie souvent la construction
aller + infinitif **pour exprimer le futur.**

UNITÉ 3
Leçon 4 La panne

🔊 Scène 1.

Jean-Claude *accélère*. 100 kilomètres à l'heure . . . 110 . . . Mais
brusquement, la voiture de Jean-Claude *ralentit*. Puis elle s'arrête.
Jean-Claude *s'aperçoit* alors qu'il n'a plus d'essence. Eh oui, dans sa
hâte, il a oublié de prendre de l'essence ce matin.

    Jean-Claude *s'inquiète*. Puis il *s'impatiente*. Puis il *s'énerve* . . .
mais *à quoi bon?* Il est bien obligé de se résigner! Il n'y a pas de
stations-services sur les petites routes.

    Il prend ses clés, sort de la voiture, et *se met* à marcher.

accelerates
suddenly; slows down
realizes

haste
worries; gets impatient;
  gets upset
what's the use

= **commence**

NOTE CULTURELLE

🔊 **Les routes françaises** En France, il n'y a pas
beaucoup d'autoroutes° comme° aux États-Unis. La
majorité des routes sont des petites routes, pittoresques
mais pas très rapides. À chaque kilomètre, une borne°
indique° la distance du prochain° village. (1 kilomètre
= 0, 6 mille°)

    Voici les équivalents approximatifs de vitesse°:

    30 mph = 50 km/h
    45 mph = 75 km/h
    55 mph = 90 km/h

autoroutes *divided highways* **comme** *like* **borne** *marker*
indique *indicates* **prochain** *next* **mille** *mile* **vitesse** *speed*

uestions
Quand l'infinitif est un verbe réfléchi (comme
se préparer), est-ce que le pronom réfléchi est
placé avant aller? avant l'infinitif? après

l'infinitif? (après aller, avant l'infinitif)
• Est-ce que le pronom réfléchi représente la
même personne que le sujet? (oui)

Scène 2.

Jean-Claude vient d'arriver chez les Lefèvre. Mais dans quel état!
Sa cravate est *défaite*. Son beau costume est *couvert* de *poussière*.   *undone; covered;*
Il veut s'excuser, mais Louis lui dit: *dust*

«Tu n'as pas le temps de t'excuser maintenant. Le *maire* nous attend.   *mayor*
Allons! Viens!»

Pourquoi est-ce que la voiture s'arrête? Comment réagit *(reacts)* Jean-Claude? Est-ce qu'il trouve
de l'essence? Qu'est-ce qu'il fait? Dans quel état Jean-Claude arrive-t-il chez les Lefèvre? Pourquoi
est-ce qu'il n'a pas le temps de s'excuser?

Vocabulaire pratique

NOMS:	un état	*state*	l'essence	*gas*
	le temps	*time*	une panne	*breakdown*
			la route	*highway, road*
			une station-service	*gas station*

le temps/l'heure/la fois:
these words are contrasted on
p. 205.

EXPRESSION: **bien** *indeed, very*   Tu conduis **bien** vite.

STATION SERVICE
SNACK CLUNY
1 km, route de Cluny

● Essence - Pétrole - Gas-oil
● Graissage - Lavage - Entretien
● Mécanique - Accessoires auto - Pneus
● Texgaz (Butane)   71-64-40

MOTS APPARENTÉS

When a French word contains a vowel with a circumflex accent, the
English cognate often has an *s* after that vowel.

[ˆ]	↔	-s-
la hâte		*haste*
l'intérêt		*interest*

un hôpital	*hospital*
une forêt	*forest*
honnête	*honest*
arrêter	*to arrest*

Structure

A. Le verbe *recevoir*

Study the forms of **recevoir** (*to receive, get; entertain* [people]).

Infinitive	recevoir			
Present	je	**reçois**	nous	**recevons**
	tu	**reçois**	vous	**recevez**
	il/elle/on	**reçoit**	ils/elles	**reçoivent**
Passé composé	j'ai	**reçu**		

Other verbs conjugated like **recevoir** are:

apercevoir	*to see, catch sight of*	**J'ai aperçu** Sylvie ce matin.
s'apercevoir (de)	*to note, notice, realize*	**Je m'aperçois de** mon erreur (*mistake*).

ACTIVITÉ 1   À Paris

Les amis suivants font une promenade à Paris. Dites ce que chacun aperçoit.

⇨ Nathalie / la tour Eiffel   **Nathalie aperçoit la tour Eiffel.**

1. Jean-Paul / Notre-Dame
2. vous / l'Arc de Triomphe
3. nous / le Centre Pompidou
4. mes cousins / leurs amis
5. moi / mon professeur
6. toi / ton oncle

ACTIVITÉ 2   Questions personnelles   OPTIONAL

1. Recevez-vous beaucoup de lettres? De qui?
2. Est-ce que vous recevez vos amis chez vous?
3. Est-ce que vos parents reçoivent souvent leurs amis?
4. Qu'est-ce que vous avez reçu pour votre anniversaire? Et votre frère? Et votre sœur?
5. Qu'est-ce que vous apercevez de la fenêtre de votre chambre?
6. Quand vous faites une erreur (*mistake*) en français, est-ce que vous vous apercevez vite de cette erreur?

B. Les verbes réfléchis: sentiments et réactions

Note the use of reflexive verbs in the following sentences:

Jacqueline **s'inquiète.**	*Jacqueline is getting worried.*
Pourquoi est-ce que tu **t'impatientes?**	*Why are you getting impatient?*

The French often use reflexive verbs to describe how people feel and react.

Vocabulaire spécialisé — Sentiments et réactions

s'amuser	*to have fun*	s'impatienter	*to get impatient*
s'embêter	*to get bored*	s'inquiéter	*to worry*
s'énerver	*to get nervous,*	s'intéresser (à)	*to be interested (in)*
	get upset	se mettre en colère	*to get angry*

You may want to point out the relationship between these verbs and the corresponding nonreflexive verbs: **Je m'énerve.** *I am getting upset.* **Tu m'énerves.** *You are getting me upset.*

ACTIVITÉ 3   Question de tempérament

Lisez ce que font les personnes suivantes. Décrivez leurs réactions. Pour cela, utilisez un verbe réfléchi.

⇨ Nathalie est à une surprise-partie.   **Elle s'amuse.**

1. Jacques ne comprend pas l'examen.
2. Nous attendons un ami qui n'est pas à l'heure.
3. Vous êtes dans une classe qui n'est pas intéressante.
4. Sylvie est avec un garçon pénible.
5. J'apprends que mon frère a eu un accident.
6. Tu es en vacances.
7. Henri est furieux parce que ses amis ont cassé *(broken)* son électrophone.

ACTIVITÉ 4   Questions personnelles   OPTIONAL

1. Est-ce que vous vous amusez en classe? Pourquoi? Pourquoi pas?
2. Est-ce que vous vous embêtez quand vous êtes en vacances? Pourquoi? Pourquoi pas?
3. Est-ce que vous vous énervez facilement *(easily)*? En quelles occasions?
4. Est-ce que vous vous mettez en colère? En quelles occasions?
5. Est-ce que le professeur se met en colère? Pourquoi?
6. Est-ce que vos parents s'inquiètent quand vous n'êtes pas à l'heure?
7. Est-ce que vous vous intéressez à la musique? à la politique? aux sports?

C. Les verbes réfléchis: usage idiomatique

Compare the meanings of the non-reflexive and reflexive verbs in each pair of sentences.

Paul **lave** son chien.	*Paul is washing his dog.*
Ensuite, il **se lave**.	*Then he washes himself.*
J'appelle Lisette.	*I am calling Lisette.*
Je m'appelle André.	*My name is André.* I call myself André.

In the first pair of sentences, the non-reflexive verb and the reflexive verb (**laver** and **se laver**) are closely related in meaning.

However, frequently there is not such a close relationship between the reflexive and the non-reflexive verb. In the second pair of sentences, for instance, the relationship between **appeler** and **s'appeler** is more distant.

Vocabulaire spécialisé Quelques verbes réfléchis et non-réfléchis

appeler	*to call*	**s'appeler**	*to be named*
arrêter	*to arrest,* *stop* (someone, something)	**s'arrêter**	*to stop*
dépêcher	*to dispatch*	**se dépêcher**	*to hurry*
excuser	*to excuse*	**s'excuser**	*to apologize*
marier	*to marry* (two people)	**se marier (avec)**	*to marry* (someone), *get married*
promener	*to walk* (a dog)	**se promener**	*to take a walk, take a ride*
reposer	*to put back*	**se reposer**	*to rest*

You may consider this column optional, for recognition only.

se souvenir (de)	*to remember*

Notes: 1. **Se promener** is conjugated like **acheter**:

Je me promène, vous vous promenez.

2. **Se souvenir** is conjugated like **venir** (see page 91). It is always used reflexively.

Je ne **me souviens** pas **de** votre adresse.

proverbe: *Qui s'excuse s'accuse!*

"*Excuses always proceed from a guilty conscience.*"
(literally: *Who excuses himself accuses himself.*)

The students can relate the English word *souvenir* to the verb **se souvenir de.** You may wish to do a substitution drill with this verb. **Je me souviens de Jacqueline. (nous, vous, tu, Paul, mes cousins) Je ne me souviens pas de Christine. Est-ce que je me**

ACTIVITÉ 5 Oui ou non? souviens de son adresse?

Lisez la description des personnes suivantes et dites si oui ou non elles font les choses indiquées entre parenthèses.

⇨ Betty est très active. (se reposer souvent?)   **Betty ne se repose pas souvent.**

1. Je dors. (se reposer?)
2. Vous accélérez *(accelerate)*. (s'arrêter?)
3. Vous aimez la nature. (se promener dans la forêt?)
4. Tu es chez toi. (se promener?)
5. Paul est impoli *(impolite)*. (s'excuser?)
6. J'ai une excellente mémoire. (se souvenir de tout?)
7. Tu es toujours en retard. (se dépêcher?)
8. Je suis le frère d'Alice Dupont. (s'appeler Louis Dupin?)

Activité 5 practices the verbs in the **Vocabulaire spécialisé.** If the students have difficulty with a specific form, you may have them conjugate the verb aloud.

ACTIVITÉ 6 Questions personnelles   OPTIONAL

1. Est-ce que vous vous excusez quand vous avez tort? quand vous êtes en retard? quand vous faites un faux *(wrong)* numéro au téléphone?
2. Est-ce que vous vous dépêchez quand vous avez un rendez-vous? quand vous avez une classe de français? quand vous êtes en retard?
3. Est-ce que vous vous promenez souvent à pied? où? avec qui?
4. Le week-end, est-ce que vous vous promenez en voiture? avec qui?

5. Avez-vous bonne mémoire? Est-ce que vous vous souvenez de vos amis de l'école élémentaire? de votre première surprise-partie? de votre premier rendez-vous?
6. Comment s'appelle votre meilleur(e) ami(e)?
7. Comment s'appellent vos voisins?
8. Combien d'étudiants dans la classe s'appellent Bob? Combien d'étudiantes s'appellent Susan?

D. L'infinitif des verbes réfléchis

In the sentences on the right the reflexive verbs are used in infinitive constructions. Note the forms of these verbs.

Je **m'amuse** souvent.	Je vais **m'amuser** ce week-end.
Henri ne **s'impatiente** jamais.	Il ne va pas **s'impatienter**.
Annie **se marie**.	Elle veut **se marier** avec Pierre.
Nous **nous promenons**.	Nous aimons **nous promener**.

In negative constructions it is the conjugated verb that is negative.

When the infinitive construction is used in a sentence, the reflexive pronoun must represent the same person as the subject.

Similar infinitive constructions are used after il faut, devoir, pouvoir, avoir besoin de, avoir envie de, and the like.

In a dictionary reflexive verbs are given in the **se** form of the infinitive:

se marier *to get married*   **se laver** *to wash*

You may want to point out that in dictionaries, and in this text's end vocabulary, reflexive verbs are alphabetized under the first letter of the main verb: **se marier** is found under M, **se laver** is found under L.

ACTIVITÉ 7 **L'exemple de Jacqueline**

Les amies de Jacqueline décident de se marier. Dites que chaque amie va se marier à la date indiquée entre parenthèses.

▷ Hélène (en juillet)   **Hélène va se marier en juillet.**

*VARIATION with **vouloir**:*
Hélène veut se marier en juillet.

1. Christine (en août)
2. Michèle (le 15 septembre)
3. Mireille et Colette (le 1er octobre)
4. toi (après les vacances)
5. vous (avant Noël)
6. moi (l'année prochaine)
7. elles (en juin)
8. nous (en mai)

À votre tour **Réactions**   OPTIONAL

Qu'est-ce qui se passe *(What happens)* chez vous quand . . .
    vous rentrez à trois heures du matin?
    votre frère casse *(breaks)* un vase?
    le téléviseur ne fonctionne pas?
Décrivez les réactions des membres de votre famille dans chaque cas. Vous pouvez utiliser les verbes suivants:

    s'énerver / s'impatienter / s'excuser / se mettre en colère / s'amuser

▷ Mes parents **s'impatientent** rarement. Mais quand je rentre à trois heures du matin, mon père **se met en colère** . . .

The purpose of this activity is to practice the uses and forms of reflexive verbs.

Leçon 5

STRUCTURES TO OBSERVE
• use of reflexive verbs to indicate reciprocity
• the **passé composé** of reflexive verbs

Une page de journal

Une page de journal
A page from a diary

Le mariage a finalement eu lieu. Dans son journal, Betty a noté les événements de cette journée mémorable.

aujourd'hui, Jacqueline s'est mariée.

Pour l'occasion, je me suis levée très tôt. Précaution inutile, car la cérémonie a eu lieu avec une heure de retard.° Le coupable,° Jean-Claude, s'est excusé avec une histoire impossible. Monsieur Lefèvre s'est moqué de lui.

Nous nous sommes dépêchés d'aller à la mairie.° Puis nous sommes allés à l'église. Je me suis mise° au premier rang° avec la famille.

À table, je me suis mise à côté de Jean-Claude. (Ou c'est peut-être lui qui s'est mis à côté de moi, je ne me souviens plus.) Nous nous sommes bien amusés pendant le repas. Nous nous sommes raconté des tas d'histoires. Nous nous sommes donné rendez-vous pour samedi prochain. Nous nous sommes donné nos adresses et nous nous sommes promis de nous écrire.

Lisette, qui est une fille insupportable,° m'a demandé de l'inviter à nos fiançailles !° Je me suis bien amusée de cette réflexion.° Qui sait ...?

delay;
guilty one

town hall
sat
row

lots of

mischievous
engagement
comment

Quand est-ce que Betty s'est levée? Pourquoi est-ce que c'est une précaution inutile? Qui s'est moqué de Jean-Claude? Où sont allés les invités? Qu'est-ce que Betty et Jean-Claude ont fait pendant le repas?

OBSERVATIONS Le passé composé des verbes réfléchis
Have the students reread Betty's diary.
Questions
• Quel temps *(tense)* est-ce que Betty utilise, le présent ou le passé composé? (le passé composé)

• Betty utilise un certain nombre de verbes réfléchis au passé composé. Choisissez l'un de ces verbes. Quel auxiliaire (avoir ou être) utilise-t-on pour former le passé composé des verbes réfléchis? (être)

NOTE CULTURELLE

Le repas de noces° Le repas de noces est organisé par° la famille de la mariée.° Il a lieu généralement chez elle, et parfois° au restaurant. C'est un repas très joyeux. On mange bien. On boit bien. Souvent on raconte des histoires et on chante des chansons.° Au dessert, il y a une «pièce montée», c'est-à-dire un gâteau avec une architecture compliquée.°

noces *wedding* **organisé par** *organized by* **mariée** *bride* **parfois** *sometimes* **chansons** *songs* **compliquée** *complicated*

The **pièce montée** is constructed out of small cream puffs held together with a clear sugar glaze. It may be decorated with almonds.

Vocabulaire pratique

NOM:	un événement	*event*	
ADJECTIFS:	prochain	*next*	
	utile ≠ inutile	*useful ≠ useless*	
VERBES:	avoir lieu	*to take place*	Quand **a lieu** l'examen de français?
	donner rendez-vous (à)	*to arrange to meet, make a date*	Paul **a donné rendez-vous à** Caroline.
	se moquer de	*to make fun of*	Pourquoi est-ce que tu **te moques de** moi?
	raconter	*to tell* (a story)	Philippe aime **raconter** des histoires drôles.
EXPRESSIONS:	car	*since, because*	Je vais me coucher **car** il est tard.
	peut-être	*maybe, perhaps*	Vous avez **peut-être** raison.

Note that **peut-être** corresponds word for word to *may-be*.

MOTS APPARENTÉS

French nouns ending in **-oire** often have English cognates in *-ory.*

-oire	↔	-ory		
une hist**oire**	*history, story*		un laboratoire	*laboratory*
la gl**oire**	*glory*		une mémoire	*memory*
			un conservatoire	*conservatory*
			un territoire	*territory*
			un répertoire	*repertory*

Structure

A. Les verbes réfléchis: sens réciproque

Note the use of the reflexive verbs in the following sentences:

Louis aime Jacqueline. } **Ils s'aiment.**   *They love **each other**.*
Jacqueline aime Louis. }

Je téléphone à Betty. } **Nous nous téléphonons.**   *We phone **each other**.*
Betty me téléphone. }

Reflexive verbs may be used to express reciprocal actions or interaction between two or more subjects.

⇨ In French, if a reciprocal action is implied, the reflexive pronoun must be used. (In English the expressions *each other* or *one another* are often omitted.)

Ils **se** rencontrent souvent ici.   *They often meet (**each other**) here.*

Since reciprocal action involves at least two persons, the subject of such reflexive verbs is usually plural. Nevertheless, reciprocal verbs do occur in the singular with **on** (meaning *we*): **Quand est-ce que l'on se rencontre?**

proverbe: Qui se ressemble s'assemble.

"Birds of a feather flock together."
(literally: *People who resemble each other get together.*)

Vocabulaire spécialisé   L'amour et le mariage

NOMS:			
l'amour	*love*	**l'amitié**	*friendship*
le fiancé	*fiancé*	**la fiancée**	*fiancée*
le marié	*groom*	**la mariée**	*bride*
le cadeau	*gift, present*	**l'alliance**	*wedding ring*
le faire-part	*announcement*	**les noces**	*wedding festivities*
le mariage	*marriage, wedding*		

proverbe:

Les petits cadeaux entretiennent l'amitié.

"Small presents keep a friendship alive."

VOCABULARY EXPANSION: **la bague de fiançailles** *(engagement ring)*, **les fiançailles** *(engagement)*, **le témoin** *(best man)*, **la demoiselle d'honneur** *(maid of honor)*, **un époux** *(husband, spouse)*, **une épouse** *(wife)*, **les époux** *(husband and wife)*, **le couple/le jeune ménage** *(young couple)*, **les nouveaux-mariés** *(newlyweds)*, **la lune de miel** *(honeymoon)*, **le voyage de noces** *(wedding trip)*, **la belle-famille** *(the in-laws)*, **le beau-père, la belle-mère, le beau-frère, la belle-sœur, le beau-fils, la belle-fille**

ACTIVITÉ 1 Réciprocité

Louis parle des relations entre ses amis. Jacqueline demande si ces relations sont réciproques *(reciprocal)*. Louis répond que oui. Jouez le rôle de Jacqueline et de Louis, d'après le modèle.

�_____ Jacques invite souvent André.
_____ Louis: **Jacques invite souvent André.**
_____ — Jacqueline: **Est-ce qu'André invite souvent Jacques?**
_____ — Louis: **Oui, ils s'invitent souvent.**

1. Michel téléphone à Georges.
2. Jean-Luc insulte Bernard.
3. Jean-Michel déteste Charles.
4. François aime Monique.
5. Henri parle à Robert.
6. Julien écrit à Martine.
7. Alain connaît Patrick.
8. Gilles répond à Nathalie.
9. Raymond rend visite à Jean-Claude.
10. Marc donne rendez-vous à Louise.
11. Matthieu invite Sophie.
12. Delphine regarde Marc.

VERBES:		
tomber amoureux (de)	*to fall in love (with)*	Paul **est tombé amoureux de** ma cousine.
se fiancer	*to get engaged*	Ils **se fiancent** aujourd'hui.
se marier (avec)	*to get married, marry*	Ils vont **se marier** en juin.
divorcer	*to divorce*	Ils ne vont jamais **divorcer.**

B. Le passé composé des verbes réfléchis (cas général) OPTIONAL

Compare the **passé composé** of reflexive and non reflexive verbs in the following sentences.

NON-REFLEXIVE	REFLEXIVE
Paul **a lavé** sa voiture.	Ensuite il **s'est lavé**. Il ne **s'est pas lavé** au garage.
Tu **as coupé** du pain.	Tu **t'es coupé**. Tu ne **t'es pas coupé** gravement.

The **passé composé** of reflexive verbs is formed as follows:

> subject + **(ne)** + reflexive pronoun + present tense of être + **(pas)** + past participle

> Henri   ne   s'   est   pas   **amusé**.

Note the **passé composé** of **se laver** below. Pay special attention to the endings of the past participle.   At this level you may want to present the question of past participle agreement for recognition only.

Je me suis lavé.
Tu t'es lavé.
Il s'est lavé.

Je me suis lavée.
Tu t'es lavée.
Elle s'est lavée.

Nous **nous sommes lavés.**
Vous **vous êtes lavés.**
Ils **se sont lavés.**

Nous **nous sommes lavées.**
Vous **vous êtes lavées.**
Elles **se sont lavées.**

If **vous** is used in the singular, the past participle has singular endings. **(Monsieur):** **Vous vous êtes lavé.** **(Madame): Vous vous êtes lavée.**

When reflexive verbs are used in the **passé composé**, the past participle endings usually, but not always, reflect the gender and the number of the *subject*.

ACTIVITÉ 2   Impatience

Dites qui s'est impatienté et qui ne s'est pas impatienté à cause de Jean-Claude.

⇨ Jacqueline (non)   **Jacqueline ne s'est pas impatientée.**

1. Monsieur Lefèvre (oui)
2. les cousins de Jacqueline (oui)
3. toi (oui)
4. moi (non)

5. vous (oui)
6. Betty (non)
7. l'oncle de Louis (non)
8. les cousines de Louis (non)

ACTIVITÉ 3   Pas de chance

Paul n'a pas eu de chance aujourd'hui. Expliquez sa journée. Pour cela, mettez les phrases suivantes au passé composé.

⇨ Il se lève tard.   **Il s'est levé tard.**   VARIATION with **vous**: **Vous vous êtes levé tard.**

1. Il se lave.
2. Il se rase.
3. Il se coupe avec son rasoir.
4. Il s'habille rapidement.

5. Il se dépêche.
6. Il tombe.
7. Il se casse *(breaks)* la jambe.
8. Il se souvient que c'est un vendredi 13.

C. Le passé composé des verbes réfléchis (cas particuliers)

There is no agreement of the past participle in two cases.

1. When the reflexive verb is followed by a direct object:

AGREEMENT	NO AGREEMENT
Hélène **s'est coupée.**	Elle **s'est coupé le doigt.**
Nathalie **s'est lavée.**	Elle **s'est lavé les mains.**

2. When the corresponding non-reflexive verb takes an indirect object, that is, when it is followed by **à**, as in **parler à, téléphoner à, écrire à**:

Betty et Jean-Claude **se sont parlé.**
Nous **nous sommes téléphoné.**

The formal rule is that the past participle agrees with the reflexive pronoun if and only if this pronoun is the direct object of the verb. Since many students find this rule too abstract, we have preferred the above explanation, which is more concrete and more practical.

ACTIVITÉ 4   Petite conversation

Demandez à vos camarades si oui ou non ils ont fait les choses suivantes hier.

⇨ Se lever tôt?   —**Est-ce que tu t'es levé(e) tôt?**
    —**Oui, je me suis levé(e) tôt.**
    (Non, je ne me suis pas levé(e) tôt.)

1. se brosser les dents?   no agreement
2. se regarder dans la glace?
3. s'amuser en classe?
4. s'embêter?
5. se promener en ville *(downtown)*?

6. se promener à la campagne?
7. s'acheter des disques?   no agreement
8. se reposer?
9. se coucher tard?

ACTIVITÉ 5   Un roman d'amour *(Love story)*

Marie et Marc-André s'aiment. Racontez leur roman d'amour. Pour cela, mettez les phrases suivantes au passé composé.

⇨ Ils se rencontrent à l'université.   **Ils se sont rencontrés à l'université.**

1. Ils se parlent.
2. Ils se téléphonent.
3. Ils se donnent rendez-vous.
4. Ils s'écrivent des lettres d'amour.

5. Ils se voient tous les jours.   agreement: **Ils se sont vus . . .**
6. Ils se promettent de se marier.
7. Ils se fiancent.   agreement: **Ils se sont fiancés.**
8. Ils se marient.   agreement: **Ils se sont mariés.**

• Items 4, 5, 6: You may want to review the irregular past participles—**écrit, vu, promis.**
• If you do this activity orally, you do not have to bring up the matter of agreement.

À votre tour   **Votre journal**   OPTIONAL

Écrivez une page de journal qui raconte les événements d'une journée
réelle *(real)* ou imaginaire. Mettez votre passage au passé *(in the past)*.
Employez au moins cinq verbes réfléchis. Voici quelques idées:

un mariage
le jour de la rentrée *(first day of school)*
hier
mon premier rendez-vous

Vous pouvez utiliser les verbes réfléchis suivants:

se préparer / s'amuser / se dépêcher / s'habiller / s'impatienter /
se promener / se souvenir

The purpose of this activity is to practice the use of reflexive verbs in the **passé composé.**

Section Magazine

Images de la France **2**

LA FRANCE ET SES PROVINCES

Un jour peut-être vous allez visiter la France. Oui, mais quelle France?
La France urbaine ou la France rurale? La France du Nord° ou la France du Sud?° La France atlantique ou la France méditerranéenne? La France moderne ou la France traditionnelle?

La France est en effet° un pays très varié. Ses régions correspondent aux anciennes° provinces. Chacune de ses provinces a son histoire, ses coutumes,° ses traditions. Voici plusieurs provinces françaises.

Nord *North* **Sud** *South* **en effet** *indeed*
anciennes *former* **coutumes** *customs*

Province
L'ALSACE
LA BOURGOGNE
LA NORMANDIE
LA BRETAGNE
LA TOURAINE
L'AUVERGNE
LA SAVOIE
LA PROVENCE

Relief	Climat	Spécialités régionales	Remarques
montagnes° et plaines	froid en hiver	bière, vins, fromages, choucroute°	Beaucoup d'Alsaciens parlent l'alsacien, un dialecte d'origine allemande. Strasbourg, la capitale de l'Alsace, est un grand centre commercial européen.
plaines et collines°	modéré	vins blancs, vins rouges, escargots,° fondue	Avant d'être une province française, la Bourgogne a été un duché° indépendant. Au XIVᵉ siècle,° la Bourgogne était° l'alliée de l'Angleterre contre° la France.
plaines	modéré	cidre, fromages	C'est en Normandie que les troupes américaines ont débarqué° en juin 1944.
côtes° et collines	modéré	poissons, crêpes bretonnes	Un grand nombre de Bretons parlent le breton, une langue d'origine celtique.
plaines	doux°	vins, fromages	C'est en Touraine qu'on parle le français le plus pur. La Touraine est une région où il y a beaucoup de châteaux.° Cette région est appelée «le jardin de la France».
plaines et montagnes	froid en hiver	fromages, jambon	L'Auvergne est la région d'origine de La Fayette, héros de l'Indépendance américaine.
montagnes	froid en hiver	fromages, fondue	Avant d'être française, la Savoie était italienne.
côtes, montagnes et vallées	doux en hiver, chaud en été	fruits, légumes, vins, bouillabaisse°	Au premier siècle avant Jésus-Christ, la Provence était une province de l'Empire romain.° Il y a beaucoup de vestiges° romains en Provence.

montagnes *mountains* **choucroute** *sauerkraut* **collines** *hills* **escargots** *snails* **duché** *dukedom* **siècle** *century* **était** *was* **contre** *against* **ont débarqué** *landed* **côtes** *coasts* **doux** *mild* **châteaux** *castles* **bouillabaisse** *fish chowder* **romain** *Roman* **vestiges** *ruins*

Le Tour de France

Les Français sont de grands amateurs° de sport et pour les amateurs de sport, chaque saison a son sport particulier. En automne, les Français ont la passion du football. En hiver, ils ont la passion du ski. En été, ils ont la passion du cyclisme. Le grand événement est le Tour de France. Le Tour de France est la plus grande course° cycliste du monde.° C'est aussi la plus longue et la plus difficile.

Les participants Chaque année, 120 coureurs° participent au Tour de France. Ces coureurs sont répartis° en dix équipes° différentes. La majorité des coureurs sont français, mais il y a aussi des Italiens, des Belges, des Allemands, des Luxembourgeois, des Hollandais, des Anglais. Ce sont les meilleurs coureurs du monde.

Une course d'endurance Le Tour de France est une course d'endurance. Il commence le 25 juin et finit généralement le 20 juillet à Paris.

Pendant ces quatre semaines, les coureurs vont parcourir° 3.500 kilomètres.

La course est divisée° en 20 «étapes»° de 150 à 300 kilomètres. Les étapes les plus difficiles et les plus dangereuses sont les étapes de montagne.° Beaucoup de coureurs abandonnent dans les Alpes ou les Pyrénées.

Le maillot° jaune À la fin de chaque étape, les officiels établissent le classement° général. Ce classement est basé sur le temps total de tous les coureurs. Le premier au classement général est le coureur qui a le temps total minimum. Ce coureur porte le fameux «maillot jaune».

Le grand spectacle Le Tour de France n'est pas seulement un événement sportif. C'est aussi une grande fête° populaire . . . et commerciale.

Allons sur le passage° du Tour de France. Des milliers° de personnes attendent les coureurs. Beaucoup de spectateurs écoutent leurs transistors. Une moto de la police passe. «Est-ce qu'ils

amateurs *enthusiasts* **course** *race* **du monde** *in the world* **coureurs** *racers* **répartis** *divided* **équipes** *teams*

parcourir *to cover* **divisée** *divided* **étapes** *segments* **montagne** *mountain* **maillot** *jersey* **classement** *ranking* **fête** *holiday* **passage** *route* **Des milliers** *Thousands*

188

Le Tour 1980 en chiffres°

Nombre de coureurs: 130

Date de départ:°
le 26 juin à Francfort (Allemagne)

Date d'arrivée:°
le 20 juillet à Paris

Distance totale:
3.895 kilomètres

Nombre d'étapes: 22

Étape la plus longue:
276 kilomètres

Temps du vainqueur:°
109 heures, 19 minutes,
    14 secondes

Nom du vainqueur:
Joop Zoetemelk (Hollande)

chiffres *statistics* **départ** *start*
arrivée *finish* **vainqueur** *winner*

arrivent?» «Oui, ils arrivent!» Mais les coureurs n'arrivent pas. Ils sont loin encore.° Avant,° il y a la «Caravane du Tour». Dans cette caravane il y a les voitures publicitaires° qui distribuent des ballons, des tee-shirts, des posters, des chapeaux en papier . . . Il y a des vendeurs de souvenirs qui vendent la photo des coureurs . . . Il y a les voitures officielles.

Finalement les premiers coureurs arrivent. Ils sont dix. Il y a des maillots verts, des maillots bleus, des maillots rouges, mais le «maillot jaune» n'est pas là. Où est-il? Ah, le voilà! Les spectateurs applaudissent.

D'autres° coureurs passent en groupe. Puis, il y a des coureurs isolés.° Ces coureurs semblent très fatigués. Les spectateurs les encouragent. «Vas-y!»° «Bravo!» Puis, il y a d'autres voitures. Finalement la «voiture-balai»° arrive. Dans cette voiture, il y a les coureurs qui ont abandonné. C'est la dernière voiture.

Le spectacle est fini . . . jusqu'à° l'année prochaine.

encore *still* **Avant** *First* **publicitaires** *advertising products* **D'autres** *Other* **isolés** *alone, by themselves* **semblent** *seem* **Vas-y!** *Go!* **balai** *broom* **jusqu'à** *until*

Les parties de la bicyclette

1. la selle
2. le cadre
3. le guidon
4. le frein (la poignée de frein)
5. la roue
6. le rayon
7. le garde-boue
8. le pédalier
9. la pédale
10. la chaîne
11. le changement de vitesse (le dérailleur)
12. le porte-bagages
13. le pneu
14. le phare

189

La Bretagne mystérieuse

Cette année Christine passe ses vacances en Bretagne chez son oncle
André. C'est la première fois° qu'elle visite cette province de l'ouest° de la
France. Un jour, Christine et son oncle font une promenade à la campagne.
Ils passent dans un champ° où Christine remarque une pierre° de très
grandes dimensions. La présence de cette pierre intrigue° beaucoup
Christine.

    —Oncle André, regarde cette énorme° pierre! Pourquoi est-elle placée au
milieu d'un champ?

    —Cette «énorme pierre», comme° tu dis, n'est pas une pierre ordinaire.
C'est un monument préhistorique. Il y a des milliers° de pierres sem-
blables° en Bretagne. La pierre que tu vois n'a pas été placée ici par
hasard.° Un peuple° d'origine inconnue° l'a transportée dans ce champ il y
a quatre mille ans.° Comment? Pourquoi? C'est encore° un mystère. Tiens,
si tu t'intéresses à la préhistoire, nous pouvons aller à Carnac dimanche
prochain.

time; west

field; rock
puzzles

enormous

as
thousands
similar
by chance; people;
unknown
4000 years ago;
still

Pour l'amateur° de préhistoire, Carnac offre un spectacle extraordinaire. On trouve en effet° dans ce petit village breton plusieurs milliers de «mégalithes», c'est-à-dire° des pierres de dimensions gigantesques. Christine a demandé des précisions° sur leur origine. Voici ce que son oncle lui a dit:

    «Ces pierres sont les seuls° vestiges° laissés° par les premiers habitants de la Bretagne. On ne connaît rien, ou presque° rien de ce peuple primitif. On sait seulement qu'il est venu en Bretagne entre 3.500 et 1.800 avant Jésus-Christ, et qu'il a mystérieusement disparu.° Les historiens et les archéologues ne sont pas d'accord sur la signification° des monuments qu'il a construits. D'après leurs formes, on a classé° ces monuments en deux catégories . . .

Des menhirs   *Un dolmen*

Les menhirs sont d'immenses pierres verticales. Certains° menhirs pèsent° plus de 300 tonnes. La plupart° des menhirs sont isolés.° On les trouve souvent près d'une rivière ou dans un champ. Que représentent ces menhirs isolés? Indiquent-ils la présence d'une tombe? Ont-ils un sens° religieux? Ont-ils été utilisés pour des sacrifices? Mystère!

    On trouve aussi des menhirs en groupes compacts. Ils sont généralement disposés° en alignements parallèles comme à Carnac. Certains archéologues affirment que ces menhirs sont orientés astronomiquement. Peut-être représentent-ils les vestiges d'un calendrier solaire° très complexe!

Les dolmens sont d'immenses tables supportées par quatre énormes piliers.° La construction de ces monuments est un exploit extraordinaire. Comment est-ce qu'un peuple sans équipement moderne a réussi cet exploit? Personne ne le sait exactement. Si on ne peut pas expliquer° la construction de ces monuments, on connaît leur usage. Les dolmens ont en effet été utilisés comme chambres funéraires.°

    «Qu'est devenu le peuple bâtisseur° de dolmens et de menhirs? On ne le sait pas. On sait seulement qu'au sixième siècle° avant Jésus-Christ, les Gaulois° sont arrivés dans la péninsule bretonne. Plus tard les légions romaines° ont conquis° la Bretagne. Les Romains ont été intrigués par ces monuments préhistoriques et ils les ont adaptés à leurs rites. On trouve en effet les images de leurs dieux° sculptées sur de nombreux° menhirs bretons. Plus tard les premiers Chrétiens° ont ajouté° des croix,° symboles de leur nouvelle religion. Comme tu vois, ma chère Christine, les menhirs ont toujours été associés à la vie° religieuse de la Bretagne et de ses habitants successifs.»

enthusiast
in fact
that is to say
more information

only; remains; left
almost

disappeared
meaning
classified

Some; weigh
majority
stand alone

meaning

set

solar

pillars

explain

burial
What happened to the builders
century
Gauls
Roman; conquered
gods; numerous
Christians; added; crosses
life

191

La Saint-Vidian

Pierre Bouvier habite à Martres-Tolosane, un petit village des Pyrénées. Ce dimanche, 25 mai, Pierre se lève tôt. Il ouvre la fenêtre. Dehors° le ciel° est bleu, mais le temps est frais.° Un temps idéal pour une bataille!° pense Pierre. Pierre va s'habiller. Il met un large pantalon blanc, une ceinture rouge et une tunique jaune. Sur cette tunique jaune, il y a un croissant° noir. Ce croissant est le symbole de l'Islam, la religion des Musulmans. Pierre va réveiller son frère Philippe. «Alors, tu te prépares pour le combat?» «Quel combat? . . . Ah oui, c'est vrai. C'est aujourd'hui la Saint-Vidian!»

Outside; sky
cool; battle

crescent

Si son frère est Musulman, Philippe, lui, est Chrétien.° Il met un pantalon noir, une tunique bleue marquée d'une croix° jaune et un casque° à crinière° rouge. Les deux frères, ennemis pour un jour, sont maintenant prêts. Ils sortent de chez eux et vont sur la place° de l'église où ils vont rejoindre° leurs armées respectives: Musulmans, ou Sarrasins, à droite, Chrétiens à gauche.

Christian
cross; helmet; crest
square; to join

Le dimanche de la Trinité, le village de Martres-Tolosane célèbre° en effet la fête de son héros et martyr Saint Vidian. Tous les habitants participent à la reconstitution° du combat historique qui oppose Sarrasins et Chrétiens. D'après la légende, ce combat a eu lieu en l'an 780. À cette époque,° Charlemagne est roi° des Francs. Au sud,° le pays est menacé par° une armée sarrasine commandée par un prince musulman, Abou-Saïd. Qui va combattre° les Sarrasins? Vidian, neveu° de Charlemagne, est volontaire. Le jeune chef° chrétien attaque Abou-Saïd. Il est plusieurs fois° victorieux. Mais finalement il tombe dans une embuscade.° Vidian résiste, mais après un long combat, les Sarrasins le capturent et le tuent° . . . C'est ce combat héroïque que les habitants de Martres-Tolosane commémorent annuellement depuis° douze siècles!°

celebrates

reenactment

period; king; south; by
to fight; nephew
chief; times
ambush
kill

for; centuries

La fête° commence à huit heures. Tous les participants, Chrétiens et Sarrasins, assistent à° la messe.° Après la messe, une longue procession s'organise. En tête, il y a la cavalerie française et la cavalerie sarrasine. Puis viennent la musique, la statue de Saint Vidian, les enfants de chœur,° et finalement l'infanterie des deux armées. Tout le monde va jusqu'au° champ° ou le héros chrétien a livré° son dernier combat. La bataille commence.

celebration
attend; Mass

altar boys
up to the; field
fought

La fête finit avec la «course au drapeau».° Un drapeau est planté° au sommet° d'une colline.° Le vainqueur° est le cavalier qui arrive le premier au sommet de la colline et qui prend le drapeau. Qui va gagner la course cette année? Pierre, le Musulman, ou Philippe, le Chrétien?

"flag race"; placed
top; hill; winner

Un peu d'histoire: l'Islam et l'Europe

Septième siècle

Une nouvelle religion naît° dans le Moyen-Orient.° Cette religion s'appelle l'Islam et ses adeptes° s'appellent les Musulmans. Cette religion progresse très rapidement dans le monde° arabe.

Huitième siècle

Les Musulmans arrivent en Afrique du Nord.° D'Afrique du Nord ils passent en Espagne, puis ils pénètrent en France, mais ils sont battus° en 732 par les Français dans la région de Poitiers. Les Musulmans sont chassés de France et retournent en Espagne. (La fête de Saint Vidian est la reconstitution historique d'une bataille de cette époque.)

Huitième siècle au quinzième siècle

En Espagne, les Musulmans développent une civilisation brillante dans leurs royaumes° de Tolède, de Séville, de Grenade, de Cordoue° . . . Finalement les Musulmans sont chassés d'Espagne par les Chrétiens. Les derniers Musulmans quittent l'Espagne en 1492, l'année où Christophe Colomb découvre l'Amérique.

Vingtième siècle

Aujourd'hui, il y a deux ou trois millions de Musulmans en France. Ces Musulmans sont des travailleurs° immigrés° qui viennent principalement d'Algérie et de Tunisie.

naît *is born* **Moyen-Orient** *Middle East* **adeptes** *followers* **monde** *world* **Nord** *North* **battus** *beaten* **royaumes** *kingdoms* **Cordoue** *Córdoba* **travailleurs** *workers* **immigrés** *immigrant*

Anatomie

En français on utilise un grand nombre d'expressions qui font référence à une partie du corps.° Lisez les phrases suivantes. Pouvez-vous trouver l'équivalent (a, b, ou c) des expressions soulignées?° Vérifiez vos réponses à la fin° du texte.

1. Paul n'a pas froid aux yeux.
   - a. Il n'est pas malade.
   - b. Il n'a pas la grippe.°
   - c. Il n'a pas peur.°

2. Jacqueline a le cœur sur la main.
   - a. Elle est très généreuse.
   - b. Elle a beaucoup de petits amis.
   - c. Elle est en mauvaise santé.°

3. Henri fait la tête.
   - a. Il s'intéresse aux choses intellectuelles.
   - b. Il n'est pas content.
   - c. Il est très intelligent.

4. Je ne comprends pas pourquoi vous avez une dent contre° cette personne.
   - a. Vous n'aimez pas cette personne.
   - b. Vous aimez cette personne.
   - c. Vous admirez beaucoup cette personne.

5. Je me lave les mains de vos problèmes.
   - a. Je suis responsable de vos problèmes.
   - b. Je ne veux pas m'occuper de° vos problèmes.
   - c. Je trouve vos problèmes très intéressants.

corps *body*   **soulignées** *underlined*   **fin** *end*
grippe *flu*   **n'a pas peur** *isn't afraid*   **santé** *health*
contre *against*   **m'occuper de** *to take care of*

194

6. Charlotte s'est levée du pied gauche.°
- a. Elle aime marcher.
- b. Elle a mal aux pieds.
- c. Elle est de mauvaise humeur.

7. Je suis allé voir François, mais je me suis cassé le nez.
- a. J'ai eu un accident.
- b. Je n'ai pas trouvé François.
- c. J'ai eu une violente querelle° avec François.

8. Pourquoi est-ce que vous vous faites des cheveux?
- a. Vous vous lavez la tête?
- b. Vous allez chez le coiffeur?
- c. Vous vous préoccupez?°

9. Je n'aime pas les gens qui coupent les cheveux en quatre.
- a. les gens qui ne se peignent pas
- b. les gens qui créent° des complications inutiles
- c. les gens qui portent des perruques°

10. Est-ce que vous vous payez ma tête?
- a. Vous payez pour moi?
- b. Vous vous moquez de moi?
- c. Vous voulez avoir ma photo?

Maintenant vérifiez vos réponses:

1-c, 2-a, 3-b, 4-a, 5-b, 6-c, 7-b, 8-c, 9-b, 10-b

gauche *left*   **querelle** *quarrel*   **vous préoccupez** *are worried*   **créent** *create*   **perruques** *wigs*   **195**

Guillaume le Conquérant (Tapisserie de Bayeux)

Petite histoire de la LANGUE FRANÇAISE

Pourquoi est-ce que le français ressemble à l'italien et à l'espagnol? Pourquoi est-ce que l'anglais contient° beaucoup de mots d'origine française? Pourquoi est-ce que le français est la langue officielle de quinze pays africains? Combien de personnes parlent français dans le monde° d'aujourd'hui?

Pour répondre à ces questions, il est utile d'étudier l'histoire de la langue française. Cette histoire est un peu l'histoire de France.

Le Pont du Gard, acqueduct romain

contient *contains*   **monde** *world*

Premier siècle° avant Jésus-Christ   Les légions de Jules César occupent l'Italie, mais aussi la Gaule (l'ancien° nom de la France) et l'Espagne. Les Romains imposent leur langue, le latin, aux habitants de ces pays. Le français, l'italien et l'espagnol ont donc une origine commune: le latin.

Neuvième au douzième siècle   C'est l'époque des invasions normandes en France. Les Vikings occupent une province française: la Normandie. Les envahisseurs° adoptent la langue et les coutumes° françaises.

Un duc° de Normandie, Guillaume le Conquérant,° envahit° l'Angleterre en 1066. Il défait° Harold, le roi° saxon, et devient roi d'Angleterre. Le français va être la langue officielle de l'Angleterre pendant trois siècles.

Du treizième au seizième siècle   À cette époque, le latin est encore une langue très importante en France. C'est la langue des étudiants. C'est aussi la langue des médecins, des juristes et des savants.° Mais peu à peu, le latin perd son importance. En 1539, une ordonnance° royale rend° le français obligatoire dans la rédaction° des actes publics.° Le français devient vraiment la langue officielle de la France.

siècle *century*   **ancien** *former*   **envahisseurs** *invaders*
coutumes *customs*   **duc** *duke*   **Guillaume le Conquérant**
William the Conqueror   **envahit** *invades*   **défait** *defeats*
roi *king*   **savants** *scientists*   **ordonnance** *order*
rend *makes*   **rédaction** *drawing up*   **actes publics** *legal
documents*

Le philosophe français, Voltaire

Organization des Nations Unies

Dix-huitième siècle Les philosophes, les peintres,° les musiciens français propagent° la culture française dans toute l'Europe. Le français devient la langue universelle de l'élite intellectuelle. On parle français à Paris, mais aussi à Berlin, à Vienne, à Saint-Pétersbourg . . . Un écrivain allemand déplore que ses compatriotes réservent le français pour la conversation et utilisent l'allemand seulement pour parler à leurs chevaux.

Dix-neuvième et vingtième siècles Au dix-neuvième siècle, la France acquiert° un immense empire colonial. Cet empire colonial comprend° l'Afrique du Nord, l'Afrique occidentale,° Madagascar, l'Indochine . . . Au vingtième siècle, les anciennes colonies françaises deviennent des nations indépendantes, mais un grand nombre de ces pays conservent le français comme° langue nationale. Aujourd'hui le français reste une langue internationale très importante. C'est la langue maternelle de plus de cent millions de personnes dans le monde. C'est aussi la langue officielle d'une vingtaine° de pays. Avec l'anglais, c'est l'une des deux langues de travail utilisées aux Nations Unies. Et n'oubliez pas les millions d'élèves qui, comme vous, étudient le français dans les écoles d'Amérique, d'Europe, d'Afrique et d'Asie!

peintres *painters* **propagent** *spread* **acquiert** *acquires* **comprend** *includes* **occidentale** *western* **comme** *as the* **vingtaine** *about twenty*

PROJETS CULTURELS

1. Préparez une carte *(map)* de France. Sur cette carte, indiquez les grandes villes, les fleuves *(rivers)*, le relief. Indiquez aussi les principales industries et les principaux produits *(products)* de chaque région.

2. Choisissez · une province de France. Décrivez cette région. Vous pouvez parler de son histoire, de ses coutumes *(customs)*, de ses centres d'intérêt, de son économie, etc. Préparez une exposition *(exhibit)* sur cette région.

3. Préparez une liste de produits agricoles français vendus aux États-Unis (par exemple, vins, fromages, eaux minérales). Si possible, illustrez cette liste avec des étiquettes *(labels)*. Indiquez l'origine régionale de ces produits sur une carte de France.

4. Imaginez que vous allez passer deux semaines en France cet été. Préparez un itinéraire. Indiquez les régions que vous allez visiter et les monuments que vous allez voir. Expliquez pourquoi vous avez choisi votre itinéraire.

5. Préparez une liste de mots qui sont semblables *(similar)* en français et en anglais. Étudiez les similarités qui peuvent exister entre ces mots et leurs équivalents en espagnol ou en italien. (Vous pouvez faire ce projet en coopération avec des élèves de votre école qui étudient l'espagnol ou l'italien.)

Henri has been hospitalized as a result of a traffic accident. He is visited by the doctor, by the police inspector, and by his girlfriend, Hélène.

OBJECTIVES
Language
  main objective
  • the imperfect: forms and uses (to describe habitual events, the circumstances of an event; contrasted with the **passé composé**)
  other objectives
  • verbs in **-ger, -cer, -yer**
  • present and **passé composé** contrasted
  • **il y a** and **depuis**
Vocabulary
  • time and weather expressions
  • furniture and household equipment

UNITÉ 4
Accident

OPPOSITE: Le grand Menhir, Carnac, Bretagne

Leçon 1

Un rendez-vous manqué

Scène 1.

Il y a deux semaines, Henri a rencontré Hélène dans une surprise-partie.
Il y a dix jours, il lui a téléphoné et ils sont allés au cinéma.
Il y a une semaine, Henri et Hélène ont fait une longue promenade
  ensemble.
Il y a trois jours, Henri a invité Hélène à aller au concert de samedi. Ils se
  sont donné rendez-vous devant la salle de concert.
Hélène attend le concert avec impatience . . . D'accord, elle n'aime pas
  spécialement la musique classique . . . mais elle trouve Henri de plus
  en plus sympathique.

Two weeks ago

Quand est-ce qu'Henri a rencontré Hélène? Quand est-ce qu'ils sont allés au cinéma? Quand est-ce qu'ils ont fait une promenade ensemble? Quand est-ce qu'Henri a invité Hélène à aller au concert? Quelle sorte de concert est-ce que c'est? Pourquoi est-ce qu'Hélène accepte?

Discussion Est-ce que vous allez souvent au concert? Avec qui? Etes-vous patient(e)? Est-ce que vous vous impatientez souvent? Quand vos amis ne sont pas à l'heure, qu'est-ce que vous faites?

Scène 2.

Samedi il fait mauvais *temps*. Il fait froid et il neige.
Le concert commence à deux heures. À deux heures moins le quart,
  Hélène est déjà au rendez-vous, mais Henri n'est pas arrivé. «J'espère
  qu'il va venir bientôt, pense Hélène, parce que moi, je commence à avoir
  froid.»
Hélène regarde sa montre. Il est deux heures vingt maintenant. Le concert
  a commencé, il y a vingt minutes et Henri n'est toujours pas là!
  «Qu'est-ce qu'il fait, *mon Dieu*?» Hélène commence à *trouver le temps
  long*!
Finalement à deux heures et demie, elle va dans un café. Elle *essaie*
  plusieurs *fois* de téléphoner à Henri, mais la *ligne* est *occupée*.
  «Zut, alors!»

weather

Quel temps fait-il samedi? À quelle heure est-ce qu'Hélène arrive au rendez-vous? Est-ce qu'Henri est à l'heure? À quelle heure commence le concert? Qu'est-ce qu'Hélène fait dans le café?

my goodness; be impatient

tries; times; line; busy

OBSERVATIONS La construction il y a + temps
1. Have the students read the following sentences:
   Il y a dix jours, Henri est allé au cinéma. *Ten days ago, Henri went to the movies.*
   Questions
   • Quand est-ce qu'Henri est allé au cinéma? (il y a dix jours)

NOTE CULTURELLE OPTIONAL

Les rendez-vous En France, quand un garçon sort avec une fille, il ne va généralement pas la chercher chez elle. Très souvent, il lui donne rendez-vous dans un café ou devant un cinéma, un magasin, un monument, etc. . . . En général, les jeunes Français rencontrent leurs copains° dans un endroit public, plutôt que° chez eux. La maison est en effet° un domaine privé,° réservé principalement à la famille.

copains *friends*   **plutôt que** *rather than*   **en effet** *in fact*   **privé** *private*

TOUS LES MATINS
A PARTIR DE 7H30

ils ont rendez-vous avec vous sur

RTL

Vocabulaire pratique

NOM:	**un rendez-vous**	*date, appointment meeting place*	Henri a **un rendez-vous** avec Hélène. Où est **le rendez-vous?**
ADJECTIFS:	**long (longue) ≠ court**	*long ≠ short*	
EXPRESSIONS:	**bientôt**	*soon*	Paul va venir **bientôt.**
	de plus en plus	*more and more*	Anne est **de plus en plus** inquiète.
	déjà	*already*	Vous êtes **déjà** ici!
	ensemble	*together*	Paul et moi, nous allons voyager **ensemble.**
	toujours	*still*	Est-ce que ton frère habite **toujours** à Paris?

Note the English equivalent of **de plus en plus** when short adjectives are used: **de plus en plus** *nicer and nicer.*

MOTS APPARENTÉS

French adjectives in **-ique** often have English cognates in *-ical.*

-ique	↔	*-ical*
class**ique**		*classical*
économ**ique**		*economical*

politique	*political*
historique	*historical*
pratique	*practical*
identique	*identical*
physique	*physical*
psychologique	*psychological*

- Comment dit-on en français *ten days ago?* (il y a dix jours)
- Comment dit-on en français *ago?* (il y a)

Have the students observe that the elapsed time (**dix jours**) comes *after* **il y a**. Have the students find other examples in the *Presentation text* of the construction **il y a** + elapsed time.

- You may want to review other weather expressions on p. 50.
- The use of the imperfect with weather expressions is presented on pp. 220, 222.

Vocabulaire spécialisé — Le temps

la neige *(snow)*
neiger *(to snow):* **Il neige.**
  Hier **il a neigé** aussi.

la pluie *(rain)*
pleuvoir *(to rain):* **Il pleut.**
  Hier **il a plu** aussi.

le vent *(wind)*
Il fait du vent.
  Hier **il a fait du vent** aussi.

le soleil *(sun)*
Il y a du soleil.
  Hier **il y a eu du soleil** aussi.

Note the forms in the near future: **il va neiger, il va pleuvoir, il va faire du vent, il va y avoir du soleil.**

proverbe: *Après la pluie, le beau temps!*

"Every cloud has a silver lining."
(literally: *After the rain, the good weather.*)

VOCABULARY EXPANSION: **le brouillard** *(fog)*—**il y a du brouillard; une tempête** *(storm)*—**il y a une tempête; un orage** *(thunderstorm)*—**il y a un orage.**

ACTIVITÉ 1 Questions personnelles

1. Aimez-vous la neige? Est-ce qu'il y a beaucoup de neige dans la région où vous habitez? Quand? Quelles sont les régions des États-Unis qui reçoivent beaucoup de neige en hiver? Est-ce qu'il a neigé chez vous l'hiver dernier?
2. Est-ce qu'il pleut beaucoup dans votre région? A-t-il plu hier? Est-ce qu'il va pleuvoir demain? Aimez-vous la pluie? Pourquoi ou pourquoi pas? Qu'est-ce que vous faites quand il pleut pendant les vacances?
3. Est-ce qu'il y a du soleil aujourd'hui? À quelle heure est-ce que le soleil se lève *(rise)* maintenant? À quelle heure est-ce qu'il se couche *(set)*? Aimez-vous le soleil? Pourquoi? ou pourquoi pas? Portez-vous des lunettes de soleil en été? Prenez-vous des bains de soleil *(sunbaths)*?
4. Est-ce qu'il fait du vent en ce moment? Est-ce qu'il a fait du vent hier soir?

Structure

A. Les verbes en -ger, -cer, -yer

Note the forms of the verbs **nager** *(to swim)*, **commencer** *(to begin)*, and **payer** *(to pay)*.

Infinitive	nager		commencer		payer	
Present	je	**nage**	je	**commence**	je	**paie**
	tu	**nages**	tu	**commences**	tu	**paies**
	il/elle/on	**nage**	il/elle/on	**commence**	il/elle/on	**paie**
	nous	**nageons**	nous	**commençons**	nous	**payons**
	vous	**nagez**	vous	**commencez**	vous	**payez**
	ils/elles	**nagent**	ils/elles	**commencent**	ils/elles	**paient**
Passé composé	j'ai	**nagé**	j'ai	**commencé**	j'ai	**payé**

➪ For verbs ending in **-ger** and **-cer**, the following spelling changes occur before endings that begin with **a** or **o**:

verbs in **-ger**: g → ge   nous na**ge**ons
verbs in **-cer**: c → ç   nous commen**ç**ons

> This spelling change indicates that the sound of the stem remains the same. Note that **-gons** would be pronounced /gɔ̃/ and that **-cons** would be pronounced /kɔ̃/.

➪ For verbs ending in **-yer**, y → i before a silent ending. This occurs in the **je, tu, il,** and **ils** forms of the present tense.

> Sometimes verbs in **-ayer** keep the **y** in the **je, tu, il/elle,** and **ils/elles** forms: **il essaye** or **il essaie**. With verbs in **-uyer** and **-oyer**, the y always changes to i: **il essuie, il envoie**.

Vocabulaire spécialisé Quelques verbes en -cer, -ger et -yer

VERBES EN -cer:

annoncer	*to announce*	La radio **a annoncé** du soleil pour le week-end
commencer	*to begin, start*	Nous **commençons** une nouvelle leçon aujourd'hui.
commencer à + inf.	*to begin to*	Je **commence à** comprendre le français.

VERBES EN -ger:

changer (de)	*to change*	Je vais **changer de** robe.
manger	*to eat*	Nous ne **mangeons** pas de viande.
nager	*to swim*	Aimez-vous **nager?**
voyager	*to travel*	Mes parents **voyagent** beaucoup.

VERBES EN -yer:

envoyer	*to send*	À qui **envoies**-tu cette lettre?
essayer	*to try, try out, try on*	Anne **essaie** une nouvelle robe.
essayer de + inf.	*to try to*	J'ai **essayé de** téléphoner à Marc.
payer	*to pay, pay for*	Henri **paie** les billets pour le concert.

• VOCABULARY EXPANSION: **placer, effacer** *(to erase)*, **remplacer, menacer** *(to threaten)*, **obliger**
• For extra practice, use the sample sentences for substitution drills by varying the subjects.

ACTIVITÉ 2 Oui ou non?

Dites si oui ou non vous et vos amis faites les choses suivantes. Utilisez
nous comme (as the) sujet.

➪ manger bien à la cafétéria? **Oui, nous mangeons bien à la cafétéria.**
(Non, nous ne mangeons pas bien à la cafétéria.)

1. manger souvent au restaurant?
2. changer souvent d'opinion (our mind)? VARIATION with **je**: **Je mange bien à la cafétéria.**
3. voyager en été?
4. envoyer des cartes de Saint Valentin?
5. essayer d'obéir à nos parents?
6. commencer nos classes à dix heures?
7. commencer à bien parler français?

B. L'expression *il y a* + temps

This section allows for a review of the **passé composé.** The uses of
the **passé composé** and of the imperfect are contrasted in Lessons
3 and 4 (pp. 215, 216, 220, 222) of this unit.

Note the use of **il y a** in the following sentences:

J'ai vu Henri **il y a** deux jours.   *I saw Henri two days **ago**.*
Hélène est partie **il y a** dix minutes.   *Hélène left ten minutes **ago**.*
Marc est allé au cinéma **il y a** une semaine. *Marc went to the movies a week **ago**.*
Il y a un an, nous sommes allés à Québec. *A year **ago** we went to Quebec.*

To express *how long ago* a certain event took place, the French use the following construction:

$$\boxed{\textbf{il y a} \quad + \quad \text{elapsed time}}$$

ACTIVITÉ 3 Un programme d'échange

Des étudiants français sont aux États-Unis avec un programme d'échange.
Dites quand chacun est arrivé.

➪ Christine / Boston / 2 semaines **Christine est arrivée à Boston il y a deux semaines.**

1. Philippe / Louisville / un mois   4. moi / Akron / 15 jours
2. nous / San José / 2 mois   5. toi / Indianapolis / un an
3. vous / San Diego / 10 jours   6. Annette et Michèle / Fort Worth / 8 semaines

VARIATION with **visiter**: **Christine a visité Boston il y a deux semaines.**

ACTIVITÉ 4 Et vous?

Dites quand vous avez fait les choses suivantes. Utilisez l'expression **il y a.**

➪ arriver en classe? **Je suis arrivé(e) en classe il y a dix minutes (un quart d'heure, etc.).**

1. prendre le petit déjeuner? j'ai pris . . .   7. acheter un disque? j'ai acheté . . .
2. quitter ma maison? j'ai quitté . . .   8. aller à un concert? je suis allé(e) . . .
3. voir un bon film? j'ai vu . . .   9. lire un livre intéressant? j'ai lu . . .
4. sortir avec mes amis? je suis sorti(e) . . .   10. me réveiller? je me suis réveillé(e) . . .
5. parler au professeur? j'ai parlé . . .   11. me peigner? je me suis peigné(e) . . .
6. écrire à mes grands-parents? j'ai écrit . . .   12. me laver les mains? je me suis lavé les mains . . .

Vocabulaire spécialisé   Expressions de temps

l'heure	*(clock) time*	—Avez-vous **l'heure**? —Oui, il est midi.
l'heure de + inf.	*time to*	C'est **l'heure de** dîner.
à l'heure	*on time*	Quand j'ai un rendez-vous, je suis **à l'heure**.
le temps	*(period of) time*	Je n'ai pas **le temps** de t'écrire.
longtemps	*(for) a long time*	Est-ce que vous avez attendu **longtemps**?
de temps en temps	*from time to time*	Nous allons au concert **de temps en temps**.
tout le temps	*all the time*	Non, je n'étudie pas **tout le temps**.
la fois	*time (occasion)*	C'est **la** dernière **fois** que je t'invite.
combien de fois?	*how many times?*	**Combien de fois** êtes-vous allé au Canada?
une fois	*once, one time*	Je suis allé **une fois** à Québec.
deux fois	*twice*	Cette semaine, je suis allé **deux fois** au cinéma.
plusieurs fois	*several times*	J'ai vu ce film **plusieurs fois**.
parfois	*sometimes*	Êtes-vous **parfois** de mauvaise humeur?
quelquefois	*sometimes*	**Quelquefois** je ne comprends pas mes amis.
autrefois	*in the past*	Cet événement a eu lieu **autrefois**.

Note: Although **heure**, **temps**, and **fois** may all correspond to the English word *time*, they have different uses and *cannot* be interchanged.

You may want to remind the students that **heure** also means *hour* (**Je suis arrivé il y a deux heures**) and that **temps** also means *weather* (**Quel temps fait-il aujourd'hui?**).

proverbe: *Le temps, c'est de l'argent.*

"Time is money."

ACTIVITÉ 5   **Questions personnelles**   OPTIONAL   This activity can be done as a written assignment.

1. Généralement est-ce que vous êtes à l'heure quand vous avez un rendez-vous? quand vous avez une classe? quand vous allez chez le dentiste?
2. Le week-end, avez-vous le temps d'étudier?
3. Allez-vous de temps en temps au cinéma? au concert?
4. Le dimanche, trouvez-vous le temps de lire le journal? de regarder les bandes dessinées? d'aider vos parents?
5. Le mois dernier, combien de fois est-ce que vous êtes allé(e) au cinéma?

OPTIONAL

À votre tour   **Quand?**   This can be done as a written assignment.

Choisissez plusieurs événements importants de votre vie *(life)*. Dites quand ces événements ont eu lieu. Utilisez l'expression **il y a.**

⇨   J'ai fait la connaissance de mon meilleur ami il y a cinq ans.
   J'ai visité Washington il y a six mois.

The purpose of this activity is to practice the construction **il y a** + elapsed time.

1. Have the students read the following sentences:
Hélène était de mauvaise humeur.   *Hélène was in a bad mood.*
Elle avait rendez-vous.   *She had a date.*

Questions
- Est-ce que les phrases expriment *(express)* une situation présente ou passée? (une situation passée)
- Est-ce que le verbe est au passé composé? (non)

Explication

Dans les phrases, le verbe est dans un nouveau temps *(ten...* l'imparfait. L'imparfait est un temps passé. En français, il plusieurs temps pour exprimer le passé

UNITÉ 4
Leçon 2   Mauvaise humeur

Hélène est rentrée chez elle furieuse . . . et trempée!
Son frère Robert lui a demandé pourquoi elle était de mauvaise humeur.

STRUCTURE TO OBSERV
- the imperfect

ROBERT: Qu'est-ce qu'il y a?

HÉLÈNE: Henri est un *mufle*!   *clod*

ROBERT: Pourquoi dis-tu cela? Je *pensais* que tu le trouvais très   *thought*
sympathique.

HÉLÈNE: C'est vrai! Je pensais que *c'était* un garçon formidable . . .   *he was*
jusqu'à cet après-midi!

ROBERT: Qu'est-ce qui est arrivé?

HÉLÈNE: J'*avais* rendez-vous avec lui! Nous avions l'intention d'aller au   *had*
concert à deux heures . . . Et bien, il n'est pas venu, et moi, j'ai
passé une heure *sous* la neige!   *in*

ROBERT: Tu ne lui as pas téléphoné?

HÉLÈNE: *Si*, mais la ligne était occupée!   *Yes*

ROBERT: *Retéléphone-lui!*   *Phone him
again!*

HÉLÈNE: *Pas question!* C'est la dernière fois que je sors avec ce mufle!   *No way!*

Qui est Robert? Qu'est-ce
que Robert a demandé à sa
sœur? Qu'est-ce qu'Hélène
pensait d'Henri avant?
Qu'est-ce qu'elle pense de l...
maintenant? À quelle heur...

est-ce qu'Hélène avait rend...
vous avec Henri? Est-ce
qu'Henri est venu?

NOTE CULTURELLE   OPTIONAL

L'art des insultes On ne traduit pas les insultes d'une langue° à l'autre.° Au sens propre,° par exemple, le mufle° est le museau° d'un animal. Ce mot est aussi une insulte. Un mufle est une personne qui ne connaît pas les bonnes manières.°

Voici d'autres° noms° d'animaux qui sont aussi utilisés comme° insultes:

un âne:° une personne stupide
un chameau:° une personne désagréable

une vache:° une personne très sévère
une poule mouillée:° une personne qui a toujours peur
un cochon:° (sans commentaires° . . .)

langue *language* **l'autre** *the other* **Au sens propre** *Literally* **mufle** *muzzle* **museau** *snout* **manières** *manners* **d'autres** *other* **noms** *names* **comme** *as* **âne** *donkey* **chameau** *camel* **vache** *cow* **poule mouillée** *wet chicken* **cochon** *pig* **sans commentaires** *no comment*

Vocabulaire pratique

Since this lesson introduces a new tense—the imperfect—the vocabulary load is very light.

ADJECTIF:	**trempé** *soaked*	Il pleut et nous sommes **trempés**.
EXPRESSION:	**jusqu'à** *until, up to*	Je travaille **jusqu'à** minuit ce soir.

MOTS APPARENTÉS

The French prefix **re-** or **r-** often corresponds to the English *again* or *back*.

re-, r-	↔	***again, back***	relire	*to read again*
retéléphoner		*to phone **again***	remettre	*to put back*
rappeler		*to call **back***	refaire	*to do again*
			regagner	*to win back*
			récrire	*to write again*

Vocabulaire spécialisé   La narration

VERBES:

arriver	*to happen*	Un accident **est arrivé** ce matin.
avoir lieu	*to take place*	Les Jeux Olympiques **ont lieu** tous les quatre ans.
se passer	*to happen, take place*	Cet événement **s'est passé** à Paris.
raconter	*to tell (about)*	**Racontez**-moi votre voyage au Canada!

EXPRESSIONS:

Qu'est-ce qu'il y a?	*What's wrong? What's the matter?* *What's going on?*
Qu'est-ce qui se passe?	*What's happening?*
Qu'est-ce qui est arrivé? **Qu'est-ce qui s'est passé?**	*What happened?*

proverbe: *Tout arrive à qui sait attendre.*

"All things come to those who wait."
(literally: *All will happen to him who knows how to wait.*)

Structure

A. L'imparfait: formation

The French use several different tenses to talk about past events. One of these is the **passé composé**, which you already know. Another is the *imperfect* (**l'imparfait**). Note the uses of the imperfect in the sentences below.

Hélène **était** de mauvaise humeur.	*Hélène **was** in a bad mood.*
Elle **avait** rendez-vous avec Henri.	*She **had** a date with Henri.*
Ils **voulaient** aller au concert.	*They **wanted** to go to the concert.*

The imperfect consists of *one* word. It is a *simple* tense. Its forms are derived according to the following pattern:

The **passé composé** is a compound tense: it consists of more than one word.

> imperfect stem:
> **nous** form of the present minus **-ons**   +   imperfect endings

The chart below shows the imperfect forms of four types of verbs. Pay attention to the stem and the endings.

Type of verb	REGULAR-**er**	REGULAR-**ir**	REGULAR-**re**	IRREGULAR	IMPERFECT ENDINGS
Infinitive	parler	finir	vendre	faire	
Present	nous parlons	finissons	vendons	faisons	
Imperfect	je parlais	finissais	vendais	faisais	-ais
	tu parlais	finissais	vendais	faisais	-ais
	il/elle/on parlait	finissait	vendait	faisait	-ait
	nous parlions	finissions	vendions	faisions	-ions
	vous parliez	finissiez	vendiez	faisiez	-iez
	ils/elles parlaient	finissaient	vendaient	faisaient	-aient

For practice with imperfect forms, you may ask the students to conjugate the imperfect of **habiter** (j'habitais), **choisir** (je choisissais), and **attendre** (j'attendais).

Stem

The stem of the imperfect is derived from the **nous**-form of the present for *all* verbs, regular and irregular, with the exception of **être**. Note how this works in the following instances:

You may want to point out:
nous étudions → j'étudiais
nous étudiions

The imperfect forms of **être** are taught in Structure B.

(1) -**er** verbs with stem changes

	PRESENT		IMPERFECT
acheter:	nous **achet**ons	→	j'**achet**ais
appeler:	nous **appel**ons	→	j'**appel**ais
espérer:	nous **espér**ons	→	j'**espér**ais
essayer:	nous **essay**ons	→	j'**essay**ais

Remind the students that **g → ge** and **c → ç** before **a** or **o**.

(2) **-er** verbs with spelling changes

<table>
<tr><td>**nager:**</td><td>nous **nage**ons</td><td>→ je **nage**ais</td></tr>
<tr><td>**commencer:**</td><td>nous **commenç**ons</td><td>→ je **commenç**ais</td></tr>
</table>

But: nous nagions, vous nagiez; nous commencions, vous commenciez.

(3) irregular verbs

You may ask the students to derive the imperfect forms of other irregular verbs:

écrire:	nous **écriv**ons	→ j'**écriv**ais
lire:	nous **lis**ons	→ je **lis**ais
prendre:	nous **pren**ons	→ je **pren**ais
voir:	nous **voy**ons	→ je **voy**ais
connaître:	nous connaissons	→ je connaissais
savoir:	nous savons	→ je savais
recevoir:	nous recevons	→ je recevais

boire:	nous buvons	→ je buvais
devoir:	nous devons	→ je devais
vouloir:	nous voulons	→ je voulais
conduire:	nous conduisons	→ je conduisais
pouvoir:	nous pouvons	→ je pouvais
venir:	nous venons	→ je venais
mettre:	nous mettons	→ je mettais
sortir:	nous sortons	→ je sortais
dormir:	nous dormons	→ je dormais

Endings

The imperfect endings (**-ais, -ais, -ait, -ions, -iez, -aient**) are the same for all verbs.

The endings **-ais, -ait,** and **-aient** are pronounced the same.

Interrogative and negative forms

The interrogative and negative forms of the imperfect follow the regular patterns.

INTERROGATIVE

Est-ce que tu avais un vélo?

Alliez-vous souvent au cinéma?

NEGATIVE

Non, **je n'avais pas** de vélo.

Non, **nous n'allions jamais** au cinéma.

ACTIVITÉ 1   La panne d'électricité *(The power failure)*

Activités **1, 2,** and **3** practice the imperfect forms of regular verbs, in both affirmative and negative sentences.

Il y a eu une panne d'électricité hier. Dites qui regardait la télé et qui ne regardait pas la télé à ce moment-là. Utilisez l'imparfait de **regarder la télé** dans des phrases affirmatives ou négatives.

▷ Hélène (non)   **Hélène ne regardait pas la télé.**

1. Robert (oui)
2. Anne et Louise (oui)
3. nous (non)
4. moi (non)
5. toi (non)
6. vous (oui)
7. mes parents (non)
8. le professeur (oui)

ACTIVITÉ 2   Pendant la classe de français

Personne n'écoutait le professeur. Chacun faisait autre chose *(something else)*. Dites ce que chacun faisait.

▷ Paul / regarder Thérèse   **Paul regardait Thérèse.**

1. Thérèse / se regarder dans une glace
2. Jacques / manger du chocolat
3. nous / penser au week-end
4. vous / vous amuser
5. mes amis / s'embêter
6. toi / te couper les ongles
7. vous / parler à vos amis
8. moi / finir le problème de maths
9. nous / finir les exercices d'anglais
10. Éric et Lucie / attendre la fin *(end)* de la classe

ACTIVITÉ 3 La tempête de neige *(Blizzard)*

À cause de la tempête de neige, tout le monde était *(was)* à la maison hier.
Dites si oui ou non les personnes suivantes faisaient les choses indiquées
entre parenthèses.

▷ Jacques (jouer au football)   **Non, Jacques ne jouait pas au football.**
  Sylvie (regarder la télé)   **Oui, Sylvie regardait la télé.**

1. Marie (préparer le dîner)
2. nous (aller au cinéma)
3. vous (jouer au volley)
4. toi (te promener en voiture)

5. moi (visiter le musée)
6. Charles (attendre le bus)
7. Isabelle (aider sa mère)
8. mon père (préparer le dîner)

Activités 4 and 5 practice the imperfect forms of irregular verbs. As a warm-up you may ask the students first to form sentences in the present using **nous**. Example: **faire du sport? Nous faisons du sport.**

ACTIVITÉ 4 Petite conversation

Demandez à vos camarades si oui ou non ils faisaient les choses suivantes
pendant les vacances l'année dernière.

▷ faire du sport?   **—Est-ce que tu faisais du sport pendant les vacances?**
           —Oui, je faisais du sport.
          (Non, je ne faisais pas de sport.)

1. faire de la voile?   . . . pas de voile
2. aller souvent au cinéma?
3. sortir souvent?
4. lire beaucoup?
5. voir tes amis le week-end?

6. avoir beaucoup de rendez-vous?
7. boire beaucoup de thé glacé *(ice tea)*?
8. te lever tôt?
9. dormir bien?

ACTIVITÉ 5 Il y a trois ans . . .   OPTIONAL   This activity can be done as a written assignment.

Dites ce que vous faisiez il y a trois ans.

1. Dans quelle ville habitiez-vous?
2. À quelle école alliez-vous?
3. Quels programmes de télé préfériez-vous?
4. Où passiez-vous les vacances?
5. Aviez-vous un chat ou un chien? Comment s'appelait-il?
6. Alliez-vous souvent au cinéma? Quels acteurs aimiez-vous?
7. Achetiez-vous des disques? Quels chanteurs *(singers)* aimiez-vous?

B. L'imparfait du verbe *être*

The imperfect of **être** has an irregular stem but uses regular endings.

j'	étais	*I was*	nous	étions	*we were*
tu	étais	*you were*	vous	étiez	*you were*
il/elle/on	était	*he/she/one was*	ils/elles	étaient	*they were*

ACTIVITÉ 6 Excuses

Les élèves suivants n'étaient pas en classe hier. Dites pourquoi.

⇨ Marc / chez le médecin   **Marc n'était pas en classe. Il était chez le médecin.**

1. moi / chez le dentiste
2. Jacques / malade (*sick*)
3. nous / fatigués
4. toi / à l'hôpital
5. vous / en vacances
6. mes cousins / au cinéma

C. Oui ou si?

The answers to both questions below are affirmative. Compare the expressions in heavy type.

—Tu **étais** au théâtre à deux heures?   *You **were** at the theater at two?*
—**Oui**, j'étais là à deux heures moins dix.   *Yes, I was there at ten of two.*

—Tu **n'étais pas** au match de football?   *You **weren't** at the soccer game?*
—**Si**, j'étais là.   *Yes, I was there.*

Si is used instead of **oui** to answer a negative question or to contradict a negative statement.

ACTIVITÉ 7 Expression personnelle

Imaginez qu'un étudiant vous pose les questions suivantes. Répondez-lui affirmativement. Utilisez **si** ou **oui**.

⇨ Tu n'es pas américain?   **Si, je suis américain!**

1. Tu parles anglais?
2. Tu aimes les sports?
3. Tu n'aimes pas la musique?
4. Tu n'étudies pas le français?
5. Tu aimes voyager?
6. Tu n'aimes pas nager?

OPTIONAL

À votre tour   À six heures hier

This can be done as a written assignment.

En un paragraphe de dix lignes, dites quelles étaient les occupations (*activities*) de votre famille hier à six heures du soir. Mettez les verbes à l'imparfait. Vous pouvez utiliser les verbes suivants:

parler / travailler / téléphoner / étudier / regarder / écouter /
préparer / dîner / être / avoir / faire / se laver / se promener

⇨ **Mon père regardait la télé. Il y avait un bon film.**

The purpose of this activity is to practice the formation of the imperfect.

OBSERVATIONS L'imparfait
1. Have the students reread Henri's monolog in **Scène 1.**
  • Quels sont les verbes au passé composé?
  • Quels sont les verbes à l'imparfait?

2. Have the students read the following sentences:
  D'habitude . . .   Un jour . . .
  Henri allait en montagne avec ses cousins.   Il est allé seul.
  Il était prudent.   Il n'a pas été prude
  Il ne tombait jamais.   Il est tombé.

UNITÉ 4

Leçon 3   À l'hôpital

STRUCTURE TO OBSERVE
Use of the imperfect to describe
• ongoing actions in the past
• habitual or repeated actions in the past

Scène 1.

Henri ouvre les yeux. Il ne reconnaît pas la chambre où il est. Le *lit* est blanc, les murs sont blancs, la table est blanche. Henri s'aperçoit qu'il est dans un hôpital.

Pourquoi est-il là?

Peu à peu, Henri se réveille et se souvient.

«Hier . . . J'étais chez moi . . . Nous finissions de déjeuner . . . J'ai regardé ma montre . . . Deux heures moins le quart! . . . Déjà! J'avais rendez-vous avec Hélène à deux heures . . . Je savais qu'elle m'attendait . . . Je savais aussi que si je n'étais pas à l'heure, elle allait s'impatienter . . . J'ai pris ma moto parce que je ne voulais pas être en retard . . . Je sortais du garage quand une voiture qui allait assez vite a dérapé et . . .»

bed

Où est Henri? Où était-il
hier? Qu'est-ce qu'il faisait
À quelle heure avait-il
rendez-vous? Pourquoi est-
qu'il a pris sa moto?

Scène 2.

Toc, toc, toc . . .

Un médecin vient d'entrer dans la chambre d'Henri. Il examine le *blessé.* Après son examen, le médecin bavarde avec Henri.

LE MÉDECIN: Ce n'est pas votre premier accident. J'ai remarqué que vous avez une *cicatrice* sur la jambe gauche.

HENRI: Oui, c'est arrivé quand j'avais douze ans. Je passais les vacances dans les Pyrénées chez mes cousins. D'habitude, le week-end, nous allions dans la montagne et nous escaladions les rochers. Mes cousins étaient prudents, mais moi, je n'étais pas toujours très prudent . . . J'aimais prendre des risques! Un jour, j'ai escaladé un rocher très élevé. Je suis tombé et je me suis cassé la jambe gauche.

LE MÉDECIN: Eh bien, cette fois-ci, c'est la jambe droite que vous vous êtes cassée. Ce n'est pas très grave, mais vous allez rester quelques jours à l'hôpital.

injured
patient

scar

Qui entre dans la chambre
d'Henri? Qu'est-ce qu'il fait
Qu'est-ce qu'il a remarqué?
Où est-ce qu'Henri passait le
vacances quand il avait douz
ans? Qu'est-ce qu'il faisait le
week-end? Qu'est-ce qu'il
aimait faire? Qu'est-ce qu'il
a fait un jour?

uestions
Quel temps est utilisé pour décrire ce qu'Henri faisait d'habitude? (l'imparfait)
Quel temps est utilisé pour décrire ce qu'il a fait un certain jour? (le passé composé)

NOTE CULTURELLE   OPTIONAL

Les Pyrénées Les Pyrénées sont des montagnes élevées qui forment frontière° entre la France et l'Espagne. Pour les sportifs,° c'est une région idéale. En été, on peut faire des longues promenades en montagne. En hiver, on y° fait du ski.

frontière *border*   **sportifs = personnes qui aiment les sports**
y *there*

Vocabulaire pratique

Have the students locate **les Pyrénées** on the map of France, p. iii.

NOMS:	un examen *exam*	la montagne *mountain(s)*	
	un rocher *rock, boulder*		
ADJECTIFS:	élevé ≠ bas (basse) *high ≠ low*		
	gauche ≠ droit *left ≠ right*		
	prudent ≠ imprudent *careful ≠ careless*		
VERBES:	bavarder	*to talk, chat*	Avec qui est-ce que Nicole **bavarde?**
	casser	*to break*	Zut! J'ai **cassé** ta radio.
	se casser (la jambe)	*to break (one's leg)*	Je **me suis cassé** la jambe.
	déraper	*to skid*	La voiture **a dérapé** sur la neige.
	escalader	*to climb*	N'**escaladez** pas ces rochers!
	examiner	*to examine*	Je vais **examiner** ce problème.
EXPRESSIONS:	d'habitude	*usually*	Que fais-tu **d'habitude** le week-end?
	peu à peu	*little by little*	La nuit tombe **peu à peu.**

MOTS APPARENTÉS

«Faux amis» *(False cognates)* False cognates are words which look alike in French and English but which have totally different meanings.

to bless = bénir
to attend = assister à

blesser	does not mean	"to bless"	but	*to injure, hurt*
attendre	does not mean	"to attend"	but	*to wait (for)*

rester = *to stay* not "to rest" (se reposer)
demander = *to ask (for)* not "to demand" (exiger)
la figure = *face* not "figure" (la forme/la silhouette)
le pain = *bread* not "pain" (la douleur)

Vocabulaire spécialisé   L'équipement de la maison

dans la chambre

une lampe
un téléphone
un poster
une affiche
une machine à écrire
un lit
une commode
une chaise
un bureau

dans la cuisine

un placard
un réfrigérateur
une cuisinière
un lave-vaisselle
plural: des lave-vaisselle
une machine à laver

au salon

un tableau
une table
une bibliothèque
un tapis
un sofa
un fauteuil
une plante
un rideau

un meuble   *piece of furniture*

Note: Remember that nouns which end in **-eau** form their plural in **-eaux**:

un rid**eau**   des rid**eaux**   un tabl**eau**   des tabl**eaux**

VOCABULARY EXPANSION: **une machine à secher** *(clothes dryer)*, **un séchoir** *(hair dryer)*, **une armoire** *(wardrobe)*, **une table de nuit** *(night table)*, **un évier** *(kitchen sink)*, **un buffet** *(sideboard)*, **une baignoire** *(bathtub)*, **une douche** *(shower)*

ACTIVITÉ 1   Questions personnelles

1. Est-ce qu'il y a un sofa dans votre salon? De quelle couleur est-il?
2. Combien de fauteuils est-ce qu'il y a dans votre salon?
3. Est-ce que votre cuisine est bien équipée? Décrivez cet équipement.
4. Décrivez votre chambre. Est-ce qu'il y a des affiches? Que représentent ces affiches?
5. Décrivez la chambre de vos parents.
6. Décrivez les meubles de la salle à manger.

Structure

A. L'usage de l'imparfait: événements habituels

Although the imperfect and the **passé composé** are both used to describe the past, they are not used to describe the same types of events. Compare the use of the imperfect and of the **passé composé** in the following sentences:

Habituellement *(Usually)* . . .
  J'**allais** au cinéma.
  Nous **jouions** au tennis.
  Mes cousins **se levaient** tôt.

Un jour . . .
  Je **suis allé** au concert.
  Nous **avons joué** au volley.
  Ils **se sont levés** tard.

> The **imperfect** is used to describe *habitual or repeated events.*

⇨ Note that in English such events are often described by the constructions "*used to* + verb" and "*would* + verb."

Je **passais** les vacances avec mes cousins.　*I **used to spend** the vacation with my cousins.*
Nous **escaladions** les rochers.　*We **would climb** rocks.*

⇨ In French the *imperfect* is often used with expressions such as **habituellement, d'habitude, généralement, le lundi** (on Mondays), **le matin** (in the mornings), since these expressions imply habitual or repeated events.
  Review **le lundi:** *(on) Mondays* vs. **lundi:** *(on) Monday.*

> The **passé composé** is used to describe *events which are specific and isolated.*

Lundi je **suis allé** au théâtre.　*On Monday I **went** to the theater.*
Nous **sommes sortis** une fois ensemble.　*We **went out** once together.*
J'**ai vu** Paul trois fois cette semaine.　*I **saw** Paul three times this week.*

In this example the **passé composé** is used because the three occurrences are considered isolated events. Frequently the choice between the imperfect and the **passé composé** depends on how the speaker views the action: **J'allais souvent au café.** *I often used to go to the café.* **Je suis souvent allé au café.** *I often went (on separate occasions) to the café.*

ACTIVITÉ 2 **Ah, les belles vacances!**

Les vacances sont finies et vous ne faites plus ce que vous faisiez habituellement pendant les vacances. Dites ce que chacun faisait.

⇨ Je ne rentre plus chez moi à deux heures du matin.
  En vacances, je rentrais chez moi à deux heures du matin.

1. Je ne vais plus dans la montagne.
2. Tu n'écoutes plus tes disques.
3. Nous ne faisons plus de pique-niques.
4. Vous ne bavardez plus avec vos cousins.
5. Marie n'escalade plus les rochers.
6. Jean-Michel ne fait plus de planche à voile.
7. Vous ne jouez plus aux cartes.
8. Elles n'écrivent plus de cartes postales.
9. Je ne me promène plus en moto.
10. Nous n'invitons plus nos cousins.
11. Tu n'organises plus de surprises-parties.
12. Hélène ne s'amuse plus avec sa petite cousine.

ACTIVITÉ 3 «Une fois n'est pas coutume (habit).»

Hélène demande à Henri s'il faisait toujours les choses suivantes pendant les vacances. Henri dit qu'un jour il a fait des choses différentes. Jouez le rôle d'Hélène et d'Henri, d'après le modèle.

▷ aller à la piscine (à la campagne)
   Hélène: **Tu allais toujours à la piscine?**
   Henri: **Oui, mais un jour je suis allé à la campagne.**

1. jouer au football (au rugby)
2. déjeuner chez toi (au restaurant)
3. bavarder avec tes amis (avec une jeune Américaine)
4. dîner à sept heures (à neuf heures)
5. sortir avec ta cousine (avec une amie)

6. danser le rock (le cha-cha-cha)
7. aller au cinéma (au concert)
8. rentrer à dix heures (à minuit)
9. se coucher tôt (tard)
10. se lever tôt (tard)

ACTIVITÉ 4 La plage

En été la plage est un endroit très fréquenté (popular). Dites quand les jeunes suivants allaient ou sont allés à la plage. Choisissez entre l'imparfait et le passé composé.

▷ Jacques / l'après-midi   **Jacques allait à la plage l'après-midi.**
   Paul / lundi dernier   **Paul est allé à la plage lundi dernier.**

1. Denis / le matin allait
2. Philippe / le 14 juillet est allé
3. Suzanne / un jour avec son cousin est allée
4. Thérèse / le samedi et le dimanche allait
5. Caroline / le 5 juin est allé

6. Christine / un jour à six heures du matin est allée
7. Charles / un dimanche où il faisait froid est allé
8. Robert / l'après-midi allait
9. Raymond / tous les jours allait

B. L'usage de l'imparfait: actions progressives

Compare the uses of the imperfect and of the **passé composé** in the sentences below.

À neuf heures, je **regardais** la télé.   *At nine, I was watching TV.*
À dix heures, je **suis sorti.**   *At ten, I went out.*

Henri **sortait** du garage,   *Henry was getting out of the garage,*
   quand une voiture **a dérapé.**   *when a car skidded.*

> The **imperfect** is used to describe *actions which were in progress* at a certain point in time.

▷ In English these progressive actions are expressed by the construction *was/were* + verb in *-ing*.

> The **passé composé** is used to describe *specific actions which occurred at a specific time.*

ACTIVITÉ 5   La soucoupe volante (*The flying saucer*)

Les habitants d'un village ont aperçu une soucoupe volante hier soir. Dites
ce que chacun faisait à ce moment-là.

▷ Monsieur Imbert / dîner   **Monsieur Imbert dînait.**

1. Madame Moreau / se promener
2. moi / promener mon chien
3. Jacques / mettre la table
4. Antoinette / écrire une lettre
5. nous / faire les courses
6. vous / préparer le dîner
7. les élèves / étudier
8. toi / te laver
9. Philippe / laver sa voiture
10. vous / vous reposer

à faire

ACTIVITÉ 6   Et vous?   OPTIONAL   This activity can be done as a written assignment.

Dites où vous étiez aux moments suivants. Dites aussi ce que vous faisiez.
Si vous ne vous souvenez pas, inventez!

▷ hier soir, à 9 heures   **J'étais dans ma chambre. Je lisais des bandes dessinées.**

1. ce matin, à 8 heures
2. ce matin, à 7 heures
3. hier soir, à 10 heures
4. hier après-midi, à 5 heures
5. hier à midi
6. il y a deux jours
7. il y a une semaine
8. il y a trois mois
9. il y a un an
10. il y a dix ans

à faire

OPTIONAL

À votre tour   **Avez-vous bonne mémoire?**   This can be done as a written assignment.

Quelles sont les choses que vous faisiez habituellement quand vous étiez
plus jeune . . .

pendant les vacances?	(J'allais dans la montagne avec ma famille . . .)
à la maison?	(Je regardais la télé . . .)
quand vous invitiez des amis?	(Nous bavardions . . .)
avec votre meilleur(e) ami(e)?	(J'allais au cinéma . . .)

qu'est-ce vous faites que

The purpose of this activity is to practice the use of the imperfect.

Leçon 4

La visite du commissaire

Scène 1.

Une infirmière a apporté le journal à Henri.

> **Un jeune motocycliste, première victime de la neige**
>
> Un accident a eu lieu hier après-midi à l'angle du boulevard Victor Hugo et de l'avenue de la République. Une automobile, non-identifiée, a dérapé sur la neige et a renversé un motocycliste. Le motocycliste, Monsieur Henri Poret, un jeune lycéen de dix-sept ans, a été transporté à l'hôpital Pasteur. Son état n'est pas grave. La police fait une enquête.

Qui a apporté le journal? Où a eu lieu l'accident? Où a été transporté le motocycliste? Est-ce que l'accident est sérieux?

lycéen *high school student*

enquête *inquiry*

Scène 2.

Pendant qu'Henri lisait le journal, quelqu'un est entré. C'est le *commissaire* Duclos qui est *chargé de* l'enquête.

police commissioner; in charge of

Qui est entré? Que faisait Henri à deux heures? Quel temps faisait-il? Est-ce que la visibilité était bonne? Quel vêtement portait le conducteur?

LE COMMISSAIRE:

Vous avez eu votre accident hier, n'est-ce pas?

Une voiture vous a renversé boulevard Victor Hugo?

Elle a dérapé et vous êtes tombé?

Avez-vous noté la marque de la voiture?

Avez-vous noté le numéro de la voiture?

Avez-vous vu le conducteur?

Je vous remercie.

HENRI:

Oui, il était deux heures de l'après-midi. J'allais en ville.

Non, c'était dans l'avenue de la République, mais la voiture venait du boulevard Victor Hugo.

Oui, il y avait de la neige.

C'était une voiture anglaise. Je pense que c'était une Jaguar . . .

Non, la visibilité était trop mauvaise.

Oui, c'était un homme assez jeune. Il portait un manteau gris. Il n'y avait pas d'autres passagers dans la voiture.

OBSERVATIONS L'usage de l'imparfait
Have the students reread the dialog between **le commissaire** and Henri.

Questions
• Le commissaire et Henri parlent de l'accident d'hier. Est-ce qu'ils parlent au présent ou au passé? (au passé)
• Le commissaire décrit des faits précis (ce que la voiture a fait, etc.) et pose des questions sur ces faits. Quel temps utilise le commissaire: le passé composé ou l'imparfait? (le passé composé)
• Henri parle des circonstances de l'accident (le temps qu'il faisait, etc.). Quel temps utilise Henri: le passé composé ou l'imparfait? (l'imparfait)

NOTE CULTURELLE   OPTIONAL

Le nom° des rues en France   En général, les rues françaises portent° le nom de personnes célèbres° ou d'événements historiques. À Paris, par exemple, il y a une avenue Victor Hugo et un boulevard Pasteur. Victor Hugo (1802–1885) est un écrivain.° Louis Pasteur (1822–1895) est le chimiste° qui a inventé la «pasteurisation».

nom *name*   **portent** *bear*   **célèbres** *famous*
écrivain *writer*   **chimiste** *chemist*

Victor Hugo was a prolific poet, playwright, and novelist ("Les Misérables," "Notre-Dame de Paris").

Vocabulaire pratique

NOMS:	un angle	*corner*	une avenue	*avenue*
	un boulevard	*boulevard*	une conductrice	*driver*
	un conducteur	*driver*	une marque (de voiture)	*make (of car)*
	un numéro	*number*	une rue	*street*
			une victime	*victim, casualty*

The word **victime**, like the word **personne**, is always feminine, even if used to refer to a male.

ADJECTIFS:	autre ≠ même	*other ≠ same*	Est-ce que c'était une **autre** voiture ou la **même** voiture?

VERBES:	noter	*to mark (write) down, note*	J'ai **noté** ton adresse dans mon cahier.
	remercier (de)	*to thank (for)*	Je te **remercie** de ta carte postale.
	renverser	*to knock over, knock down*	Le chat **a renversé** le vase.

The expression **pendant** is followed by a noun. The expression **pendant que** is followed by a clause—that is, by a subject and a verb.

EXPRESSIONS:	en ville	*downtown*	Hélène attendait Henri **en ville**.
	pendant	*during, for*	Le commissaire m'a parlé **pendant** dix minutes.
	pendant que	*while*	**Pendant que** tu lisais, le chat dormait.

Notes: 1. **Autre** can be used as follows:

un autre, une autre + noun (singular)	*another*	Voici **un autre** exemple.
pas d'autre + noun (singular)	*not another, no other*	Il n'y avait **pas d'autre** solution.
d'autres + noun (plural)	*(any) other*	Avez-vous **d'autres** suggestions?

2. Both **autre** and **même** may be used alone as pronouns.   That is: to replace nouns.

l'autre, les autres	*the other (one), the others*	Voici un vélo. Où est **l'autre**?
un/une autre, d'autres	*another (one), others*	Voilà **un autre** là-bas.
le/la même, les mêmes	*the same one, the same ones*	Tu aimes ce sac? J'ai **le même**.

The indefinite adjective **autre** may be used with other determiners: definite article (**l'autre livre**), demonstrative adjective (**cet autre livre**), possessive adjective (**ton autre livre**), and interrogative adjective (**quel autre livre?**).

MOTS APPARENTÉS

A few French words which begin with **é-** have English cognates in *s-*.

é- ↔ s-
un **état**   *state*
les **études**   *studies*

un **étudiant**	*student*
une **éponge**	*sponge*
une **épouse**	*spouse*
un **étranger**	*stranger*
étrange	*strange*
épeler	*to spell*

Structure

A. L'usage de l'imparfait: circonstances d'un événement

Henri's accident is described in the sentences below. Note how the **passé composé** and the *imperfect* are used to talk about this event.

> The **passé composé** is used to describe a well-defined action, completed at a specific point in time. (The mention of time may be omitted.)

Hier, Henri **a eu** un accident.   *Yesterday Henri **had** an accident.*
Henri **a eu** un accident.   *Henri **had** an accident.*

> The **imperfect** is used to describe conditions and circumstances which form the background of another past action.

(1) time and weather:

Il **était** deux heures.   *It was two (o'clock).*
La visibilité **était** mauvaise.   *(The) visibility was poor.*
Il y **avait** de la neige.   *There was snow.*

(2) outward appearance; physical, mental, or emotional state:

C'**était** un homme assez jeune.   *He was a rather young man.*
Il **portait** un manteau gris.   *He was wearing a gray coat.*
Il n'**était** pas prudent.   *He was not careful.*

(3) external circumstances:

Il n'y **avait** pas d'autres passagers.   *There were no other passengers.*
La voiture **allait** vite.   *The car was going fast.*

(4) other actions in progress:

Henri **sortait** du garage.   *Henri was going out of the garage.*

Compare the use of the **passé composé** and the *imperfect* in the following sentences:

La voiture **a dérapé** parce qu'il y **avait** de la neige.

action occurring at one point in time: La voiture **a dérapé**. *(The car skidded.)*
background conditions: Il y **avait** de la neige. *(There was snow.)*

Pendant qu'Henri **lisait** le journal, quelqu'un **est entré**.

action occurring at one point in time: Quelqu'un **est entré**. *(Someone came in.)*
background conditions: Henri **lisait** le journal. *(Henri was reading the paper.)*

ACTIVITÉ 1 Rapports de détectives

Que faisaient les criminels quand les détectives les ont arrêtés? Les détectives consultent leurs notes et répondent au commissaire. Jouez le rôle du commissaire et du détective, d'après le modèle.

⇨ Note du détective: Il téléphone.
   Le commissaire: **Que faisait-il quand vous l'avez arrêté?**
   Le détective: **Quand je l'ai arrêté, il téléphonait.**

Notes du détective:

1. Il entre dans un bar.
2. Il parle à un ami.
3. Il joue au poker.
4. Il finit son café.
5. Il va dans une banque.

6. Il est dans un café.
7. Il se peigne.
8. Il a un rendez-vous.
9. Il regarde un magazine.
10. Il attend quelqu'un.

ACTIVITÉ 2 Tout est bien qui finit bien.

Racontez l'histoire d'Henri. Pour cela, combinez les deux phrases avec **parce que** et mettez la nouvelle phrase au passé. La première phrase décrit une action précise: utilisez le **passé composé**. La second phrase décrit les circonstances: utilisez l'**imparfait**.

⇨ Henri se dépêche. Il a un rendez-vous.
   Henri s'est dépêché parce qu'il avait un rendez-vous.

à faire

1. Il prend sa veste. Il fait froid.
2. Il prend sa moto. Il veut être à l'heure.
3. Une voiture dérape. Il y a de la neige.
4. Une ambulance amène Henri à l'hôpital. Il est blessé *(hurt)*.
5. Henri regarde le journal. Il y a la description de l'accident.
6. Le commissaire lui parle. Il veut connaître les détails de l'accident.
7. Henri reste quinze jours à l'hôpital. Il est fatigué.
8. Il aime l'hôpital. Les infirmières sont très sympathiques.

ACTIVITÉ 3 Sorties *(Going out)*

Dites si oui ou non les personnes suivantes sont sorties samedi soir et expliquez pourquoi ou pourquoi pas en fonction des *(depending on the)* circonstances indiquées.

⇨ nous / être malades   **Nous ne sommes pas sortis parce que nous étions malades.**

1. Jacqueline / avoir un rendez-vous
2. vous / vouloir regarder la télé
3. toi / vouloir aller au cinéma
4. moi / être fatigué
5. toi / avoir la grippe *(flu)*
6. mes cousins / n'avoir pas assez d'argent

ACTIVITÉ 4 Êtes-vous un bon témoin *(witness)*? OPTIONAL

Imaginez que vous avez été le témoin de la scène suivante. La police vous pose quelques questions. Répondez.

1. Quelle heure était-il?
2. Est-ce qu'il y avait beaucoup de clients dans la banque?
3. Combien de personnes sont entrées?
4. Comment était l'homme physiquement? Était-il grand ou petit? blond ou brun? Quel âge avait-il?
5. Quels vêtements portait-il?
6. Décrivez l'aspect physique de la femme.
7. Décrivez ses vêtements. Portait-elle une jupe longue ou courte?

8. À qui est-ce que l'employé a donné l'argent?
9. Qu'est-ce que l'homme a fait avec l'argent?
10. Où est-ce que la femme a mis l'argent?

11. Quelle heure était-il quand les deux bandits sont sortis?
12. Quel temps faisait-il?
13. Est-ce qu'il y avait d'autres voitures dans la rue?
14. Qu'est-ce que les bandits ont fait?
15. Décrivez leur voiture.

VARIATION: Have the students bring similar "action" pictures to class, and have them ask their classmates questions like those in this activity.

B. Résumé: l'usage de l'imparfait et du passé composé

In talking about the past, the French use both the imperfect and the **passé composé.** The choice of tense reflects the type of actions or events which are being described.

IMPERFECT	PASSÉ COMPOSÉ
habitual or repeated actions: **Généralement, j'allais** à la plage.	specific and isolated actions: **Je suis allé** deux fois à la piscine.
progressive actions: **Nous dînions . . .**	actions which take place at a given time or for a given period: . . . quand Jacques **a téléphoné.**
circumstances of a main event: **Il neigeait** et il **faisait** du vent.	main event: **Nous n'avons** pas **vu** l'autre voiture.

You may want to point out that the choice of tense depends on the speaker's point of view:

Il a neigé hier.   *It snowed yesterday.* (The snow is the main event.)

Il neigeait hier quand nous sommes sortis.   *It was snowing yesterday when we went out.* (The snow is a circumstance and not a main event.)

222 Unité quatre

Avez-vous bonne mémoire? Essayez de vous souvenir de l'année 1980.

1. Quel âge aviez-vous? Avez-vous invité beaucoup de personnes pour votre anniversaire?
2. Où habitiez-vous? Avez-vous changé de maison cette année-là?
3. À quelle école alliez-vous? Est-ce que vous avez eu des bonnes notes *(grades)* cette année-là?
4. Est-ce que vos parents avaient la même voiture que *(as)* maintenant? Est-ce qu'ils ont changé de voiture cette année-là?
5. Qui était votre acteur favori? Qui était votre actrice favorite? Dans quels films est-ce qu'ils ont joué?
6. Êtes-vous souvent allé(e) au concert? Qui étaient vos musiciens favoris?

OPTIONAL   This can be done as a written assignment.

À votre tour   **Souvenirs** *(Remembrances)*

Racontez l'un des événements suivants, en utilisant au moins 5 verbes à l'imparfait et 5 verbes au passé composé.

Voici les événements:

1. votre dernier dîner de Thanksgiving
2. votre dernière fête de Noël
3. un pique-nique ou une surprise-partie   *à faire*
4. votre anniversaire

Et voici ce que vous pouvez décrire:

Les circonstances . . .

La date: le jour? l'heure?
L'endroit: la ville? chez vous? chez des amis?
Les invités: combien étaient-ils? qui étaient-ils?
Le repas: qu'est-ce qu'il y avait à manger? à boire?

Ce que vous avez fait . . .

À qui avez-vous parlé? De quoi *(About what)* avez-vous parlé?
Qu'est-ce que vous avez mangé? bu?
Y a-t-il eu une surprise? pour vous? pour vos amis?
Qu'est-ce que vous avez fait d'ordinaire? d'extraordinaire?

The purpose of this activity is to practice the use of the imperfect vs. the **passé composé.**

Leçon 5 Réconciliation

STRUCTURES TO OBSERVE
• use of the present with **depuis**
• **rire**

 Hélène a appris l'accident d'Henri. Bien sûr, elle lui a rendu visite.

HÉLÈNE: Alors, tu es ici *depuis* samedi?   *since*

HENRI: Oui, je suis ici depuis le jour de notre rendez-vous *manqué*.   *missed*

HÉLÈNE: Tu ne t'embêtes pas trop ici?

HENRI: Moi? Pourquoi? Depuis que je suis ici, je fais des choses très intéressantes:

>Je lis des romans policiers.
>J'écoute mes disques.
>Je regarde la télévision . . .
>Et je bavarde avec les infirmières! Elles sont très sympathiques et très mignonnes.

HÉLÈNE *(un peu jalouse):* Quand est-ce que tu sors de l'hôpital?

HENRI: Samedi prochain.

HÉLÈNE: Dis, qu'est-ce qu'on va faire samedi soir? Est-ce que tu veux aller danser?

HENRI: Avec ma jambe?

HÉLÈNE: Euh . . . Bon . . . Est-ce que tu veux aller au cinéma? C'est moi qui t'invite!

HENRI: D'accord! Tu sais, Hélène, tu es une fille formidable!

Hélène *rit* et Henri *sourit!*   *laughs; smiles*

Qui a rendu visite à Henri?
Depuis quel jour est-il à l'hôpital?
Qu'est-ce qu'il fait à l'hôpital?
Quand est-ce qu'il va sortir de l'hôpital?
Qu'est-ce qu'Hélène et Henri vont faire samedi soir?

OBSERVATIONS Le présent avec depuis
Have the students read the following sentences:
Henri est à l'hôpital depuis samedi. *Henri has been in the hospital since Saturday.*
Ces phrases décrivent une situation qui dure depuis un certain temps.

Questions
• Quel est le temps du verbe utilisé en français? (le présent)
• Est-ce qu'on utilise le présent en anglais? (Non, on utilise le *present perfect.*)

NOTE CULTURELLE <small>OPTIONAL</small>

Les Français et la lecture° La lecture est un des passe-temps° préférés des Français. Beaucoup de jeunes ont une bibliothèque personnelle. Ils achètent régulièrement des livres et souvent ils reçoivent des livres comme° cadeaux. Quels livres lisent les jeunes Français? Des romans policiers (surtout des romans policiers anglais et américains), des romans historiques, des photo-romans, qui sont des romans illustrés, et parfois aussi des livres sérieux: romans, pièces de théâtre° et essais philosophiques. On lit ces livres à la maison, et aussi dans le train, dans le bus, au café . . . Pour beaucoup de Français, les livres sont d'excellents compagnons.°

lecture *reading* **passe-temps** *pastimes* **comme** *as* **pièces de théâtre** *plays* **compagnons** = **amis**

Vocabulaire pratique

NOMS:	**un roman**	*novel*	
	un roman policier	*detective story*	
ADJECTIF:	**jaloux (jalouse)**	*jealous*	Hélène est un peu **jalouse**, je pense.
EXPRESSION:	**surtout**	*especially, above all*	J'aime **surtout** les romans policiers.

MOTS APPARENTÉS

The ending **-ant** in French often corresponds to the ending *-ing* in English.

-ant	↔	-ing		
intéress**ant**		*interesting*	fascin**ant**	*fascinating*
amus**ant**		*amusing*	trembl**ant**	*trembling*
			irrit**ant**	*irritating*
			choqu**ant**	*shocking*
			charm**ant**	*charming*

Structure

A. Le verbe *rire*

Note the forms of the irregular verb **rire** (*to laugh*).

Infinitive	rire			
Present	je	**ris**	nous	**rions**
	tu	**ris**	vous	**riez**
	il/elle/on	**rit**	ils/elles	**rient**
Imperfect	je	**riais**		
Passé composé	j'ai	**ri**		

proverbe:

*Qui rit vendredi,
dimanche pleurera.*

"*Laugh on Friday, cry on Sunday.*"
(literally: *Who laughs on Friday,
on Sunday will cry.*)

The verb **sourire** (*to smile*) is conjugated like **rire**.

You may want to point out the **nous** and **vous** forms in the imperfect:
nous riions, vous riiez   nous souriions, vous souriiez

Vocabulaire spécialisé   Sourires et larmes (*Smiles and tears*)

NOMS:

le rire	*laughter*	**une larme**	*tear*
un sourire	*smile*	**une plaisanterie**	*joke*

ADJECTIFS:

drôle ≠ **triste**   *funny* ≠ *sad*

VERBES:

plaisanter	*to joke*	J'ai un ami qui **plaisante** tout le temps.
pleurer	*to cry*	Pourquoi est-ce que ton petit frère **pleure?**
rire	*to laugh*	Mes amis **rient** quand je raconte une plaisanterie.
sourire	*to smile*	Pourquoi **souriez**-vous?

EXPRESSION:

C'est dommage!   *What a pity! That's too bad!*

VOCABULARY EXPANSION: **une blague** (*joke, trick*), **jouer un tour à** (*to play a trick on*)

ACTIVITÉ 1   Bonnes et mauvaises nouvelles

Lisez les phrases suivantes. Dites qui rit et qui ne rit pas. Pour cela, utilisez le verbe **rire** au présent ou au passé composé dans des phrases affirmatives ou négatives.

⇨ Paul écoute une histoire drôle.   **Il rit.**

Mélanie a eu un accident.   **Elle n'a pas ri.**

1. Vous voyez un film de Woody Allen.
2. Tu as un «F» en français.
3. J'écoute une plaisanterie.
4. Nous avons renversé un vase.
5. Jacques s'est cassé le bras.
6. Nous nous sommes embêtés.
7. Vous vous êtes amusés.
8. Mes cousins ont perdu leur chien.

B. Le présent avec *depuis*

Read the following pairs of sentences. The first one describes a current situation or action, and the second one tells how long this situation or action *has been going on.* Compare the use of tenses in French and English.

Henri **est** à l'hôpital.	*Henri is at the hospital.*
Henri **est** à l'hôpital **depuis samedi.**	*Henri has been at the hospital since Saturday.*
J'**étudie** le français.	*I am studying French.*
J'**étudie** le français **depuis deux ans.**	*I have been studying French for two years.*
Nous **habitons** à Paris.	*We live in Paris.*
Nous **habitons** à Paris **depuis le 2 juin.**	*We have been living in Paris since June 2.*

To express an action which began in the past and *is continuing* in the present, the French use the construction:

> present **+ depuis +** { starting point in time
> duration of event or situation

If appropriate, you may want to present the construction il y a + duration + que + present: Il y a dix ans que j'habite ici.

⇨ Note the following interrogative expressions:

depuis quand?	*since when?*	**Depuis quand** parlez-vous français?
depuis quelle heure?	*since what time?*	**Depuis quelle heure** travaillez-vous?
depuis combien de temps?	*for how long?*	**Depuis combien de temps** êtes-vous ici?

⇨ Note also the following construction: **depuis que** + subject + verb . . .

Je parle français	*I have been speaking French*
depuis que j'habite à Genève.	*since I have been living in Geneva.*

*You may want to point out that **depuis** is a preposition and is followed by a noun; **depuis que** is a conjunction and is followed by a clause (subject and verb). This is similar to the contrast between **pendant** and **pendant que**. (See the TE note on p. 219.)*

ACTIVITÉ 2 Une interview

Une journaliste interviewe un musicien célèbre *(famous).* Elle lui demande depuis combien de temps il fait certaines choses. Le musicien répond. Jouez le rôle de la journaliste et du musicien, d'après le modèle.

⇨ jouer du piano (15 ans)
   La journaliste: **Depuis combien de temps est-ce que vous jouez du piano?**
   Le musicien: **Je joue du piano depuis 15 ans.**

1. étudier la clarinette (8 ans)
2. donner des concerts (12 ans)
3. faire des disques (10 ans)
4. habiter à Paris (8 ans)
5. voyager (6 ans)
6. venir aux États-Unis (4 ans)
7. jouer avec cet orchestre (2 ans)
8. être marié (un an)

MUSIQUE & DANSE

concerts

TP *mairie de paris*
THEATRE DE LA PLAINE
ORCHESTRE DE CHAMBRE
JEAN-FRANÇOIS GONZALES
HAENDEL - MOZART - J. STRAUSS
GONZALES - Scott JOPLIN
VIVALDI - CELLAC - AUBISON

ACTIVITÉ 3 Petite conversation

Demandez à vos camarades depuis combien de temps certaines actions durent.

⇨ Tu habites ici.   **—Depuis combien de temps est-ce que tu habites ici?**
                               —J'habite ici depuis dix ans.

1. Tu étudies le français.
2. Tu connais ton meilleur ami / ta meilleure amie.
3. Tu joues au baseball.
4. Tu sais nager.
5. Tu as un vélo.
6. Tes parents ont leur voiture.
7. Tes voisins habitent ici.
8. Tu es dans cette classe.

OPTIONAL

À votre tour

This can be done as a written assignment.

1. Autobiographie

Imaginez que vous avez gagné un prix *(prize)* important. Un journaliste vous interviewe. Il vous demande quelles sont vos activités et depuis combien de temps vous les exercez *(have been doing them)*.

Répondez-lui en un paragraphe de 8 phrases. Vous pouvez utiliser les verbes suivants:

habiter / étudier / travailler / avoir / jouer / aller / parler   *Sentence*

⇨ J'habite à la Nouvelle-Orléans depuis un an.
     Je vais à cette école depuis . . .

2. Depuis quand?

Interviewez cinq personnes différentes (vos amis, vos voisins, vos professeurs, d'autres personnes). Demandez à ces personnes depuis combien de temps elles habitent votre ville.

The purpose of this activity is to practice the present with **depuis.**

Comment s'exprimer°

L'étrange histoire du diamant° bleu

diamond

Êtes-vous fataliste? Un peu, peut-être! Alors, lisez l'histoire du diamant bleu. C'est une histoire triste. Le diamant bleu a en effet° la réputation d'apporter la tragédie à ses propriétaires.° Voici les faits:°

as a matter of fact
owners; facts

On ignore° l'origine exacte du diamant bleu. Il vient probablement des Indes. Son premier propriétaire était un voyageur et géographe français, Tavernier, qui l'a acheté en 1642. Quelques années° plus tard, Tavernier a vendu le fameux diamant pour un prix considérable. L'acheteur était un des hommes les plus illustres° et les plus riches de France. Il s'appelait Nicolas Fouquet. C'était le ministre des Finances de Louis XIV. Il donnait de grandes fêtes° dans son château° où il invitait souvent le roi.° Mais Louis XIV n'était pas impressionné° par ces fêtes. Au contraire, il était jaloux.° Il a banni° Fouquet et l'a envoyé en prison. C'est en prison et ruiné que Fouquet est mort en 1680.

= ne connaît pas

years

famous

parties
castle; king
impressed
jealous;
   banished

Les années ont passé. Le diamant est devenu la possession de la Reine° de France. Cette reine s'appelait Marie-Antoinette. Elle avait l'habitude° de porter le diamant aux fêtes qu'elle donnait dans son château de Versailles. Ces fêtes n'ont pas été éternelles. Quelques années plus tard, la Révolution a commencé en France. En 1793, Marie-Antoinette est morte, guillotinée.

Queen
habit

Marie-Antoinette

Un révolutionnaire a acquis° le diamant et l'a vendu à un marchand° d'Amsterdam. Hélas,° le marchand avait un fils qui n'était pas honnête et qui a volé° le diamant. Le marchand d'Amsterdam s'est suicidé.°

acquired
merchant;
   Unfortunately
stole
committed suicide

Le diamant est passé ensuite en Angleterre où il a été acheté par le duc° de Brunswick. Quelques années plus tard, le duc de Brunswick a été chassé de son duché° par Napoléon. Pour seule° fortune, il possédait le fameux diamant qu'il a vendu au roi d'Angleterre, Georges IV.

duke
dukedom
only

Georges IV a eu une vie° misérable. À cause de° ses dépenses° extravagantes, il était détesté par son peuple. Il est mort malade en 1830.

life; Because of
expenses

En 1900, c'était un prince russe° qui possédait le diamant bleu. Un jour, il a prêté le diamant à une amie. Plus tard, il a tué° celle-ci° dans une crise de jalousie.

Russian

killed; = cette
   amie

Les autres propriétaires ont eu, eux aussi, une fin° tragique. Le Sultan de Turquie, Abdul-Hamid, était un tyran. Il a été arrêté, banni, et finalement il est mort en prison. Un riche Espagnol est mort dans un naufrage.°

end

shipwreck

Le dernier propriétaire était un millionnaire américain, MacLean. MacLean aimait les voyages. Un jour il a choisi le bateau le plus luxueux pour rentrer aux États-Unis. Ce bateau s'appelait le Titanic. Le 14 avril 1912, il y avait un grand bal° à bord du Titanic. Soudain,° au milieu de la nuit, le Titanic a heurté° un iceberg et a coulé.° Cette nuit-là, 1.500 passagers ont disparu° dans l'océan Atlantique. Avec eux, MacLean et le fameux diamant bleu. La tragique histoire du diamant bleu et de ses maléfices° venait de prendre fin.

dance; Suddenly
ran into; sank
disappeared

evil spells

Guessing meaning from context

Just as you increase your English vocabulary by guessing the meanings of words from the contexts in which they are used, so you can rely on context in French to figure out the meanings of unfamiliar words. In "**L'étrange histoire du diamant bleu**" you read:

Le Titanic **a heurté** un iceberg et **a coulé**.

Since you know what happened to the ship Titanic, you probably figured out that **heurter** must mean *to run into* and that **couler** must mean *to sink*. Whenever you are fairly confident that you can tell what a new French word means, you don't have to turn to the dictionary.

Guessing meaning from related English words

Sometimes you can guess the meaning of a French word because it looks like an English word to which it is related. For example, you read:

Un révolutionnaire **a acquis** le diamant.

Perhaps the word **acquis** reminded you of "*acquisition*," and then you knew it meant *acquired* or *got*. Similarly, perhaps, the verb **possédait** made you think of the English word "*possession*," and so you figured out that **posséder** meant *to possess* or *to own*.

Use your imagination when you encounter a new word. If you can guess its meaning, and if that meaning fits the context of the sentence, you are beginning to read French the way you read English.

L'ART DE LA LECTURE

Sophie and Christine pay a visit to Madame R, a fortuneteller. Madame R predicts a very interesting vacation for Sophie, but Christine remains unimpressed. Will Madame R's predictions come true?

OBJECTIVES

Language
  main objectives
  • the future: forms and uses
  • introduction to the conditional
  other objectives
  • review of the comparative and superlative
  • interrogative pronouns
Vocabulary
  • adjectives of description used to describe feelings
  • travel and vacations
  • materials

UNITÉ 5
Madame R

OPPOSITE: Tahiti

233

UNITÉ 5
Leçon 1   La fête foraine

La fête foraine
The carnival

Nous sommes le dimanche 3 avril. C'est le premier jour de la fête foraine. À Villeneuve, la fête foraine est toujours un événement important. Pour beaucoup de jeunes, c'est l'événement *le plus* important de l'année. Sophie a décidé d'aller à la fête avec Christine, sa meilleure amie. Les deux filles passent devant un stand très fréquenté. /stãd/

the most

SOPHIE: Tu vois ce stand?

CHRISTINE: Oui, pourquoi?

SOPHIE: C'est le stand de Madame R.

CHRISTINE: De Madame R? Qui est-ce?

SOPHIE: Comment? Tu ne connais pas Madame R? C'est la voyante la plus célèbre de la région!

CHRISTINE: Ah, ah . . . Tu *crois* vraiment *à* ces choses-là?

believe in

SOPHIE: Bien sûr! Pas toi?

CHRISTINE: Voyons, Sophie! Je ne suis pas *aussi crédule que* toi.

SOPHIE: Écoute! Tu es peut-être *plus* rationnelle et plus réaliste *que* moi, mais je suis plus optimiste que toi.

CHRISTINE: Et plus naïve!

SOPHIE: Bon, tu viens, oui ou non?

CHRISTINE: Si tu veux vraiment gaspiller ton argent, je vais t'accompagner! Mais c'est parce que tu insistes.

(en elle-même) Je n'ai peut-être pas *autant d'*imagination *que* Sophie, mais heureusement j'ai plus de *jugement!*

as gullible as
more . . . than

(to herself); as much . . . as
sense

Quelle est la date? Qu'est-ce qui se passe aujourd'hui? Qu'est-ce que Sophie montre à Christine? Qui est Madame R? Qu'est-ce que Christine pense de Sophie? Qu'est-ce que Sophie pense de Christine?

NOTE CULTURELLE OPTIONAL

La fête foraine° Dans les petites villes et les villages de France, l'arrivée° de la fête foraine est un événement important. En général, la fête foraine a lieu à l'occasion d'une fête: fête nationale (le 14 juillet), fête religieuse, fête locale. Elle dure généralement une semaine. Que font les jeunes à la fête foraine? Ça dépend. Les plus jeunes° vont sur les manèges° ou chez le marchand de bonbons.° Les plus grands° vont au stand de tir° ou au dancing.

fête foraine *carnival* **arrivée** *arrival* **plus jeunes** *younger ones* **manèges** *merry-go-rounds* **bonbons** *candy* **plus grands** *older ones* **stand de tir** *shooting gallery*

Vocabulaire pratique

NOMS:	**une fête**	*feast, holiday*
	une voyante	*fortuneteller*
ADJECTIFS:	**célèbre**	*famous*
	fréquenté	*popular, well-attended*
VERBES:	**accompagner**	*to accompany, go along with*	Tu vas m'**accompagner** demain?
	décider (de)	*to decide (to)*	J'ai **décidé de** passer l'été en France.
	gaspiller	*to waste*	Tu ne dois pas **gaspiller** ton argent.
EXPRESSIONS:	**comment?**	*what?*	**Comment?** Je n'ai pas compris ta question!
	voyons!	*come on!*	**Voyons!** Ce n'est pas possible!

MOTS APPARENTÉS

French words containing **gn** often have English cognates with *n*.

gn	↔	n		
accompa**gn**er	*accompany*		un compa**gn**on	*companion*
la li**gn**e	*line*		une vi**gn**e	*vine*
			une monta**gn**e	*mountain*
			l'Espa**gn**e	*Spain*

Structure

A. Les comparaisons avec les adjectifs

This structure was presented in Level 1, p. 202.

Note how comparisons are expressed in the sentences below.

Je suis **plus jeune que** mon frère,
    et je suis **plus optimiste que** lui.
Il est **moins patient que** moi.
Marc est **aussi intelligent que** Claire,
    mais il n'est pas **aussi drôle qu'**elle.

*I am **younger than** my brother,*
    *and I am **more optimistic than** he is.*
*He is **less patient than** I am.*
*Marc is **as intelligent as** Claire,*
    *but he is not **as funny as** she is.*

To express comparisons with adjectives, the French use the following constructions:

+	**plus**			*more . . . than, . . . -er than*
−	**moins** }	+ adjective +	**que (qu')**	*less . . . than*
=	**aussi**			*as . . . as*

➪ *Stress pronouns* are used after **que.**

➪ The comparative of **bon** *(good)* is **meilleur** *(better).*

    Je suis **meilleur** en français **que** ma sœur, mais je suis **moins bon qu'**elle en maths.

Comparisons with adverbs are presented on p. 320.

ACTIVITÉ 1   Questions personnelles

Dans vos réponses, utilisez uniquement *(only)* des pronoms.

1. Êtes-vous plus ou moins âgé(e) que votre meilleur ami?
2. Êtes-vous plus ou moins âgé(e) que votre meilleure amie?
3. En général, êtes-vous plus optimiste que vos amis?
4. D'après vous, est-ce que les jeunes sont plus idéalistes que les adultes?
5. Est-ce que les filles sont plus sportives que les garçons?
6. Est-ce que les filles sont plus généreuses que les garçons?
7. Est-ce que les Français sont plus dynamiques que les Américains?
8. D'après vous, est-ce que les jeunes Françaises sont plus indépendantes que les jeunes Américaines?

This **Vocabulaire** reviews some familiar adjectives (marked with *)
and introduces new ones.

Vocabulaire spécialisé   Quelques adjectifs de description

les personnes

* **fort**	*strong*	≠	* **faible**	*weak*
jeune	*young*	≠	**âgé**	*old*
généreux (généreuse)	*generous*	≠	* **égoïste**	*selfish*
* **riche**	*rich*	≠	**pauvre**	*poor*
* **travailleur (travailleuse)**	*hard-working*	≠	**paresseux**	*lazy*
*		*	**(paresseuse)**	
* **gentil (gentille)**	*nice*	≠	* **méchant**	*nasty, mean*
optimiste	*optimistic*	≠	**pessimiste**	*pessimistic*

An invariable expression does
not take adjective endings.

VOCABULARY REVIEW AND EXPANSION: * **long (longue)** ≠ * **court**; **épais (épaisse)**: *thick* ≠ **mince**; * **bas (basse)** ≠ **élevé, haut**;
dur: *hard* ≠ **mou (molle)**

236   Unité cinq

ACTIVITÉ 2   Opinions personnelles

Comparez les personnes et les choses suivantes.

⇨ Robert Redford / drôle / Woody Allen
Robert Redford est moins (plus, aussi) drôle que Woody Allen.

1. Robert Redford / beau / Woody Allen
2. Muhammad Ali / fort / King Kong
3. Paris / grand / New York
4. la France / grande / les États-Unis
5. la Californie / jolie / la Floride
6. le français / utile / l'espagnol
7. l'argent / important / l'amour
8. la cuisine française / bonne / la cuisine américaine
9. les voitures japonaises / bonnes / les voitures américaines

ACTIVITÉ 3   Le présent et le passé

Comparez le présent et le passé. Pour cela, utilisez l'adjectif suggéré.
Faites une autre phrase en utilisant l'adjectif de sens contraire (opposite meaning).

⇨ les autos / rapides?   **Maintenant, les autos sont plus (moins) rapides qu'autrefois.**
Elles sont moins (plus) lentes.

1. les étudiants / paresseux?
2. les professeurs / gentils?
3. les gens / riches?
4. les jeunes / généreux?
5. les Américains / pessimistes?
6. les maisons / chères?
7. la vie (life) / difficile?
8. les ordinateurs / lourds?
9. les communications / rapides?
10. ma vie / simple?
11. mes amis / patients?
12. moi / fort(e)?

VARIATION reviewing the imperfect: **Les autos étaient moins rapides autrefois.**

Alka-Seltzer
DIGESTION LÉGÈRE, IDÉES CLAIRES

LOTO
LO 181
C'EST FACILE

les choses

*moderne	modern	≠	vieux (vieille)	old	
*facile	easy	≠	* difficile	difficult, hard	
*simple	simple	≠	* compliqué	complicated	
rapide	fast	≠	lent	slow	
*léger (légère)	light	≠	* lourd	heavy	
cher (chère)	expensive	≠	bon marché	cheap, inexpensive	
*vrai	true, right	≠	* faux (fausse)	false, wrong	
utile	useful	≠	inutile	useless	

Note: **Bon marché** is invariable. Its comparative form is **meilleur marché**.

B. Les comparaisons avec les noms

In the following sentences, comparisons are made with nouns.

J'ai **plus d'amis que** Paul.   *I have **more friends than** Paul.*
Mais j'ai **moins d'argent que** lui.   *But I have **less money than** he does.*
Tu as **autant de disques que** moi.   *You have **as many records as** I do.*

To express comparisons with nouns, the French use the following constructions:

+ **plus de (d')**		*more . . . than*	
− **moins de (d')** } + noun + **que (qu')**		*less . . . than, fewer . . . than*	
= **autant de (d')**		*as much . . . as, as many . . . as*	

Remember that stress pronouns are used after **que**.

ACTIVITÉ 4   C'est évident!

This activity can be done as a special challenge exercise: How many sentences can the students make in five minutes?

Comparez les personnes des colonnes A et C. Pour cela, faites deux phrases. Utilisez d'abord le verbe **être** et un adjectif de la colonne B. Ensuite utilisez le verbe **avoir** et un nom de la colonne D. Soyez logique!

A	B		C	D	
Marc	intelligent	travailleur	son frère	l'argent	l'énergie
Anne	riche	paresseux	sa cousine	les idées	les amis
Jean-Pierre	pauvre	gentil	ses amis	l'humour	la patience
	drôle	impatient	ses cousines	les projets	
	ambitieux				

⇨   **Anne est plus pauvre que ses amis. Elle a moins d'argent qu'eux.**

C. Le superlatif   This structure was presented in Level 1, p. 210.

In a superlative construction, one or several individuals are compared with the rest of a group. Note this construction in the following sentences:

Henri est **le garçon le plus travailleur** de la classe.   *Henri is **the hardest working boy** in the class.*
Anne est **la fille la plus gentille** de la classe.   *Anne is **the nicest girl** in the class.*
Michel et Marc sont **les garçons les moins ambitieux.**   *Michel and Marc are **the least ambitious boys.***

In French, the superlative construction is formed according to the following pattern:

le/la/les + { **plus** / **moins** } + adjective		*the most . . . , the . . . -est* *the least . . .*

⇨   The position of the adjective (before or after the noun) is usually the same in the superlative and nonsuperlative constructions.

Louise est une fille **riche.**   C'est la fille **la plus riche.**
Sylvie est une **jolie** fille.   C'est **la plus jolie** fille.

Note that if the adjective comes after the noun in a superlative construction, the definite article is used *twice:* before the noun, and before **plus** or **moins.**

➪ The superlative of **bon/bonne** is **le meilleur/la meilleure** (*the best*).
  Annie est **bonne** en français.   C'est **la meilleure** élève.

➪ After a superlative construction, **de** is used to express the idea of *in*.
  Tu es l'élève le plus sérieux **de** la classe.
  Montréal est la ville la plus grande **du** Canada.

In a superlative construction, the definite article may be replaced by a possessive adjective:
Catherine est ma meilleure amie.
Catherine is my best friend.
When the adjective follows the noun, the possessive adjective is used before the noun, and the definite article is used after: **mes amis les plus gentils.**

ACTIVITÉ 5 Opinion personnelle   OPTIONAL
Exprimez votre opinion personnelle.

1. Quel est le meilleur acteur de cinéma?
2. Quelle est la meilleure actrice?
3. Quel est le comédien le plus drôle?
4. Quelle est la comédienne la plus drôle?
5. Quel est le meilleur joueur (*player*) de baseball?
6. Quels sont les meilleurs joueurs de football?
7. Quelle est la femme la plus célèbre des États-Unis?
8. Quel est l'homme le plus célèbre des États-Unis?

ACTIVITÉ 6   Oui ou non?
Imaginez qu'un ami français visite les États-Unis et fait les commentaires (*comments*) suivants. Répondez-lui affirmativement ou négativement, d'après le modèle. Note: **à mon avis** = *in my opinion*.

➪ San Francisco est une jolie ville.   **À mon avis, c'est la plus jolie ville.**
                                         (À mon avis, ce n'est pas la plus jolie ville.)
Items 3, 5–8: ce sont/ce ne sont pas.

1. New York est une ville intéressante.
2. Denver est une ville moderne.
3. Les Texans sont des gens sympathiques.
4. Steve Martin est un comédien drôle.
5. Les Ford sont des voitures économiques.
6. Les Cadillac sont des voitures confortables.
7. Les Steelers sont une bonne équipe de football.
8. Les Yankees sont une bonne équipe (*team*) de baseball.

In French, proper nouns usually do not take an -s in the plural.

OPTIONAL
À votre tour   **Préférences personnelles**   This can be done as a written assignment.

Pour chacun des sujets suivants, indiquez votre choix et expliquez ce choix en une ou deux phrases.
Préférez-vous . . .
  voyager en train ou en avion?

➪ Je préfère voyager en avion. L'avion est plus rapide et plus confortable que le train.

Préférez-vous . . .
  habiter en Californie ou au Colorado?
  passer les vacances en France ou au Mexique?
  avoir une voiture ou une moto?

The purpose of this activity is to practice comparison with adjectives and nouns.

OBSERVATIONS Le futur

1. Have the students read the following sentences:

Sophie voyagera.   *Sophie will travel.*
Ses parents ne voyageront pas.   *Her parents will not travel.*
Questions
• Est-ce que ces phrases concernent le présent ou le futur? (le fut...

UNITÉ 5
Leçon 2   Les prédictions de Madame R

Christine et Sophie sont entrées dans le stand de Madame R.

MADAME R: Bonjour, Mesdemoiselles. Vous voulez connaître votre avenir? Eh bien, c'est très simple . . . Donnez-moi cinquante francs et je *vous renseignerai.*

SOPHIE: Voilà cinquante francs.

MADAME R *(examine la main de Sophie):* Ah, Mademoiselle, je vois que vous aimez les voyages. Vous voyagez souvent?

SOPHIE: Non, jamais.

MADAME R: Eh bien, cet été vous allez faire un grand voyage.

SOPHIE: Je *voyagerai?* Avec qui? Avec mon amie ou avec mes parents?

MADAME R: Je ne sais pas si votre amie voyagera. En tout cas, elle ne voyagera pas avec vous. Vos parents, eux, ne voyageront pas. Ils resteront chez eux . . . Vous voyagerez donc seule . . . Je vois un avion . . . Vous voyagerez en avion . . . Je vois la *mer,* des montagnes, des belles plages, une *île* . . . Vous arriverez dans une île très romantique . . . Là, vous rencontrerez des jeunes gens très sympathiques . . . Ah, Mademoiselle, quelles splendides vacances vous allez passer!

SOPHIE: Vous êtes sûre?

MADAME R: Absolument sûre.

SOPHIE: Mais, c'est magnifique!

CHRISTINE *(en elle-même):* C'est complètement idiot! Pour voyager, il faut avoir de l'argent. Et Sophie est toujours fauchée. Comment est-ce qu'elle voyagera si elle n'a pas d'argent?

Combien coûte la consulta...
de Madame R?

will inform you

Est-ce que Sophie voyage...
souvent? Est-ce qu'elle va
voyager cet été? Est-ce qu'...
voyagera avec Christine? C...
ment est-ce qu'elle voyager...
Qui est-ce qu'elle rencontre...

will travel

Est-ce que Sophie croit
(believes) aux prédictions d...
Madame R? Et Christine?

sea; island

(to herself)

ns ces phrases, le verbe est dans un nouveau temps: le futur.
En français, est-ce que le futur est un temps simple ou un temps
composé? (un temps simple)
Quelle est la dernière lettre du futur quand le sujet est Sophie? (-a)

• Quelles sont les trois dernières lettres du futur quand le sujet est
  ses parents? (-ont)
2. Have the students reread Madame R's long reply and pick out the
   verbs in the future tense.

NOTE CULTURELLE   OPTIONAL

Vive° les vacances! Qu'est-ce que vous faites pendant les vacances? Est-ce que vous restez chez vous ou est-ce que vous voyagez? Et quand vous voyagez, est-ce que vous voyagez seul ou en famille?°

En général, les jeunes Français voyagent pendant leurs vacances. D'après une enquête,° voici comment ils passent leurs vacances:

40% partent en vacances avec leurs familles
34% partent en vacances avec des copains°
8% vont en colonies de vacances° ou dans des clubs de jeunesse°
6% font des études linguistiques à l'étranger°
6% font des stages° dans des clubs sportifs
5% travaillent
1% étudient

Vive Hurray for   **en famille** with your family   **D'après une enquête** According to a survey   **copains** friends   **colonies de vacances** (summer) camps   **jeunesse** youth   **font des études linguistiques à l'étranger** study a language abroad   **font des stages** train

Vocabulaire pratique

NOM:	l'avenir	*future*	The verb tense is called **le futur.**	
ADJECTIFS:	**fauché**	*broke (without money)*	**seul**	*alone, only, by oneself*
	idiot	*idiotic, dumb*	**splendide**	*splendid*
	magnifique	*magnificent*	**sûr**	*sure, certain*
VERBE:	**renseigner**	*to inform, tell*	Je ne sais pas où est le musée. Pouvez-vous me **renseigner?**	
EXPRESSION:	**en tout cas**	*in any case*	Téléphone-moi ce soir, ou **en tout cas** demain!	

Note: **Seul** has the following meanings:

alone	Je vais **seul** au cinéma.
only	Le samedi est le **seul** jour où je sors.
by oneself	J'ai fait cet exercice tout **seul.**

MOTS APPARENTÉS

French pronouns ending in **-même (mêmes)** correspond to English pronouns ending in *-self (-selves)*. In French the ending is joined to the *stress* pronoun with a hyphen.

-même	*-self*	**-mêmes**	*-selves*
moi-même	*myself*	nous-mêmes	*ourselves*
elle-même	*herself*	eux-mêmes	*themselves*

toi-même	*yourself*
lui-même	*himself*
vous-même(s)	*yourself (yourselves)*
elles-mêmes	*themselves*

If appropriate, you may explain the distinction between these pronouns and reflexive pronouns. Pronouns like **moi-même** are used to emphasize the subject or after a preposition: **J'ai fait cela moi-même. Paul parle toujours de lui-même.** Reflexive pronouns are used as the direct or indirect objects of the verb: **Je me lave. Paul s'achète une moto.**

Leçon deux   **241**

Vocabulaire spécialisé Vacances et voyages

NOMS:				
le camping	*camping*	**une île**	*island*
le ski	*skiing*	**la mer**	*sea*
le ski nautique	*water-skiing*	**la montagne**	*mountain(s)*
		la plongée sous-marine	*scuba diving*
un billet (d'avion)	*(plane) ticket*	**l'arrivée**	*arrival*
le départ	*departure*	**une colonie de vacances**	*(summer) camp*
un passeport	*passport*	**une école d'été**	*summer school*
un séjour	*stay*	**une villa**	*summer house, villa*

VOCABULARY EXPANSION: **un moniteur/une monitrice** *([camp] counselor, [ski] instructor),* **un maître-nageur** *(lifeguard)*

ACTIVITÉ 1 Questions personnelles

1. Préférez-vous passer les vacances à la mer ou à la montagne? Pourquoi?
2. Aux États-Unis, où est-ce qu'on peut faire du ski? du ski nautique? de la plongée sous-marine?
3. Quand vous étiez jeune, est-ce que vous alliez en colonie de vacances? Comment s'appelait cette colonie? Qu'est-ce que vous faisiez?
4. Avez-vous travaillé comme moniteur *(counselor)* de colonie de vacances? Où? Quand?

ADJECTIF:	**étranger (étrangère)**	*foreign*	Il y a dix étudiants **étrangers** à notre école.
VERBE:	**faire un séjour**	*to stay*	Anne **a fait un séjour** de deux semaines au Canada.
EXPRESSION:	**à l'étranger**	*abroad*	Nous allons voyager **à l'étranger** cet été.

5. Êtes-vous allé dans une école d'été? Où? Pourquoi?
6. Avez-vous un passeport? Avez-vous voyagé à l'étranger? Où et quand?
7. Est-ce qu'il y a des étudiants étrangers à votre école? De quelles nationalités sont-ils?
8. Si vous allez en vacances, préférez-vous louer une villa ou aller à l'hôtel? Pourquoi?

Structure

You may remind the students that they have already learned one way of expressing the future: with **aller** + infinitive. That construction is very common in conversation. Now they will learn the future tense, which is used in writing as well as in speaking.

A. Le futur: formation régulière

The sentences below describe events which will happen in the future. The verbs are in a new tense: the *future*. Note the forms of these verbs.

Sophie **voyagera**.	Sophie *will travel.*
Elle **rencontrera** des jeunes gens.	She *will meet* young people.
Je **voyagerai** aussi.	I *will travel*, too.
Je **visiterai** Paris.	I *will visit* Paris.

In French the future tense is a *simple* tense: it consists of one word. It has several English equivalents:

Christine **travaillera** demain.
{ Christine *will work* tomorrow.
Christine *shall work* tomorrow.
Christine *will be working* tomorrow.

You may want to remind the students that simple tenses are made up of one word containing a *stem* and an *ending*. Have them name other simple tenses they know: the present, the imperfect. The **passé composé** is a compound tense, since it is made up of two words.

Note the future forms of **voyager**, **finir**, and **vendre**, paying special attention to the endings. For practice you may ask the students to conjugate the following expressions in the future: **habiter à Paris, choisir un hôtel, attendre l'avion.**

Type of verb		-er VERB	-ir VERB	-re VERB	FUTURE ENDINGS
Infinitive		voyager	finir	vendre	
Future	je	voyagerai	finirai	vendrai	-ai
	tu	voyageras	finiras	vendras	-as
	il/elle/on	voyagera	finira	vendra	-a
	nous	voyagerons	finirons	vendrons	-ons
	vous	voyagerez	finirez	vendrez	-ez
	ils/elles	voyageront	finiront	vendront	-ont

Endings

The future endings are the *same* for all verbs, both regular and irregular.

You may point out that the future endings are the same as the present tense of **avoir** in the forms **je, tu, il/elle,** and **ils/elles.**

Stem

For all regular verbs in **-er** and **-ir**, and for verbs like **sortir**, the future stem is the *infinitive*.

like **sortir**: partir, dormir

parler	→	je **parlerai**	**choisir**	→	je **choisirai**
chanter	→	je **chanterai**	**sortir**	→	je **sortirai**

Verbs in **-oir** (voir, apercevoir, vouloir, pouvoir, devoir, savoir) have irregular stems.

⇨ Note the stem for verbs like **acheter**, **appeler**, and **payer**:

	PRESENT	FUTURE
acheter:	j'achète	→ j'achèterai
appeler:	j'appelle	→ j'appellerai
payer:	je paie	→ je paierai

Verbs like **préférer** follow the regular pattern: je **préférerai.**

For these verbs the stem change that occurs before a silent ending also occurs in the future because the e before the r is usually dropped.

proverbe:

Rira bien qui rira le dernier!

"He who laughs last laughs best."
(literally: The one who will laugh well will laugh the last.)

For all regular verbs in **-re** and for most irregular verbs in **-re,** the future stem is the *infinitive minus* **-e.**

attendre	→	j'**attendr**ai	**prendre** →	je **prendr**ai
répondre	→	je **répondr**ai	**boire** →	je **boir**ai

Only a few verbs have irregular future stems. These are presented in Lessons 3 and 4 of this unit.

Note that for *all* verbs, the *future stem* ends in **r.**
In spoken French the sound /r/ is the mark of the future.

You may have the students practice discriminating between the present and future of various verbs in the **nous** and **vous** forms:
nous attendons/nous attendrons
nous travaillerons/nous travaillons, etc.

(Madame R̲ prédit l'aveniR̲. [Do you understand the origin of her name?])

ACTIVITÉ 2   En France

Des jeunes Américains vont aller en France cet été. Dites quelle ville chacun visitera et combien de temps il restera là-bas. Utilisez le futur de **visiter** et de **rester.**

⇨ Suzanne (Annecy, une semaine)   **Suzanne visitera Annecy.**
                                      Elle restera une semaine là-bas.

1. Paul (Nice, un mois)
2. Millie et Anne (Paris, dix jours)
3. Robert et Roger (Tours, deux semaines)
4. nous (Bordeaux, deux mois)
5. vous (Cannes, trois semaines)
6. moi (Marseille, quinze jours)
7. toi (Toulon, vingt jours)
8. mes amis (Nice, huit jours)

ACTIVITÉ 3   Le régime *(Diet)*

Lisez ce que chacun fait. Utilisez ces renseignements pour dire qui grossira et qui maigrira. Utilisez le futur de **grossir** ou de **maigrir,** suivant le cas *(accordingly).*

⇨ Paul mange beaucoup.   **Il grossira.**
    Anne boit de l'eau.   **Elle maigrira.**

1. Je fais du sport.
2. Vous mangez beaucoup de spaghetti.
3. Thérèse joue souvent au tennis.
4. Mes amies mangent beaucoup de chocolat.
5. Monsieur Moreau boit de la bière.
6. Tu ne fais pas d'exercices.
7. Henri mange trop.
8. Martine a un appétit d'oiseau.

ACTIVITÉ 4   Quand on veut . . .

Lisez ce que chaque personne veut faire. Dites que ces personnes réaliseront *(will fulfill)* un jour leurs désirs *(wishes).*

⇨ Je veux visiter Paris.   **Un jour, je visiterai Paris.**

1. Vous voulez visiter Dakar.
2. Henri veut travailler au Japon.
3. Vous voulez travailler pour les Nations Unies.
4. Mes cousins veulent habiter au Canada.
5. Isabelle veut apprendre l'espagnol.
6. Marc veut écrire un livre.
7. Mes cousins veulent gagner beaucoup d'argent.
8. Je veux acheter une Mercédès.

ACTIVITÉ 5 Plus ou moins?

Comment est-ce que vous imaginez l'existence *(life)* dans cinq ans? Exprimez votre opinion. Pour cela, choisissez l'option **plus** ou l'option **moins**.

⇨ les gens (travailler plus ou moins?)
Dans cinq ans, les gens travailleront plus qu'aujourd'hui.
(Dans cinq ans, les gens travailleront moins qu'aujourd'hui.)

1. les Américains   (consommer [*consume*] plus ou moins d'énergie?)
2. les voitures   (consommer plus ou moins d'essence?)
3. moi   (voyager plus ou moins?)
4. mon père   (travailler plus ou moins?)
5. nous   (étudier plus ou moins?)
6. les gens   (gagner plus ou moins d'argent?)
7. on   (manger plus ou moins de produits artificiels?)

B. Le futur dans les phrases négatives et interrogatives

Note the use of the future in the following questions and negative replies:

Est-ce que tu **voyageras** cet été?	Non, je **ne voyagerai pas.**
Quand **est-ce que** Paul **partira?**	Il **ne partira pas** aujourd'hui.
Inviteras-tu Pierre au cinéma?	Non, je **ne l'inviterai pas.**
Quand **rencontrerez**-vous vos amis?	Je **ne les rencontrerai pas** ce soir.

You may want to have the students provide English equivalents for these sentences.
Questions and negative sentences are formed the same way in the future as in the present tense.   This is because the future, like the present, is a simple—that is, a one word—tense.

⇨ In inverted questions, there is a -t- inserted between the verb and the pronouns **il, elle,** and **on.**
Voici Georges.   Visitera-t-il Paris cet été?
Voici Christine.   Voyagera-t-elle avec Sophie?

This is because the **il/elle/on** form of the future ends in -a. You may want to review inverted questions on p. 49.

⇨ In the future, as in the present, object pronouns and reflexive pronouns come immediately before the verb.
Voici Jacques. Je **lui** téléphonerai.   Je **l'**inviterai chez moi.
Je **me** promènerai ce week-end.   Nous ne **nous** reposerons pas.

ACTIVITÉ 6 Petite conversation

Demandez à vos camarades s'ils vont faire les choses suivantes cet été.

⇨ voyager?   —**Est-ce que tu voyageras?**
   —**Oui, je voyagerai. (Non, je ne voyagerai pas.)**

1. visiter Québec?
2. travailler dans un café?
3. gagner beaucoup d'argent?
4. étudier?
5. prendre beaucoup de photos?
6. sortir souvent?
7. rendre visite à tes cousins?
8. écrire à tes professeurs?
9. acheter un maillot de bain?
10. acheter une moto?

ACTIVITÉ 7 Week-end

Lisez ce que les personnes suivantes vont faire ce week-end. Dites qui
s'amusera et qui ne s'amusera pas. As preparation, you may want to review the present tense of **s'amuser**.

▷ Madame Moreau va laver sa voiture. **Elle ne s'amusera pas.**

1. Monsieur Moreau va faire les courses.
2. Je vais sortir avec mes amis.
3. Tu vas étudier.
4. Nous allons à une surprise-partie.
5. Vous allez escalader des rochers.
6. Pierre va préparer l'examen d'anglais.
7. Suzanne va se promener.
8. Mes parents vont travailler.

ACTIVITÉ 8 Et vous?

This activity practices object pronouns in the future.

Un ami dit ce qu'il va faire ce soir. Dites si oui ou non vous allez faire les
mêmes choses. Utilisez le futur et un pronom complément.

▷ J'achèterai le journal. **Moi aussi, je l'achèterai.**
(Moi, je ne l'achèterai pas.)

1. Je lirai l'horoscope.
2. J'écouterai mes disques.
3. J'aiderai mes parents.
4. Je téléphonerai à mon meilleur ami.
5. J'écrirai à mes cousins.
6. Je rendrai visite aux voisins.
7. Je regarderai la télé.

À
OPTIONAL
À votre tour Après l'école *(After graduation)*

This can be done as
a written assignment.

Dites ce que vous avez l'intention de faire après l'école en un paragraphe
de huit phrases. Vous pouvez utiliser les verbes suivants dans des phrases
affirmatives ou négatives.

travailler / voyager / habiter / étudier / visiter /
rester / rencontrer / sortir / réussir / finir / choisir /
acheter / attendre / vendre

The purpose of this activity is to practice the formation and use of the future tense.

STRUCTURES TO OBSERVE
· irregular futures
· use of the future in sentences with si
· use of the future in sentences with quand

OBSERVATIONS Les futurs irréguliers
1. Have the students read the following
   sentences:
   **Sophie ira en Corse. Elle fera de la
   planche à voile. Elle aura des amis.
   Elle sera contente.**

Questions
· À quel temps sont les verbes dans ces phrases? (au fut
· Quel est l'infinitif des verbes de chaque phrase? (aller,
  faire, avoir, être)
2. Have the students reread Sophie's long reply and pick ou
   the verbs in the future tense. Have them identify the
   corresponding infinitives.

UNITÉ 5
Leçon 3   Une île romantique

Sophie et Christine sortent du stand de Madame R. Les prédictions de la voyante ont beaucoup *impressionné* Sophie. Elle *a l'air agitée.*

impressed; seems excited

SOPHIE: Eh bien, maintenant, je sais où j'*irai* pendant les vacances.   *will go*

CHRISTINE: Et où iras-tu?

SOPHIE: J'irai en *Corse*!   *Corsica*

CHRISTINE: En Corse? Ah oui, je vois: l'île, les montagnes, les plages. D'abord où trouveras-tu *assez d*'argent pour aller en Corse?   *enough*

SOPHIE: Je *n'aurai pas besoin* d'argent. Je *serai* invitée.   *will not need; will be*

CHRISTINE: Et qui t'invitera?

SOPHIE: C'est très simple! Maman a un cousin qui a une villa en Corse. C'est lui qui m'invitera! *Tiens*, je vais lui écrire ce soir . . .   *Hey*

CHRISTINE: Et qu'est-ce que tu *feras* quand tu seras en Corse?   *will do*

SOPHIE: Je ferai beaucoup de choses. Le matin, je me lèverai tôt et je ferai des longues promenades dans la montagne. L'après-midi, j'irai à la plage. S'il fait du vent, je ferai de la planche à voile. Si la mer est calme, je ferai de la plongée sous-marine . . . Voyons, qu'est-ce qu'a dit Madame R? Ah oui . . . Quand je serai en Corse, je rencontrerai aussi des garçons sympathiques avec qui j'irai danser le soir! Oui, je vais passer des vacances magnifiques!

CHRISTINE *(en elle-même)*: Pauvre Sophie. Elle est complètement *folle!*   *crazy*

NOTE CULTURELLE   OPTIONAL

La Corse Savez-vous où est la Corse? C'est une île située° dans la Méditerranée, en face de l'Italie. Cette très belle île (on l'appelle l'île de Beauté) a un climat chaud et un relief° montagneux.° C'est en Corse qu'est né Napoléon, empereur des Français.

située *located*   **relief** *landscape*   **montagneux** *mountainous*
Napoleon (1769–1821) was born of a modest family in Corsica. He rose to the French throne through his military and organizational genius.

French nouns which end in **-té** often have English cognates in *-ty.*

-té	↔	-ty		
la beau**té**		*beauty*	une activité	*activity*
la socié**té**		*society*	la charité	*charity*
			une difficulté	*difficulty*
			une nationalité	*nationality*
			l'humanité	*humanity*
			une personnalité	*personality*

Vocabulaire spécialisé   L'apparence et les sentiments

NOM:

   un sentiment *feeling*

ADJECTIFS ET EXPRESSIONS:

heureux	*happy*	≠	**malheureux**	*unhappy*
malade	*sick*	≠	**en bonne santé**	*in good health, healthy*
fatigué	*tired*	≠	**reposé**	*rested*
content	*happy, content*	≠	**triste**	*sad*
calme	*calm*	≠	{ **agité**	*restless, excited*
			nerveux (nerveuse)	*nervous*
tranquille	*quiet*	≠	{ **furieux (furieuse)**	*furious, mad*
			en colère	*angry*
rationnel **(rationnelle)**	*rational*	≠	**fou (folle)**	*crazy, mad*

The expressions **en colère** and **en bonne santé** are invariable.

VERBES:

avoir l'air	*to look*	Vous **avez l'air** en bonne santé.
sembler	*to seem, appear*	Jacques **semble** triste ce matin.

Note: The adjective which comes after the expression **avoir l'air** usually agrees with the subject.

   Monique et Nicole ont l'air **contentes.**

Some writers leave the adjective in the masculine singular form to agree with **air.**

ACTIVITÉ 1   Une question d'expression

Lisez les phrases suivantes et décrivez l'expression des personnes en question. Pour cela utilisez la construction **avoir l'air** + adjectif.

⇨ Martine a reçu un «A» en français.   **Elle a l'air contente (heureuse).**

1. Philippe a reçu un «F» en maths.
2. Nous avons reçu une lettre de nos amis.
3. Vous avez joué au football pendant deux heures.
4. Tu as dormi dix heures.
5. François a de la fièvre (*fever*).
6. Mes amis font beaucoup de sport.
7. Vous êtes très rouges.
8. Marc ne s'inquiète pas.
9. Thomas a un rendez-vous avec sa petite amie.
10. Je dois parler en public.

Structure

A. Futurs irréguliers   (Première partie)

A few French verbs are irregular in the future tense. These verbs have:

(1) an *irregular* future *stem*   That is: a stem not derived directly from the infinitive.
(2) *regular* future *endings*

Here are four of these verbs:

INFINITIVE	FUTURE STEM	
aller	ir-	Cet été nous **irons** au **Canada**.
avoir	aur-	**Auras**-tu beaucoup d'argent?
être	ser-	Je ne **serai** pas à Paris en juin.
faire	fer-	Pierre **fera** un voyage en France.

➡ Note that all these future stems end in **r**.   More irregular future stems are presented in the next lesson.

AIR FRANCE *Hertz* **Vous irez mieux.**
Hertz loue des Ford et d'autres voitures de marque.

ACTIVITÉ 2   Vive les vacances!

Dites où les personnes suivantes iront pendant les vacances et ce qu'elles feront.

➡ Paul (en Floride / du ski nautique)   **Paul ira en Floride. Il fera du ski nautique.**

1. Sophie (en Corse / de la planche à voile)
2. moi (en Provence / du camping)
3. nous (à la Martinique / de la plongée sous-marine)
4. vous (au Canada / un voyage à Montréal)
5. toi (dans les Alpes / des belles promenades)
6. mes cousins (à Nice / de la voile)

ACTIVITÉ 3   Expression personnelle

Comment imaginez-vous votre existence (*life*) dans cinq ans? Dites si oui ou non vous ferez les choses suivantes.

➡ faire beaucoup de voyages?   **Oui, je ferai beaucoup de voyages.**
   (Non, je ne ferai pas beaucoup de voyages.)

1. aller à l'université?
2. avoir un job intéressant?
3. être marié(e)?
4. avoir une auto?   negative: **pas d'auto**
5. être millionnaire?
6. avoir une Mercédès?   negative: **pas de**
7. être très heureux / heureuse?
8. faire la connaissance d'une personne sympathique?
9. être complètement indépendant(e)?
10. être président d'une compagnie?

B. L'usage du futur dans les phrases avec *si*

Note the use of the future in the following sentences:

Christine **ira** à la plage . . .   *Christine **will go** to the beach . . .*
s'il **fait** beau.   *if the weather **is** nice.*
Je **voyagerai** . . .   *I **will travel** . . .*
si j'**ai** de l'argent.   *if I **have** money.*

The above sentences consist of two parts:

(1) the **si**-clause (*if*-clause), which expresses a certain condition;
(2) the *result* clause, which tells what will happen if this condition is met.

In French, as in English, the pattern of tenses is:

si-CLAUSE	RESULT CLAUSE
present	future

➪ Remember: **si** → **s'** before **il** and **ils**, but <u>not before</u> **elle** and **elles**.

➪ Sentences of the above type may begin with the **si**-clause or with the result clause.

Si je vais en France, je visiterai Paris.
Je visiterai Québec **si** je vais au Canada.

ACTIVITÉ 4   Si . . .

Dites où iront les personnes suivantes si certaines conditions sont réalisées.

➪ Philippe (au Canada / avoir de l'argent)
Philippe ira au Canada s'il a de l'argent.

1. moi   (en vacances / réussir aux examens)
2. nous   (en Virginie / avoir une auto)
3. vous   (au Mexique / savoir l'espagnol)
4. toi   (chez Marcel / avoir le temps)
5. mes cousins   (à Tahiti / connaître quelqu'un là-bas)

ACTIVITÉ 5   Et vous?   OPTIONAL   This activity can be done as a written assignment.

Dites ce que vous allez faire dans les circonstances suivantes. Si vous voulez, vous pouvez utiliser les verbes entre parenthèses, dans des phrases affirmatives ou négatives.

➪ s'il fait beau dimanche (rester?)
S'il fait beau dimanche, je ne resterai pas chez moi.

1. s'il pleut ce week-end   (sortir? aller? nager? faire?)
2. si je voyage cet été   (visiter? rendre visite? aller? acheter? écrire?)
3. si un jour je suis millionnaire   (acheter? aider? donner?)
4. si je vais à l'université   (étudier? habiter? travailler? être? avoir?)

C. L'usage du futur après *quand*

The following sentences describe what will happen when certain other events take place. Compare the use of the tenses in the French and English sentences below:

Sophie **fera** beaucoup de choses
   quand elle **sera** en Corse.

Nous **étudierons** beaucoup
   quand nous **irons** à l'université.

*Sophie **will do** a lot of things*
   *when she **is** in Corsica.*

*We **will study** a lot*
   *when we **go** to college.*

When referring to future events, the French use the future tense in both the main clause and the **quand**-clause. (In English the present tense is used in the *when*-clause.) Note the following pattern:

quand-CLAUSE	MAIN CLAUSE
future	future

⇨ Sentences of this type may begin with the **quand**-clause or with the main clause.

Quand j'aurai de l'argent, je voyagerai.

Nous voyagerons **quand** nous serons en vacances.

The use of the future in the *when*-clause when the main clause is in the imperative will be presented in Book 3.

ACTIVITÉ 6　Aux États-Unis

Des étudiants français vont aller aux États-Unis cet été. Dites ce que chacun visitera quand il sera dans la ville ou l'état où il passera ses vacances. Voici les endroits touristiques:

  la Maison Blanche / Hollywood / l'Alamo / Mesa Verde /
  le parc de Valley Forge / la Statue de la Liberté / le Grand Canyon

⇨ Paul / à New York　　**Quand il sera à New York, Paul visitera la Statue de la Liberté.**

1. Jacqueline / à Washington
2. Thomas et André / à San Antonio
3. nous / en Californie
4. vous / en Pennsylvanie
5. moi / dans le Colorado
6. toi / dans l'Arizona

à faire en classe

ACTIVITÉ 7   C'est évident!   OPTIONAL

Ce que nous ferons plus tard dépend souvent des circonstances dans lesquelles *(which)* nous nous trouverons. Exprimez cela en phrases logiques en utilisant les éléments des colonnes A, B et C. Combien de phrases pouvez-vous faire en dix minutes? Suivez le modèle.

à faire devoir en dix minutes

A	B	C
je	avoir 18 ans	voter
tu	avoir une voiture	conduire une voiture
ma sœur	être riche	étudier beaucoup
nous	être en vacances	s'amuser
vous	aller en France	se reposer
mes amis	aller à l'université	visiter Paris
		faire du camping
		faire la connaissance de gens sympathiques
		acheter une auto
		boire du champagne

➪ **Quand nous aurons 18 ans, nous voterons.**

ACTIVITÉ 8   Expression personnelle   OPTIONAL   This activity can be done as a written assignment.

Utilisez votre imagination pour compléter les phrases suivantes. Utilisez un verbe au futur.

f.f.   *f p.*

1. Quand j'aurai vingt ans, . . .
2. Quand je serai indépendant(e), . . .
3. Quand j'aurai une voiture, . . .
4. Quand je travaillerai, . . .
5. Si je vais en France, . . .
6. Si je deviens une personne célèbre, . . .
7. Si je gagne mille dollars à la loterie, . . .
8. Si je me marie, . . .

OPTIONAL

À votre tour   Quelques prédictions

This can be done as a written assignment.

Comment imaginez-vous l'avenir pour vous et pour les autres *(other people)*? Composez des paragraphes de trois à cinq phrases où vous ferez des prédictions personnelles et des prédictions générales en utilisant le futur. Si vous pouvez, utilisez les verbes suivants:

avoir   (quelles choses? quel âge?)
être   (quelle profession? heureux / heureuse? où?)
faire   (quelles choses?)
aller   (où? avec qui? pourquoi? quand?)

➪ Dans un an . . .
   Dans cinq ans . . .
   Dans vingt ans . . .
   Dans cinquante ans . . .

The purpose of this activity is to practice verbs that are irregular in the future tense.

OBSERVATIONS Les pronoms interrogatifs après une préposition
Have the students read the following questions and answers:
À qui penses-tu?   Je pense à un ami.
À quoi penses-tu?   Je pense à mes vacances.
Les deux questions commencent par une préposition.

UNITÉ 5

Leçon 4   L'erreur de Madame R

Un dimanche de mai . . . Six semaines ont passé. Sophie et Christine passent à l'endroit où la fête foraine a été *installée*. Sophie a l'air *soucieuse*.

set up

worried

CHRISTINE: Tu as l'air triste. *À quoi* penses-tu?

About what

SOPHIE: Je pense aux prédictions de Madame R.

CHRISTINE: Ah oui, au fait, est-ce que tu as écrit à ton oncle?

SOPHIE: Oui.

CHRISTINE: Et qu'est-ce qu'il t'a répondu?

SOPHIE: Il m'a répondu qu'il n'a plus sa villa en Corse. Il l'a vendue l'année dernière.

CHRISTINE: Alors qu'est-ce que tu vas faire cet été?

SOPHIE: Je vais rester à Villeneuve . . . Ce n'est pas drôle!

CHRISTINE: Eh bien, moi, j'ai une nouvelle à t'annoncer!

SOPHIE: *Quoi?*

What?

CHRISTINE: Moi, je vais passer un mois en Angleterre.

SOPHIE: Pas possible! Chez qui?

CHRISTINE: Chez une amie que j'ai rencontrée l'année dernière. Tu vois, Madame R a dit la vérité. Elle a fait seulement une erreur de personne: ce n'est pas toi qui pars en vacances. C'est moi!

SOPHIE: Qu'est-ce que tu feras quand tu seras en Angleterre?

CHRISTINE: Voyons, qu'est-ce que Madame R a dit? Ah oui. Eh bien, j'irai sur la plage. Là, je rencontrerai des jeunes gens très sympathiques. Je . . .

SOPHIE: Tu m'écriras?

CHRISTINE: Tu sais, je serai certainement très occupée. Enfin, oui, je t'écrirai . . . quand j'aurai le temps!

Où sont Sophie et Christine?
Quels sont les sentiments de
Sophie? Qui a écrit à Sophie?
Qu'est-ce qu'il lui a dit?
Qu'est-ce que Sophie va faire
cet été? Où est-ce que Christine
va aller? Qu'est-ce qu'elle fera
là-bas?

uestions
Quelle est cette préposition? (à)
Quel pronom interrogatif vient après la préposition à quand on parle d'une personne? (qui)
Quel pronom interrogatif vient après la preposition à quand on parle d'une chose? (quoi)

NOTE CULTURELLE   OPTIONAL

Vacances à l'étranger   Aujourd'hui un très grand nombre de Français passent les vacances à l'étranger. Où vont-ils? Ils vont surtout vers° le soleil. Voilà pourquoi des pays comme° l'Italie, l'Espagne, la Grèce, l'Égypte sont très populaires.

Les jeunes, eux, vont surtout en Angleterre pour perfectionner° leur anglais. L'anglais est en effet° la première langue° étrangère enseignée° en France. C'est souvent une langue indispensable si on veut trouver un bon job après ses études.°

vers *towards*   **comme** *such as*   **pour perfectionner** *to improve*
en effet *in fact*   **langue** *language*   **enseignée** *taught*
ses études *one's studies*

NOS PRIX VACANCES AIR FRANCE

AIR FRANCE-VACANCES*
DES PRIX CHARTERS SUR VOLS RÉGULIERS.
Ces bas tarifs s'expliquent par une diminution de l'espace réservé à chaque passager et par un service simplifié.

CORSE	A.R. 780 F	ATHÈNES	A.R. 1300 F
NICE	A.R. 680 F	LONDRES	A.R. 450 F
GUADELOUPE	A.R. 2670 F	TEL AVIV	A.R. 1900 F
MARTINIQUE	A.R. 2670 F	PALMA	A.R. 790 F
GUYANE	A.R. 3380 F	NEW YORK	A.R. 2250 F
RÉUNION	A.R. 4140 F	MONTRÉAL	A.R. 2250 F

Vocabulaire pratique

NOMS: **un endroit**   *place, spot*   **une erreur**   *error, mistake*
EXPRESSION: **Pas possible!**   *That can't be!*

MOTS APPARENTÉS

Many French nouns in **-eur** have English cognates in *-or*.

-eur	↔	-or		
une err**eur**		*error*	un gouvern**eur**	*governor*
un profess**eur**		*professor*	un visit**eur**	*visitor*
			un réfrigérat**eur**	*refrigerator*
			un mot**eur**	*motor*

French nouns in **-eur** /**-euse** which are derived from verbs correspond to English nouns in *-er*.

jouer	→	un jou**eur**, une jou**euse**	*play*	→	*player*
chanter	→	un chant**eur**, une chant**euse**	*sing*	→	*singer*

un dans**eur**	*dancer*	un vend**eur**	*seller*
un travaill**eur**	*worker*	un dorm**eur**	*sleeper*
un achet**eur**	*buyer*	un voyag**eur**	*traveller*

Structure

A. Futurs irréguliers (Deuxième partie)

The verbs below have irregular future stems. The endings are regular.

	INFINITIVE	FUTURE STEM	
to know (how)	**savoir**	**saur-**	Je **saurai** la réponse (*answer*) dans une semaine.
to have to	**devoir**	**devr-**	**Devras-tu** travailler cet été?
to receive	**recevoir**	**recevr-**	Marc **recevra** une lettre de Sophie.
to come	**venir**	**viendr-**	Mes amis **viendront** demain.
to want	**vouloir**	**voudr-**	Paul ne **voudra** pas sortir s'il pleut.
to send	**envoyer**	**enverr-**	Je t'**enverrai** mon adresse.
to be able	**pouvoir**	**pourr-**	**Pourras-tu** me téléphoner ce soir?
to see	**voir**	**verr-**	Cet été nous **verrons** nos cousins.

The **e** of **devr(ai)** and **recevr(ai)** is pronounced /ə/, as in **je**. The **e** of **enverr(ai)** and **verr(ai)** is pronounced /ɛ/, as in **elle**; this is because the vowel is followed by a double consonant.

Verbs conjugated like those in the chart above also have irregular future stems.

Verbs like **venir**:

to become	**devenir**	**deviendr-**
to come back	**revenir**	**reviendr-**
to remember	**se souvenir**	**se souviendr-**

Verb like **recevoir**:

| *to notice* | **apercevoir** | **apercevr-** |

You may want to present the following irregular futures:
il faut → il faudra
il pleut → il pleuvra

ACTIVITÉ 1 Oui ou non?

Dites si oui ou non vous ferez les choses suivantes.

⇨ recevoir un «A» en français?   **Oui, je recevrai un «A» en français.**
     (Non, je ne recevrai pas d' «A» en français.)

1. recevoir un «A» en maths?
2. voir un film ce week-end?
3. voir mes cousins cet été?
4. savoir très bien parler français?
5. devoir travailler cet été?
6. devoir étudier ce week-end?

7. envoyer une lettre au professeur cet été?
8. vouloir nager ce week-end?
9. pouvoir aller en France au printemps?
10. devenir célèbre?
11. devenir millionnaire?
12. devenir professeur?

B. Le verbe *vivre*

Note the forms of the irregular verb **vivre** *(to live)*.

Infinitive	vivre		
Present	je **vis**	nous	**vivons**
	tu **vis**	vous	**vivez**
	il/elle/on **vit**	ils/elles	**vivent**
Passé composé	j'ai **vécu**		

The future and the imperfect are regular: **je vivrai, je vivais.**

Note: Both **vivre** and **habiter** mean *to live.* **Vivre** has several meanings:
to live in a given place; to live in a certain way; to be alive.
Habiter means only *to live in a place.* Compare:

Paul **vit** à Paris. ⎱
Paul **habite** à Paris. ⎰   *Paul **lives** in Paris.*

Il **vit** bien.   *He **lives** well.*

proverbe: *Qui vivra verra.*

"Live and learn."
(literally: *He who will live will see.*)

ACTIVITÉ 2   Questions personnelles

1. Dans quelle ville habitez-vous? Est-ce qu'on vit bien dans cette ville?
   Pourquoi?
2. Combien de temps avez-vous vécu dans la maison où vous habitez?
   Avez-vous toujours vécu dans cette maison? Où viviez-vous avant?
3. Avez-vous vécu dans une autre ville? Où? Avez-vous vécu dans un autre
   état? Où? Et vos parents?
4. En général, est-ce qu'on vit bien dans votre région? Selon vous, dans
   quelle région des États-Unis est-ce qu'on vit le mieux *(best)*? Pourquoi?
5. Selon vous, est-ce que les gens vivent bien aujourd'hui? Est-ce qu'ils
   vivaient mieux *(better)* autrefois? Pourquoi?

Vocabulaire spécialisé Les matériaux

les métaux un métal
l'acier	*steel*
l'aluminium	*aluminum*
l'argent	*silver*
le cuivre	*copper*
le fer	*iron*
l'or	*gold*

VOCABULARY EXPANSION: le bronze, le nickel, le plomb *(lead)*, le platine *(platinum)*

les textiles
le coton	*cotton*	la laine	*wool*
le nylon	*nylon*		

VOCABULARY EXPANSION: la soie

les matériaux de construction
le bois	*wood*	la brique	*brick*
le plastique	*plastic*	la pierre	*stone*
le verre	*glass*		

VOCABULARY EXPANSION: la tuile *(roof tile)*, la dalle *(floor tile)*, le plâtre *(plaster)*, le béton *(concrete)*

Note the use of **en** with the names of materials:

> Ce bracelet est **en argent**.   *This bracelet is **made of silver**.*
> J'habite dans une maison **en pierre**.   *I live in a **stone** house.*

The construction noun + **de** + material is also used: **une chemise de coton.**

ACTIVITÉ 3 En quoi? *(Out of what?)*

Complétez les phrases suivantes par **en** et le nom d'une matière *(material)*.

⇨ J'habite dans une maison . . .
   J'habite dans une maison en bois (en pierre, en brique).

1. En Nouvelle-Angleterre, il y a beaucoup de maisons . . .
2. Dans les grandes villes, les maisons sont . . .
3. Quand il fait froid, je porte un pull . . .
4. Quand il fait chaud, je porte des chemises . . .
5. Les meubles sont généralement . . .
6. Les cartes de crédit sont . . .
7. Cette fille a un bracelet . . .
8. Autrefois les pièces *(coins)* étaient . . .

C. Les pronoms interrogatifs après une préposition

The questions on the left begin with a preposition (**à, de**). In each set of questions, the first one refers to a *person*, and the second one refers to a *thing*. Note the interrogative pronouns in heavy type.

De qui parles-tu?   Je parle de mon ami Paul.
De quoi parles-tu?   Je parle de mes vacances.

À qui penses-tu?   Je pense à Christine.
À quoi penses-tu?   Je pense à son voyage.

In questions beginning with a preposition (**à, de, chez, pour, avec**, etc.), the French use the following construction:

$$\text{preposition} \quad + \quad \begin{cases} \textbf{qui} & \text{to refer to } people \\ \textbf{quoi} & \text{to refer to } things \end{cases}$$

➩ In French the preposition always comes at the beginning of the question, never at the end.

À qui écrivez-vous?   *To whom are you writing?*
                           Whom are you writing to?

Questions of this type may be formed either with **est-ce que** or by inversion.

Avec quoi écrivez-vous?   *With what are you writing?*
                             What are you writing with?

➩ **Qui** and **quoi** may also be used to form one-word questions:
Pierre a fait quelque chose.   **Quoi?**   *What?*
Marie a vu quelqu'un?   **Qui?**   *Whom? (Who?)*

ACTIVITÉ 4   Précisions

Christine n'est jamais très explicite quand elle parle de ce qu'elle fait. Sophie lui demande des précisions. Jouez le rôle de Sophie.

➩ Je dîne avec un ami.   **Avec qui est-ce que tu dînes?**

1. Je sors avec une amie.
2. Je vais chez quelqu'un.
3. Je téléphone à quelqu'un.
4. Je parle de quelque chose.
5. Je joue à quelque chose.
6. Je danse avec quelqu'un.
7. Je pense à une personne.
8. Je pense à une chose.
9. Je répare (*fix*) mon vélo avec un objet.
10. Je travaille pour quelqu'un.

VARIATION with inversion: **Avec qui dînes-tu?**

VARIATION in the future: **Avec qui est-ce que tu dîneras?**

VARIATION in the passé composé: **Avec qui est-ce que tu as dîné?**

D. Les pronoms interrogatifs compléments d'objet direct

In the following questions, the interrogative pronouns in heavy type are the direct objects of the verb. Note the forms used to refer to *people* and to refer to *things*.

Whom?	**Qui** regardes-tu?	Je regarde Christine.
Whom?	**Qui est-ce que** vous écoutez?	Nous écoutons Sophie.
What?	**Que** regardes-tu?	Je regarde une voiture.
What?	**Qu'est-ce que** tu écoutes?	J'écoute un disque.

When asking about the direct object of a sentence, the French use:

qui	+ inverted word order	to refer to *people*
qui est-ce que	+ normal word order	
que (qu')	+ inverted word order	to refer to *things*
qu'est-ce que	+ normal word order	

When asking someone to identify or to define something, the French use the expression **qu'est-ce que c'est que...?** *(what is/are...?):*
—Qu'est-ce que c'est que les Champs-Élysées?
—C'est une avenue à Paris.

ACTIVITÉ 5   Le week-end dernier

Christine téléphone à Sophie et elle lui dit ce qu'elle a fait le week-end dernier. Sophie, qui n'entend pas très bien, demande à Christine de répéter. Jouez le rôle de Sophie.

⇨ J'ai acheté une robe.   〉**Qu'est-ce que tu as acheté?**
   J'ai vu Paul.   〈**Qui est-ce que tu as vu?**

1. J'ai rencontré Jacqueline.
2. J'ai invité mes cousines.
3. J'ai aidé mon père.
4. J'ai écouté du jazz.
5. J'ai vendu ma guitare.
6. J'ai vu Jean-Pierre et François.

E. Les pronoms interrogatifs sujets

In the following questions, the interrogative pronouns in heavy type are the subjects of the verb. Note the forms used to refer to *people* and to refer to *things*.

Who?	**Qui** t'a téléphoné?	Un ami.
Who?	**Qui est-ce qui** t'a écrit?	C'est Christine.
What?	**Qu'est-ce qui** est arrivé?	Une lettre de France.
What?	**Qu'est-ce qui** vous intéresse?	Les sports m'intéressent.

When asking a question about the subject of a sentence, the French use:

qui	to refer to *people*
qui est-ce qui	
qu'est-ce qui	to refer to *things* or *events*

The expressions **qui** and **qui est-ce qui** are equivalents.

⇨ **Qui** is used more frequently than **qui est-ce qui.**

⇨ The above interrogative pronouns are always followed by a singular verb.

Exception: when **qui** is followed by **être. Qui êtes-vous? Qui sont ces gens?**

ACTIVITÉ 6 Christine ne fait pas attention.

Sophie parle de certaines choses. Christine ne fait pas attention et
demande à Sophie de répéter. Jouez le rôle de Christine en utilisant le
pronom interrogatif sujet qui convient.

⇨ Paul est passé. **Qui est passé?**

  Le bus est passé. **Qu'est-ce qui est passé?**

1. Mon avion part lundi.
2. Mon père part samedi.
3. Charles arrive demain.
4. Le train arrive à deux heures.
5. Cette voiture a eu un accident.
6. Nicole a eu un accident.
7. Cette lettre est arrivée hier.
8. Ma tante est arrivée à Paris.

ACTIVITÉ 7 Interview

Imaginez que vous travaillez pour un magazine français. Vous interviewez
le célèbre acteur Jeannot Allidet. Demandez-lui les choses qui l'affectent
personnellement. Pour cela, commencez vos phrases par **Qu'est-ce qui.**

⇨ les choses qui l'amusent? **Qu'est-ce qui vous amuse?**

1. les choses qui ne l'amusent pas?
2. les choses qui l'intéressent?
3. les choses qui ne l'intéressent pas?
4. les choses qui l'irritent?
5. les choses qui sont importantes pour lui?
6. les choses qui ne sont pas importantes
   pour lui?

ACTIVITÉ 8 Zut alors!

Marc a passé un mois en Angleterre. Quand il est rentré, sa sœur lui
annonce certaines mauvaises nouvelles. Marc veut savoir quoi. Jouez le
rôle de Marc. Pour cela utilisez le pronom interrogatif qui convient.

⇨ Quelqu'un a pris ta moto. **Zut alors! Qui a pris ma moto?**

1. Quelqu'un a cassé ta radio. Qui? Qui est-ce qui?
2. Quelqu'un a pris tes disques. Qui? Qui est-ce qui?
3. Quelque chose est tombé sur ta voiture. Qu'est-ce qui?
4. Quelque chose est arrivé à ton ami. Qu'est-ce qui?
5. J'ai vu quelqu'un avec ta fiancée. Qui est-ce que? Qui + inversion?
6. J'ai cassé quelque chose dans ta chambre. Qu'est-ce que? Qu' + inversion?
7. Tes amis ont fait quelque chose de stupide. Qu'est-ce que? Qu' + inversion?
8. Ton chien a attaqué quelqu'un dans la rue. Qui est-ce que? Qui + inversion?

OPTIONAL

À **votre tour** Week-end

This can be done as a written assignment.

Imaginez qu'un étudiant français visite votre ville. Posez-lui plusieurs
questions sur ce qu'il fera le week-end prochain. Vous pouvez utiliser les
verbes suivants au futur:

  visiter / regarder / écouter / acheter / voir / téléphoner à /
  parler à / parler de / rendre visite à / jouer à / jouer avec

The purpose of this activity is to practice interrogative pronouns and the future tense.

STRUCTURES TO OBSERVE
• **croire**
• the conjunction **que**
• forms of the conditional

UNITÉ 5
Leçon 5

Madame R a dit la vérité!

En juin, Christine est allée en Angleterre et elle a passé un mois là-bas. Malheureusement pour elle, il a plu tout le temps pendant son séjour . . . Alors, Christine n'est pas souvent sortie et elle ne s'est pas beaucoup amusée. Elle est rentrée hier à Villeneuve et aujourd'hui, elle passe chez son amie Sophie. C'est Madame Beaumont, la mère de Sophie, qui lui répond.

MME BEAUMONT:	Je vois que vous êtes de retour. J'espère que vous avez passé des bonnes vacances.	
CHRISTINE:	Euh oui, plus ou moins bonnes . . . Et Sophie? Est-ce que je *pourrais* lui parler?	*could*
MME BEAUMONT:	Sophie n'est pas là. Elle est partie en vacances la semaine dernière.	
CHRISTINE:	Ah bon? Elle m'a dit qu'elle *ne partirait pas* cet été et qu'elle *resterait* ici pendant les vacances!	*would not leave* *would stay*
MME BEAUMONT:	Eh bien, aujourd'hui elle est à l'autre bout du monde . . . sur une île!	
CHRISTINE:	Sur une île? Où ça?	
MME BEAUMONT:	À Tahiti!	
CHRISTINE:	À Tahiti?! Mais pourquoi est-ce qu'elle est là-bas?	
MME BEAUMONT:	C'est une histoire *incroyable*. Vous savez que Sophie a toujours eu beaucoup de chance. Eh bien, en juin, après votre départ, Sophie a participé à un concours *publicitaire* et elle a gagné le grand prix: un voyage de six semaines à Tahiti.	*incredible* *advertising*
CHRISTINE *(en elle-même):*	Tahiti! L'île! Les montagnes! Les plages . . .! Je *ne croyais pas* aux prédictions de Madame R . . . Mais maintenant, je commence à *y croire.* *(à Mme Beaumont)* Pourriez-vous me donner l'adresse de Sophie? J'*aimerais* lui écrire.	*did not believe* *believe in them* *would like*
MME BEAUMONT:	Bien sûr . . . Mais ne comptez pas trop sur une réponse. Sophie m'a dit qu'elle serait très occupée!	

OBSERVATIONS Le conditionnel
1. Have the students read the following sentences:
   Sophie partirait. *Sophie would leave.*
   Elle irait à Tahiti. *She would go to Tahiti.*
   Dans ces phrases, les verbes sont au conditionnel

Paul Gauguin

NOTE CULTURELLE

À Tahiti Pour vous, que représente Tahiti? Une île romantique? de très belles plages? un climat tropical? des habitants heureux?

C'est un marin° anglais, le capitaine Wallis, qui a découvert° Tahiti en 1768. Les explorateurs qui sont arrivés à Tahiti après Wallis ont remarqué la beauté de l'île et l'hospitalité de ses habitants. Voilà pourquoi cette île a vite attiré° les Européens: des explorateurs et des savants,° des missionnaires et des marchands,° des aventuriers et des artistes . . . Le plus célèbre de ces artistes est Paul Gauguin. Dégoûté de° la civilisation européenne, Gauguin a préféré la vie° libre et simple des Tahitiens qu'il a peints° dans ses toiles.° Aujourd'hui, Tahiti reste synonyme de Paradis. Chaque année, des milliers° de touristes viennent visiter cette île heureuse.

marin *sailor* **a découvert** *discovered* **a . . . attiré** *attracted*
savants *scientists* **marchands** *merchants* **Dégoûté de**
Disgusted with **vie** *life* **a peints** *painted* **toiles** *canvases*
des milliers *thousands*

Vocabulaire pratique

NOMS:	un bout	*end*	
	un concours	*contest*	
	le monde	*world*	
	un prix	*prize; price*	

la chance	*luck*	*à faire*
une réponse	*answer, reply*	

VERBES:	compter (sur)	*to count (on), depend (on), rely (on)*	Peux-tu m'aider? Est-ce que je peux **compter sur** toi?
	être de retour	*to be back*	Je **serai de retour** dans deux heures.
	participer (à)	*to participate, take part (in)*	Je vais **participer** à cette réunion!

Participez au grand concours de la Coupe O'Keefe de baseball!

EXPRESSIONS:	ah bon?	*really?*
	ainsi	*therefore*
	eh bien . . .	*well . . .*

MOTS APPARENTÉS

Some French words in **-ix** have English cognates in *-ice.*

-ix	↔	-ice		
prix		*price*	VOIX	*voice*
choix		*choice*		

Questions
- **En français, est-ce que le conditionnel est un temps simple ou un temps composé? (un temps simple)**
- **Quelles sont les trois dernières lettres du verbe quand le sujet est Sophie? (-ait)**

• Est-ce que c'est la même terminaison *(ending)* que l'imparfait? (oui)
2. Have the students find other examples of the conditional tense in the *Presentation text.*

Structure

A. Le verbe *croire*

Note the forms of the irregular verb **croire** *(to believe)*.

Infinitive	croire			
Present	je	**crois**	nous	**croyons**
	tu	**crois**	vous	**croyez**
	il/elle/on	**croit**	ils/elles	**croient**
Passé composé	j'ai	**cru**		

The verb **croire** is regular in the imperfect and future: **je croyais, je croirai.**

You may wish to review the verb **voir**, which has similar forms in the present and **passé composé.**

Note the following constructions with **croire:**

croire à (+ noun)   Je ne **crois** pas **aux** prédictions de Madame R.
croire que (+ clause)   Christine **croit que** Sophie a de la chance.

The expression **croire en** is used with stress pronouns: **Nous croyons en toi!**

proverbe: *Voir c'est croire.*

"Seeing is believing."

ACTIVITÉ 1   Croyances *(Beliefs)*

Décrivez les croyances des personnes suivantes.

⇨ Paul / à son horoscope   **Paul croit à son horoscope.**

1. Christine / à la chance
2. vous / aux fantômes *(ghosts)*
3. nous / au surnaturel *(supernatural)*
4. toi / aux extraterrestres *(beings from outer space)*
5. moi / aux OVNI *(UFO's)*
6. mes camarades / à la perception extrasensorielle *(ESP)*

B. La conjonction *que*   This structure was presented in Level 1, p. 345.

Note the use of **que** *(that)* in the following sentences:

Je crois **que** vous avez raison.   *I believe (**that**) you are right.*
Nous pensons **que** tu es stupide.   *We think (**that**) you are stupid.*
Charles dit **qu'**il est intelligent.   *Charles says (**that**) he is intelligent.*

The conjunction **que** *(that)* is used after verbs such as **croire, penser, trouver, dire, écrire,** etc., to introduce a clause.   Remind the students that a clause has a subject and a verb.

⇨ Note that while the equivalent conjunction *that* is sometimes omitted in English, **que** must always be used in French.

VERBES:		
croire	*to believe, think*	Christine **croit** que Sophie est à Villeneuve.
penser	*to think, believe*	Mme Beaumont **pense** que sa fille a de la chance.
trouver	*to find*	Christine **trouve** que Madame R avait raison.

EXPRESSIONS:		
à (mon) avis	*in (my) opinion*	**À mon avis**, les voyantes n'ont pas toujours raison.
d'après	*according to*	**D'après** vous, est-ce que Christine est jalouse?
selon	*according to*	**Selon** moi, Christine pense trop à elle-même.

Note: **Selon** and **d'après** are followed by a noun or a stress pronoun.

Most of the items in this **Vocabulaire** are already familiar. They are grouped here
to show the students that they know various ways of expressing an opinion.

ACTIVITÉ 2 **Est-ce que les OVNI existent?**

Ce matin les personnes suivantes discutent de la question: Est-ce que les
OVNI existent? (Note: Un OVNI est un Objet Volant Non-Identifié.) OVNI = *UFO*
Donnez l'opinion de chacun.

⇨ Paul / croire / c'est vrai   **Paul croit que c'est vrai.**

1. Philippe / trouver / c'est faux
2. nous / croire / les OVNI n'existent pas
3. Sophie / dire / elle a vu un OVNI
4. vous / croire / Sophie est folle
5. moi / croire / les OVNI viennent de Mars
6. Sylvie / trouver / j'ai raison
7. mes cousins / penser / les OVNI existent
8. Charles / déclarer / ses amis sont fous

VARIATION: Give each one's opinion using **selon** or **d'après**.
　　　　　Selon (D'après) Paul, c'est vrai.

C. Le conditionnel: formation

To express what *would happen,* people use the *conditional.* Note the use of
the conditional in the following sentences:

S'ils avaient de l'argent, . . .   *If they had money, . . .*

    Charles **voyagerait**.   *Charles **would travel**.*
    Philippe **visiterait** Paris.   *Philippe **would visit** Paris.*
    mes cousins **achèteraient** une moto.   *my cousins **would buy** a motorcycle.*
    mes parents **iraient** au Japon.   *my parents **would go** to Japan.*

In French the conditional is a *simple* tense and consists of one word. Note   In English the conditional
the forms of the conditional in the chart below, paying attention to the stem   is a compound tense.
and the endings. For practice you may ask the students to conjugate the following expressions
in the conditional: **habiter à Paris, choisir une auto, attendre Sophie.**

Infinitive		**parler**	**finir**	**vendre**	**aller**	CONDITIONAL (IMPERFECT) ENDINGS
Future	je	**parlerai**	finirai	vendrai	irai	
Conditional	je	**parlerais**	finirais	vendrais	irais	-ais
	tu	**parlerais**	finirais	vendrais	irais	-ais
	il/elle/on	**parlerait**	finirait	vendrait	irait	-ait
	nous	**parlerions**	finirions	vendrions	irions	-ions
	vous	**parleriez**	finiriez	vendriez	iriez	-iez
	il/elles	**parleraient**	finiraient	vendraient	iraient	-aient

The conditional is formed as follows:

future stem + imperfect endings

⇨ Verbs which have an irregular future stem keep this same irregular stem
in the conditional.

avoir:	j'**aur**ais	**venir:**	je **viendr**ais
être:	je **ser**ais	**voir:**	je **verr**ais
aller:	j'**ir**ais	**recevoir:**	je **recevr**ais
faire:	je **fer**ais	**envoyer:**	j'**enverr**ais

devoir:	je **devr**ais
pouvoir:	je **pourr**ais
vouloir:	je **voudr**ais
savoir:	je **saur**ais

⇨ The negative and interrogative forms of the conditional follow the same
patterns as all other simple tenses. That is: the present, the future, the imperfect.

Aimerais-tu voyager?   ***Would you like** to travel?*
Non, je **n'aimerais pas** voyager.   *No, **I would not like** to travel.*

ACTIVITÉ 3   Aux États-Unis   This activity practices conditional forms.

Des étudiants français discutent des choses qu'ils aimeraient visiter s'ils allaient aux États-Unis. Exprimez le choix de chacun. Pour cela, utilisez le conditionnel de **visiter.**

➡️ Georges (Disneyland)   **Georges visiterait Disneyland.**

1. Caroline (Chicago)
2. mes cousins (Washington)
3. Denise (le parc de Yellowstone)
4. moi (les montagnes Rocheuses [*Rockies*])
5. toi (San Francisco)
6. nous (le cap Canaveral)
7. vous (un ranch au Texas)
8. Michel et Luc (cap Cod)

VARIATIONS: **Georges aimerait visiter Disneyland. Georges prendrait des photos de Disneyland. Georges irait à Disneyland.**

ACTIVITÉ 4   La loterie

This activity practices interrogative and negative patterns in the conditional with **tu** and **je.**

Imaginez que vos camarades ont participé à une loterie. Demandez-leur s'ils feraient les choses suivantes s'ils gagnaient le grand prix de mille dollars. Vos camarades vont répondre affirmativement ou négativement.

➡️ voyager?   **—Est-ce que tu voyagerais?**
          —Oui, je voyagerais. (Non, je ne voyagerais pas.)

1. partir en vacances?
2. quitter l'école?
3. mettre tout l'argent à la banque?
4. acheter une moto?
5. prêter de l'argent à tes amis?
6. organiser une grande fête?
7. aider les pauvres?
8. passer un mois en France?
9. visiter Tahiti?

ACTIVITÉ 5   Décisions, décisions . . .

This activity practices verbs with irregular conditional stems.

Imaginez que vous avez le choix entre les choses suivantes. Que choisiriez-vous?

➡️ avoir un vélo ou une moto?   **J'aurais une moto (un vélo).**

1. avoir un chien ou un chat?
2. avoir des patins à glace ou des patins à roulettes?
3. aller en France ou en Espagne?
4. aller à un concert ou à un match de baseball?
5. faire du ski ou du ski nautique?
6. faire de la voile ou de la planche à voile?
7. voir Paris ou Rome?
8. voir un OVNI ou une éclipse?
9. être architecte ou avocat?
10. être en vacances à Tahiti ou en Floride?
11. savoir jouer du piano ou de la guitare?
12. recevoir un «A» en français ou un «A» en maths?

D. Le conditionnel: usage

The conditional is used to express what would happen if a condition contrary to reality were met.

Si c'était les vacances,　　*If it were vacation time,*　(which it isn't)
　　nous **irions** à la plage.　　*we **would go** to the beach.*

The conditional is also used to make polite requests. Compare the following sentences:

Je **veux** te parler.　　*I **want** to talk to you.*
Je **voudrais** te parler.　　*I **would like** to talk to you.*
Peux-tu m'aider?　　***Can** you help me?*
Pourrais-tu m'aider?　　***Could** you help me?*
Tu **dois** étudier.　　*You **must** study.*
Tu **devrais** étudier.　　*You **should** study.*

The uses of the conditional, and the sequence of tenses after **si**, are developed in Book 3.　*à faire*
　le conditionnel.

ACTIVITÉ 6　Vive les vacances!

Nous sommes en janvier. Aujourd'hui les élèves sont en classe. Ils regardent la neige qui tombe. Chacun rêve *(is dreaming)* aux vacances. Dites que ces personnes n'étudieraient pas si c'était les vacances. Dites aussi ce que chacun ferait.

▷ Marc (nager)　　**Marc n'étudierait pas. Il nagerait.**

1. Cécile (aller à la montagne)
2. Marthe (faire un pique-nique)
3. nous (faire une promenade)
4. vous (voyager)
5. moi (rendre visite à mon oncle)
6. toi (prendre des photos)
7. Sylvie (s'amuser)
8. Philippe (se reposer sur la plage)

ACTIVITÉ 7　La politesse

Vous voulez dire les choses suivantes à vos amis. Dites-leur ces choses d'une manière plus polie. Pour cela, utilisez le conditionnel.

▷ Je veux jouer au tennis avec toi.　　**Je voudrais jouer au tennis avec toi.**

1. Je veux te demander un service *(favor).*
2. Nous voulons vous parler.
3. Est-ce que je peux prendre tes disques?
4. Est-ce que tu peux me prêter un dollar?
5. Est-ce que vous pouvez m'aider?
6. Tu dois être plus patient.
7. Vous devez faire des efforts.

OPTIONAL

À votre tour　Le million　　This can be done as a written assignment.

Dites ce que vous feriez et ce que vous ne feriez pas si vous étiez millionnaire. Composez un paragraphe de six à huit phrases.

▷ J'achèterais une moto, mais je n'achèterais pas d'auto.

The purpose of this activity is to practice the formation of the conditional tense.

Section Magazine

Le monde de la découverte 3

Gustave Eiffel

Connaissez-vous les personnes suivantes? Parmi° elles, il y a des inventeurs, un mathématicien, un fabricant° d'instruments de musique, un acrobate . . . Est-ce que le nom de ces personnes vous dit quelque chose? Peut-être pas! Pourtant, ces personnes ont donné leurs noms à des choses que vous connaissez certainement. Lisez attentivement les descriptions biographiques de ces personnes. Dans chaque description, vous trouverez un indice° qui vous permettra d'identifier la personne en question. Voyons si vous êtes bon détective!

Among

maker

clue

Qui est-ce?

1. André Ampère   (1775–1836)
2. Michel Bégon   (1638–1710)
3. Louis Braille   (1809–1852)
4. Coco Chanel   (1883–1971)
5. Gustave Eiffel   (1832–1923)
6. Jules Léotard   (1830–1870)
7. Louis Pasteur   (1822–1895)
8. Adolphe Sax   (1814–1894)

Jules Léotard

Coco Chanel

Louis Braille

Adolphe Sax

Michel Bégon

a) Ce chimiste° et biologiste français est le père de la bactériologie moderne. Il a prouvé que les maladies° contagieuses sont transmises° par des microbes ou bactéries et il a découvert° des vaccins pour combattre ces microbes. Il a aussi inventé une méthode pour arrêter° la fermentation de liquides comme le lait. Cette méthode porte° le nom de ce grand savant.°

chemist
diseases;
transmitted
discovered
of stopping
bears; scientist

b) Cet officier de marine° a beaucoup voyagé. C'était aussi un botaniste amateur qui étudiait les plantes et les fleurs des pays qu'il visitait. Il a donné son nom à une fleur.

navy

c) C'était l'un des acrobates les plus célèbres de son époque.° Dans ses exercices de trapèze, il portait un costume spécial que portent les danseurs et les danseuses d'aujourd'hui.

time

d) Cet ingénieur a introduit° l'usage du fer dans la construction des édifices.° Il a construit de nombreux° ponts.° Il a surtout construit une tour° très célèbre que des millions de touristes visitent chaque année!

introduced
buildings;
numerous;
bridges; tower

e) Ce fabricant d'instruments de musique est né en Belgique. Il a créé° un instrument très utilisé dans les orchestres de danse et les orchestres de jazz.

created

f) Cette femme a révolutionné° le monde de la mode° en créant des vêtements simples et confortables. Elle a aussi créé un parfum connu° dans le monde entier.

revolutionized;
fashion
known

g) Ce musicien est devenu aveugle° à la suite° d'un accident. Il a inventé un système d'écriture° en relief pour permettre aux aveugles° de lire la musique et les textes écrits.

blind; as the
result
writing; blind
people

h) Ce savant français a démontré° les rapports° entre l'électricité et le magnétisme. Il a créé une nouvelle branche scientifique appelée l'électro-dynamique. L'unité d'intensité des courants° électriques porte son nom.

demonstrated;
relationship
currents

Louis Pasteur

André Ampère

RÉPONSES:
Avez-vous établi *(established)* les correspondances suivantes?

1-h Ampère / l'ampère
2-b Bégon / le bégonia
3-g Braille / le système Braille d'écriture
4-f Chanel / Chanel Nº 5
5-d Eiffel / la tour Eiffel
6-c Léotard / le léotard
7-a Pasteur / la pasteurisation
8-e Sax / le saxophone

Un nouvel art est né!

La date: le 22 mars 1895.

L'endroit: une salle située 44, rue de Rennes à Paris. C'est dans cette salle que deux frères ont convoqué° quelques amis. Pourquoi? Mystère! Les amis ne savent pas exactement pourquoi ils ont été invités. — *called together*

Les deux frères ont un nom prédestiné: ils s'appellent Lumière.° L'aîné,° Auguste Lumière, a 33 ans. Le plus jeune, Louis Lumière, a 31 ans. Ce sont des industriels.° Leur spécialité? La photographie! À l'heure indiquée, les deux frères arrivent rue de Rennes avec un mystérieuse boîte noire. Est-ce un appareil-photo? Oui et non. Les invités pensent qu'ils vont assister à° une projection de photos. On met un écran° blanc sur un mur. La séance° commence. Des images apparaissent° sur l'écran. Un miracle se produit:° les images s'animent.° Les images bougent.° Les spectateurs voient des hommes et des femmes marcher, saluer° . . . Ils voient des enfants jouer dans la rue . . . Ils voient une voiture et des bicyclettes . . . Le spectacle dure une minute seulement, mais ce jour-là le cinéma est né! — *light; oldest* — *industrialists* — *to attend; screen* — *performance; appear* — *happens; come alive; move* — *greet one another*

La première représentation° commerciale a lieu quelques mois plus tard au «Grande Café» à Paris. Il y a des journalistes, des artistes, des acteurs, des personnalités politiques. Cette première représentation a un succès extraordinaire. Bientôt toute l'Europe parle de la nouvelle invention. L'empereur d'Autriche,° le tzar de Russie, le roi° d'Italie, les rois de Serbie,° d'Espagne, de Suède,° de Roumanie assistent à des représentations du «cinématographe». (C'est le nom que les frères Lumière ont donné à leur invention.) — *performance* — *Austria; king Serbia; Sweden*

Les Américains aussi veulent voir le cinématographe. La première représentation américaine a lieu à New York le 29 juin 1896. C'est un triomphe. À la fin° de la représentation, l'orchestre joue «La Marseillaise» et tous les spectateurs applaudissent. — *end*

Ainsi est né le cinéma qu'on appelle aujourd'hui le huitième art![1]

---

[1] Les sept arts:
- la poésie (*poetry*)
- la peinture (*painting*)
- la sculpture
- l'architecture
- la musique
- le théâtre
- la danse

272

LES FRÈRES LUMIÈRE

Les frères Lumière n'étaient pas seulement des industriels. Ils étaient aussi d'authentiques hommes de science. Louis Lumière était sujet a des migraines violentes et bizarrement° ses migraines stimulaient ses facultés° d'invention. À 17 ans, il a inventé une émulsion qui a permis le développement de la photographie instantanée. En 1899, il a inventé un procédé° qui a permis le développement de la photographie panoramique. En 1903, il a perfectionné° la photographie en couleurs. Auguste Lumière, lui, s'est spécialisé dans la recherche° médicale, en particulier dans le traitement° du cancer.

bizarrement *strangely* **facultés** *powers*
procédé *procedure* **a perfectionné** *perfected*
recherche *research* **traitement** *treatment*

Un appareil des Frères Lumière

"Le voyage à la lune," un des premiers films français

D'autres inventions et découvertes° françaises		
INVENTION	DATE	INVENTEUR
la machine à calculer	1641	Pascal
le parachute	1783	Lenormand
le stéthoscope	1815	Laënnec
la photographie	1826	Niepce
l'aspirine	1853	Gerhardt
le caoutchouc° synthétique	1879	Bouchardat
la radioactivité	1896	Becquerel
le radium	1898	Pierre et Marie Curie

découvertes *discoveries* **caoutchouc** *rubber*

ILS VOLENT!

Nous sommes le 19 septembre 1783 à Versailles. Une immense foule° est rassemblée° dans le parc du château. Il y a le roi° Louis XVI et la reine° Marie-Antoinette. Il y a aussi tous les courtisans.° Tout le monde regarde dans la même direction. Qu'est-ce que cette foule attend? À quel événement extraordinaire est-elle venue assister?° Qu'est-ce qui va se passer?

Devant cette foule, deux hommes préparent un feu.° Au-dessus de° ce feu, quatre serviteurs° tendent° une immense enveloppe° de toile° et de papier. Peu à peu, l'enveloppe prend la forme d'un ballon. Le ballon se gonfle.° Puis il s'élève° dans les airs.

«Il vole,° il vole . . .» Le ballon, en effet,° vient de s'envoler.° À son bord,° il y a un canard,° une poule° et un mouton.° Ce sont les premiers passagers de l'espace. Le ballon va atteindre° une altitude de 1.500 pieds, puis il va redescendre. Cette spectaculaire démonstration a duré huit minutes. Le roi, la reine et tous les courtisans applaudissent.

Les auteurs° de cette expérience° scientifique sont deux frères, les frères Montgolfier. Leur expérience est basée sur un principe simple. L'air chaud est plus léger que l'air froid. Quand une masse d'air chaud est mise en présence d'une masse d'air froid, l'air chaud monte. Pourquoi ne pas enfermer° cette masse d'air chaud dans une enveloppe? L'idée du ballon est ainsi née. Les frères Montgolfier ont réalisé° leurs premières expériences à Annonay, une petite ville du centre de la France. Puis, ils ont décidé de faire une démonstration publique de leur invention. Pour cela, le roi les a invités à Versailles. Cette première démonstration publique est un immense succès.

crowd; assembled; king
queen; court attendants

to attend

fire
Above; servants; stretch
bag; cloth
inflates; rises

is flying; indeed; lifted off
On board; duck; hen; sheep
to reach

originators; experiment

enclose

carried out

Deux mois plus tard, le 21 novembre, les frères Montgolfier renouvellent° leur expérience à Paris devant 400.000 spectateurs. Dans la foule, il y a un spectateur très intéressé. Ce spectateur est un Américain de 77 ans: Benjamin Franklin! Cette fois-ci, il y a deux hommes à bord de la montgolfière (c'est ainsi° que s'appelaient les premiers ballons). La montgolfière s'élève dans le ciel° de Paris et parcourt° une distance de neuf kilomètres. Les deux navigateurs ou «aéronautes» viennent de réaliser le rêve millénaire° de l'humanité: voler.

Les expériences et les succès continuent. Le 7 janvier 1785, deux navigateurs traversent° la Manche° en ballon. Malheureusement, il y a aussi des accidents. Le 15 juin de cette année-là, un aéronaute se tue° en ballon. C'est la première victime de l'espace.

Les premières applications des ballons ont été scientifiques . . . et militaires. Dès° 1784, on a utilisé les ballons pour analyser l'air à différentes altitudes, pour observer les phénomènes météorologiques, pour étudier les variations de pression° atmosphérique. En 1794, pendant la Révolution française, on a utilisé des ballons captifs° pour observer les mouvements des troupes ennemies. En 1870, alors que° Paris était encerclé par les troupes allemandes, des ballons ont assuré° les communications entre la capitale et la province.°

Les progrès techniques ont été rapides. On a remplacé° l'air chaud par l'hydrogène, puis par l'hélium. On a ajouté° un moteur qui a permis de diriger° la marche° du ballon. Le ballon est devenu alors un «dirigeable». Ces dirigeables ont été utilisés pour le transport des marchandises et des passagers.

Le ballon a perdu son utilité commerciale quand il a été remplacé par l'avion. Mais le ballon n'a pas totalement disparu.° Aujourd'hui il est devenu un sport pratiqué en France et surtout aux États-Unis. La capitale de ce nouveau sport est Albuquerque. Chaque année,° des compétitions ont lieu au Nouveau Mexique, au Texas, en Californie . . .

Pour les sportifs, le grand exploit est la traversée° de l'Atlantique en ballon. La première tentative° a eu lieu en 1873. D'autres tentatives ont suivi,° sans succès. Finalement, trois aéronautes américains ont réussi cette traversée en 1978. À quand le tour du monde° en ballon?

repeat

this is the way
sky
travels

thousand-year-old dream

cross; English Channel

is killed

As early as

pressure

tethered (moored)
while
permitted
= the rest of the country

replaced
added
to steer; course

disappeared

year

crossing
attempt
followed

flight around the world

275

RENCONTRE (imaginaire)
AVEC UN EXPLORATEUR (véritable)

Il est là, dans son bureau. C'est un endroit où on le trouve rarement. Il est grand et mince.° Il n'est plus très jeune. Pourtant, son allure° sportive, son visage° bruni° par le soleil expriment° une jeunesse° éternelle. Vous le connaissez certainement. Ses films ont été présentés à la télévision américaine où ils ont connu° un succès extraordinaire. Cet homme, c'est Jacques-Yves Cousteau, l'un des grands explorateurs du vingtième siècle.° Ce n'est pas un explorateur ordinaire. Son domaine est le «monde du silence», c'est-à-dire,° le monde de la mer et des espaces sous-marins.°

*thin; manner;
  face
tanned; ex-
  press; youth
have enjoyed
century
that is
underwater*

L'INTERVIEWER: Vous êtes connu° principalement pour vos expéditions sous-marines, mais vous êtes aussi un inventeur.

J.-Y. COUSTEAU: C'est exact.° J'ai inventé un scaphandre autonome° qui facilite° l'exploration sous-marine. J'ai aussi créé une caméra sous-marine. Ces inventions ont beaucoup contribué au succès de mes expéditions.

known

*right;
  aqualung
makes easy*

L'INTERVIEWER: Ces expéditions sont très nombreuses.° Vous avez exploré les espaces sous-marins de la mer Rouge, de l'océan Indien, de l'Atlantique et du Pacifique. Vous avez aussi exploré les côtes° de la Grèce, de Madagascar, du Brésil, de l'Égypte . . .	*numerous* *coasts*
J.-Y. COUSTEAU: . . . et même les côtes françaises. Une de nos expéditions les plus intéressantes a été une expédition archéologique à quelques° kilomètres de Marseille.	*within a few*
L'INTERVIEWER: Pouvez-vous nous raconter cette expédition?	
J.-Y. COUSTEAU: Eh bien, voilà. Il y a plusieurs années,° nous avons découvert° une épave° très, très ancienne. C'était l'épave d'un navire° grec° de l'Antiquité. Elle était située exactement ici.	*years* *discovered;* *wreckage* *ship; Greek*
(Cousteau indique un point sur la carte.°)	*map*
Ce navire faisait le transport° de vin entre la Grèce et Marseille, probablement au troisième siècle° avant Jésus-Christ. Pris° dans une tempête,° il s'est échoué° juste en face de Marseille. Dans ce «super-tanker» de l'Antiquité, nous avons trouvé des centaines° d'amphores.° Ces amphores étaient en excellent état° de conservation. Certaines contenaient encore° du vin. Imaginez! Du vin de plus de deux mille ans!°	**= transportait** *century* *Caught; storm;* *sank* *about 100 Greek* *vases* **= condition** *still contained* *more than 2000* *years ago*
L'INTERVIEWER: Plus tard, vous avez dirigé° une importante expédition en Méditerranée. Pouvez-vous nous décrire brièvement cette expédition?	*directed*
J.-Y. COUSTEAU: Vous parlez probablement de l'expédition «Précontinent III». Le but° de cette expédition était d'étudier les conditions d'adaptation de l'homme à la vie° sous-marine. Pour cela, nous avons construit une véritable «maison sous la mer», où nous sommes restés plusieurs semaines à explorer le monde autour de nous.	*aim* *life*
L'INTERVIEWER: Et quelles ont été les conclusions de cette expérience?°	*experiment*
J.-Y. COUSTEAU: Cette expérience a prouvé que l'homme peut très bien vivre sous la mer.	
L'INTERVIEWER: Vous avez écrit de nombreux livres. Vous avez également° fait de nombreux films. Vos films ont connu un très grand succès aux États-Unis . . .	**= aussi**
J.-Y. COUSTEAU: Je connais et j'apprécie l'intérêt des jeunes Américains pour la recherche° sous-marine.	*research*
L'INTERVIEWER: Et maintenant que faites-vous?	
J.-Y. COUSTEAU: Je continue mes explorations et mes recherches . . . Et je prêche° une nouvelle croisade.°	*am preaching;* *crusade*
L'INTERVIEWER: Quelle croisade?	
J.-Y. COUSTEAU: Une croisade pour la protection de la nature et contre° la pollution. Si nous voulons survivre, il est absolument essentiel que nous préservions nos ressources naturelles. À mon avis, le problème de la conservation de la nature est devenu le problème numéro un du monde d'aujourd'hui.	*against*

277

Chine

Pakistan

ANNAPURNA

Népal

Inde

0   600
KM

VICTOIRE SUR L'ANNAPURNA

Encore 100 mètres! Encore 50 mètres, 30 mètres, 10 mètres, 5 mètres . . . Victoire! L'Annapurna est conquise!°   *conquered*

L'Annapurna est un sommet° du Népal. Avec une altitude de 8.078 *peak*
mètres, c'est un des plus hauts° sommets du monde. Ce jour-là, le 3 juin *highest*
1950, pour la première fois dans l'histoire de la montagne,° les hommes *mountaineering*
ont atteint° un sommet de plus de 8.000 mètres. Ce n'est pas la première *reached*
expédition. Une centaine d'équipes° l'ont précédée. Des équipes an- *About 100*
glaises, allemandes, françaises, italiennes, américaines, japonaises . . .   *teams*
Personne n'a réussi. Mais aujourd'hui, finalement, c'est la victoire.

Les conquérants° de l'Annapurna sont deux Français: Maurice Herzog *conquerors*
(31 ans) et Louis Lachenal (29 ans). Ces deux hommes sont des experts
de la montagne. Ils ont longtemps préparé cette expédition. Au total, il y
a huit hommes dans l'expédition: six alpinistes, un médecin, un photographe. L'équipe quitte Paris le 30 mars. Le premier avril, elle arrive
à New Delhi. Le 5 avril, elle est au Népal. Le 10 avril, les hommes
aperçoivent la formidable masse de l'Annapurna.

Est-ce qu'il y a un accès° jusqu'au° sommet? Évidemment il n'existe *approach; up to*
pas de cartes° de la région. Tous les jours, des missions partent pour *maps*
reconnaître° le terrain. La conclusion est claire:° l'ascension° sera très *to survey; clear;*
difficile.   *ascent*

Cette ascension commence. 18 mai: altitude 5.300 mètres. 24 mai:
altitude 6.600 mètres. Les progrès sont lents. Il y a aussi de sérieuses
difficultés: les avalanches, les tempêtes de neige,° le vent, le froid, le *blizzards*
soleil qui brûle° les yeux. 28 mai: altitude 7.150 mètres. Encore 900 mètres. *burns*
3 juin: Herzog et Lachenal plantent le drapeau° français sur le sommet de *flag*
l'Annapurna. Leur expédition a réussi!

L'expédition cependant° n'est pas terminée. Si l'ascension a été très *however*
difficile, la descente sera encore plus dure. Il y a de nouvelles avalanches. Les alpinistes tombent, se perdent . . . Lachenal perd ses
chaussures et ses gants.° Ses pieds et ses mains sont gelés.° Le soleil le *gloves; frozen*
rend aveugle.° La descente est une terrible épreuve.° Les conquérants de *blind; ordeal*
l'Annapurna sont maintenant des invalides qui souffrent° terriblement. Le *suffer*
19 juin, finalement, ils rejoignent leurs camarades.° *companions*

En juillet, l'expédition rentre à Paris. À l'aéroport, il y a des journalistes, des personnalités politiques. C'est le triomphe! Pour Lachenal
et Herzog, c'est aussi l'hôpital où ils sont amputés. L'amputation
partielle des pieds et des mains n'arrête pas° l'activité de ces deux héros. *doesn't stop*
Louis Lachenal reprendra son métier° de guide. Maurice Herzog, lui, fera *profession*
carrière° dans la politique. Il sera Ministre de la Jeunesse° et des *career; Youth*
Sports. Pour les Français, ces deux hommes resteront les conquérants de
l'impossible!

279

La Salle

Les connaissez-vous?

Connaissez-vous les personnes suivantes? Qu'est-ce qu'elles ont en commun? Au moins deux choses. Elles sont d'origine française et chacune a sa place dans l'histoire américaine.

Revere

Robert Cavelier de La Salle (1643–1687)

La Salle est l'un des grands explorateurs du continent américain. Né en France, il est venu au Canada à l'âge de 23 ans. Il a d'abord exploré la région des Grands Lacs, puis la vallée du Mississippi. C'est lui qui a nommé° la Louisiane en l'honneur du roi° de France, Louis XIV.

Paul Revere (1735–1818)

La famille de Paul Revere s'appelait Rivoire. C'était une famille huguenote d'origine française. Dans sa vie,° Paul Revere a exercé un grand nombre de métiers:° soldat,° commerçant,° imprimeur,° graveur,° orfèvre° . . . Si Paul Revere est resté célèbre, c'est à cause du rôle qu'il a joué pendant la Révolution américaine.

Le marquis de La Fayette (1757–1834)

La Fayette était issu d'une° famille française très célèbre et très riche. À dix-huit ans, il a entendu parler de° la Révolution américaine. Il a alors décidé de rejoindre° les patriotes américains et de combattre° avec eux contre° les Anglais. Malheureusement, sa famille et ses amis se sont opposés à ses projets et le roi de France lui a interdit° de partir. Que faire? La Fayette n'a pas hésité longtemps. Il est allé en Espagne où il a acheté un bateau avec son propre° argent et il est parti pour l'Amérique . . . Dès° son arrivée, La Fayette s'est engagé° dans l'armée américaine. À vingt ans, le Congrès continental l'a nommé général. Il est devenu l'ami de Washington avec qui il a participé aux grandes batailles° de la guerre° de l'Indépendance. La Fayette est l'un des grands héros de la Révolution américaine.

La Fayette

Du Pont

E. Irénée Du Pont de Nemours (1771–1834)

En France, le jeune Irénée était un apprenti-chimiste° spécialisé dans la fabrication des explosifs. Arrivé aux États-Unis en 1800, il a réalisé° le rêve° de tous les immigrants en créant° sa propre entreprise.° Cette entreprise, la compagnie E. I. Du Pont de Nemours, est aujourd'hui l'une des plus grandes compagnies chimiques° du monde.

Jean Laffite (1782–1854)

Jean Laffite est un héros de légende. C'était le chef° d'un groupe de contrebandiers° qui opérait dans la région de la Nouvelle-Orléans. C'était aussi un ardent patriote. Jean Laffite a défendu victorieusement la Nouvelle-Orléans quand les Anglais ont attaqué cette ville en 1814. Après la guerre, il a reconstitué° son groupe de contrebandiers, puis il a mystérieusement disparu° . . .

Laffite

a nommé *named* **roi** *king* **vie** *life* **métiers** *professions* **soldat** *soldier* **commerçant** *merchant* **imprimeur** *printer* **graveur** *engraver* **orfèvre** *silversmith* **était issu d'une** *came from a* **a entendu parler de** *heard about* **rejoindre** *to join* **combattre** *to fight* **contre** *against* **a interdit** *forbade* **propre** *own* **Dès** *Upon* **s'est engagé** *enlisted* **batailles** *battles* **guerre** *war* **apprenti-chimiste** *chemist's apprentice* **a réalisé** *achieved* **rêve** *dream* **créant** *setting up* **entreprise = compagnie** **chimiques** *chemical* **chef** *leader* **contrebandiers** *smugglers* **a reconstitué** *reorganized* **a . . . disparu** *disappeared*

John James Audubon (1785–1851)

Où est né Audubon? À la Nouvelle-Orléans? À Haïti? En France? Les origines de ce grand artiste restent mystérieuses. Après avoir fait ses études° en France, Audubon est arrivé à Philadelphie en 1803. Puis, pendant trente ans, il a passé sa vie à voyager et à peindre° la nature autour de lui. Dans son œuvre° *Les oiseaux d'Amérique*, Audubon combine le talent artistique avec l'esprit d'observation scientifique.

John Charles Frémont (1813–1890)

Né en Géorgie, Frémont était le fils d'un officier français. Est-ce un héros ou un aventurier? Peut-être les deux! Frémont a commencé sa carrière comme° professeur de mathématiques, mais bien vite, il a abandonné ce métier pour devenir explorateur. C'est l'un des grands explorateurs de l'Ouest.° Il a exploré les montagnes Rocheuses,° le Nevada, l'Oregon. Arrivé en Californie en 1846, il a proclamé l'indépendance de ce territoire espagnol. Puis il est devenu gouverneur et sénateur du nouvel état. En 1856, Frémont a été le candidat républicain aux élections présidentielles. Battu,° Frémont a continué à défendre ses idées alors révolutionnaires: l'abolition de l'esclavage,° la construction d'un chemin de fer° transcontinental qui rejoindrait le Pacifique. Plus tard, Frémont a été gouverneur du territoire de l'Arizona.

Audubon

Frémont

L'histoire de ces sept hommes illustre la contribution des gens d'origine française à l'histoire des États-Unis. Cette contribution est très importante. Pensez aux colons° français qui se sont installés° en Louisiane, aux milliers° de soldats français qui ont combattu° pendant la guerre de l'Indépendance, aux chercheurs° d'or français qui sont arrivés en Californie en 1848. Pensez surtout aux deux millions de Franco-Américains qui vivent aujourd'hui aux États-Unis!

fait ses études = étudié   **à peindre** *painting*
œuvre *work*   **comme** *as*   **Ouest** *West*
montagnes Rocheuses *Rockies*   **Battu** *Defeated*
esclavage *slavery*   **chemin de fer** *railroad*
colons *colonists*   **se sont installés** *settled*
milliers *thousands*   **ont combattu** *fought*
chercheurs *seekers*

PROJETS CULTURELS

1. Établissez *(Draw up)* une liste des savants *(scientists)* français qui ont eu le Prix Nobel en physique, chimie ou médecine. Expliquez brièvement *(briefly)* leurs contributions.

2. Choisissez un savant français. Décrivez sa vie et ses découvertes. Choix possibles: Descartes, Pascal, Lavoisier, Ampère, Laënnec, Pasteur, Becquerel.

3. Les Français ont joué un rôle important dans le développement de certains domaines techniques, comme la photo, l'automobile, l'aviation, la télévision. Choisissez l'un de ces domaines et décrivez son histoire.

4. Préparez une exposition *(exhibit)* sur le cinéma en France. Vous pouvez centrer cette exposition sur un aspect particulier: aspect historique, films anciens et modernes, acteurs et actrices d'aujourd'hui, grands metteurs en scène *(directors)*, etc.

5. Choisissez un explorateur français et faites l'historique de ses explorations. Choix possibles: Jacques Cartier, Bougainville, La Pérouse.

PRESENTATION

Paul and David, two American students in Paris, meet a French girl named Colette. Colette invites them to her apartment for lunch. Since the boys' command of French is rather weak, they end up at the wrong place and on the wrong date.

OBJECTIVES

Language

  main objective
  • review and expansion of pronouns (object pronouns, double object pronouns, **y** and **en**)

  other objectives
  • **suivre**
  • **ouvrir**
  • adverbs: forms and position

Vocabulary
  • time expressions
  • housing
  • shopping
  • quantities

UNITÉ 6
Les cinq surprises de Paul et de David

UNITÉ 6

Leçon 1 Première surprise

Scène 1. 28 mars

Paul et David sont deux étudiants américains qui passent l'*année* à Paris. Ils sont arrivés en janvier, et maintenant, ils *suivent* les cours de l'Alliance Française. Un jour, ils reçoivent l'invitation suivante:

year

are taking

> jeudi, 3 avril
>
> à 21 heures, grand bal du Printemps
>
> dans les salons de l'Alliance Française
>
> Les élèves et leurs amis sont invités.

salons halls

Paul et David décident d'aller à ce bal. Il y aura certainement beaucoup de monde à cette *soirée.* Pour les deux garçons ce sera une excellente occasion de faire la connaissance de jeunes Français . . . et de jeunes Françaises!

party

Scène 1: Qui sont Paul et David? Quand est-ce qu'ils sont arrivés à Paris? Où étudient-ils? Où sont-ils invités? Pourquoi décident-ils d'aller au bal?

Scène 2. 3 avril

Paul et David avaient raison. Il y a beaucoup de monde au bal, mais comme ils ne connaissent personne, les deux garçons s'embêtent un peu. David décide de partir. *Au moment où* il va quitter la salle, une jeune fille le remarque.

When

LA JEUNE FILLE *(en elle-même):* Qui est ce garçon? Il me semble que je le connais. Où est-ce que je l'ai rencontré?

David a remarqué la jeune fille.

DAVID *(en lui-même):* Qui est cette jeune fille? Je ne la connais pas! Alors, pourquoi est-ce qu'elle me regarde comme ça?

LA JEUNE FILLE *(en elle-même):* Non, je ne rêve pas . . . Maintenant, je me souviens où j'ai vu ce garçon. Je vais lui parler.

La jeune fille va *vers* David.

toward

LA JEUNE FILLE: Vous êtes américain, n'est-ce pas?

DAVID *(un peu surpris):* Oui.

LA JEUNE FILLE: Et vous habitez à Boston?

DAVID *(encore plus surpris):* Oui.

LA JEUNE FILLE: Alors, vous êtes le frère de Christine!

DAVID *(de plus en plus surpris):* C'est vrai . . . Mais, où est-ce que je vous ai rencontrée?

LA JEUNE FILLE *(mystérieusement):* Vous ne m'avez jamais rencontrée!

DAVID (*très perplexe*): Alors, comment est-ce que vous me connaissez?

LA JEUNE FILLE: Il n'y a pas de mystère. C'est très simple! Je suis la correspondante de votre sœur Christine . . . Je lui écris régulièrement, mais elle, elle ne m'écrit pas très souvent . . . *En fait*, elle ne m'a pas écrit depuis octobre . . . Dans sa dernière lettre, elle m'a envoyé des photos de votre famille. Voilà comment je vous ai reconnu . . . même si je ne vous ai jamais rencontré.

DAVID: Quelle coïncidence extraordinaire! Vous êtes Colette Charron, je suppose.

LA JEUNE FILLE: Bien sûr!

In fact

Scène 2: Pourquoi est-ce Paul et David s'embêtent? Qui remarque David? Est-ce que la jeune fille connaît David? Comment est-ce qu'elle le reconnaît? Qui est Christine? Comment s'appelle la jeune fille?

Scène 3.

Paul et David passent une agréable *soirée en compagnie de* Colette et de ses amis. *Avant de les quitter,* Colette invite les deux garçons à déjeuner.

COLETTE: Vous êtes libres *mardi en huit?*

DAVID: Oui, bien sûr!

COLETTE: Est-ce que vous voulez déjeuner chez moi?

PAUL: Avec *grand* plaisir!

COLETTE: Je vous préviens. J'habite un modeste *studio* d'étudiant, rue de Sèvres . . . Je vous recevrai très simplement . . . C'est d'accord?

DAVID: D'accord!

COLETTE: À *bientôt*, alors.

PAUL: À bientôt.

DAVID: Au revoir et merci!

evening; in the company of
Before leaving them
a week from Tuesday

great

studio apartment

See you soon

Scène 3: Pour quel jour est-ce que Colette invite Paul et David? Est-ce qu'ils acceptent l'invitation? Où habite Colette?

Sujet de composition Expliquez la première surprise de Paul et de David.

L'Alliance Française L'Alliance Française est une organisation internationale pour l'enseignement° de la langue° et de la culture françaises. C'est la plus grande école de français du monde. Elle a 250.000 élèves, en France et à l'étranger. Aux États-Unis, l'Alliance Française a des écoles à New York, à San Francisco, à Chicago et dans d'autres villes.

enseignement *teaching* **langue** *language*

Vocabulaire pratique

NOMS:	un bal	*dance*
	un correspondant	*pen pal*
	un cours	*course, class*
	le monde	*world*
	du monde	*(many) people*
	le plaisir	*pleasure*

une correspondante	*pen pal*
une occasion	*opportunity*
une salle	*hall*

ADJECTIFS:	agréable	*pleasant, agreeable*
	libre	*free*
	surpris	*surprised*

VERBES:	expliquer	*to explain*	Je n'ai pas compris. Peux-tu m'**expliquer** ce problème?
	prévenir (like venir)	*to warn, tell in advance*	Je vous **préviendrai** si je sors ce soir.
	rêver (de)	*to dream*	Henri **rêve d'**avoir une moto.
EXPRESSIONS:	bientôt	*soon*	Je vais partir **bientôt**.
	comme	*like, as*	Êtes-vous **comme** moi? Aimez-vous aller au cinéma?
		since	**Comme** vous n'étiez pas là, je suis parti.
	même	*even*	J'aime me promener, **même** quand il fait froid.
	même si	*even if*	J'irai chez toi **même** s'il pleut.

Note: The noun **monde** has several meanings:

le monde	*the world*	**Le monde** devient de plus en plus petit.
du monde	*(many) people*	Il y avait **du monde** au concert.
beaucoup de monde	*many people*	J'ai vu **beaucoup de monde** au bal.
tout le monde	*everyone*	**Tout le monde** s'est amusé.

MOTS APPARENTÉS

French adjectives in **-lier/-lière** often have English cognates in *-lar*.

-lier/-lière	↔	-lar		
régulier		*regular*	particulier	*particular*
singulier		*singular*	familier	*familiar*

Vocabulaire spécialisé Le temps qui passe

Les divisions du temps

un an	*year*	une année	*(whole) year*
un jour	*day*	une journée	*(whole) day*
un matin	*morning*	une matinée	*(whole) morning*
un soir	*evening*	une soirée	*(whole) evening, evening party*

| le début | *beginning* | la fin | *end* |

VOCABULARY REVIEW: une semaine, un mois, un après-midi, un week-end. Note that these nouns do not take the -ée ending.

| prochain | *next* | Je vous inviterai la semaine **prochaine**. |
| dernier (dernière) | *last* | J'ai vu Colette la semaine **dernière**. |

When used with time, **prochain** and **dernier** come after the noun. When referring to space, they precede the noun: la prochaine rue, la dernière maison.

Note: In general, the ending **-ée** (or **-née**) is used with **an, jour, matin,** and **soir** to emphasize the duration of these periods. Contrast:

| (point in time) | **Ce soir**, je vais sortir avec mes amis. |
| (duration) | Nous allons passer une excellente **soirée**. |

This distinction between duration and point in time is not absolute, but is often a matter of usage: J'ai passé deux ans (ou deux années) à Paris. L'an prochain (ou L'année prochaine) je vais aller à Québec.

Expressions quand on se quitte

à tout de suite	*see you (meet you) right away*
à tout à l'heure	*see you in a little while*
à bientôt	*see you soon (in a few days)*

à + (l'heure)
| à midi | *see you at noon* |

à + (partie de la journée)
| à cet après-midi | *see you this afternoon* |
| à ce soir | *see you tonight* |

à + (jour de la semaine)
à demain	*see you tomorrow*
à lundi prochain	*see you next Monday*
à mardi en huit	*see you a week from Tuesday*

à + (date)
| au 24 | *see you on the 24th* |
| au 2 juin | *see you June 2* |

à + (un moment futur)
| à la semaine prochaine | *see you next week* |
| au week-end prochain | *see you next weekend* |

In the above expressions, à means *until*. The expression **au revoir** means *until we see each other (one another) again.* The expression **adieu** literally means *until we meet again in God's presence* and is used to say good-by to someone you think you may never see again.

ACTIVITÉ 1 Au téléphone

Imaginez que vous êtes étudiant en France. Vous parlez au téléphone avec les personnes indiquées. Qu'est-ce que vous allez leur dire à la fin de votre conversation? Utilisez une expression du Vocabulaire spécialisé.

⇨ Vous allez déjeuner avec Suzanne. **À midi! (À midi et demi! À tout à l'heure!)**

1. Vous allez dîner avec Paul.
2. Ce soir, vous allez au cinéma avec Colette.
3. Vous allez voir Thomas demain matin.
4. Vous allez voir Jacqueline samedi prochain.
5. Vous allez passer le week-end avec la famille de Charles.
6. Vous avez rendez-vous avec Louise le 3 mai.
7. Vous allez voir Henri dans deux heures. à tout à l'heure
8. Vous allez voir Mélanie dans dix minutes. à tout de suite

Structure

A. Le verbe *suivre*

Note the forms of the irregular verb **suivre** *(to follow)*.

Infinitive	suivre			
Present	je	suis	nous	suivons
	tu	suis	vous	suivez
	il/elle/on	suit	ils/elles	suivent
Passé composé	j'ai	suivi		

You may point out that **je suis** may mean *I am* or *I follow*. The context makes the meaning clear.

The verb **suivre** is regular in the imperfect and in the future.

Suivre means *to follow—physically or mentally*. It is also used in the following expressions:

suivre un conseil	*to take advice*	Je ne **suis** pas toujours tes **conseils**.
suivre un cours	*to take a course (class)*	Henri **suit un cours** de maths.
suivre un régime	*to be on a diet*	Quel **régime suivez**-vous?

proverbe: *Les jours se suivent et ne se ressemblent pas!*

"*Tomorrow is another day.*"
(literally: *The days follow one another and don't resemble one another.*)

ACTIVITÉ 2   Questions personnelles

1. Suivez-vous les sports à la télé? Quels sports suivez-vous? Avez-vous suivi les World Series l'année dernière? Qui a gagné?
2. Est-ce que vos parents suivent la politique? Est-ce qu'ils ont suivi les dernières élections présidentielles?
3. Suivez-vous bien quand le professeur parle français? Et les autres élèves?
4. Avez-vous suivi un cours de français l'année dernière? Suivrez-vous un cours de français l'année prochaine?
5. Suivez-vous les conseils de vos amis? les conseils de vos parents? les conseils de vos professeurs?
6. Avez-vous déjà suivi un régime? Décrivez ce régime.

Le Marathon international de Montréal *Viens courir avec nous...*

B. Révision: les pronoms compléments d'objet   OPTIONAL

Review the object pronouns in heavy type in the chart below.

SUBJECT	DIRECT OBJECT	INDIRECT OBJECT		
je (j')	me (m')		Louise **m'**invite.	Elle **me** téléphone.
tu	te (t')		Thomas **te** connaît.	Il **t'**écrit.
il	le (l')	lui	Je **le** connais.	Je **lui** téléphone.
elle	la (l')		Je ne **la** connais pas.	Je ne **lui** parle pas.
nous	nous		Luc **nous** trouve gentils.	Il **nous** rend visite.
vous	vous		Je **vous** écoute.	Je **vous** réponds.
ils elles	les	leur	Anne **les** connaît. Marc ne **les** connaît pas.	Elle **leur** parle. Il ne **leur** parle pas.

The forms in parentheses are used before a vowel sound.

Position of object pronouns

Object pronouns come directly *before* the verb, except in affirmative commands.
In negative sentences, these pronouns come between **ne** and the verb.

> Je **vous** téléphonerai.   Je ne **vous** écrirai pas.

⇨ In affirmative commands, object pronouns come *after* the verb and are
attached to it with a hyphen.

You may have the students note the position of object pronouns with:
negative commands   Voici Marc. Ne l'invite pas.
inverted questions   Voici Éric. L'invites-tu?

> Note: after the verb, **me** → **moi.**
>
> Voici Jacques.   Invite-**le**.   Invite-**moi** aussi.

Direct object pronouns

The pronouns **le/la/les** replace direct object nouns designating people or things.

> Voici Paul.   Tu **le** vois?   *Do you see him?*
> Voici un livre.   Tu **le** vois?   *Do you see it?*

⇨ The following verbs take *direct objects:*

aider, amener, appeler, inviter, rencontrer . . .   **quelqu'un**

**acheter, apporter, avoir, choisir, conduire, faire, finir,
lire, mettre, perdre, prendre, vendre** . . . } **quelque chose**

**aimer, apercevoir, attendre, chercher, comprendre,
connaître, critiquer, détester, écouter, entendre, laisser,
oublier, préférer, recevoir, regarder, remarquer, suivre,
trouver, voir** . . . } **quelqu'un** ou **quelque chose**

Point out the differences in construction between French and English with the following verbs:

attendre	*to wait for*
chercher	*to look for*
écouter	*to listen to*
regarder	*to look at*

⇨ When the verb is in the **passé composé**, the past participle agrees with the preceding direct object pronoun.

Tu connais **Louise et Pauline?** Je **les** ai rencontré**es** hier au bal.

Indirect object pronouns

The pronouns **lui** and **leur** replace **à** + *a person.*

Exception: **penser à quelqu'un.**
Je ne pense pas à lui.

Je parle à **Paul.** Je **lui** parle.
Je téléphone à **mes cousins.** Je **leur** téléphone.

Point out the differences in construction between French and English with the following verbs:

⇨ The following verbs take *indirect objects:*

écrire à, obéir à, parler à, permettre à, promettre à, } **quelqu'un**
rendre visite à, répondre à, sourire à, téléphoner à . . .

obéir à	to obey
répondre à	to answer
téléphoner à	to call

Verbs that are usually used with two object pronouns (**donner, prêter,** etc.) are reviewed in the next lesson.

ACTIVITÉ 3 Non!

David ne fait pas ce que fait Paul. Exprimez cela en utilisant des pronoms compléments dans des phrases négatives.

⇨ Paul regarde la télé. **David ne la regarde pas.**

VARIATION with **nous:**
Nous ne la regardons pas.

1. Paul achète le journal.
2. Paul écoute la radio.
3. Paul connaît cette fille.
4. Paul prépare ses examens.
5. Paul fait les courses.
6. Paul attend le bus.
7. Paul parle à son professeur.
8. Paul téléphone à ces personnes.

ACTIVITÉ 4 Expression personnelle

Décrivez vos rapports *(relationship)* avec les personnes suivantes. Pour cela utilisez les verbes entre parenthèses et les pronoms compléments qui conviennent.

⇨ votre meilleur ami (inviter? téléphoner souvent?)
Je l'invite. (Je ne l'invite pas.)
Je lui téléphone souvent. (Je ne lui téléphone pas souvent.)

1. les parents de votre meilleur ami (connaître bien? parler souvent?)
2. vos voisins (téléphoner? inviter? voir tous les jours? trouver gentils? aider?)
3. le directeur / la directrice *(principal)* de l'école (connaître? parler souvent? trouver sympathique?)
4. vos cousins (voir souvent? écrire? rendre visite pendant les vacances? parler de vos problèmes?)
5. vos professeurs (écouter? écrire pendant les vacances? obéir?)
6. le président (connaître personnellement? trouver intelligent? téléphoner? écrire?)

ACTIVITÉ 5 Oui ou non?

Imaginez que vous êtes dans les situations suivantes. Dites à un ami de faire ou de ne pas faire (*not to do*) les choses indiquées entre parenthèses. Utilisez l'impératif de ces verbes dans des phrases affirmatives ou négatives.

⇨ Ce soir, je sors avec des amis. (téléphoner?)   **Ne me téléphone pas!**

1. Ce soir, je suis à la maison. (téléphoner?)
2. Je ne comprends pas ce problème. (aider?)
3. Je ne veux pas aller au cinéma. (attendre?)
4. Je veux te dire quelque chose d'important. (écouter?)
5. Cet été, je vais en vacances. (écrire?)
6. J'ai besoin d'encouragements. (critiquer?)
7. Ce soir, je veux me reposer. (rendre visite?)
8. Je suis de très mauvaise humeur. (parler?)

ACTIVITÉ 6 Bon voyage!

Avant leur départ pour la France, Paul demande à David s'il a fait certaines choses. David répond affirmativement ou négativement. Jouez le rôle de David.

⇨ Tu as téléphoné à l'oncle Robert? (non)   **Non, je ne lui ai pas téléphoné.**

1. Tu as téléphoné à nos cousins? (oui)
2. Tu as acheté les billets? (oui)
3. Tu as acheté les traveller-chèques? (non)
4. Tu as fait les bagages? (oui)
5. Tu as pris ton passeport? (oui)
6. Tu as mis la moto au garage? (non)
7. Tu as pris la caméra? (non)
8. Tu as écrit à Grand-mère? (oui)
9. Tu as parlé à Christine? (non)
10. Tu as dit au revoir aux voisins? (oui)

1. je leur ai téléphoné 2. je les ai achetés 3. je ne les ai pas achetés 4. je les ai faits 5. je l'ai pris 6. je ne l'ai pas mise au garage 7. je ne l'ai pas prise 8. je lui ai écrit 9. je ne lui ai pas parlé 10. je leur ai dit au revoir

ACTIVITÉ 7 Petite conversation

Demandez à vos camarades si oui ou non ils ont fait les choses suivantes. Ils utiliseront **ne . . . jamais** dans les réponses négatives.   OPTIONAL

⇨ visiter la Floride?   —**Est-ce que tu as visité la Floride?**
—**Oui, je l'ai visitée. (Non, je ne l'ai jamais visitée.)**

1. visiter la tour Eiffel? visitée
2. regarder les Yankees à la télé? regardés
3. voir les Yankees à Yankee Stadium? vus
4. écouter la Neuvième (*Ninth*) Symphonie de Beethoven? écoutée
5. lire le magazine Paris-Match? lu
6. conduire la voiture de tes parents? conduite
7. conduire la voiture du professeur? conduite
8. avoir la rougeole (*chicken pox*)? eue
9. avoir les oreillons (*mumps*)? eus

Note the past participles to be used in the responses above.

OPTIONAL

À votre tour   **Votre meilleur(e) ami(e)**   This can be done as a written assignment.

Dans un paragraphe de 6 à 10 phrases, décrivez vos relations avec votre meilleur(e) ami(e). Utilisez des pronoms compléments avec des verbes au présent, au passé composé et au futur.

⇨ Ma meilleure amie s'appelle Linda. Je la vois souvent. Je l'ai vue dimanche. Je la verrai le week-end prochain aussi. Quand je la vois, je lui parle de . . .

The purpose of this activity is to practice the position and use of direct and indirect object pronouns.

OBSERVATIONS
Have the students read the following sentences:
Paul passe les clés à David. Paul les lui passe.
Questions
• Dans la deuxième phrase, quel pronom remplace les clés? (les) Est-ce que c'est un pronom complément d'objet direct ou indirect? (direct)

UNITÉ 6
Leçon 2   Deuxième surprise

Scène 1.

Nous sommes le 8 avril. Paul regarde le calendrier.

PAUL: Dis, David. C'est bien aujourd'hui que Colette nous a invités chez elle?

DAVID: Mais oui, c'est aujourd'hui.

PAUL: Au fait, est-ce que Colette t'a donné son adresse?

DAVID: Bien sûr, elle me l'a donnée. Je l'ai inscrite dans ce carnet qui est sur la table. Tiens, passe-le-moi, s'il te plaît.

David consulte le carnet.

DAVID: Colette habite 125, rue de Sèvres.

PAUL: À quel *étage?*   *floor*

DAVID: Zut! Je ne le lui ai pas demandé . . . Ça ne fait rien. Nous demanderons à la concierge.

Quelle est la date? Où est-ce que David a inscrit l'adresse de Colette? Qu'est-ce que Paul passe à David? Où habite Colette?

Scène 2.

À midi moins le quart, Paul et David arrivent au 125, rue de Sèvres,   *apartment*
l'*immeuble* où habite Colette. David va parler à la concierge.   *building*

DAVID: S'il vous plaît, Madame, à quel étage habite Mademoiselle Charron?

LA CONCIERGE: Elle habite au cinquième à droite.

Les deux garçons montent les *escaliers* et comptent les étages.   *stairs*

PAUL: Deux, trois, quatre, cinq . . . Cinquième droite. Voilà le studio de Colette.

NOTE CULTURELLE   OPTIONAL

La concierge   Vous rencontrerez cette personne dans beaucoup d'immeubles° parisiens. Elle habite une chambre ou un petit appartement au rez-de-chaussée.° C'est elle qui distribue le courrier et qui nettoie° les escaliers° . . . Son rôle est d'assurer l'ordre dans l'immeuble. Elle aime parler et faire parler.° Elle connaît beaucoup de choses sur° les personnes qui habitent son immeuble. Attention! Si un jour vous habitez à Paris, il est préférable que vous soyez° en bons termes avec votre concierge.

immeubles *apartment buildings* **au rez-de-chaussée** *on the ground floor* **nettoie** *cleans* **escaliers** *stairs*
faire parler *make others talk* **sur** *about* **soyez** *be*

Quel pronom remplace à David? (lui)   Est-ce que c'est un pronom   pronom vient le premier, le complément d'objet direct ou le
complément d'objet direct ou indirect? (indirect)   complément d'objet indirect? (le complément d'objet direct)
Quand il y a deux pronoms compléments devant le verbe, quel

Il *sonne* à la porte, mais il n'y a pas de réponse. *rings*

DAVID: Sonne *encore une fois!* *once more*

Paul sonne une fois, deux fois, trois fois . . . Personne ne répond.

PAUL: Tu es bien certain que c'est le studio de Colette?

DAVID: Mais oui! Regarde! Son nom est *inscrit* sur la porte: *written*
«Charron».

PAUL: Tu crois qu'elle nous a oubliés?

DAVID: Mais non!

PAUL: Tiens, il y a une enveloppe *sous* le *tapis!* *under; doormat*

DAVID: Une enveloppe? Passe-la-moi. C'est sûrement pour nous.

David ouvre l'enveloppe et lit la note suivante:

Chers amis,
Excusez-moi de ne pas être ici. Ce matin, j'ai reçu une convocation de la Préfecture de police. Une histoire idiote de contravention mais qui, hélas, m'oblige à m'absenter.
Entrez et faites comme chez vous. Vous trouverez le déjeuner tout préparé. Ne m'attendez pas. Je rentrerai à trois heures.
Cordialement,
C C

*for not being
summons; Police
   Department
traffic ticket
requires me
   to be away
make yourselves at
   home*

DAVID: Dis, Paul. Est-ce que tu as vu les clés?

PAUL: Oui, elles sont sous le tapis aussi.

DAVID: Passe-les-moi! Je vais ouvrir!

À quel étage habite Colette? Est-ce que quelqu'un répond quand Paul sonne? Qu'est-ce que Paul trouve sous le tapis? Où sont les clés?
Sujet de composition Expliquez la deuxième surprise de Paul et de David.

Vocabulaire pratique

NOM:	**un calendrier**	*calendar*

VERBES:	**compter**	*to count*	Je n'**ai** pas **compté** mon argent.
	inscrire	*to write* (in a notebook)	J'**ai inscrit** ton adresse dans mon carnet.
	(like **écrire***)*		

EXPRESSIONS:	**ça ne fait rien**	*that doesn't matter, no problem*
	hélas	*unfortunately*
	tiens!	*look! hey!*

MOTS APPARENTÉS

French verbs ending in **-scrire** often have English cognates in *-scribe*.

-scrire	↔	-scribe		
in**scrire**		*inscribe, write in*	dé**crire**	*describe*
trans**crire**		*transcribe*		

As in English, these verbs have related nouns in **-iption**: **une inscription, une transcription, une description**.

Vocabulaire spécialisé La résidence

NOMS: VOCABULARY REVIEW: une porte, une fenêtre, un grenier, un garage, un numéro de téléphone, une adresse

un **appartement**	apartment	**la banlieue**	suburbs
un **immeuble**	apartment building	une **maison**	house
un **quartier**	district, neighborhood	**la ville**	city
un **studio**	studio apartment		
un **ascenseur**	elevator	une **clé**	key
un **escalier**	staircase		
des **escaliers**	stairs		
un **étage**	floor, story		
un **mur**	wall		
le **rez-de-chaussée**	ground floor		
un **toit**	roof		

VOCABULARY EXPANSION: un **plancher** (floor), un **plafond** (ceiling), un **balcon**, une **cave** (cellar), un **gratte-ciel** [pl. des gratte-ciel] (skyscraper), un **bâtiment** (building)

ADJECTIFS:

ancien(ne) ≠ **neuf (neuve)**   old ≠ new   Voici une maison **neuve** dans un quartier **ancien**.

ancien(ne) ≠ **actuel(le)**   former ≠ present   Voilà mon **ancien** appartement, et voici mon studio **actuel**.

VERBES:

cacher	to hide	Où **avez**-vous **caché** les clés?
fermer	to close	**As**-tu bien **fermé** la porte?
fermer à clé	to lock	**As**-tu **fermé** la porte **à clé**?
frapper	to knock	Quelqu'un **a frappé** à la porte.
ouvrir	to open (the door)	Je vais **ouvrir**.
sonner	to ring (the bell)	Qui **a sonné**?

Note: In French buildings the ground floor is called **le rez-de-chaussée**.
What would be the second floor in English is **le premier étage**, etc.

ACTIVITÉ 1   Questions personnelles

1. Est-ce que vous habitez dans une grande ville? Est-ce que vous habitez dans le centre de cette ville ou dans la banlieue? Est-ce que vous habitez dans un quartier neuf ou dans un quartier ancien?
2. Est-ce que vous habitez dans un immeuble ou dans une maison individuelle? Si vous habitez dans un immeuble, à quel étage est-ce que vous habitez? Si vous habitez dans une maison individuelle, combien d'étages a votre maison?
3. Est-ce qu'il y a des immeubles très élevés dans votre ville? Combien d'étages a l'immeuble le plus élevé?
4. Pour monter les étages, prenez-vous les escaliers ou préférez-vous l'ascenseur?

5. En hiver, est-ce que vous ouvrez la fenêtre de votre chambre? Et en été? Pourquoi ou pourquoi pas?
6. Quand vous êtes dans votre chambre le soir, est-ce que vous fermez la porte? Est-ce que vous la fermez à clé?
7. Avez-vous la clé de votre maison ou de votre appartement? Quand vous sortez, est-ce que vous cachez cette clé? Où?
8. Est-ce qu'il y a une antenne de télévision sur le toit de votre maison?

Vocabulaire spécialisé Quelques prépositions

dans	in, inside	Les clés sont **dans** ma chambre.
sur	on	Il y a une antenne de télévision **sur** le toit.
sous	under	Le chien est **sous** la table.
vers	toward (place)	Henri va **vers** la fenêtre.
	around (time)	Nous déjeunons **vers** midi.
jusqu'à	as far as (place)	Je vais aller **jusqu'à** la plage.
	until (time)	Je vais étudier **jusqu'à** dix heures.
avec	with	Claire est **avec** ses amis.
sans	without	Suzanne est partie **sans** ses frères.
pour	for, in favor of	Nous sommes **pour** la justice.
contre	against	Vous êtes **contre** la violence.
entre	between	Je vous verrai **entre** une heure et deux heures.
par	through	Nous sommes passés **par** Paris.
	by	Cet immeuble a été construit **par** un architecte suisse.

Note: The indefinite article **un/une/des** is almost always omitted after **sans**.

Vous ne pouvez pas aller au bal **sans**	. . .	invitation.
*You can't go to the dance **without***	*an*	*invitation.*

The partitive article (**du, de la**) is also omitted after **sans**: **Nous sommes sans argent.**

ACTIVITÉ 2 Expression personnelle

Complétez les phrases suivantes avec une expression de votre choix.

⇨ J'habite dans . . . **J'habite dans une maison ancienne (un immeuble moderne, etc.).**

1. Mon meilleur ami habite dans . . .
2. Si vous allez chez moi, vous devez passer par . . .
3. Aujourd'hui, j'ai des classes jusqu'à . . .
4. Mon livre de français est sur . . .
5. En général, nous dînons vers . . .
6. Je suis pour . . .
7. Je suis contre . . .
8. Je n'aime pas être sans . . .

Structure

A. Révision: le verbe *ouvrir*

You have learned the forms of the irregular verb **ouvrir** *(to open)*. Now pay special attention to the past participle.

Infinitive	ouvrir			
Present	j'	ouvre	nous	ouvrons
	tu	ouvres	vous	ouvrez
	il/elle/on	ouvre	ils/elles	ouvrent
Passé composé	j'ai	ouvert		

The verb **ouvrir** is regular in the imperfect and in the future.

⇨ The present tense of **ouvrir** is like that of regular **-er** verbs.

offrez des fleurs
à vos amis...

The following verbs are conjugated like **ouvrir**:

découvrir	*to discover*	Qui **a découvert** l'Amérique?
offrir	*to offer, give*	J'**ai offert** un disque à mon ami pour Noël.
souffrir	*to suffer*	Personne n'aime **souffrir**.

VOCABULARY EXPANSION: **couvrir** *(to cover)*

ACTIVITÉ 3 Questions personnelles

1. Est-ce que votre livre est ouvert ou fermé?
2. Est-ce que vous faites des cadeaux à vos amis pour leur anniversaire? Qu'est-ce que vous leur offrez? Qu'est-ce qu'ils vous offrent?
3. Qu'est-ce que vous avez offert à votre père pour son anniversaire? et à votre mère?
4. Est-ce que vous souffrez quand vous êtes chez le dentiste? quand vous avez une mauvaise note *(grade)*? quand vos amis ne vous comprennent pas? Christophe Colomb   Jacques Cartier   Sir Alexander Fleming
5. Qui a découvert l'Amérique? le Canada? la pénicilline? le vaccin anti-polio? Jonas Salk et Albert Sabin

B. L'ordre des pronoms compléments   (Première partie)

The answers to the questions below contain both a *direct object* pronoun and an *indirect object* pronoun. Note the sequence of these two pronouns.

Tu donnes **les clés à Pierre?**	Oui, je **les lui** donne.	*I am giving **them to him**.*
Tu prêtes **ta voiture à Anne?**	Non, je ne **la lui** prête pas.	*I don't lend **it to her**.*
Tu montres **tes photos à tes amis?**	Oui, je **les leur** montre.	*I am showing **them to them**.*
Tu as donné **ce disque à Paul?**	Non, je ne **le lui** ai pas donné.	*I did not give **it to him**.*

When two object pronouns are used in the same sentence, they follow this sequence:

In English the order of pronouns is usually direct before indirect: *I will give them to her.* When the word *to* is left out, however, the order is indirect before direct: *I will give her them.*

⇨ In statements, questions, and negative commands, both pronouns come immediately *before* the verb or infinitive. The order is the same in inverted questions: **Les lui montres-tu?**

—Claire n'a pas vu tes photos.
—Est-ce que je **les lui** montre?

Remind the students that in the **passé composé** the past participle agrees with the preceding direct object: **Pierre a montré ses photos à Christine. Il les lui a montrées.**

—Non, **ne les lui montre pas!** Je vais **les lui montrer** moi-même.

⇨ In affirmative commands, the pronouns come *after* the verb. The same sequence is followed.

Je prête ma moto à Thomas? Oui, prête-**la-lui!**

The following verbs are often used with a direct and an indirect object:

demander	*to ask (for)*	Henri **a demandé** dix francs à Suzanne.
dire	*to tell*	Je **dis** toujours la vérité à mes amis.
donner	*to give*	J'**ai donné** mon adresse à Colette.
écrire	*to write*	Vous **avez écrit** la lettre à Pierre.
envoyer	*to send*	Nous **avons envoyé** ce télégramme à nos cousins.
montrer	*to show*	Est-ce que tu **montres** tes photos à tes amis?
passer	*to pass*	**Passe** l'enveloppe à David!
prêter	*to lend, loan*	J'**ai prêté** mon vélo à Sylvie.
raconter	*to tell*	**As**-tu **raconté** cette histoire à tes amis?
rendre	*to give back*	J'**ai rendu** le livre au professeur.
vendre	*to sell*	Jacques **a vendu** sa moto à Marc.

ACTIVITÉ 4 **Le vélo de Colette** This activity practices double object pronouns in affirmative and negative sentences with the verb **prêter**.

Colette a un nouveau vélo. Dites à qui elle le prête et à qui elle ne le prête pas, d'après le modèle.

⇨ à son cousin? (non) **Colette ne le lui prête pas.**

1. à sa cousine? (oui)
2. à ses amies? (oui)
3. à sa sœur? (oui)
4. à son frère (non)
5. à Paul et à David? (oui)
6. à ses voisins? (non)
7. au frère de son amie? (non)
8. aux amis de sa sœur? (non)?

VARIATIONS: **Colette a une nouvelle calculatrice.**
Elle ne la lui prête pas.

Colette a des nouveaux disques.
Elle ne les lui prête pas.

You may want to do this activity by first having the students use only one pronoun:
(a) **Oui, je les prête à mes amis.**
(b) **Oui, je leur prête mes disques.**
(c) **Oui, je les leur prête.**

ACTIVITÉ 5 Petite conversation   OPTIONAL

Demandez à vos camarades s'ils font les choses suivantes.

⇨ prêter tes disques à tes amis?   —**Tu prêtes tes disques à tes amis?**
—**Oui, je les leur prête.**
(**Non, je ne les leur prête pas.**)

1. prêter ta bicyclette à tes amis?
2. prêter tes magazines à ton frère?
3. donner ton numéro de téléphone à tes amis?
4. montrer tes photos à ton meilleur ami?
5. montrer tes photos aux élèves de la classe?
6. demander sa voiture à ton père?
7. montrer tes notes (*grades*) à tes parents?
8. dire toujours la vérité à ta meilleure amie?
9. dire la vérité à tes parents?
10. passer tes notes à tes camarades?

You may also want to do this activity in three steps:
(a) **Vends-la à Yvette. Ne la vends pas à Yvette.**
(b) **Vends-lui ta guitare. Ne lui vends pas ta guitare.**
(c) **Vends-la-lui. Ne la lui vends pas.**

ACTIVITÉ 6 Oui et non

Paul demande à Philippe et à Isabelle s'il doit faire certaines choses.
Philippe dit oui et Isabelle dit non. Jouez le rôle de Philippe et d'Isabelle.

⇨ Je vends ma guitare à Yvette?   Philippe: **Oui, vends-la-lui!**
Isabelle: **Non, ne la lui vends pas!**

1. Je vends ma raquette à Georges?
2. Je prête mes livres à Thomas?
3. Je montre mes photos à mes cousines?
4. Je demande sa moto à Henri?
5. Je donne mes magazines à mes amis?

6. Je dis la vérité à ma cousine?
7. Je raconte cette histoire à nos amis?
8. J'envoie cette lettre à mon oncle?
9. J'écris cette note au professeur?
10. Je rends le livre à Patrick?

C. L'ordre des pronoms compléments   (Deuxième partie)

The answers to the questions below contain two pronouns. Note the sequence of these pronouns.

Tu me donnes ton adresse?   Oui, je **te la** donne.
Tu nous prêtes tes disques?   Non, je ne **vous les** prête pas!

Je t'ai donné mon adresse?   Oui, tu **me l'**as donnée.
Je vous ai rendu vos livres?   Oui, tu **nous les** as rendus.

When the following object pronouns are used in the same sentence, the sequence is:

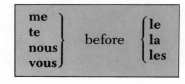

me		le
te	before	la
nous		les
vous		

ACTIVITÉ 7 L'envie *(Envy)*

Marc a certaines choses. Robert veut ces choses. Il les demande à Marc.
Jouez le rôle de Robert, d'après le modèle.

⇨ J'ai un vélo. (prêter)   **Tu me le prêtes?**

1. J'ai un livre intéressant. (prêter)
2. J'ai une raquette. (prêter)
3. J'ai des disques. (prêter)
4. J'ai un magazine. (donner)

5. J'ai l'adresse de Colette. (donner)
6. J'ai des photos. (montrer)
7. J'ai un beau livre. (montrer)
8. J'ai l'adresse de Paul. (passer)

D. L'ordre des pronoms compléments (Troisième partie)

When the verb is in the affirmative imperative, the order is:

Je te donne mon adresse?   Oui, donne-**la-moi!**
Je vous rends vos disques?   Oui, rends-**les-nous!**

ACTIVITÉ 8 Un ami français

Vous avez un ami français. Vous voulez obtenir *(to obtain)* les choses
suivantes de cet ami. Demandez-les-lui, d'après le modèle.

⇨ les clés de la voiture (donner)   **Donne-les-moi, s'il te plaît.**   You may want to do this activity in two steps:

(a) **Donne-moi les clés de la voiture,
s'il te plaît.**

(b) **Donne-les-moi, s'il te plaît.**

1. ton numéro de téléphone (donner)
2. tes disques (prêter)
3. ta photo (montrer)
4. cette histoire (raconter)

5. tes posters (vendre)
6. ce magazine (passer)
7. ton adresse (envoyer)
8. la vérité (dire)

OPTIONAL

À votre tour La générosité   This can be done as a written assignment.

Faites une liste de six à huit objets que vous possédez *(own)*. Dites si oui
ou non vous les prêtez à votre meilleur(e) ami(e).

⇨ J'ai une nouvelle calculatrice. Si ma meilleure amie veut l'utiliser, je la
lui prête.

The purpose of this activity is to practice the position of double object pronouns.

UNITÉ 6
Leçon 3   Troisième surprise

David a pris les clés et a ouvert la porte . . .

Une autre surprise attend les deux garçons. En effet, ce n'est pas dans
un «modeste studio d'étudiant» qu'ils viennent d'entrer, mais dans un
appartement très moderne et très *luxueux!*   *luxurious*

Paul va au salon. Il admire les meubles et les tableaux. David, lui,
va directement dans la salle à manger. Il appelle son frère.

DAVID: Eh Paul! Viens voir! Colette nous a préparé un repas sensationnel!

Sur la table il y a en effet un repas froid très *appétissant:* du caviar, du   *appetizing*
homard avec de la mayonnaise, du rosbif, de la salade de tomates, des   *lobster*
fromages de toutes sortes . . .

PAUL: Colette nous a dit qu'elle nous recevrait «simplement». Eh bien,
    ce repas est un véritable *festin.*   *feast*
DAVID: Oui . . . Mais où sont les boissons?
PAUL: Il y a certainement quelque chose dans la cuisine.
DAVID: Bon, j'*y* vais.   *there*

David va dans la cuisine. Il *en* revient avec une *bouteille* . . .   *from there;*
                                                             bottle

PAUL: Hm! Du champagne!
DAVID: Tu *en* as *déjà* bu?   *any; before*
PAUL: Non, je n'*en* ai jamais bu! Et toi?
DAVID: Moi non plus.
PAUL: Quel repas! Nous allons *nous régaler!*   *to have a*
DAVID: On commence?   *great meal*
PAUL: Non, attendons Colette. C'est plus poli!

Où va Paul? Où va David? En quoi consiste
le repas? Qu'est-ce que David trouve dans
la cuisine? Est-ce que Paul et David
commencent à déjeuner? Pourquoi pas?
Sujet de composition Décrivez la troisième
surprise de Paul et de David.

OBSERVATIONS
1. Have the students read the following sentences:
  David va à la cuisine. David y va.
  Questions
   • Dans la seconde phrase, quel pronom remplace
    à la cuisine? (y)

  • Est-ce que ce pronom vient avant ou après le
   verbe? (avant)
2. Have the students read the following sentence
  J'ai bu du champagne. J'en ai bu.

NOTE CULTURELLE OPTIONAL

Le logement° des étudiants Le logement est un grand problème pour les étudiants français. Ceux° qui ont de la chance sont logés° à la Cité Universitaire.° Les autres, c'est-à-dire° la majorité, doivent trouver une chambre ou un petit studio en ville. Typiquement, les chambres d'étudiant sont petites et pas très confortables. Certaines° n'ont même pas l'eau courante!°

logement *lodging*   **Ceux** *Those*   **sont logés** *have a room*
Cité Universitaire *students' residence(s)*   **c'est-à-dire** *that is*
Certaines *Some*   **courante** *running*

Vocabulaire pratique

ADJECTIFS:	**poli**	*polite*	
	véritable	*real, true*	
EXPRESSIONS:	**en effet**	*indeed,*	Jacques a beaucoup d'amis.
		as a matter of fact	Il est **en effet** très sympathique.
	moi non plus	*neither do I,*	Tu ne sors pas ce soir. **Moi non plus!**
		"me neither"	

MOTS APPARENTÉS

French adjectives in **-el/-elle** often have cognates in *-al* in English.

-el(le)	↔	*-al*	intellectu**el**	*intellectual*
sensationn**el(le)**		*sensational*	rationn**el**	*rational*
natur**el(le)**		*natural*	crimin**el**	*criminal*
			essenti**el**	*essential*
			étern**el**	*eternal*

Questions
- **Dans la seconde phrase, quel pronom remplace du champagne? (en)**
- **Est-ce que ce pronom vient avant ou après le verbe? (avant)**

Structure

A. Le pronom y This structure was presented in Level 1, p. 378.

Note the use of **y** in the answers to the questions below.

Est-ce que Paul est **chez Colette?**	Oui, il y est.
Est-ce que David va **dans la cuisine?**	Oui, il y va.
Dînez-vous souvent **au restaurant?**	Non, nous n'y dînons pas souvent.
Es-tu allé **au Canada?**	Oui, j'y suis allé.
Êtes-vous allés à **Paris?**	Non, nous n'y sommes jamais allés.

> The pronoun **y** replaces a noun introduced by a preposition of place (such as **à, chez, en, dans, sur, sous**). The pronoun **en** replaces **de** + noun.

The pronoun **y** is the equivalent of the English *there*.

⇨ Like other pronouns, **y** comes before the verb, except in the affirmative imperative.

Allons au cinéma! Bonne idée! Allons-y!

Note: In the affirmative imperative, there is liaison between the verb and **y**.

In the **tu** form of **aller** the final **-s** is not dropped.

Vas-y!

⇨ The pronoun **y** sometimes replaces **à** + a noun designating a thing.

Tu crois **à ton horoscope?**	Oui, j'y crois.
Tu penses **aux vacances?**	Non, je n'y pense pas.

Remind the students that the pronoun used to replace **à** + a person is **lui/leur**.

LE DIESEL J'Y CROIS!

AUDI. LA FOI AUTOMOBILE.

ACTIVITÉ 1 Dialogue

Demandez à vos camarades si oui ou non ils font les choses suivantes.

⇨ aller au cinéma le week-end? —**Tu vas au cinéma le week-end?**
—**Oui, j'y vais. (Non, je n'y vais pas.)**

1. aller à l'école le dimanche?
2. aller chez tes cousins ce week-end?
3. aller en France cet été?
4. dîner souvent au restaurant?
5. déjeuner à la cafétéria de l'école?
6. être en classe maintenant?
7. croire à ton horoscope?
8. croire à la perception extrasensorielle? *ESP*
9. croire à la destinée?
10. croire aux OVNI? *UFO's*
11. penser à l'avenir?

B. Révision: l'article partitif

Review the forms and uses of the partitive article in the sentences below.

Il y a **du** caviar.	*There is (some) caviar.*
Veux-tu **de la** mayonnaise?	*Do you want (any) mayonnaise?*
Je voudrais **de l'**eau.	*I would like (some) water.*
Prenez-vous **des** spaghetti?	*Are you having (any) spaghetti?*

Forms

The partitive article has the following forms:

	SINGULAR	PLURAL
Masculine	du (de l')	des
Feminine	de la (de l')	

In negative sentences the partitive article is expressed as **de (d').**

Je veux de la mayonnaise, mais je **ne** veux **pas de** moutarde.
Les Français **ne** prennent **jamais de** ketchup.

Uses

The French use the partitive article to refer to *a certain quantity* or *a certain amount* of something. While the English equivalent *(some* or *any)* is often omitted, the partitive article must always be used in French.

⇨ The partitive article may be used with both *concrete* and *abstract* nouns.

J'ai **de la patience.**   Vous avez **de l'énergie.**

ACTIVITÉ 2 **Les courses** (*Shopping*)

Lisez les phrases suivantes. Dites dans quels magasins les personnes en question vont et ce qu'elles vont acheter. (Si vous voulez, utilisez aussi le vocabulaire de la page 58).

➪ Suzanne veut faire une salade de fruits.
   Elle va chez le marchand de fruits.
   Elle achète des bananes, du raisin, des pêches, des pommes et des fraises.

1. Jacqueline veut se maquiller.
2. Nous voulons laver nos chemises.
3. André veut se laver.
4. Tu as mal à la tête.

5. Je veux faire une tarte aux pommes.
6. Ma mère veut un bon dessert.
7. Vous voulez faire des sandwichs.
8. Marc veut faire une promenade en voiture.

Vocabulaire spécialisé Qu'est-ce qu'on vend? You may want to review foods on pp. 58–59.

OÙ?	QUOI?
à la boucherie (chez le boucher)	**du bœuf** *beef* **du veau** *veal* **de l'agneau** *lamb* **de la viande hâchée** (*ground meat*)
à la charcuterie (chez le charcutier)	**du porc** **des saucisses** *sausages* **du jambon, du saucisson** (*salami*) ⋅
à la boulangerie (chez le boulanger)	**du pain** **des croissants**
à la pâtisserie (chez le pâtissier)	**des tartes** **des gâteaux** **de la glace** **des éclairs, des choux à la crème** (*cream puffs*), **des pâtisseries** (*pastries*)
à l'épicerie (chez l'épicier)	**du riz** *rice* **de la farine** *flour* **du poivre** *pepper* **du sel, du vinaigre, de l'huile, de la moutarde**
à la crémerie (chez le crémier)	**du lait** **du fromage** **du beurre** **de la crème, du yaourt**
à la pharmacie (chez le pharmacien)	**de l'aspirine** **des médicaments** *drugs and medicine* **des pansements** (*bandages*)

LA BOUTIQUE DU PATISSIER
PATISSIER - CONFISEUR - GLACIER
TOUT AU BEURRE
43, avenue Jean-Jaurès
TERRES-SAINVILLE —   71-99-03

PHARMACIE
B. CHEMINEAU
VOUVRAY   *Laboratoire*
Tél. 52.70.30

You may want to introduce the names of female shopkeepers: **la bouchère, la chacutière**, etc.

ACTIVITÉ 3 Commerçants (*Shopkeepers*)

Pour chacun des magasins suivants, dites une chose qu'on y vend et une chose qu'on n'y vend pas.

⇨ à la pharmacie   **À la pharmacie on vend de l'aspirine (des médicaments).**
                     On n'y vend pas de pain (de bœuf, de beurre, etc.).

1. à la boucherie
2. chez l'épicier
3. à la boulangerie
4. chez le marchand de fruits
5. à la crémerie

6. au supermarché
7. à la station-service
8. chez le charcutier
9. chez le pâtissier
10. à la parfumerie

OÙ?	QUOI?		
à la station-service	de l'essence *de l'huile*		
à la parfumerie	du parfum	du rouge à lèvres *lipstick*	*du maquillage (makeup), de l'eau de cologne*
chez le marchand de fruits	du raisin *grapes*	des cerises *cherries*	
	des pêches *peaches*	des fraises *strawberries*	
au supermarché	du savon	de la lessive *detergent*	
au bureau de tabac	des cigarettes	des journaux	des timbres

Note: The preposition **à** is used with the name of the *store*, while the preposition **chez** is used with the name of the *shopkeeper*.

C. Le pronom *en*

Note the object pronoun which replaces the nouns in heavy type.

Buvez-vous **du champagne?**	Oui, nous **en** buvons.	
As-tu **de l'aspirine?**	Non, je n'**en** ai pas.	Note that liaison is required between **en**
Fais-tu **de la gymnastique?**	Oui, j'**en** fais.	and a verb beginning with a vowel sound.
Est-ce que Sylvie a **de la patience?**	Oui, elle **en** a.	
Avez-vous mangé **des saucisses?**	Non, nous n'**en** avons pas mangé.	

> The pronoun **en** replaces a direct object introduced by **du/de la/de l'/des.**   This structure was presented in Level 1, p. 389.

Like the other object pronouns, **en** comes before the verb except in the affirmative imperative.

Je prends de l'essence?	Oui, prends-**en**!
J'achète du savon?	Oui, achètes-**en**!

Note: In the affirmative imperative there is liaison between the verb and **en**.
In the **tu** form of **-er** verbs the final **-s** is not dropped.

⇨ Note the use of **en** with **il y a.**

Il y a **du poivre?**	Oui, il y **en** a.
Il y a **des croissants?**	Non, il n'y **en** a pas.

⇨ In the **passé composé** the past participle does *not* agree with **en**.

Tu as acheté **de la lessive?**	Oui, j'**en** ai acheté.

> The pronoun **en** may also replace the preposition **de** (*from, of, about*) + noun.

Vous venez **de l'épicerie?**	Oui, nous **en** venons.	This structure was presented in Level 1, p. 381.
Tu parles **de tes projets?**	Non, je n'**en** parle pas.	
Vous avez besoin **de ce livre?**	Non, nous n'**en** avons pas besoin.	

ACTIVITÉ 4 Au régime!

Les personnes suivantes veulent maigrir. Dites si oui ou non elles mangent les choses indiquées entre parenthèses.

⇨ Pierre (du poisson?)   **Il en mange. (Il n'en mange pas.)**

1. Jacques (de la salade?)
2. nous (de la glace?)
3. vous (de l'agneau?)
4. Paul et David (du beurre?)
5. moi (du raisin?)
6. toi (des saucisses?)
7. Charlotte (du chocolat?)
8. mes cousins (des fraises?)

ACTIVITÉ 5 Questions personnelles   OPTIONAL

Répondez aux questions suivantes. Utilisez le pronom **en** dans vos réponses.

1. Chez vous, mangez-vous souvent du bœuf? du veau? de l'agneau? du porc?
2. À la cafétéria de l'école, mangez-vous du fromage? des spaghetti?
des cerises? du jambon? du riz?

3. Le matin, buvez-vous du thé? du café? du lait? du jus d'orange?
4. Achetez-vous du chewing-gum? du chocolat? de la glace? des croissants?
5. Prenez-vous de l'aspirine quand vous avez mal à la tête? mal aux dents? mal à l'estomac?
6. À l'école, faites-vous du sport? de la gymnastique? de la danse?
7. En été, faites-vous du sport? du camping? de la voile? du ski nautique?
8. Avez-vous de la patience? de l'ambition? du bon sens (*common sense*)?
9. Avec vos amis, parlez-vous de vos projets? de vos problèmes? de votre famille?
10. Avez-vous besoin de vacances? de repos (*rest*)? de vos amis? de conseils (*advice*)?

ACTIVITÉ 6 Renseignements (*Information*)

Imaginez qu'un ami français veut obtenir certains renseignements sur la vie (*life*) aux États-Unis. Répondez à ses questions en utilisant **en** et l'une des expressions suivantes.

en Californie / en Floride / en Géorgie / au Texas / dans le Colorado / au supermarché / à la pharmacie / à la boucherie

⇨ Où vend-on de l'aspirine?　　**On en vend à la pharmacie (au supermarché).**

1. Où vend-on du jus d'orange?
2. Où produit-on du jus d'orange?
3. Où produit-on du pétrole (*oil*)?
4. Où produit-on du vin?
5. Où produit-on des pêches?
6. Où fait-on du ski?
7. Où fait-on du ski nautique?
8. Où fait-on de la planche à voile?
9. Où achète-t-on de la farine?
10. Où achète-t-on du rosbif?

ACTIVITÉ 7 Pique-nique

Imaginez que vous préparez un pique-nique. Un ami propose de faire les choses suivantes. Répondez-lui affirmativement ou négativement.

⇨ J'achète du pain?　　**Oui, achètes-en! (Non, n'en achète pas!)**

1. J'achète du fromage?
2. J'achète de la glace?
3. J'apporte du poivre?
4. J'apporte des cerises?
5. Je prends du Coca-Cola?
6. Je prends de l'eau minérale?
7. Je cherche de l'aspirine?
8. Je cherche des saucisses?

OPTIONAL

À votre tour Bon appétit!　　This can be done as a written assignment.

Faites une liste de six à huit produits que vous aimez. Dites si vous achetez ces produits et si vous en mangez (ou en buvez) souvent.

⇨ J'aime le fromage. Ma mère en achète au supermarché et nous en mangeons souvent à la maison.

The purpose of this activity is to practice the use of the pronoun **en**.

UNITÉ 6
Leçon 4 Quatrième surprise

 Scène 1.

Il est une heure. Colette n'est toujours pas là.

DAVID: J'ai faim.

PAUL: Moi aussi, j'ai une faim de *loup*. On déjeune?   *wolf*

DAVID: Bien sûr! Colette nous a dit de *ne pas* l'attendre!   *not*
     Eh bien, nous allons commencer sans elle.

PAUL: D'accord! Tiens, *débouche* le champagne!   *uncork*

David débouche la *bouteille* et remplit son *verre*.   *bottle; glass*

PAUL: N'*en* prends pas trop!   *of it*

DAVID: Ne t'inquiète pas. Je vais t'*en* laisser.   *some*

PAUL: C'est bon?

DAVID: Hm. Délicieux. Tiens, goûte!

PAUL: Tu as raison, c'est excellent. Donne-m'en un verre!

Les deux garçons boivent un peu de champagne.
Ils boivent beaucoup de champagne.
Ils boivent un peu trop de champagne.
Ils en boivent tellement qu'ils n'entendent pas le téléphone.
Le téléphone sonne une fois, deux fois, trois fois . . .
Ni David ni Paul ne répondent.

Est-ce que Paul et David attendent Colette? Pourquoi pas? Que fait David? Est-ce qu'il aime le champagne? Est-ce que les garçons répondent au téléphone? Pourquoi pas?

Scène 2.

Il est trois heures maintenant. Quelqu'un vient de rentrer dans l'appartement. C'est une *dame* d'une *cinquantaine* d'années, très élégante. Nos deux amis sont *si* absorbés dans leur *rêverie* qu'ils ne la voient pas. La dame vient vers eux, très surprise.

woman; about fifty
so; dreams

OBSERVATIONS
The first scene contains several examples of the use of **en**. Have the students note the position of **en** *before* the verb or infinitive (but *after* the affirmative imperative).

David enfin la remarque.

DAVID *(à Paul):* Qui est-ce? Est-ce que c'est Colette?

PAUL *(à David):* Mais non, c'est sa mère.

DAVID *(à Paul):* Mais non, c'est sa grand-mère.

PAUL *(à David):* Mais non, c'est la concierge.

DAVID *(à la dame):* Madame, vous n'êtes pas chez vous ici. Vous êtes chez . . .

LA DAME: Comment? Mais je suis chez moi ici! Et vous, qui êtes-vous? Et qu'est-ce que vous faites dans ma salle à manger? Et qui vous a donné la permission de boire mon champagne?

PAUL: Mais, Madame . . .

Qui entre dans l'appartement? Quel âge a cette dame? Est-ce que la dame est surprise? Pourquoi?

Sujet de composition **Expliquez la quatrième surprise de Paul et de David.**

NOTE CULTURELLE OPTIONAL

Les Français et le vin Qu'est-ce que vous buvez avec vos repas? Du lait, du Coca-Cola ou de l'eau? Le vin est la boisson nationale des Français. Ils boivent surtout du «vin rouge ordinaire» qui n'est pas nécessairement très bon. Au dessert, ils boivent parfois du vin blanc. Pour les grandes occasions ils boivent des vins de qualité et du champagne. Les grands° vins portent° le nom des régions où ils sont produits:° Bordeaux, Bourgogne,° Chablis, etc.

Les habitudes° changent. Aujourd'hui, les Français boivent moins de vin qu'avant. Les jeunes, en particulier, préfèrent les jus de fruits, la limonade et surtout l'eau minérale.

grands *great* **portent** *bear* **produits** *produced* **Bourgogne** *Burgundy* **habitudes** *habits*

At meals French teenagers may drink wine, which is usually mixed with a lot of water.

Vocabulaire pratique

VERBES:	**goûter**	*to taste, try*	Je vais **goûter** ce fromage. Il a ‸ir bon!
	laisser	*to leave*	Tu me **laisses** un peu de fromage?
	remplir	*to fill*	Ne **remplissez** pas mon verre *(glass)*.
EXPRESSIONS:	**ni . . . ni . . .**	*neither . . . nor . . .*	**Ni** Paul **ni** ses amis **n'**aiment attendre.
	tellement	*so*	Éric a reçu un «A». Il est **tellement** content.
	tellement de	*so much, so many*	Oh là là! J'ai **tellement de** travail . . .

Note: In a sentence with **ni . . . ni . . .**, the word **ne** must be used with the verb.

Je **n'**ai vu **ni** Martine **ni** Michèle.

Ni Charles **ni** Henri **ne** sont venus.

MOTS APPARENTÉS

In French the suffix **-aine** is used with numbers to indicate an approximate quantity.

une douz**aine**	*about 12; a dozen*	une trent**aine**	*about 30*
une vingt**aine**	*about 20*	une quarant**aine**	*about 40*
une cent**aine**	*about 100*	une cinquant**aine**	*about 50*
		une soixant**aine**	*about 60*

Structure

A. Les expressions de quantité   This structure was presented in Level 1, pp. 373, 374.

Note the following expressions of quantity and their uses.

		MODIFYING A VERB OR AN ADJECTIVE	MODIFYING A NOUN
peu	*little, not much*	Je travaille **peu**.	J'ai **peu de** travail.
un peu	*a little, some*	Je suis **un peu** malade.	J'ai **un peu de** température.
assez	*enough*	C'est **assez**.	Avez-vous **assez de** salade?
beaucoup	*much, many, very much; a lot (of)*	Je mange **beaucoup**.	Je mange **beaucoup de** viande.
trop	*too much, too many*	Tu bois **trop**.	Tu bois **trop de** champagne.
combien	*how much, how many*	**Combien** coûte ce disque?	**Combien de** disques as-tu?

⇨ When introducing nouns, the above expressions of quantity are followed by **de** (**d'**). You may want to point out the difference between **Paul aime beaucoup le champagne** *(Paul likes champagne a lot)* and **Paul boit beaucoup de champagne** *(Paul drinks a lot of champagne).* In the first sentence, **beaucoup** modifies the verb. In the second sentence, **beaucoup de** introduces the noun.

⇨ The French expression corresponding to *very much, very many, a lot* consists of one word: **beaucoup**. Similarly, *too much, too many* is expressed by **trop**.   In French one can *never* say "**très beaucoup**" or "**trop beaucoup**."

⇨ To express *some* (in the sense of *a little, a few*), the French use:

un peu de + singular noun   Je prends **un peu de** glace   *I'm having **a little** ice cream*
quelques + plural noun   et **quelques** fraises.   *and **a few** strawberries.*

ACTIVITÉ 1   Le régime de Colette

Colette est au régime. Son docteur lui dit de manger ou de ne pas manger les choses suivantes. Jouez le rôle du docteur en utilisant les expressions entre parenthèses.

⇨ du pain (pas trop)   **Ne mangez pas trop de pain.**
  des oranges (beaucoup)   **Mangez beaucoup d'oranges.**

1. du rosbif (un peu)
2. des bananes (peu)
3. de la salade (beaucoup)
4. du céleri (beaucoup)
5. des tomates (assez)
6. de la soupe (un peu)
7. du jambon (pas beaucoup)
8. du poulet (pas beaucoup)
9. de la mayonnaise (pas trop)
10. des œufs (pas trop)

B. Le pronom *en* avec les expressions de quantité

This structure was presented in Level 1, p. 395.

Note the use of **en** in the answers to the following questions:

Paul boit **beaucoup de champagne?**   Oui, il **en** boit **beaucoup.**
Nous avons **trop de travail.** Et toi?   J'**en** ai **trop** aussi!

Je prends **deux kilos d'oranges.** Et vous?   Moi, j'**en** prends **deux kilos** aussi.
Vous voulez **deux litres de lait?**   Non, nous **en** voulons **trois litres.**

> The pronoun **en** replaces **de** + noun when the noun is introduced by an expression of quantity.

Point out that in phrases such as **deux kilos d'oranges** and **trois litres de lait**, the expressions **deux kilos** and **trois litres** are expressions of quantity.

ACTIVITÉ 2   Expression personnelle

Répondez aux questions suivantes en utilisant **en** et une expression de quantité.

⇨ Vous avez de la patience?   **Oui, j'en ai beaucoup (un peu, assez).**
                                  (Non, je n'en ai pas beaucoup.)

1. Vous avez des amis?
2. Vous avez de l'imagination?
3. Vous avez des disques?
4. Vous avez des examens?
5. Vous faites du sport?
6. Vous faites des progrès en français?
7. Vous buvez du thé?
8. Vous mangez des fruits?

Vocabulaire spécialisé

Quelques quantités et quelques récipients *(containers)*

NOMS:

un kilo	*kilogram*
un litre	*liter*
un paquet	*package, pack*
un pot	*jar*
un sac	*sack, bag*
un tube	*tube*
un verre	*glass*

une livre	*(metric) pound*
une boîte	*box, can*
une bouteille	*bottle*
une tasse	*cup*

France uses the metric system:
1 kilogram = 1000 grams = 2.2 U.S. pounds
1 metric pound = 500 grams = 1.1 U.S. pounds
1 liter = 1.06 quarts

ADJECTIFS:

plein	*full*	La bouteille est **pleine** . . .
vide	*empty*	mais mon verre est **vide!**

ACTIVITÉ 3 La bonne quantité *(The right amount)*

Imaginez que vous faites les courses pour votre famille. Votre mère a préparé la liste suivante. Remarquez qu'elle n'a pas mentionné les quantités. Vous êtes au supermarché. Dites quelle quantité vous achetez de chaque produit. Choisissez une expression du vocabulaire.

▷ de l'huile   **J'en achète une bouteille.**
               (J'en achète deux bouteilles, un litre, etc.).

1. du Coca-Cola   3. du ketchup   5. du café   7. de l'aspirine
2. de la mayonnaise 4. des spaghetti   6. des pommes de terre 8. du dentifrice

C. Le pronom *en* avec les nombres   This structure was presented in Level 1, p. 396.

Note the use of **en** in the answers to the questions below.

Tu as **un vélo?**	Oui, j'en ai **un.**	*Yes, I do (have one).*
Tu as **une guitare?**	Oui, j'en ai **une.**	*Yes, I do (have one).*
Combien **de disques** a Paul?	Il **en** a **vingt.**	*He has twenty (of them).*
Combien **de posters** avez-vous?	Nous **en** avons **cinq.**	*We have five (of them).*

> The pronoun **en** replaces a direct object noun introduced by **un/une** or a *number*.

▷ While the equivalent expression *(of them)* is usually omitted in English, **en** must be used in French.

▷ **Un** and **une** are not used in negative sentences.
  Paul a une moto?   Non, il n'**en** a pas.

ACTIVITÉ 4 Expression personnelle

Demandez à vos camarades s'ils ont les choses suivantes.

▷ un vélo?   —**Tu as un vélo?**
              —**Oui, j'en ai un.**
              (Non, je n'en ai pas.)

1. un livre de français? 3. un appareil-photo? 5. un chien? 7. un stylo?
2. une radio?   4. une moto?   6. une calculatrice? 8. un crayon?

ACTIVITÉ 5 Isabelle Endouble

Quand Georges mentionne quelque chose, son amie Isabelle Endouble dit qu'elle a deux fois les mêmes choses. Jouez le rôle d'Isabelle.

▷ J'ai deux livres.   **Moi, j'en ai quatre.**

1. J'ai dix disques.   4. J'invite cinq amis pour mon anniversaire.
2. J'ai quinze posters.   5. Je connais trois Américains.
3. Je mange un sandwich.   6. J'achète deux croissants.

ACTIVITÉ 6 Questions personnelles

Répondez aux questions en utilisant le pronom **en.**

1. Combien de cousins avez-vous?
2. Combien de cousines avez-vous?
3. Combien de pièces a votre appartement ou votre maison?
4. Combien de téléviseurs avez-vous chez vous?
5. Combien de disques avez-vous?
6. Combien d'élèves est-ce qu'il y a dans la classe?
7. Combien de professeurs différents avez-vous?
8. Combien de livres est-ce qu'il y a sur la table du professeur?

D. L'ordre des pronoms avec *en*   OPTIONAL

In the answers to the questions below, **en** is used together with another pronoun. Note the sequence of these pronouns.

David donne du champagne à Paul?   Oui, il **lui en** donne.
Tu as donné des disques à tes amis?   Oui, je **leur en** ai donné.

Tu me donnes de la bière?   Oui, je **t'en** donne.
Tu nous prêtes de l'argent?   Non, je ne **vous en** prête pas.

> When **en** is used together with another object pronoun,
> it always comes in *second* position.

⇨ **En** also comes in second position in affirmative commands.   *ne pas faire*
Donnez-moi des cerises.   Donnez-m'**en** deux kilos!
Prêtez-nous de l'argent.   Prêtez-nous-**en!**

Note that before **en, moi → m'**.

ACTIVITÉ 7 Questions personnelles

Répondez aux questions suivantes en utilisant deux pronoms.

1. Demandez-vous des conseils à votre père? à votre mère? à vos amis?
   à vos professeurs?
2. Donnez-vous des conseils à vos amis? à votre frère? à votre sœur?
3. Demandez-vous de l'argent à vos parents? à vos grands-parents?
4. Prêtez-vous de l'argent à vos amis?

OPTIONAL

À **votre tour**   **Pique-nique**   This can be done as a written assignment.

Imaginez que vous êtes chargé(e) d'organiser *(in charge of organizing)* le pique-nique annuel du Club Français. Faites la liste des produits que vous devez acheter. Dites en quelles quantités vous allez acheter ces produits.

⇨ des oranges
   Je vais en acheter vingt (trois sacs, quatre kilos, huit livres, etc.).

The purpose of this activity is to practice the use of the pronoun **en** with expressions of quantity and with numbers.

UNITÉ 6
Leçon 5

STRUCTURE TO OBSERVE
• adverbs in **-ment**

Cinquième (et dernière) surprise

Scène 1.

David et Paul se sont vite réveillés.

Comment? Ils ne sont pas chez Colette? Mais alors, chez qui sont-ils?
Et qui est cette *dame*? Évidemment, c'est elle la propriétaire de *woman*
l'appartement. Heureusement pour les deux garçons, elle n'a pas l'air
trop furieuse. *Au contraire*, elle semble s'amuser . . . *On the contrary*

LA DAME: À votre accent, je vois que vous êtes américains. Vous êtes
certainement les amis de ma nièce Colette. Elle m'a parlé de vous.

PAUL: Ah! Vous êtes la tante de Colette . . . Excusez-nous . . . La
concierge s'est trompée. Elle nous a dit que Colette habitait au
cinquième étage.

LA DAME: Elle ne s'est pas trompée. Colette habite bien un petit studio au
cinquième, l'étage *au-dessus*. C'est vous qui vous êtes trompés. *above*
Vous êtes ici au quatrième étage.

DAVID: Au quatrième étage? Je ne comprends pas! Nous avons pourtant
compté les étages.

LA DAME: Votre erreur est bien excusable. Notre premier étage en France
correspond au deuxième étage américain. Ainsi, vous avez cru
être au cinquième étage, mais en réalité vous êtes seulement au
quatrième.

PAUL: Ça, par exemple!

DAVID: Et le repas?

LA DAME: Je l'ai préparé pour des amis de Versailles qui viennent passer
la journée à Paris.

PAUL: Et la note que nous avons trouvée sous le *tapis*? *doormat*

LA DAME: C'est moi qui l'ai écrite pour dire à mes amis que . . . Mais, au
fait, où sont-ils?

Le téléphone sonne *à nouveau*. La dame va répondre. Elle revient *au bout* *again;* = **après**
de quelques minutes.

314 Unité six

OBSERVATIONS
The *Presentation text* contains several examples of adverbs in **-ment.** Have the students pick out these
adverbs and note the correspondence between the ending **-ment** and the English ending *-ly.*

LA DAME: Ce sont *justement* mes amis qui viennent de téléphoner. Il *paraît* qu'ils ont déjà téléphoné plusieurs fois. Ils ont eu une panne, un peu avant Paris.

as a matter of fact
seems

PAUL: *Tout s'explique!*

That explains everything!

LA DAME: Pour vous et pour moi, mais pas pour Colette. Ma pauvre nièce vous attend certainement. Allez vite chez elle!

Scène 2. Qui est la dame? À quel étage habite Colette? À quel étage sont Paul et David? Pour qui est-ce que la tante de Colette a préparé le repas? Pourquoi est-ce que ses amis ne sont pas venus?

Paul et David vont chez Colette. Elle a l'air étonnée.

COLETTE: Tiens, bonjour! Quelle bonne surprise!

DAVID: Bonjour, Colette. Euh . . . nous nous excusons de . . .

COLETTE: Ne vous excusez pas. Je suis très contente de vous voir. Vous avez de la chance car j'avais l'intention de passer toute la journée à la bibliothèque.

PAUL: La bibliothèque? Et votre invitation à déjeuner?

COLETTE: J'espère que vous n'avez pas changé d'avis. Je compte absolument sur vous mardi prochain.

DAVID: Comment? Ce n'est pas pour aujourd'hui?

PAUL: Vous nous avez dit «mardi huit». Nous sommes bien le 8 avril aujourd'hui!

COLETTE: Non, je vous ai dit «mardi en huit». C'est différent. «Mardi en huit» *signifie* le mardi de la semaine prochaine. Mais au fait, vous avez probablement soif. Malheureusement, je n'ai rien à vous offrir. Ah, si, attendez! J'ai une bouteille de champagne au réfrigérateur. Je vais l'ouvrir!

means

DAVID: Euh, non merci, Colette. Pas aujourd'hui.

COLETTE: Comment? Vous n'aimez pas le champagne?

DAVID: Si, mais . . .

Est-ce que Colette attendait Paul et David? Qu'est-ce qu'elle avait l'intention de faire aujourd'hui? Que signifie « mardi en huit »? Qu'est-ce que Colette offre à Paul et à David? Est-ce qu'ils acceptent? Pourquoi pas?

Sujet de composition Expliquez la cinquième surprise de Paul et de David.

Vocabulaire pratique

NOMS:	**le propriétaire**	*landlord*	**la propriétaire**	*landlady*
	un avis	*opinion*		
ADJECTIF:	**étonné**	*surprised*		
VERBES:	**changer d'avis**	*to change one's mind*	Pourquoi est-ce que tu **changes** toujours **d'avis**?	
	se tromper	*to be mistaken, make a mistake*	Zut! Je me suis **trompé**!	
EXPRESSIONS:	**bien**	*indeed*	**pourtant**	*nevertheless, however*
	ça, par exemple!	*what do you know!*	**seulement**	*only*

MOTS APPARENTÉS

The French suffix **-ième** (abbreviated **-ème** or **-e**) corresponds to the English suffix *-th.*

-ième ↔	***-th***	douzième	*twelfth*
six**ième**	*sixth*	seizième	*sixteenth*
sept**ième**	*seventh*	vingtième	*twentieth*
		centième	*hundredth*
		millième	*thousandth*
		millionième	*millionth*

NOTES CULTURELLES OPTIONAL

1. **Versailles** Versailles est une ville située° à une vingtaine de kilomètres de Paris. Cette ville est célèbre° pour son château,° qui était la résidence des rois° de France.

2. **La vie° en ville** À Paris et dans les grandes villes, les gens n'habitent pas dans des maisons individuelles. En général, ils ont un appartement dans un immeuble. Dans la banlieue, les immeubles ont dix, vingt ou trente étages, comme dans les villes américaines, mais dans le centre, les immeubles ont seulement cinq ou six étages. L'étage le plus bas s'appelle le rez-de-chaussée. Le premier étage est situé au-dessus° du rez-de-chaussée. Cet étage correspond au deuxième étage américain. Le deuxième étage français correspond au troisième étage américain, etc. Dans beaucoup d'immeubles, le rez-de-chaussée est occupé par des commerces:° boutiques° de vêtements, magasins de chaussures, magasins de disques, librairies,° etc.

située *located* **célèbre** *famous* **château** *castle* **rois** *kings* **vie** *life* **au-dessus** *above* **commerces** *businesses* **boutiques** *shops* **librairies** *bookstores*

Structure

A. Les nombres ordinaux OPTIONAL This structure was presented in Level 1, p. 160.

Ordinal numbers (*first, second, third, . . .*) are used to rank people or things and to put them into a given order. Note how the ordinal numbers are derived from regular numbers. You may want to review cardinal numbers on pp. 13, 25, and 50.

2	**deux**	→	**deuxième**	Février est le **deuxième** mois de l'année.
8	**huit**	→	**huitième**	J'habite au **huitième** étage.
11	**onze**	→	**onzième**	Qui est le **onzième** président des États-Unis?
26	**vingt-six**	→	**vingt-sixième**	Mon cousin célèbre son **vingt-sixième** anniversaire.

In French, ordinal numbers are formed as follows: Remember that there is no elision or liaison before **huit** and **onze.**

> **number (minus -e, if any) + -ième**

Note the following exceptions:

un/une → **premier/première** But: **vingt et unième, trente et unième, etc.**
cinq → **cinquième**
neuf → **neuvième**

⇨ Ordinal numbers are adjectives which come before the noun.

Remind the students that ordinal numbers are not used in dates in French, with the exception of **le premier:** **le huit juin** **le premier avril**

ACTIVITÉ 1 **Classement** (_Ranking_)

Complétez les phrases suivantes avec le nombre ordinal qui convient.

⇨ Octobre est le . . . mois de l'année. **Octobre est le dixième mois de l'année.**

1. Avril est le . . . mois.
2. Juin est le . . . mois.
3. Septembre est le . . . mois.
4. Décembre est le . . . mois.
5. Lundi est le . . . jour de la semaine. premier, en France
6. Vendredi est le . . . jour.
7. Washington est le . . . président des États-Unis.
8. Lincoln est le . . . président. 16ᵉ
9. Kennedy est le . . . président. 35ᵉ
10. L'Alaska est le . . . état. 50ᵉ

LE PREMIER DES GUIDES

B. Les adverbes en *-ment*

OPTIONAL   This structure was presented in Level 1, p. 372.

In the sentences below, compare the adverbs with the adjectives from which they are derived.

Colette est **calme.** Elle parle **calmement.** (_calmly_)
Christine est **nerveuse.** Elle conduit **nerveusement.** (_nervously_)

French adverbs are derived from descriptive adjectives as follows:

> feminine form of the adjective + **-ment**

⇨ Note how this pattern works with both regular and irregular adjectives:

rapide, rapide → **rapidement**   sérieux, sérieuse → **sérieusement**
normal, normale → **normalement**   actif, active → **activement**

⇨ Adverbs based on ordinal numbers are formed in the same manner.

premier, première → **premièrement** (_first_)
deuxième → **deuxièmement** (_secondly_)

⇨ Exception 1: When the feminine form of the adjective ends in _vowel_ + **e,**
the **e** is dropped when **-ment** is added.

vrai, vrai(e) → **vraiment**   In most cases one could say that when the masculine form of the adjective ends
poli, poli(e) → **poliment**   in a vowel, **-ment** is added to the masculine form. The above rule, however, covers cases like **fou, folle → follement.**

⇨ Exception 2: For adjectives of two or more syllables that end in **-ent** and **-ant,**
the corresponding adverbs are formed by replacing these endings with **-emment**
and **-amment.** pronounced /amã/

intelli**gent** → intelli**gemment**   brill**ant** → brill**amment**
ré**cent** → ré**cemment**   const**ant** → const**amment**

ACTIVITÉ 2 L'auto-école (*Driving School*)

Imaginez que vous êtes professeur dans une auto-école française. Dites à vos élèves comment ils doivent conduire. Pour cela, commencez vos phrases par **Conduisez** ou **Ne conduisez pas**, et utilisez un adverbe correspondant aux adjectifs suivants.

⇨ rapide? **Conduisez rapidement. (Ne conduisez pas rapidement.)**

1. stupide?
2. nerveux?
3. sérieux?

4. impulsif?
5. naturel?
6. idiot?

7. intelligent?
8. patient? *patiè mment*
9. lent? **lentement**, because **lent** is a one-syllable adjective

Vocabulaire spécialisé Quelques adverbes en -*ment*

actuellement	*at present*	**Actuellement**, je suis à Paris.
autrement	*otherwise*	**Autrement**, j'habite en Normandie.
franchement	*frankly*	**Franchement**, je préfère la campagne.
généralement	*generally*	**Généralement**, je vais à l'école à pied.
habituellement	*usually*	**Habituellement**, je me lève vers sept heures.
justement	*as a matter of fact*	Mais, **justement**, ce matin je me suis réveillé tard.
naturellement	*naturally*	**Naturellement**, j'ai dû me dépêcher.
normalement	*normally*	**Normalement**, j'ai beaucoup de temps.
heureusement	*fortunately*	**Heureusement**, mon père a pu me conduire.
malheureusement	*unfortunately*	**Malheureusement**, j'ai oublié mes livres.
vraiment	*really*	**Vraiment**, je n'ai pas de chance!

VOCABULARY EXPANSION: **absolument** *(absolutely),* **certainement, complètement, parfaitement, facilement, rarement, spécialement**

C. La position des adverbes OPTIONAL

In the sentences below, note the position of the adverbs of manner (**bien, mal**, etc., as well as adverbs in **-ment**) and the adverbs of quantity (**beaucoup, trop,** etc.).

Vous parlez **bien** français.
Vous avez **bien** parlé français.

*You speak French **well**.*
*You spoke French **well**.*

David aime **beaucoup** le champagne.
Il a **beaucoup** aimé le champagne.

*David likes champagne **very much**.*
*He liked the champagne **very much**.*

Je joue **mal** au tennis.
J'ai **mal** joué au tennis.

*I play tennis **poorly**.*
*I played tennis **poorly**.*

Je lis **rapidement** ce livre.
J'ai lu **rapidement** ce livre.

*I am reading this book **quickly**.*
*I read this book **quickly**.*

> When the verb is in a simple tense (present, imperfect, future, conditional), adverbs of manner and quantity come immediately *after* the verb they modify.

▷ In French, adverbs do *not* come between the subject and the verb. Contrast:

Il se trompe **souvent**.	*He **often** makes mistakes.*
J'achète **toujours** cette revue.	*I **always** buy that magazine.*

> In the **passé composé**, many adverbs come *between* the auxiliary verb (**avoir** or **être**) and the past participle.

▷ Adverbs in **-ment**, however, come *after* the past participle.

ACTIVITÉ 3 Expression personnelle

Demandez à vos amis s'ils font les choses suivantes. Utilisez les adverbes entre parenthèses dans les questions et les réponses.

▷ aimer la musique? (beaucoup)
—**Tu aimes beaucoup la musique?**
—**Oui, j'aime beaucoup la musique.**
  (Non, je n'aime pas beaucoup la musique.)

1. aimer les sports? (beaucoup)
2. jouer au tennis? (bien?)
3. parler français? (souvent)
4. être content(e)? (toujours)
5. étudier les leçons? (rapidement)
6. penser aux vacances? (souvent)
7. connaître le principal de l'école? (personnellement)
8. être d'accord avec tes parents? (totalement)

ACTIVITÉ 4 Le débat

Les personnes suivantes ont participé à un débat. Dites comment chacun a parlé. Utilisez le passé composé de **parler** et l'adverbe entre parenthèses.

▷ Jacqueline (bien)   **Jacqueline a bien parlé.**

1. Philippe (mal)
2. Henri (trop)
3. Annette et Louise (beaucoup)
4. vous (très bien)
5. nous (brillamment)
6. toi (nerveusement)
7. ces garçons (timidement)
8. moi (remarquablement)

In items 1–4 the adverb comes before the past participle; in items 5–8 the adverb comes after the past participle.

D. La comparaison avec des adverbes   OPTIONAL

In the sentences below, note how comparisons are made with adverbs.

Colette écrit **plus souvent que** Christine.   *Colette writes **more often than** Christine.*
Vous conduisez **aussi vite que** mon frère.   *You drive **as fast as** my brother.*
J'apprends **moins facilement que** toi.   *I learn **less easily than** you do.*

Comparisons with adverbs follow the same pattern as comparisons with adjectives:

+ **plus**			more . . . than, . . . -er than
− **moins** } + adverb + **que**			less . . . than
= **aussi**			as . . . as

⇨ The comparative of **bien** *(well)* is **mieux** *(better).*

Tu danses **mieux que** moi,
    mais tu danses **moins bien que** David.

ACTIVITÉ 5   Qu'est-ce qu'ils font?

Lisez la description des personnes suivantes. Dites ce qu'elles font, d'après le modèle. Utilisez le verbe entre parenthèses et un adverbe en **-ment**.

⇨ Paul est plus <u>sérieux</u> que Jacques.   (étudier)
    Il étudie plus sérieusement que lui.

1. Sylvie est moins <u>sérieuse</u> que Philippe.   (étudier)
2. Je suis plus <u>consciencieux</u> que mes cousins.   (travailler)
3. Mélanie est plus <u>calme</u> que son frère.   (parler)
4. Vous êtes moins <u>prudents</u> que vos amis.   (conduire)
5. Henri est plus <u>lent</u> que sa sœur.   (lire)
6. Nathalie est plus <u>élégante</u> que ses amies.   (s'habiller)

OPTIONAL

À votre tour   De quelle manière? *(How?)*   This can be done as a written assignment.

Décrivez plusieurs choses que vous aimez faire et dites comment vous faites ces choses. Utilisez des adverbes dans vos descriptions.

⇨ Je joue assez souvent au tennis. Généralement, je joue assez bien.

The purpose of this activity is to practice the formation of adverbs in **-ment** and the position of adverbs.

Nourriture° et langage

Food

Les Français utilisent un grand nombre d'expressions où il est question de nourriture. Voici sept de ces expressions. Pouvez-vous deviner° leur sens?°

guess; meaning

1. Jacques a du pain sur la planche.°

board

    a. Il a beaucoup d'argent.

    b. Il a beaucoup de travail.

    c. Il grossit beaucoup.

2. Ça, c'est du gâteau!

    a. C'est excellent.

    b. C'est facile.

    c. C'est très cher.

3. Vous êtes une nouille!°

noodle

    a. Vous êtes végétarien.

    b. Vous aimez la cuisine italienne.

    c. Vous n'êtes pas très intelligent.

4. Cette fille a un cœur d'artichaut.°

artichoke

    a. Elle est très généreuse.

    b. Elle aime la nature.

    c. Elle est souvent amoureuse.

5. Il a mis de l'eau dans son vin.

    a. Il n'aime pas le vin.

    b. Il ne connaît pas les règles° de la politesse.

rules

    c. Il est moins exigeant° qu'avant.

demanding

6. Je n'ai pas un° radis.

a single

    a. Je n'ai pas d'argent.

    b. Je n'aime pas les légumes.

    c. Je suis un régime très strict.

7. Philippe n'est pas dans son assiette.°

plate

    a. Il suit un régime.

    b. Il ne veut pas dîner.

    c. Il a l'air malade.

RÉPONSES: 1-b, 2-b, 3-c, 4-c, 5-c, 6-a, 7-c

variétés 4

L'addition

Jacques Prévert crée une histoire humoristique à partir° d'un principe° mathématique élémentaire: On ne peut pas additionner° des choses d'espèce° différente. Dans cette histoire, un client utilise ce principe comme prétexte pour ne pas payer l'addition que lui présente le garçon. (Remarquez la double signification du mot **addition**: *addition* et *check*.)

from
principle
add together; kind

LE CLIENT: Garçon, l'addition!

LE GARÇON: Voilà. *(Il sort° son crayon et note.)* Vous avez . . . deux œufs durs, un veau, un petit pois, une asperge, un fromage avec beurre, une amande verte, un café filtre, un téléphone.

takes out
Here the waiter counts the dishes: 1 veal, 1 (order of) peas, and so on.

LE CLIENT: Et puis des cigarettes!

LE GARÇON: *(Il commence à compter.)* C'est ça même° . . . des cigarettes . . . Alors ça fait . . .

= **exactement**

LE CLIENT: N'insistez pas, mon ami, c'est inutile, vous ne réussirez jamais.

LE GARÇON: !!!

LE CLIENT: On ne vous a donc pas appris° à l'école que c'est ma-thé-ma-ti-que-ment impossible d'additionner des choses d'espèce différente!

taught

LE GARÇON: !!!

LE CLIENT: *(élevant° la voix)* Enfin, tout de même,° de qui se moque-t-on? . . . Il faut réellement être insensé° pour oser° essayer de tenter° d'«additionner» un veau avec des cigarettes, des cigarettes avec un café filtre, un café filtre avec une amande verte et des œufs durs avec des petits pois, des petits pois avec un téléphone . . . Pourquoi pas un petit pois avec un grand officier de la Légion d'Honneur,[1] pendant que vous y° êtes! *(Il se lève.)* Non, mon ami, croyez-moi, n'insistez pas, ne vous fatiguez pas,° ça ne donnerait rien,° vous entendez,° rien, absolument rien . . . pas même le pourboire!

raising; all the same
= *fou; to dare attempt*

at it
don't strain yourself; wouldn't give any result
= **comprenez**

(Et il sort en emportant° le rond de serviette à titre gracieux.°)

taking along; without paying

Jacques Prévert, *Histoires*
© Éditions Gallimard

---

[1] La Légion d'Honneur est une décoration créée par Napoléon. Un grand officier est un dignitaire de l'ordre de la Légion d'Honneur. L'introduction de cette personne dans le dialogue accentue *(emphasizes)* l'aspect ridicule de l'addition.

AU RESTAURANT

le garçon
le client
la serveuse
la cliente
le téléphone
le menu
le pourboire
la serviette
l'addition
le rond de serviette
du veau
des petits pois
des œufs durs
du fromage
du beurre
des asperges
un café filtre
une amande verte

Using the dictionary

An end vocabulary has been included in this book to help you with unfamiliar words in the text. However, when you are reading other material, such as a French magazine or story, you will probably need a dictionary.

As you know, French words, like English words, often have more than one meaning. **Addition,** for instance, means *addition, bill,* and *check.* These different meanings are listed in the dictionary. As you look up a word, you will have to use your judgment to decide which meaning is most appropriate for the context in which the word is used. Reread the whole sentence and decide which meaning makes sense.

Which meaning would you have selected for the following words which are found in "**L'addition**":

apprendre (1) *to learn;* (2) *to teach*
tenter (1) *to tempt;* (2) *to put to the test;* (3) *to attempt, try*
entendre (1) *to intend, mean;* (2) *to hear;* (3) *to understand*
un rond (1) *round;* (2) *ring;* (3) *washer* (for a faucet)

Sometimes the dictionary will contain phrases showing special meanings a word may have in specific contexts. For instance, which meaning would you select here?

gracieux (1) *graceful;* (2) *gracious;* (3) **à titre gracieux** *(a) as a favor; (b) free-of-charge*

PRESENTATION

To impress his date, Mireille, Olivier "borrows" his father's car without permission. At the dance, he discovers that a taillight has been broken. He spends the rest of the evening at his cousin's garage getting the damage repaired, only to find out the next morning that the accident had occurred *before* he took the car.

OBJECTIVES

Language
  main objective
  • the subjunctive: forms and uses (after verbs and expressions of will, wish, necessity, emotion, doubt; contrasted with the indicative and the infinitive)
  other objective
  • the infinitive construction
Vocabulary
  • expressions followed by the subjunctive

UNITÉ 7
Quelle soirée!

UNITÉ 7
Leçon 1 — Une invitation

Olivier est un garçon heureux!
Ce matin il a fait la queue pendant trois heures devant le Rex-Palace.
Finalement il *a obtenu* deux billets pour le grand concert de samedi soir. *got*
La seule question est de savoir qui il va inviter . . .

Olivier pense à Mireille. Mireille est une fille très sympathique et très jolie. Voilà justement le problème. Mireille a beaucoup d'*admirateurs* et quand il est question de sortir avec elle, il y a toujours beaucoup de *concurrence*. *Aussi*, il n'est pas très facile de l'inviter! Olivier décide de tenter sa chance. Il téléphone à Mireille.

admirers

*competition;
Therefore*

OLIVIER: Allô, Mireille?
MIREILLE: Ah, c'est toi, Olivier? Ça va?
OLIVIER: Ça va! Tu sais, j'ai pu *obtenir* des billets pour le concert de samedi soir . . .
MIREILLE: Comment *as-tu fait?* Je suis passée au Rex-Palace cet après-midi. Impossible de trouver des billets! Tout est vendu! Je voulais absolument aller à ce concert et maintenant je ne suis pas sûre d'y aller!
OLIVIER: Si tu veux, je t'invite.
MIREILLE: Tu es vraiment gentil de penser à moi. Bien sûr, je serai très contente d'aller au concert avec toi samedi prochain.
OLIVIER: Bon! Je passerai *te prendre* chez toi à huit heures! D'accord?
MIREILLE: D'accord! Alors, à samedi . . . et merci!
OLIVIER: À samedi!

to get

*did you
manage*

pick you up

Olivier est très, très heureux. C'est la première fois qu'il sort avec Mireille. Avec un peu de chance, ce ne sera pas la dernière fois!

OBSERVATIONS
Have the students read the following sentence:
Olivier est content de sortir avec Mireille.

Questions
• Quel est le verbe qui vient après content? (sortir)
• À quelle forme est ce verbe? (à l'infinitif)
• Quel mot vient entre content et l'infinitif? (de)

NOTE CULTURELLE

Les jeunes Français et la musique Aimez-vous la musique? Et quelle sorte de musique préférez-vous? Selon une enquête,° la musique que les jeunes Français préfèrent est la musique pop et le rock. Viennent ensuite la musique folklorique américaine, les variétés étrangères,° les chansons° françaises, la musique classique et le jazz. Les jeunes Français vont relativement moins souvent aux concerts que les Américains: moins de la moitié° vont au concert une fois par an.

Voici d'autres statistiques sur les habitudes° musicales des jeunes Français:

35% jouent d'un instrument de musique (Les instruments préférés sont les instruments à vent° comme la flûte et l'harmonica. Ensuite viennent la guitare et le piano.)

50% écoutent la radio tous les jours

32% savent lire la musique

9% chantent dans une chorale°

enquête *survey* **variétés étrangères** *TV variety shows from other countries* **chansons** *songs* **moitié** *half* **habitudes** *habits* **à vent** *wind* **chorale** *choir*

VOCABULARY EXPANSION: **un guichet** *(ticket office)*, **une place** *(seat)*, **une représentation** *(theater performance)*, **un spectacle** *(show)*

You may want to point out that different languages use different images to express the same phenomenon. Persons standing one behind the other are thought of as a geometric *line* in American English and as a more animate *tail* in French. British English also uses the word *queue*, pronounced like *cue*.

Vocabulaire pratique

NOMS: **un billet** *ticket*   **la chance** *luck*

EXPRESSIONS: **faire la queue**   *to stand in line*
tenter sa chance   *to try one's luck*

MOTS APPARENTÉS

French verbs in **-tenir** often have English cognates in *-tain.*

-tenir	↔	-tain
ob**tenir**		*ob*tain
main**tenir**		*main*tain

retenir	*retain*
contenir	*contain*
détenir	*detain*

The conjugation of **-tenir** verbs is presented in **Structure A.**

Structure

A. Le verbe *tenir*

Note the forms of the irregular verb **tenir** (*to hold*), paying attention to the future stem and the past participle.

Infinitive	tenir			
Present	je	**tiens**	nous	**tenons**
	tu	**tiens**	vous	**tenez**
	il/elle/on	**tient**	ils/elles	**tiennent**
Future	je	**tiendrai**		
Passé composé	j'ai	**tenu**		

Point out that the conjugation of **tenir** is like that of **venir**. In the **passé composé**, however, **tenir** is conjugated with **avoir**, and **venir** is conjugated with **être**.

Expressions with **tenir**:

tenir une promesse	*to keep a promise*	Olivier **tient** toujours **ses promesses**.
se tenir bien	*to behave*	Les élèves **se tiennent bien** en classe.
se tenir + adjective	*to keep, stay*	**Tenez-vous tranquilles!**

The following verbs are conjugated like **tenir**:

appartenir à	*to belong to*	À qui **appartient** cette voiture?
obtenir	*to get, obtain*	J'ai **obtenu** un «A» à l'examen de maths.
retenir	*to reserve, retain*	As-tu **retenu** nos billets?

ACTIVITÉ 1 Oui ou non?

Lisez les phrases suivantes et dites si oui ou non les personnes font les choses entre parenthèses.

⇨ Jacques déteste les sports. (appartenir à un club sportif?)
Non, il n'appartient pas à un club sportif.

1. Nous aimons chanter. (appartenir à une chorale [*choir*]?)
2. Les élèves étudient. (obtenir des bonnes notes [*grades*]?)
3. Henri est nerveux. (se tenir tranquille?)
4. Vous avez un excellent appareil-photo. (obtenir des bonnes photos?)
5. Je suis honnête. (tenir mes promesses?)
6. Tu es un mauvais élève. (se tenir bien en classe?)
7. Nous jouons au tennis. (tenir une raquette à la main?)
8. Olivier est content. (obtenir un rendez-vous de Mireille?)
9. Mes cousins veulent aller au concert. (retenir des billets?)

B. La construction: adjectif + infinitif

Note the use of the infinitive in the sentences below.

Mireille est **contente d'aller** au concert.	*Mireille is **glad to go** to the concert.*
Olivier est **heureux de sortir** avec elle.	*Olivier is **happy to go out** with her.*
Nous sommes **fatigués d'étudier**.	*We are **tired of studying**.*
Je suis **furieux d'attendre**.	*I am **upset at waiting**.*

When an adjective is followed by a verb, the most common pattern is:

> With some adjectives the pattern is **à** + infinitive:
> **Nous sommes prêts à partir.**

$$\boxed{\text{adjective} \quad + \quad \textbf{de} \quad + \quad \text{infinitive}}$$

This construction is contrasted with the construction adjective + **que** + subjunctive on p. 352.

ACTIVITÉ 2   Expression personnelle

Voici certaines choses que vous faites. Dites si oui ou non vous êtes heureux/heureuse de faire ces choses.

⇨ Vous étudiez l'histoire.   **Je suis heureux/heureuse d'étudier l'histoire.**
     (Je ne suis pas heureux/heureuse d'étudier l'histoire.)

1. Vous allez à l'école.
2. Vous avez beaucoup d'amis.
3. Vous avez des examens.
4. Vous faites la queue au cinéma.
5. Vous habitez aux États-Unis.
6. Vous êtes américain/américaine.
7. Vous avez un «D» à l'examen.
8. Vous allez à un concert de jazz.

ACTIVITÉ 3   Réactions

Lisez ce que font les personnes suivantes. Décrivez leurs réactions en utilisant l'adjectif entre parenthèses.

⇨ Mireille sort avec Olivier.   (heureuse)
   Elle est heureuse de sortir avec Olivier.

1. Henri travaille.   (fatigué)
2. Nous sortons ce week-end.   (contents)
3. Jacqueline attend Pierre.   (furieuse)
4. Les élèves étudient.   (obligés)
5. Mes cousins partent.   (tristes)
6. Thomas téléphone à Hélène.   (heureux)
7. Nous quittons nos amis.   (tristes)
8. Vous invitez vos amis.   (heureux)

C. L'expression impersonnelle: *il est* + adjectif . . .

The expression **il est** *is impersonal because it means* it is *and not* he is.

In the sentences below, general statements are made. Note how these statements are expressed.

Il est facile de parler français.
It is easy to speak French.
(Speaking French is easy.)

Il est important d'étudier.
It is important to study.
(Studying is important.)

Il n'est pas amusant de travailler le week-end.
It is not amusing to work on weekends.
(Working on weekends is not amusing.)

To make a general statement about an activity, the French use the impersonal construction:

il est + adjective + **de** + infinitive

This construction is contrasted with **il est** + adjective + **que** + subjunctive on p. 345.

Vocabulaire spécialisé Quelques adjectifs

agréable ≠ **pénible**	*pleasant* ≠ *painful, unpleasant*
amusant ≠ **ennuyeux**	*amusing* ≠ *boring*
bon ≠ **mauvais**	*good* ≠ *bad*
facile ≠ **difficile**	*easy* ≠ *hard, difficult*
important ≠ **ridicule**	*important* ≠ *ridiculous*
poli ≠ **impoli**	*polite* ≠ *impolite*
prudent ≠ **dangereux**	*advisable, prudent* ≠ *dangerous*
nécessaire } **utile** } ≠ **inutile**	*necessary* } *useful* } ≠ *useless, unnecessary*

LA SAÔNE ET LOIRE EST AGRÉABLE

EN VILLE, A LA CAMPAGNE
Cinq agglomérations à taille humaine et une heureuse répartition des bourgs.
Un jardin roman : Cluny, Autun, Tournus, Paray-le-Monial...
La chasse en forêt, de nombreux plans d'eau pour le sport et la pêche.

UNE VIE CULTURELLE INTENSE
Une maison de la culture, deux centres d'action culturelle.
un centre d'animation et de rencontres,
et d'innombrables associations...

UN "ART DE VIVRE"
Un accueil chaleureux,
partout de bonnes tables...

ACTIVITÉ 4 Commentaires

Lisez ce que font les personnes suivantes. Faites des commentaires généraux sur leurs activités en utilisant l'adjectif entre parenthèses dans des phrases affirmatives ou négatives.

▷ Mireille parle espagnol. (utile?)   **Il est utile de parler espagnol.**
(Il n'est pas utile de parler espagnol.)

1. Marc parle chinois. (facile?)
2. Robert travaille beaucoup. (nécessaire?)
3. Charles étudie le week-end. (amusant?)
4. Olivier conduit vite. (dangereux?)
5. Mon père fait la cuisine. (difficile)?
6. Ma mère fait les courses. (ennuyeux?)
7. Tu gagnes beaucoup d'argent. (utile?)
8. Vous avez beaucoup d'amis. (important?)
9. Jean-Claude mange beaucoup. (bon?)
10. Ma meilleure amie tient ses promesses. (naturel?)

OPTIONAL   This exercise also reviews past vocabulary.

ACTIVITÉ 5 Opinions personnelles

Dites ce que vous pensez en général des activités suivantes. Pour cela, utilisez les adjectifs du Vocabulaire spécialisé dans des expressions impersonnelles affirmatives ou négatives.

▷ jouer au football   **Il (n')est (pas) dangereux de jouer au football.**

1. parler français
2. parler français en classe
3. suivre un régime
4. faire la queue
5. se moquer des autres
6. tomber amoureux
7. suivre les conseils de ses parents
8. gaspiller son argent
9. pleurer de temps en temps
10. tenter sa chance
11. obtenir un «A» en maths
12. se marier à 18 ans

VARIATION: Have the students use expressions from the **Vocabulaire spécialisé** to invent their own general statements: **Il est pénible de passer la soirée avec des gens ennuyeux. Il est normal de se tromper de temps en temps.** etc.

OPTIONAL

À votre tour Et vous?

This can be done as a written assignment.

Parlez de ce que vous aimez faire, de vos projets, de vos activités. Complétez les phrases suivantes avec une expression de votre choix.

En général, je suis heureux/heureuse de . . .
En ce moment, je suis fatigué/fatiguée de . . .
Je ne suis jamais fatigué/fatiguée de . . .
À la maison, je suis obligé/obligée de . . .
En classe, nous sommes obligés de . . .
Chez moi, je suis libre de . . .
Je ne suis pas libre de . . .
Pour moi, il est important de . . .
Il n'est pas important de . . .
Il est ridicule de . . .

The purpose of this activity is to practice the construction: adjective + infinitive and the impersonal expression **il est** + adjective . . . .

Olivier sort.
Olivier prend la voiture.

Son père ne veut pas qu'Olivier sorte.
Son père ne veut pas qu'Olivier prenne la voiture.

Explication
Dans la première phrase de chaque paire, Olivier fait quelque chose. Le verbe est au présent.
Dans la seconde phrase, le père d'Olivier exprime une opinion sur l'action d'Olivier. Le verbe qui vient après <u>ne veut pas que</u> est dans une nouvelle forme verbale: le subjonctif.

UNITÉ 7

Leçon 2 Déception et décision

STRUCTURE TO OBSERVE
• the subjunctive after **vouloir**

Scène 1.

Nous sommes samedi après-midi. Olivier regarde *par* la fenêtre. Dehors, il pleut. La pluie a commencé à tomber *vers* deux heures et maintenant, *il pleut à torrent* . . .

out
around
it's pouring

Olivier pense au rendez-vous de ce soir. Il a promis à Mireille de passer chez elle à huit heures. Oui, mais comment? Avec ce temps-là, il ne peut pas aller chercher Mireille à pied!

«Heureusement, pense Olivier, il y a la voiture de Papa! Papa est toujours très généreux. Il me prête souvent sa voiture quand j'en ai besoin. Il me la prêtera certainement aujourd'hui. Je vais la lui demander quand il rentrera.»

Quel temps fait-il?
À quoi pense Olivier?
Comment est-ce qu'il va aller chez Mireille?

Scène 2.

Monsieur Roussel, le père d'Olivier, est rentré à cinq heures. Olivier a tout de suite remarqué que son père était de très mauvaise humeur.

OLIVIER: Dis, Papa. Je sors ce soir. Est-ce que je peux prendre ta voiture?

M. ROUSSEL: Écoute, Olivier, je *veux bien* que tu sortes, mais je ne veux absolument pas que tu prennes la voiture!

don't mind

OLIVIER: Mais d'habitude . . .

M. ROUSSEL: D'habitude, d'habitude . . . As-tu vu le temps qu'il fait aujourd'hui? D'habitude, il ne pleut pas comme aujourd'hui!

OLIVIER: Je serai très prudent . . .

M. ROUSSEL: Je ne veux pas que tu prennes la voiture ce soir. *Un point, c'est tout!* Si tu veux sortir, tu peux prendre le bus!

Period!

OLIVIER: Mais . . .

M. ROUSSEL: Vraiment, je préfère que tu n'insistes pas.

Qu'est-ce qu'Olivier demande à son père? Est-ce que Monsieur Roussel est d'accord?

Scène 3.

Olivier est déçu, très déçu. Il comptait en effet sur la voiture de son père. C'est une voiture de sport *toute neuve*. Mireille aurait certainement été très impressionnée . . . Dommage!

brand new

Olivier, *cependant*, ne perd pas tout espoir. Il sait que ses parents sortent ce soir. Ils sont invités chez les Mallet, des voisins. Olivier sait aussi que lorsque ses parents rendent visite aux Mallet, ils ne rentrent jamais avant une heure du matin.

however

Olivier réfléchit . . . Le concert finira vers onze heures. Vers onze heures et demie, il sera de retour chez lui. Ses parents rentreront beaucoup plus tard. Alors?

Alors, Olivier n'hésite plus . . . Il attend patiemment le départ de ses parents . . . Puis à huit heures moins le quart il prend les clés de la voiture et va dans le garage . . . Il *monte dans* la voiture de son père et sort *sans faire* de bruit . . . Dans cinq minutes, il sera chez Mireille!

gets into
without making

Pourquoi est-ce qu'Olivier est déçu?
Que vont faire ses parents ce soir?
À quelle heure vont-ils rentrer?
Est-ce qu'Olivier obéit à son père?

NOTE CULTURELLE   OPTIONAL

L'autorité paternelle   En général, la famille française est très unie.° Elle est aussi très structurée. Le père est le chef.° C'est lui le symbole de l'autorité, et on respecte ses décisions. Par exemple, dans l'histoire que vous lisez, Olivier ne demande pas à son père pourquoi il ne peut pas avoir la voiture. Même quand il a l'idée de désobéir, il accepte l'autorité paternelle.

unie *close, united*   **chef** *head*

Vocabulaire pratique

NOMS:	**le bruit**	*noise*	
	l'espoir	*hope*	
	un point	*period, point*	
ADJECTIFS:	**déçu**	*disappointed*	
	impressionné	*impressed*	
VERBE:	**réfléchir (à)**	*to think, reflect*	**Réfléchissez à** cette question!
EXPRESSIONS:	**dehors**	*outside*	Mon petit frère joue **dehors**.
	lorsque	*when*	Où étais-tu **lorsque** je suis entré?
	tout de suite	*right away*	Attends-moi! J'arrive **tout de suite**.

MOTS APPARENTÉS

French adjectives and past participles in **-çu** are often related to English words ending in *-ceived.* (The corresponding French infinitive ends in **-cevoir.**)

-**çu**	↔	-*ceived*		
dé**çu**		*deceived, disappointed*	perçu	*perceived*
re**çu**		*received*	conçu	*conceived*

Structure

A. Le subjonctif: formation régulière

This section focuses on subjunctive forms. The concept of the subjunctive is developed in the next lesson, on p. 342.

In the sentences below, the subject expresses a wish that concerns someone else. The verbs in heavy type are in a new form, the *subjunctive*. Note the forms of the subjunctive and the manner in which they are used.

The formation of the subjunctive is presented with **vouloir que.** You may first want to review the forms of **vouloir.**

Je veux que tu **sortes** avec moi.	*I want you to go out with me.*
Je ne veux pas que tu **prennes** l'auto.	*I don't want you to take the car.*
Le professeur veut que les élèves **finissent** la leçon.	*The teacher wants the students to finish the lesson.*
Mireille veut qu'Olivier l'**attende.**	*Mireille wants Olivier to wait for her.*

The *subjunctive* is a verb form which occurs frequently in French. Usually it is found in clauses introduced by **que.** You may want to remind the students that not all clauses introduced by **que** use the subjunctive: **Je sais/Il a dit/Nous pensons . . . que c'est important.**

For all regular and most irregular verbs, the subjunctive is formed as follows:

	STEM	+	ENDING
je tu il/elle/on ils/elles	**ils** stem of present	+	-e -es -e -ent
nous vous	**nous** stem of present	+	-ions -iez

Here is the form chart for the subjunctive of four verbs: For practice you may ask the students to conjugate the subjunctive of **habiter, réussir,** and **vendre.**

Type of verb	REGULAR -er		REGULAR -ir	REGULAR -re	IRREGULAR
Infinitive		**demander**	**finir**	**répondre**	**venir**
Present	nous	**demand**ons	**finiss**ons	**répond**ons	**ven**ons
	ils	**demand**ent	**finiss**ent	**répond**ent	**vienn**ent
Subjunctive	que je	**demand**e	**finiss**e	**répond**e	**vienn**e
	que tu	**demand**es	**finiss**es	**répond**es	**vienn**es
	qu'il/elle/on	**demand**e	**finiss**e	**répond**e	**vienn**e
	que nous	**demand**ions	**finiss**ions	**répond**ions	**ven**ions
	que vous	**demand**iez	**finiss**iez	**répond**iez	**ven**iez
	qu'ils/elles	**demand**ent	**finiss**ent	**répond**ent	**vienn**ent

⇨ Note that for most regular verbs (**-er, -ir,** and **-re**), the **ils** and the **nous** stems of the present are the same. Therefore, these verbs have the same subjunctive stem for all forms.

➪ Verbs like **acheter, préférer, appeler, payer**, which have a spelling change in the present, have the same spelling change in the subjunctive.

You may want to review these verbs on pp. 155, 164, and 203.

que j'**achète**	que nous **achet**ions
que je **préfère**	que nous **préfér**ions
que j'**appelle**	que nous **appel**ions
que je **paie**	que nous **pay**ions

Verbs in **-cer** (such as **commencer**) and verbs in **-ger** (such as **manger**) have no spelling change in the **nous** and **vous** forms of the subjunctive since the endings begin with **i**. Compare:

Nous commençons à midi. **Marc veut que nous commencions à une heure.**

Nous mangeons vite. **Marc veut que nous mangions moins vite.**

➪ Irregular verbs which have different **ils** and **nous** stems in the present have two stems in the subjunctive.

(boire)	que je **boive**	que nous **buv**ions
(prendre)	que je **prenne**	que nous **pren**ions

Inversely, irregular verbs that have the same **ils** and **nous** stems in the present have only one subjunctive stem:

que je dise **que nous disions**

Also: **connaître, mettre, lire, écrire, conduire, suivre, . . .**

Other verbs with two subjunctive stems are: **devoir (que je doive, que nous devions)**, **apercevoir (que j'aperçoive, que nous apercevions)**, **voir (que je voie, que nous voyions)**

➪ For all verbs, regular as well as irregular, the **je, tu,** and **ils** forms of the subjunctive are pronounced the same.

You may want to point out that for **-er** verbs the **je, tu, il,** and **ils** forms of the subjunctive are the same as those of the present tense.

ACTIVITÉ 1 Un professeur exigeant (A demanding teacher)

In this activity the students derive the subjunctive forms from the **ils** and **nous** forms of the present tense.

Imaginez que vous êtes professeur d'anglais dans une école française. Vos élèves doivent faire les choses suivantes. Exprimez cela, d'après le modèle. The verbs in this activity are regular.

➪ réussir à l'examen   **Je veux qu'ils réussissent à l'examen.**

1. parler anglais en classe
2. arriver à l'heure
3. étudier le week-end
4. préparer l'examen
5. finir la leçon
6. obéir
7. choisir des livres intéressants
8. répondre à mes questions
9. attendre la fin de la classe

ACTIVITÉ 2 Non!

The verbs in this activity are irregular. As a warmup exercise you may ask the students to give the **ils** forms of the present indicative.

Les personnes suivantes ne veulent pas que leurs amis fassent (do) certaines choses. Exprimez cela, d'après le modèle. Utilisez le subjonctif.

➪ Annie / prendre ses disques   **Annie ne veut pas que ses amis prennent ses disques.**

1. Philippe / prendre sa moto   VARIATION with **je, tu, nous, vous**
2. Thomas / conduire sa voiture
3. Thérèse / lire son journal (diary)
4. Monique / mettre la télé
5. Henri / dire des mensonges
6. Jacques / sortir avec sa petite amie
7. Nicole / se mettre en colère
8. Albert / venir chez lui ce soir
9. Christine / boire du café

ACTIVITÉ 3 La surprise-partie de Mireille.   In this activity the students practice the il form of the subjunctive.

Mireille organise une surprise-partie chez elle. Elle demande à ses amis de
l'aider. Jouez le rôle de Mireille, d'après le modèle.

⇨ Isabelle / décorer le salon   **Je veux qu'Isabelle décore le salon.**

1. Paul / inviter ses cousines
2. Charles / couper le pain
3. Antoine / préparer les sandwichs
4. Thérèse / acheter du Coca-Cola
5. Sylvie / acheter de la limonade
6. Jacqueline / apporter sa guitare
7. Henri / choisir les disques   choisisse
8. Albert / mettre de la musique   mette
9. Thomas / prendre des photos   prenne
10. Roger / venir avec ses amis   vienne

ACTIVITÉ 4 Chez le médecin   In this activity the students practice the **vous** form of the subjunctive.

Imaginez que vous êtes médecin en France. Dites à vos patients de faire
ou de ne pas faire les choses suivantes. Commencez vos phrases par **Je veux**
ou **Je ne veux pas.** Utilisez la forme **vous** du subjonctif.

⇨ manger beaucoup?   **Je veux que vous mangiez beaucoup.**
                        (Je ne veux pas que vous mangiez beaucoup.)

1. manger des frites?
2. manger des fruits?
3. grossir?
4. maigrir?
5. perdre dix kilos?
6. nager?
7. boire de la bière?   que vous buviez
8. boire du jus d'orange?
9. se promener?   que vous vous promeniez
10. s'impatienter?
11. se reposer?
12. se mettre en colère?

FRANCE
A vous
de choisir:
Le Tabac
ou la Santé

POSTES 1980   1,30

ACTIVITÉ 5 Non!

Olivier pense que ses amis ne doivent pas faire les choses suivantes. Jouez le rôle d'Olivier, d'après le modèle.

▷ Tu prends ma raquette.   **Je ne veux pas que tu prennes ma raquette.**

1. Marc prend mes disques.
2. Vous buvez mon Coca-Cola.
3. Tu écoutes mes disques.
4. Charles casse mon électrophone.
5. Vous regardez mes photos.
6. Tu te reposes sur mon lit.
7. Vous prenez mes magazines.
8. Paul sort avec Mireille.

B. L'usage du subjonctif après les expressions de volonté *(will)*

Note the use of the subjunctive in the sentences below.

J'aimerais **que vous** me **téléphoniez.**	*I would like **you to call** me.*
Marc veut **que je sorte** avec lui.	*Marc wants **me to go out** with him.*
Mon père ne veut pas **que je conduise.**	*My father does not want **me to drive.***

In French the subjunctive is used after verbs expressing *wish*, *will*, or *desire*.

⇨ Note that the wish must concern someone or something *other than the subject.*
When the wish concerns the subject, the infinitive is used. Contrast:

the wish concerns the subject:	the wish concerns someone else:
INFINITIVE	SUBJUNCTIVE *une autre personne*
Je veux **sortir.**	**Je** veux que **tu sortes** avec moi.
Mon père désire **maigrir.**	**Mon père** désire que **je maigrisse.**

Vocabulaire spécialisé — Expressions de volonté

désirer	*to wish, want*	**Désirez**-vous que je prenne des photos?
préférer	*to prefer*	Je **préfère** que vous ne téléphoniez pas ce soir.
vouloir	*to want, wish*	Je **veux** que vous veniez chez moi.
vouloir bien	*to accept, agree*	Monsieur Roussel **veut bien** qu'Olivier sorte.
je voudrais } **j'aimerais** }	*I would like*	Je **voudrais** que tu me comprennes. J'**aimerais** que tu me cherches chez moi à midi.

You may have the students note the use of the subjunctive in the above sentences. The verb **souhaiter** *(to wish)* is followed by the subjunctive, but the verb **espérer** *(to hope)* is followed by the indicative.

ACTIVITÉ 6 C'est évident!   This activity can be done as a written assignment.

Exprimez les souhaits *(wishes)* des personnes de la colonne A en utilisant les éléments des colonnes B, C et D et, si vous voulez, une expression de votre choix. Combien de phrases logiques pouvez-vous faire en dix minutes?

A	B	C	D
je	vouloir	je	voyager
nous	vouloir bien	tu	rester à la maison
Olivier	désirer	mes/nos/ses amis	sortir
mes parents	préférer	les élèves	prendre la voiture
le professeur		vous	se tenir tranquille(s)
le médecin			boire du champagne
			dormir
			étudier
			partir en vacances
			retenir des billets

⇨ **Le médecin veut que tu dormes beaucoup.**

⇨ **Le professeur ne veut pas que vous dormiez en classe.**

ACTIVITÉ 7   Pas d'accord

Olivier veut faire certaines choses mais son père, qui est de mauvaise humeur, n'est pas d'accord. Jouez le rôle d'Olivier et de Monsieur Roussel d'après le modèle.

⇨ sortir ce soir   Olivier: **Je voudrais sortir ce soir.**
                       M. Roussel: **Eh bien, moi, je ne veux pas que tu sortes ce soir.**

1. organiser une surprise-partie
2. inviter mes amis
3. partir en vacances
4. acheter une moto
5. apprendre le karaté
6. prendre la voiture ce soir
7. conduire très vite
8. rentrer à deux heures du matin

ACTIVITÉ 8   Week-end   OPTIONAL

Proposez à vos camarades de faire les choses suivantes ce week-end. Ils vont accepter ou refuser. Suivez le modèle.

⇨ jouer au tennis?   **—Veux-tu que nous jouions au tennis?**
                        —D'accord, je veux bien jouer au tennis.
                        (Non, je ne veux pas jouer au tennis.)

1. jouer au volley?
2. visiter un musée?
3. dîner au restaurant?
4. rendre visite au professeur?
5. sortir avec des amis?
6. acheter des disques?

OPTIONAL

À votre tour   Souhaits *(Wishes)* et désirs

This can be done as a written assignment.

Exprimez le désir que les personnes suivantes fassent *(do)* certaines choses pour vous. Commencez vos phrases par des expressions comme:

Je (ne) veux (pas) que . . . / Je (ne) désire (pas) que . . . / Je (ne) voudrais (pas) que . . . / J'aimerais que . . .

mon meilleur ami
ma meilleure amie
mes parents
le professeur

⇨ Je désire que mes parents m'achètent une guitare pour mon anniversaire.
   J'aimerais que le professeur nous donne un examen facile.

The purpose of this activity is to practice the formation of the subjunctive and its use after verbs expressing wish, will, or desire.

UNITÉ 7
Leçon 3 Catastrophe!

STRUCTURE TO OBSERVE
• uses of the subjunctive

Scène 1.

La soirée commence bien . . .
Olivier est allé chercher Mireille et Mireille a été très impressionnée par la voiture d'Olivier. Le concert a commencé à huit heures et demie. L'orchestre est excellent. Mireille est très contente et Olivier est très heureux et très fier d'être avec elle.

Soudain, Olivier pense à quelque chose. «Zut, j'ai oublié d'*éteindre* les *phares* de la voiture! Bon, ça ne fait rien. Je vais aller les éteindre pendant l'entracte.»

À quelle heure a commencé le concert?
Quels sont les sentiments de Mireille et d'Olivier?
Qu'est-ce qu'Olivier a oublié de faire?

to turn off
headlights

Scène 2.

Il est dix heures, l'heure de l'entracte. Olivier dit à Mireille de l'attendre cinq minutes et il va au parking où il a laissé la voiture. Là, il a une très, très mauvaise surprise! Olivier remarque en effet que le *feu arrière* de la voiture de son père est complètement *défoncé.*

«Zut alors! Pendant que j'étais avec Mireille, quelqu'un *est rentré dans* la voiture de Papa! *Mon Dieu*, quelle catastrophe! Qu'est-ce que je vais faire? Il faut que je trouve quelqu'un pour changer le feu arrière! Oui, mais qui va réparer la voiture maintenant? À cette heure, tous les garages sont fermés . . . Il faut absolument que je trouve une solution! Il faut absolument que cette voiture soit réparée avant demain, sinon . . .»

taillight
bashed in
bumped into
My goodness

Où va Olivier pendant l'entracte?
Pourquoi a-t-il une mauvaise surpri[se]

OBSERVATIONS
Have the students read the following sentence:
Il faut que tu viennes maintenant.
L'expression il faut que exprime une obligation.

Questions
• Quel est l'infinitif du verbe qui suit il faut que? (venir)
• Est-ce que ce verbe est au subjonctif? (oui)

Scène 3.

Olivier pense à son cousin Jean-Jacques. Jean-Jacques est mécanicien. Il a peut-être les pièces nécessaires. Olivier va lui téléphoner. Une voix endormie répond.

JEAN-JACQUES: Allô . . .

    OLIVIER: Jean-Jacques? Il faut que tu m'aides.

JEAN-JACQUES: Ah, c'est toi, Olivier. Qu'est-ce qui se passe?

    OLIVIER: Un accident!

JEAN-JACQUES: Grave?

    OLIVIER: Je ne sais pas. Quelqu'un est rentré dans la voiture de Papa.

JEAN-JACQUES: Et c'est pour ça que tu me réveilles? *Dis donc*, tu peux bien   *Hey*
             attendre à lundi.

    OLIVIER: Non, non! Il faut que je passe chez toi immédiatement.

JEAN-JACQUES: Dis! Tu sais l'heure qu'il est?

    OLIVIER: Écoute, c'est très sérieux.

Olivier a expliqué toute la situation: le refus de son père, sa désobéissance, le concert, l'accident.

   À qui est-ce qu'Olivier téléphone?
   Qui est Jean-Jacques?
   Qu'est-ce qu'Olivier demande à
   Jean-Jacques?
   Est-ce que Jean-Jacques accepte?

JEAN-JACQUES: Bon, bon! J'ai compris! Si tu veux que je répare ta voiture avant une heure du matin, il faut que tu viennes tout de suite!

    OLIVIER: Merci, Jean-Jacques! Tu es un vrai copain!

Vocabulaire pratique

NOMS:	**un copain**	*pal, friend*		**une copine**	*pal, friend*
	un entracte	*intermission*		**la désobéissance**	*disobedience,*
	un orchestre	*band; orchestra*			*failure to obey*
	un refus	*refusal*		**une pièce**	*part*
ADJECTIFS:	**endormi**	*sleepy, asleep*		**une voix**	*voice*
	fier (fière)	*proud*			
EXPRESSIONS:	**sinon**	*otherwise; if not, or else*			
	soudain	*all of a sudden*			

la voix officielle des expos

CKAC 73 AU CADRAN

MOTS APPARENTÉS

Over the past hundred years, French has borrowed quite a number of English words. Often these expressions are shortened in French.

un parking	*parking lot*	un camping	*campground*
un living	*living room*	un dancing	*dance hall*
un golf	*golf course*	un stop	*stop sign*
		le rock	*rock-and-roll*
		le skate(-board)	*skateboarding*
		un pull(-over)	*sweater (pullover)*

Occasionally the meaning has changed slightly. The expression **un smoking** (originally a smoking jacket or a lounge jacket) now means a *tuxedo.* In a car, **un starter** is what we call a *choke.*

Structure

A. Le concept du subjonctif

Tenses and moods

In a sentence, the *verb* tells what the action is. A verb form is characterized by its *tense* and its *mood.*

⇨ The *tense* indicates *the time of the action.*
The *present,* the **passé composé,** the *imperfect,* and the *future* are different *tenses.*

⇨ The *mood* reflects *the attitude of the speaker* toward the action.
The *indicative* and the *subjunctive* are different *moods.*

Indicative vs. subjunctive

In English, the subjunctive, although rare, is still occasionally used. Compare the verbs in the following sentences:

INDICATIVE	SUBJUNCTIVE
You are often not on time.	It is important (that) **you be** on time tonight.
I was late again.	I wish (that) **I were** not so disorganized.
Olivier usually **takes** the car.	Today his father insists (that) **he take** the bus.

In French the subjunctive occurs quite frequently. Therefore, it is very important to know when to use it. Compare the uses of the indicative and the subjunctive in the following sentences:

PRESENT INDICATIVE	PRESENT SUBJUNCTIVE
Vous parlez français.	Je veux que **vous parliez** italien.
Je sais que **vous parlez** français.	Je préfère que **vous parliez** italien.
Je vois que **vous parlez** français.	Il est important que **vous parliez** italien.

Indicative

The *indicative* mood is the most frequently used mood in both French and English. It is used *to state facts* (**Vous parlez français**) or *to express knowledge of facts* (**Je sais que vous parlez français**).

Subjunctive

In French the *subjunctive* is used *to express wishes* (**Je veux que vous parliez italien**) and *attitudes about an idea or a fact* (**Il est important que vous parliez italien**).

Note that both indicative and subjunctive may be used in clauses introduced by **que.** The choice between the indicative and the subjunctive depends on the verb or expression which comes *before* **que.** In the last lesson you learned that the subjunctive is used after expressions of *wish* and *desire.* In this lesson and the following ones you will encounter other uses of the subjunctive.

ACTIVITÉ 1 Jamais content!

Pierre n'est jamais content de ce que font ses amis. Il préfère qu'ils fassent *(do)* autre chose *(something else)*. Exprimez cela, d'après le modèle.

⇨ Vous organisez un pique-nique. (une surprise-partie)
  Pierre préfère que vous organisiez une surprise-partie.

1. Nous sortons ce soir. (demain)
2. Sa sœur sort avec Henri. (avec Paul)
3. Je conduis bien. (vite)
4. Tu viens à six heures. (à sept heures)
5. Vous achetez un livre. (un disque)
6. Nous l'invitons au restaurant. (au cinéma)

B. Le subjonctif d'*être* et d'*avoir*

Note the irregular subjunctive forms of **être** and **avoir**.

être				avoir			
que je	**sois**	que nous	**soyons**	que j'	**aie**	que nous	**ayons**
que tu	**sois**	que vous	**soyez**	que tu	**aies**	que vous	**ayez**
qu'il/elle/on	**soit**	qu'ils/elles	**soient**	qu'il/elle/on	**ait**	qu'ils/elles	**aient**

⇨ The imperative forms of **être** and **avoir** are derived from the subjunctive.
  Sois patient!   *Be patient!*
  Ayez du courage!   *Have courage!*

Note that in the **tu** form of the imperative the final -s is dropped: **Aie patience!**

ACTIVITÉ 2 Souhaits *(Wishes)*

Faites des souhaits pour les personnes suivantes. Commencez vos phrases par **Je veux que** ou **Je ne veux pas que** et utilisez le subjonctif d'**être**.

⇨ mon professeur / très strict
  Je veux que mon professeur soit très strict.
  (Je ne veux pas que mon professeur soit très strict.)

1. mes amis / pessimistes
2. mes parents / généreux
3. mon meilleur ami / sincère
4. toi / malade
5. nous / millionnaires
6. vous / tristes
7. le professeur / de mauvaise humeur
8. vous / de bonne humeur
9. Mireille / heureuse

ACTIVITÉ 3 D'autres souhaits

Exprimez les souhaits des personnes suivantes en utilisant les mots entre parenthèses et le subjonctif d'**avoir**.

⇨ Olivier (Mireille / plus de patience)   **Olivier veut que Mireille ait plus de patience.**

1. le professeur (les élèves / des bonnes notes [*grades*])
2. je (vous / de la chance)
3. mes parents (je / de l'ambition)
4. je (tu / de l'argent)
5. les élèves (le professeur / de la patience)
6. le professeur (nous / nos livres)

C. L'usage du subjonctif après *il faut que*

Note the use of the subjunctive after **il faut que** in the sentences below.

Il faut que je **conduise** bien.   *I have to (must)* **drive** *well.*
Il faut que vous **soyez** patients.   *You must (have to) be patient.*
Il faut qu'Olivier **téléphone** à son cousin.   *Olivier needs to (must)* **phone** *his cousin.*

To state that a specific person or thing must do something, the French often use the construction: Example with a thing: **Il faut que ma voiture soit prête à deux heures.**

> **il faut que**   +   subjunctive

⇨ The negative construction (**il ne faut pas que** + *subjunctive*) is used to forbid someone to do something.

Il ne faut pas que tu partes.   *You* **must not** *leave.*

⇨ Note that the construction **il faut** + *infinitive* is used to express a more general obligation. Compare: This construction was presented on p. 71.

Il faut que tu **sois** prudent.   *You* (personally) **have to be careful.**
Il faut être prudent.   *One* (generally) **has to be careful.**

You may want to present other tenses of **falloir**: **il faudra** (*it will be necessary*), **il va falloir, il fallait** (*it was necessary*), **il a fallu** (*it was necessary*).

ACTIVITÉ 4   Une leçon de conduite (*A driving lesson*)

Imaginez que vous donnez une leçon de conduite à Mireille. Dites si oui ou non elle doit faire les choses suivantes.

⇨ être impatiente?   **Il ne faut pas que tu sois impatiente.**

1. être patiente?
2. avoir des bons réflexes?
3. conduire à droite?
4. conduire trop vite?
5. prendre des risques?
6. avoir peur?
7. obéir à la police?
8. insulter les automobilistes (*drivers*)?

VARIATION with other subjects: **vous / Mireille / les conducteurs**

ACTIVITÉ 5   Bons conseils

Lisez ce que les personnes suivantes veulent faire. Dites si oui ou non elles doivent faire les choses entre parenthèses.

⇨ Paul veut aller en France.   (apprendre le français?)
    Il faut qu'il apprenne le français.

1. Thérèse veut maigrir.   (manger de la salade? boire du Coca-Cola?)
2. François veut grossir.   (manger de la glace? boire du thé?)
3. Catherine veut aller à l'université.   (quitter l'école? obtenir son diplôme?)
4. Vous voulez avoir beaucoup d'amis.   (être généreux? être pénibles?)
5. Nous voulons aller au Mexique.   (avoir un passeport? parler espagnol?)
6. Tu veux acheter une auto.   (avoir de l'argent? avoir 18 ans?)
7. Je veux être millionnaire.   (gagner à la loterie? avoir de la chance?)
8. Charles veut être heureux.   (avoir une petite amie? être pessimiste?)

ACTIVITÉ 6 Petite conversation OPTIONAL

Demandez à vos camarades s'ils doivent faire les choses suivantes à la maison.

⇨ étudier —**Est-ce qu'il faut que tu étudies?**
—**Oui, il faut que j'étudie.**
(**Non, il ne faut pas que j'étudie.**)

1. obéir
2. travailler
3. aider ton père
4. te coucher tôt

5. mettre de l'ordre dans ta chambre
6. laver la voiture
7. finir tes devoirs
8. sortir les ordures *(take out the garbage)*

D. L'usage du subjonctif après certaines expressions impersonnelles

Note the use of the subjunctive in the following sentences:

Il est important **que tu sois** à l'heure.   *It is important **that you be** on time.*
Il est naturel **que nous ayons** des vacances.   *It is natural **that we have** vacation.*
Il est bon **que nous parlions** français.   *It is good **that we speak** French.*
Il est dommage **que tu partes.**   *It is too bad **that you are leaving.***

The French use the subjunctive after impersonal expressions of opinion when they are referring to someone or something specific.

⇨ When an impersonal expression is used in a general sense, it is followed by **de** + *infinitive*. Compare:

Il est utile que tu parles français.   *It is useful that you* (specifically) *speak French.*
Il est utile de parler français.   *It is useful* (in general) *to speak French.*

Vocabulaire spécialisé Quelques expressions impersonnelles

il est absurde . . .	*it is absurd (crazy)* . . .
il est bon . . .	*it is good* . . .
il est indispensable . . .	*it is essential, indispensable* . . .
il est naturel . . .	*it is natural* . . .
il est nécessaire . . .	*it is necessary* . . .
il est normal . . .	*it is normal* . . .
il est utile . . .	*it is useful* . . .
il est dommage . . .	*it is too bad* . . .
il vaut mieux . . .	*it is better* . . .
il vaudrait mieux . . .	*it would be better* . . .

proverbe:

Mieux vaut tard que jamais.

"Better late than never."

Note: When the expressions **il vaut mieux** and **il vaudrait mieux** are used in a general sense, they are followed directly by an infinitive.

Il vaut mieux **partir** tout de suite.   *It is better **to leave** right away.*

ACTIVITÉ 7 Commentaires personnels

Lisez ce que font les personnes suivantes. Exprimez votre opinion en utilisant le mot entre parenthèses dans des phrases affirmatives ou négatives.

➡ Vous apprenez le français.   (utile?)

Il est utile que vous appreniez le français.
(Il n'est pas utile que vous appreniez le français.)

1. Vous grossissez.   (bon?)
2. Paul maigrit.   (bon?)
3. Vous pensez à l'avenir.   (important?)
4. Les élèves étudient le week-end.   (nécessaire?)
5. Le professeur est malade.   (dommage?)
6. Olivier conduit trop vite.   (absurde?)
7. Mes parents sont généreux.   (naturel?)
8. Les journalistes disent la vérité.   (indispensable?)
9. Le président est honnête.   (important?)
10. J'ai de l'argent.   (indispensable?)

ACTIVITÉ 8 Qualifications professionnelles   OPTIONAL   This activity can be done as a written assignment.

Choisissez une profession (colonne B) pour chaque personne de la colonne A. Exprimez une opinion sur les qualifications professionnelles correspondantes en utilisant les éléments des colonnes C et D. Soyez logiques!

A	B	C	D
je	acteur/actrice	utile	être honnête
tu	journaliste	important	dire la vérité
Olivier	mécanicien(ne)	nécessaire	écrire bien
nous	professeur	indispensable	parler français
vous	vendeur/		avoir le sens des relations publiques
mes cousins	vendeuse		avoir une bonne prononciation
	médecin		être patient(e)
	photographe		suivre des cours de mécanique
			avoir du talent
			être habile (skillful)

➡ **Olivier veut être acteur. Il est indispensable qu'il ait du talent.**

➡ **Je veux être photographe. Il n'est pas indispensable que je parle français.**

VARIATION: Replace column C by **il est dommage**. **Olivier veut être acteur. Il est dommage qu'il n'ait pas de talent.**

ACTIVITÉ 9 **Bons conseils** OPTIONAL This activity can be done as a written assignment.

Dans certaines situations il vaut mieux faire certaines choses. Donnez des conseils aux personnes suivantes en commençant vos phrases par **Il vaut mieux que tu . . .** Utilisez votre imagination!

⇨ Olivier: «Il pleut et je dois chercher Mireille.»
   Il vaut mieux que tu prennes la voiture.
   (Il vaut mieux que tu appelles un taxi.)

1. Charlotte: «J'ai un examen demain.»
2. Michèle: «Je veux perdre cinq kilos.»
3. Philippe: «J'ai un rendez-vous en ville dans dix minutes.»
4. Georges: «C'est l'anniversaire de Maman demain.»
5. Isabelle: «Oh là là, j'ai mal à la tête.»
6. Thomas: «Zut, j'ai cassé l'électrophone de ma sœur.»
7. Henri: «Je suis invité à un bal, mais je ne sais pas danser.»
8. Claire: «J'ai envie d'acheter cette robe, mais je n'ai pas assez d'argent.»

OPTIONAL

À votre tour **Opinions personnelles**

This can be done as a written assignment.

Exprimez des opinions sur *(about)* vous-même ou sur d'autres personnes. Pour cela complétez les phrases suivantes.

⇨ Il est nécessaire que . . .
   Il est nécessaire que j'aie de l'argent (que mes parents me comprennent, que les professeurs nous donnent moins de travail, etc.).

Il est bon que . . .   Il est absurde que . . .
Il est important que . . .   Il est ridicule que . . .
Il est indispensable que . . .   Il est dommage que . . .
Il est dangereux que . . .   Il vaudrait mieux que . . .

The purpose of this activity is to practice the use of the subjunctive after impersonal expressions.

Leçon 4

STRUCTURE TO OBSERVE
• uses of the subjunctive

Tout s'arrange!

Tout s'arrange
Everything
gets settled
dispute *quarrel*

subjunctive of **aller**

Scène 1. Une dispute

Maintenant Olivier est rassuré, mais il est aussi inquiet. Il faut qu'il *aille* chez Jean-Jacques immédiatement! Est-ce que Mireille comprendra la situation? Olivier retourne au concert . . . C'est la fin de l'entracte.

MIREILLE: Dis, Olivier. Où étais-tu? Je commençais à m'impatienter . . .

OLIVIER: Excuse-moi . . . Euh . . . Il faut que je te raccompagne chez toi . . .

MIREILLE: Mais le concert n'est pas fini.

OLIVIER: Il faut absolument que je rentre.

MIREILLE: Tu es malade?

OLIVIER: Euh, non . . . Il faut que j'aille chez mon cousin qui est *garagiste*.

mechanic

MIREILLE: Comment? Il faut que tu ailles chez le garagiste à dix heures du soir? Si tu n'es pas malade, tu es fou!

OLIVIER: Je suis vraiment désolé que tu ne comprennes pas, mais il faut que je parte . . .

MIREILLE: Eh bien, moi, je suis furieuse que tu me *traites de* cette façon! Veux-tu que je te dise quelque chose? Tu es un vrai mufle! Et la prochaine fois, il est inutile que tu m'invites. Après tout, j'ai d'autres copains . . .

treat . . . in
Pourquoi est-ce qu'Olivier est rassuré?
Pourquoi est-il inquiet?
Est-ce que Mireille est contente?
Pourquoi pas?

Scène 2. Chez Jean-Jacques

Il est onze heures . . .
Olivier a raccompagné Mireille chez elle. Il arrive chez son cousin.
Jean-Jacques examine la voiture.

OLIVIER: Alors?

JEAN-JACQUES: Quand tu m'as téléphoné, j'ai eu peur que ton accident soit plus grave que ça.

OBSERVATIONS
The *Presentation text* contains many subjunctive forms. Have the students identify them.

OLIVIER: Ce n'est pas trop sérieux?

JEAN-JACQUES: Non! *Il va falloir que je répare* le pare-chocs et que je change le feu arrière. Tu as de la chance que j'aie les *pièces de rechange.*

I will have to repair

spare parts

Jean-Jacques est un excellent mécanicien. À minuit, il a fini la réparation. Olivier est très content que son cousin soit si habile . . . Il remercie Jean-Jacques et rentre chez lui . . .

Est-ce que l'accident est sérieux?
Que fait Jean-Jacques?

NOTE CULTURELLE   OPTIONAL

Les voitures françaises   Savez-vous que ce sont des ingénieurs français qui ont construit les premiers véhicules automobiles? Aujourd'hui, l'industrie automobile française est la quatrième du monde après le Japon, les États-Unis et l'Allemagne. Il y a deux grands constructeurs° de voitures, Renault et Peugeot-Citroën. Chaque constructeur a plusieurs modèles, identifiés généralement par des lettres ou un nombre.

Voici les principales marques de voitures françaises:

Renault   R4 R5 R14 R18

Peugeot-Citroën

Peugeot	104	305	504	505	604
Citroën	2 Chevaux	Dyane	GS	CX	Visa
Talbot	1100	Horizon	1510		

(onze cents)   (quinze cent dix)

constructeurs *manufacturers*

Vocabulaire pratique

NOMS:	**une façon**	*manner, way*	
	une réparation	*repair*	
ADJECTIFS:	**désolé**	*very sorry*	
	fini	*over, finished*	
	habile	*skillful*	
VERBES:	**raccompagner**	*to take back (home)*	J'ai **raccompagné** Mireille chez elle.
	retourner	*to return, go back*	Ensuite, je **suis retourné** au concert.

Note: The **passé composé** of **retourner** is conjugated with **être**.

Vocabulaire spécialisé La voiture

le coffre

le feu arrière

le toit

le siège

le moteur

le phare

la portière

la roue

le pneu

le pare-chocs

VERBES:

accélérer	*to accelerate, go faster*	Pourquoi est-ce que tu **accélères**?
		*The verb **accélérer** is conjugated like **préférer**.*
changer	*to change*	Pouvez-vous **changer** ce pneu, s'il vous plaît?
faire le plein	*to fill the tank*	As-tu **fait le plein** quand tu es parti?
freiner	*to brake, step on the brakes*	Je **freine** pour les animaux.
réparer	*to repair, fix*	Le mécanicien **a réparé** ma voiture.
tourner	*to turn*	**Tournez** dans cette rue!

ACTIVITÉ 1 Questions personnelles

1. Est-ce que vos parents ont une voiture? De quelle couleur est-elle? Quelle est la marque *(make)* de cette voiture? Combien de portières est-ce qu'elle a? Est-ce que les sièges sont confortables? Est-ce que les pneus sont en bon état *(condition)*?

2. Êtes-vous bricoleur/bricoleuse *(mechanically inclined)*? Est-ce que vous réparez votre bicyclette? la radio? la télévision? Est-ce que vous changez les plombs *(fuses)* chez vous?

3. Savez-vous conduire? Quand est-ce qu'il faut freiner? Quand est-ce qu'il faut accélérer?

Renault 12
Version L et TL : moteur 1 289 cm3,
7 CV fiscaux, 60 ch SAE
à 5 250 tr/mn, 145 km/h.
Freins à disque à l'AV,
à tambour à l'AR avec
répartiteur de pression.

Structure

A. Subjonctifs irréguliers: *aller* et *faire*

Note the irregular subjunctive forms of **aller** and **faire**.

	aller		faire
que j'	**aille**	que je	**fasse**
que tu	**ailles**	que tu	**fasses**
qu'il/elle/on	**aille**	qu'il/elle/on	**fasse**
que nous	**allions**	que nous	**fassions**
que vous	**alliez**	que vous	**fassiez**
qu'ils/elles	**aillent**	qu'ils/elles	**fassent**

Have the students note that the **nous** and **vous** forms of **aller** are regular.

Since the subjunctive forms of **pouvoir, vouloir,** and **savoir** are used infrequently, they are not presented actively at this level. The forms, however, are listed in Appendix 4, pp. 425, 427, and you may wish to present them for recognition at this time.

ACTIVITÉ 2 Où?

Lisez ce que les personnes suivantes veulent faire et dites où elles doivent aller. Utilisez la construction **il faut que** and the subjunctive of **aller** together with one of the following expressions:

à la mer / en Angleterre / à la bibliothèque / à la pharmacie / à la poste / à la station-service / à Paris / dans les Alpes / au supermarché

⇨ Olivier veut apprendre l'anglais.   **Il faut qu'il aille en Angleterre.**

1. Je veux prendre de l'essence.
2. Vous voulez acheter de l'aspirine.
3. Mireille veut regarder un magazine.
4. Mes cousins veulent faire du ski.
5. Tu veux des timbres.
6. Ma mère veut acheter des fruits.
7. Nous voulons faire de la planche à voile.
8. Je veux voir la tour Eiffel.

ACTIVITÉ 3 Vive le sport!

Imaginez que vous êtes le directeur / la directrice d'un club sportif. Dites aux personnes suivantes quels sports elles doivent pratiquer. Utilisez la construction **il faut que** and the subjunctive of **faire**.

⇨ Olivier / du jogging   **Il faut qu'Olivier fasse du jogging.**

1. Mireille / de la gymnastique
2. vous / du volley
3. toi / du ski
4. ces garçons / du basket
5. nous / du judo
6. ces filles / du karaté

B. Le subjonctif après les expressions d'émotion

In the sentences below, the subject expresses certain emotions about someone or something else. Note the use of the subjunctive after the expressions of emotion.

Mireille **est furieuse** qu'Olivier **parte**.	*Mireille **is angry** that Olivier **is leaving**.*
Olivier **est triste** que Mireille **soit** furieuse.	*Olivier **is sad** that Mireille **is** angry.*
Je **suis content** que vous **veniez** chez moi.	*I **am happy** that you **are coming** to my house.*

To express feelings about someone else's actions, the French use the following construction:

> expression of emotion   +   **que**   +   subjunctive

⇨ When the emotion concerns the actions of the subject, the following construction is used:

> expression of emotion   +   **de**   +   infinitive

Compare:

Je suis **triste de partir**.	*I am sad to leave (that I am leaving).*
Je suis **triste que vous partiez**.	*I am sad that you are leaving.*

_Vocabulaire spécialisé   Quelques expressions d'émotion

être content	*to be glad*	Olivier **est content** que son cousin l'aide.
être heureux (heureuse)	*to be happy*	Il **est heureux** que sa voiture soit réparée.
être ravi	*to be delighted*	Je **suis ravi** que to me téléphones.
être fier (fière)	*to be proud*	M. Moreau **est fier** que sa fille soit médecin.

CODOFINE   SOYONS FIERS ⚜ DE PARLER ⚜ FRANÇAIS   CODOFINE

être triste	*to be sad*	Nous **sommes tristes** que tu sois malade.
être désolé	*to be sorry*	Je **suis désolé** que vous partiez.
être furieux (furieuse)	*to be angry (mad, upset)*	Marc **est furieux** que Louise ne lui parle pas.
être surpris	*to be surprised*	**Êtes-vous surpris** qu'il neige aujourd'hui?
être étonné	*to be astonished*	Je **suis étonné** que Paul ne soit pas en classe.
avoir peur	*to be afraid*	J'**ai peur** que mes amis aient un accident.

ACTIVITÉ 4 Expression personnelle: content ou triste?

Est-ce que les choses suivantes sont vraies ou non? Exprimez vos
sentiments suivant le cas *(accordingly)* en commençant vos phrases par
Je suis content(e) ou **Je suis triste.**

  Le professeur est gentil? **Je suis content(e) que le professeur soit gentil.**
 Je suis triste que le professeur ne soit pas gentil.

1. Le professeur est très strict?
2. Il donne des examens difficiles?
3. Mes parents sont généreux?
4. Ils me comprennent?
5. Nous faisons beaucoup de sport à l'école?
6. Nous nous amusons beaucoup?
7. Mes amis sont sympathiques?
8. Mes amis vont en France cet été?

ACTIVITÉ 5 Sentiments   OPTIONAL   This activity can be done as a written assignment.

Décrivez les sentiments des personnes de la colonne A en fonction des
éléments des colonnes B, C et D. Combien de phrases logiques
pouvez-vous faire en cinq minutes?

A	B	C	D
je	être content	(le) meilleur ami	être malade
tu	être désolé	(la) meilleure amie	aller en vacances
Marc	être ravi	(le) frère	sortir avec d'autres garçons/filles
Sylvie	être fier	(la) sœur	avoir une belle voiture
Paul et	être furieux	(les) cousins	gagner beaucoup d'argent
Mireille	être surpris	vous	faire des choses stupides
	être étonné		dire des mensonges
	avoir peur		avoir un accident
			tenir (ses) promesses
			être champion/championne de tennis

  Sylvie est fière que sa sœur soit championne de tennis.

OPTIONAL

À votre tour **Réactions**   This can be done as a written assignment.

Exprimez vos réactions devant les situations suivantes. Pour chaque
situation, faites une phrase commençant par une expression d'émotion.

  Vous avez un accident avec la voiture de votre père.

 J'ai peur que mon père soit furieux.
 Je suis triste que mon père ne me prête plus sa voiture, etc.

Votre cousin gagne cent dollars dans un concours.
Vos grands-parents viendront chez vous demain.
Vos parents partent ce week-end sans vous.
Votre meilleur(e) ami(e) ne vient pas au rendez-vous que vous lui avez
 donné.
Votre cousine va se marier.
Votre frère a cassé votre bicyclette.

The purpose of this activity is to practice the use of the subjunctive after expressions of emotion.

UNITÉ 7
Leçon 5

Sauvé? Pas tout à fait!

Sauvé? Pas tout à fait! Saved? Not quite!

Scène 1.

Olivier est rentré chez lui à minuit et demi. Ses parents sont rentrés *bien* plus tard, vers une heure et demie. Ils n'ont rien remarqué . . . Olivier s'est couché immédiatement après son retour, mais il n'a pas pu dormir. Il pense aux événements de la soirée.

= beaucoup

«Quelle soirée! Elle *avait* si bien *commencé*. Et puis, il y a eu cet imbécile, ce fou qui est rentré dans la voiture de Papa et a cassé le feu arrière! *Heureusement* que Jean-Jacques était chez lui! Est-ce que Papa s'apercevra de la réparation? Non! Jean-Jacques est un excellent mécanicien et Papa est un peu *myope*. Je *doute* qu'il s'aperçoive de quelque chose . . . Sinon, ce serait un *drame* à la maison!

had begun

It was fortunate

nearsighted; doubt
scene

«Et Mireille? Elle était vraiment furieuse! Je ne crois pas que je *puisse* sortir *encore* avec elle. Bah, tant pis pour Mireille . . . L'essentiel, c'est que la voiture soit réparée. Je suis sauvé, sauvé . . .»

subjunctive of **pouvoir**
again

À quelle heure est rentré Olivier? Qu'est-ce qu'il a fait après? Pourquoi est-ce qu'il pense que son père ne remarquera pas la réparation?

Scène 2.

Dimanche matin, Olivier s'est levé assez tard. Il a rencontré sa mère dans la cuisine. Madame Roussel est *en train de préparer* le déjeuner.

in the midst of preparing

MME ROUSSEL: Tu sais, Olivier, il ne faut pas que tu sois fâché contre ton père parce qu'il a refusé de te prêter sa voiture hier. Moi aussi, j'ai été surprise de sa mauvaise humeur. Il faut que je t'explique *ce qui* s'est passé. Voilà: hier après-midi, *comme d'habitude*, ton père avait laissé sa voiture *en stationnement* devant son bureau. Quand il a voulu la reprendre, il s'est aperçu qu'un imbécile *lui était rentré dedans*. Évidemment le type qui a fait cela est parti *sans laisser*

what; as usual
parked

had run into him
without leaving

OBSERVATIONS
Have the students read the following sentences:
Je crois qu'Olivier est sauvé.
Je ne crois pas qu'Olivier soit sauvé.

Questions
Dans la première phrase, une certitude est exprimée.
• Est-ce que le verbe être est à l'indicatif ou au subjonctif? (à l'indicatif)
Dans la seconde phrase, un doute est exprimé.
• Est-ce que le verbe est à l'indicatif ou au subjonctif? (au subjonctif)

354 Unité sept

de trace. Il *paraît* que le pare-chocs et le feu arrière sont *seems*
endommagés! Quand Papa est rentré à la maison, il était *damaged*
absolument furieux. Il était si furieux qu'il n'a rien dit
à personne. Enfin, il *s'est calmé,* et chez les Mallet il a tout *calmed down*
raconté. *Tu t'imagines? Une voiture toute neuve!* Tu *Can you imagine?*
comprends maintenant pourquoi il n'a pas voulu te prêter *brand-new*
la voiture hier soir!

Qu'est-ce que Madame Roussel faisait dans la cuisine? Pourquoi est-ce que
Monsieur Roussel était de mauvaise humeur? Comment est-ce que sa voiture
a été accidentée?

Épilogue

À cause de l'accident Olivier est dans une situation très embarrassante. *Because of*
Selon vous, qu'est-ce qu'il doit faire?

Il faut qu'il prenne un *marteau* et qu'il casse à nouveau le feu-arrière de *hammer*
la voiture.
Il faut qu'il propose à son père de réparer *lui-même* la voiture. *himself*
Il faut qu'il dise la vérité.

Quelle est la meilleure solution? Avez-vous une autre solution à proposer
à Olivier?

Sujet de composition Expliquez pourquoi Olivier est dans une situation embarrassante.

NOTE CULTURELLE OPTIONAL

Les Français et la voiture Que représente
la voiture pour vous? Est-ce uniquement° un
moyen° de transport? Une voiture peut être
aussi un passe-temps, un moyen d'évasion,° un
objet de prestige . . . ou un embarras.° Pour
beaucoup de jeunes, la voiture est un symbole
d'indépendance.

Les Français sont des passionnés de la
voiture.° Ils aiment conduire aggressivement et
vite, même lorsque° la vitesse est limitée. En
général, les Français s'occupent° de leur voiture

et passent beaucoup de temps à son entretien.°
Pour beaucoup de Français, la voiture est un
peu l'extension de leur personnalité. Voilà
pourquoi une voiture accidentée° représente
plus qu'un problème matériel. Souvent c'est
aussi une catastrophe personnelle.

uniquement *only* **moyen** *means* **évasion** *escape*
embarras *problem* **passionnés de la voiture** *car buffs*
lorsque = **quand** **s'occupent** *take care* **entretien**
maintenance **accidentée** *damaged in an accident*

Vocabulaire pratique

NOM:	**un type**	*guy, fellow*	
ADJECTIF:	**fâché (contre)**	*angry, upset (with)*	
VERBE:	**laisser**	*to leave, let*	**J'ai laissé** mes disques chez toi.
EXPRESSIONS:	**à nouveau**	*again*	Zut! Il pleut **à nouveau!**
	tant pis!	*too bad!*	J'ai joué au tennis et j'ai perdu. **Tant pis!**

MOTS APPARENTÉS

French verbs in **-quer** often have English cognates in *-cate*.

-quer	↔	**-cate**		
indi**quer**		*indicate*	compliquer	*complicate*
expli**quer**		*explicate, explain*	fabriquer	*fabricate*
			suffoquer	*suffocate*

NOMS:

une explication	*explanation*
une raison	*reason*

VERBES:

commencer (à)	*to begin (to)*	Il **a commencé** à pleuvoir.
continuer	*to continue*	Jean-Jacques **a continué** son travail.
être en train de	*to be in the midst of*	Il **était en train de** réparer la voiture.
expliquer	*to explain*	Je vais t'**expliquer** la situation.
s'exprimer	*to express oneself*	Je vais essayer de **m'exprimer** clairement.

EXPRESSIONS:

pour quelle raison?	*for what reason? why?*	**Pour quelle raison** êtes-vous rentrés?
à cause de	*because of*	C'est **à cause de** la pluie.
parce que	*because*	C'est **parce qu'**il pleuvait.

Notes: 1. The construction **être en train de** (+ infinitive) is used to indicate that an action is in progress. It has no real English equivalent.

Qu'est-ce que tu **es en train de faire**? *What are you doing (at this moment)?*
Je **suis en train d'écrire** à un ami. *I am (in the midst of) writing to a friend.*

2. Contrast the uses of **à cause de** and **parce que:**

à cause de (+ noun or pronoun)   J'étudie **à cause de** l'examen.
parce que (+ clause)   J'étudie **parce que** j'ai un examen.

ACTIVITÉ 1   Accidents

Expliquez pourquoi les personnes suivantes ont eu un accident. Utilisez **parce que** ou **à cause de,** suivant le cas *(accordingly).*

⇨ Jacques / la visibilité était mauvaise
Jacques a eu un accident parce que la visibilité était mauvaise.

1. Isabelle / il faisait mauvais
2. Paul / la pluie
3. Jean / il n'avait pas ses lunettes
4. Henri / la neige
5. Claire / elle n'a pas vu le «stop»
6. Philippe / un automobiliste *(driver)* imprudent

ACTIVITÉ 2   Oui ou non?

Dites si oui ou non les personnes suivantes sont en train de faire les choses entre parenthèses en ce moment.

⇨ le professeur (parler?)
Oui, en ce moment le professeur est en train de parler.
(Non, en ce moment le professeur n'est pas en train de parler.)

1. les élèves (dormir?)
2. moi (étudier?)
3. ma mère (travailler?)
4. mon père (lire le journal?)
5. nous (faire du sport?)
6. mes amis (s'amuser?)

Structure

A. Le subjonctif après les expressions de doute

In the sentences on the left, the speaker considers some things as *certain*. In the sentences on the right, the speaker considers these things as *doubtful*, *untrue*, or *uncertain*. Compare the verbs in each pair of sentences.

CERTAINTY	DOUBT OR UNCERTAINTY
Je sais qu'Olivier **a** un problème.	Je doute qu'il **ait** un problème sérieux.
Je crois que tu **es** fatigué.	Je ne crois pas que tu **sois** malade.
Il est certain que nous **sortons** souvent.	Il n'est pas certain que nous **sortons** demain.

The *indicative* is used after *expressions of certainty.*
The *subjunctive* is used after *expressions of doubt or uncertainty.*

⇨ Some expressions of certainty may become expressions of doubt when used in the negative or interrogative. When this occurs, the subjunctive is often used.

(certainty) **Je crois qu'**Olivier **est** sympathique.

(doubt) **Je ne crois pas qu'**Olivier **soit** sympathique.
Crois-tu qu'Olivier **soit** sympathique?

In some contexts the future may be used after expressions of certainty or doubt: **Je ne crois pas que nous irons au cinéma ce week-end.**

ACTIVITÉ 3 Une querelle *(A quarrel)*

Olivier et Mireille ne sont pas d'accord. Olivier dit oui. Mireille dit non.
Jouez le rôle d'Olivier et de Mireille, d'après le modèle.

⇨ Mon cousin est un bon mécanicien.
Olivier: **Je crois que mon cousin est un bon mécanicien.**
Mireille: **Eh bien, moi, je ne crois pas qu'il soit un bon mécanicien.**

1. Il est onze heures.
2. L'accident est sérieux.
3. L'orchestre est excellent.
4. Nous nous amusons.
5. Mes parents sont généreux.
6. Nous allons nous voir demain.

ACTIVITÉ 4 Expression personnelle

Donnez votre opinion sur les sujets suivants. Utilisez **je crois que** + indicatif ou **je ne crois pas que** + subjonctif.

⇨ Le français est facile.   **Oui, je crois que le français est facile.**
(Non, je ne crois pas que le français soit facile.)

1. Le français est utile.
2. Le professeur est strict.
3. Les examens sont faciles.
4. Les filles sont plus intelligentes que les garçons.
5. Les garçons sont plus sportifs que les filles.
6. Les adultes sont plus idéalistes que les jeunes.
7. Les voitures américaines sont meilleures que les voitures japonaises.
8. Les voitures françaises sont très économiques.

Quelques expressions de doute et de certitude

CERTITUDE:		DOUTE:	
Je crois que . . .		Je ne crois pas que . . .	
Je sais que . . .	+ indicative	Je doute que . . .	+ subjunctive
Je pense que . . .		Je ne pense pas que . . .	
Je suis sûr que . . .		Je ne suis pas sûr que . . .	
Il est vrai que . . .	+ indicative	Il n'est pas vrai que . . .	
Il est certain que . . .		Il n'est pas certain que . . .	+ subjunctive
		Il est possible que . . .	
		Il est impossible que . . .	

Note: **Douter** *(to doubt)* is a regular verb.

ACTIVITÉ 5 Expression personnelle   OPTIONAL

Dites ce que vous pensez des choses suivantes. Utilisez des expressions du Vocabulaire spécialisé.

⇨ Les Américains sont généreux?
  Je pense (Il est vrai . . .) que les Américains sont généreux.
  Je ne pense pas (Je doute . . . , Il n'est pas certain . . .) que les Américains soient généreux.

1. Les voitures américaines sont économiques?
2. New York est une belle ville?
3. Il fait froid dehors?
4. Les gens sont plus heureux qu'autrefois?
5. Le vendredi 13 est un jour de chance?
6. Le professeur a des facultés extrasensorielles (ESP)?
7. Les chats noirs sont dangereux?
8. Il y a des hommes sur Mars?

ACTIVITÉ 6 Rumeurs

Demandez à un(e) camarade si les choses suivantes sont vraies.

⇨ Tu as une voiture?   —**Est-il vrai que tu aies une voiture?**
          —**Oui, j'ai une voiture.**
            (Non, je n'ai pas de voiture.)

1. Tu as une guitare?
2. Tu es un(e) champion(ne) de ski?
3. Tu fais du judo?
4. Tu sors samedi?
5. Ton meilleur ami a une Peugeot?
6. Ta meilleure amie est française?
7. Ton père est pilote?
8. Tes parents sont canadiens?

B. L'usage du subjonctif: résumé

The *subjunctive* is used—

(1) after an expression of *wish, will,* or *desire:*

> Je veux que vous **maigrissiez**.

The *infinitive* is used if the wish concerns the *subject* itself:

> Je veux **maigrir**.

(2) after **il faut** and many *impersonal expressions:*

> Il faut que vous **travailliez**.
> Il est utile que tu **parles** français.

The *infinitive* is used if the expression does not concern anyone in particular:

> Il faut **travailler**.
> Il est utile de **parler** français.

(3) after an expression of *emotion:*

> Nous sommes heureux que tu **viennes**.

The *infinitive* is used if the emotion concerns the *subject* itself:

> Nous sommes contents de **venir**.

(4) after an expression of *doubt* or *uncertainty:*

> Je doute que tu **sois** patient.

The *indicative* is used after an expression of *certainty:*

> Je sais que tu **es** impatient.

ACTIVITÉ 7 **Expression personnelle: important ou non?**

Dites si les choses suivantes sont importantes (*a*) en général, (*b*) pour vous en particulier.

▷ être riche   (*a*) **En général, il est important d'être riche.**
                  (En général, il n'est pas important d'être riche.)

           (*b*) **Il est important que je sois riche.**
                  (Il n'est pas important que je sois riche.)

1. étudier
2. parler français
3. comprendre les maths
4. avoir un bon job
5. avoir des amis sympathiques
6. être sincère
7. voyager
8. aller à l'université
9. faire du sport
10. avoir une voiture

ACTIVITÉ 8 **Réactions personnelles** OPTIONAL This activity can be done as a written assignment.

Exprimez vos réactions aux choses suivantes. Commencez chaque phrase
par une expression qui nécessite (requires) le subjonctif.

⇨ Mes amis sont sincères.
  Il est important (Il faut . . . , Je veux . . . , Je suis heureux . . . , Je doute . . .)
  que mes amis soient sincères.

1. Mes amis ont de l'argent.
2. Les femmes sont indépendantes.
3. Tous les hommes sont égaux (equal).
4. Les États-Unis sont un pays puissant (powerful).
5. Les jeunes sont généreux.
6. Mes amis vont en vacances.
7. Nous faisons du sport.
8. Mes parents font un voyage cet été.

OPTIONAL

À votre tour **Le monde autour de nous** This can be done as a written assignment.

Exprimez vos idées au sujet du (about the) monde autour de vous: vos parents,
vos amis, votre école, votre ville, votre pays . . . Pour cela, composez un
petit paragraphe où vous pourrez utiliser les expressions suivantes:

Je crois que . . .
Je ne crois pas que . . .
Je doute que . . .
Je suis heureux/heureuse que . . .
Je suis triste que . . .
J'ai peur que . . .
Il faut que . . .
Il est important que . . .
Il vaut mieux que . . .

The purpose of this activity is to practice the use of the subjunctive, including its use after expressions
of doubt.

OPPOSITE: Le Louvre, Paris

Section Magazine

Le monde de la création et des idées 4

The Metropolitan Museum of Art, The Michael C. Rockefeller Memorial Collection of Primitive Art, Bequest of Nelson A. Rockefeller, 1979.

République
Populaire
du Congo

MASQUES AFRICAINS

«Masques! O Masques
Masque noir masque rouge, vous masques blanc-et-noir
Masques aux quatre points° d'où souffle° l'Esprit
Je vous salue° dans le silence!»

points *directions*   **souffle** *blows*   **salue** *hail*

Cameroun

The Metropolitan Museum of Art, Fletcher Fund, 1972.

Côte –d'Ivoire

The Metropolitan Museum of Art, The Michael C. Rockefeller Memorial Collection of Primitive Art, Bequest of Nelson A. Rockefeller, 1964.

Zaïre

The Metropolitan Museum of Art, The Michael C. Rockefeller Memorial Collection of Primitive Art, Bequest of Nelson A. Rockefeller, 1979.

Ces lignes sont les premiers vers° d'un poème intitulé «Prière° aux masques». Ce poème a été écrit par Léopold Senghor, l'un des grands poètes africains d'expression française. Dans ce poème, Senghor évoque l'Afrique de ses ancêtres.

Aujourd'hui, les masques africains font partie du patrimoine° artistique universel. Ils ont inspiré des grands peintres° européens comme Picasso et Modigliani. On les trouve dans les plus grands musées du monde. Mais en Afrique, le masque n'est pas un objet artistique. C'est avant tout° un objet religieux.

Selon les religions africaines, la destinée humaine est déterminée par des forces surnaturelles° toujours présentes autour de nous. Le masque représente le moyen° d'entrer en communication avec ces forces et surtout avec l'esprit des ancêtres. Les masques sont particulièrement importants aux moments critiques de l'existence individuelle et collective: naissance,° passage de l'adolescence à l'âge adulte, mariage, funérailles° pour l'individu; saison des récoltes° ou période de la chasse° pour le village. À ces moments-là, des cérémonies rituelles sont organisées où les participants portent des masques pour obtenir la protection des déités.

Les masques africains sont très variés. La majorité sont en bois, mais il y a des masques en bronze et des masques en cuivre. Certains° représentent des figures humaines. D'autres représentent des animaux: lions, girafes, antilopes, bœufs, crocodiles. Il y a des masques simples et des masques très complexes. Certains ont des formes abstraites; d'autres sont très réalistes et très détaillés. Chaque village et chaque tribu° a son style. La variété des masques africains est infinie.°

lines
Prayer

heritage
painters

above all

supernatural
means

birth

funeral
harvests;
hunting

Some

tribe
infinite

Sénégal

© American Museum of Natural History

Bénin

© American Museum of Natural History

Petite histoire de la chanson française

Aimez-vous chanter? Qui sont vos chanteurs° ou vos chanteuses préférés? .... *singers*

    Un proverbe français dit que «tout finit par une chanson». On pourrait dire aussi que tout a commencé par une chanson. L'histoire de la chanson française est en effet un peu l'histoire de France. La première grande œuvre° littéraire français date du douzième siècle.° C'était une chanson: *La Chanson de Roland.* .... *work; century*

    Au Moyen Age,° les «troubadours» allaient de cour° en cour en chantant des poèmes qu'ils composaient. Sous Louis XIV, les soldats° allaient à la guerre° en chantant des chansons comme «Malbrough s'en va-t-en° guerre» ou «Auprès de° ma blonde». En 1789, les Français ont fait la Révolution en chantant «Ça ira!»° Pendant la guerre de 1940, le «Chant des partisans» était le cri de ralliement° de la Résistance contre les troupes allemandes. .... *Middle Ages; court soldiers war goes off to; Next to It will be all right! rallying*

    Mais la chanson n'est pas seulement un phénomène historique. C'est aussi un art populaire et un spectacle. Les premiers chanteurs populaires chantaient dans la rue. Ils recevaient un peu d'argent si leurs chansons étaient bonnes . . . et parfois un seau° d'eau sur la tête si leurs chansons étaient mauvaises. Plus tard la chanson a fait son entrée dans les «cabarets». Le cabaret le plus célèbre était un cabaret de Montmartre qui s'appelait le «Chat Noir». C'était un cabaret artistique où se réunissaient° les peintres,° les musiciens, les poètes, les étudiants pour écouter les «chansonniers» de l'époque.° Ces chansonniers chantaient surtout des chansons politiques, des chansons satiriques et parfois des chansons comiques. .... *pail* .... *got together painters period*

364

Le cabaret artistique

Le grand public, lui, allait au «café-concert» ou au «music-hall». Dans les années 1930, la grande vedette° était Joséphine Baker, une danseuse noire américaine que tout le monde applaudissait quand elle chantait «J'ai deux amours: mon pays et Paris».

star

Dans les années 1960, avec le développement de l'amplificateur° et le succès de la guitare électrique, une nouvelle forme de chanson est apparue° en France. C'est la chanson «yé-yé». Ce qui° compte, ce n'est plus le texte de la chanson, mais son rythme et surtout les contorsions du chanteur sur scène.° Maintenant les jeunes et les très jeunes ont leurs «idoles». La chanson «yé-yé» est un phénomène de masse. Un jour, 200.000 adolescents sont venus applaudir les deux grandes idoles yé-yé, Johnny Halliday et Sylvie Vartan.

amplifier

appeared

What

stage

Aujourd'hui la chanson française reste très vivante° et très variée. Elle va de la chanson traditionnelle au rock, de la chanson «yé-yé» à la chanson d'amour, de la chanson comique à la chanson politique. Et n'oublions pas le grand succès en France des chanteurs régionaux et des chanteurs canadiens.

lively

Joséphine Baker

La chanson française d'aujourd'hui, Julien Clerc

Édith Piaf (1915–1963) La chanteuse française la plus populaire reste sans doute Édith Piaf. Édith Piaf est née à Belleville, un quartier pauvre de Paris. Son enfance° a été misérable. C'est dans la rue qu'elle chantait lorsqu'un impresario° célèbre l'a découverte en 1935. Le succès de ses chansons est facile à expliquer. Édith Piaf a chanté sa vie. Cette vie a été faite de° moments heureux et surtout de moments tragiques. C'est donc avec une extraordinaire sincérité qu'Édith Piaf pouvait chanter le bonheur° et le malheur,° la fatalité et l'espoir, l'amour merveilleux° et l'amour désespéré.° Quand Édith Piaf était sur scène, le public ne pouvait pas faire la différence entre sa vie et ses chansons. Édith Piaf est morte il y a vingt ans, mais ses chansons vivent dans la mémoire de tous les Français.

enfance *childhood*   **lorsqu'un impresario** *when a manager*
faite de *made up of*   **bonheur** *happiness*   **malheur** *unhappiness*
merveilleux *marvelous*   **désespéré** *hopeless*

365

Les secrets de La JOCONDE

Les Américains l'appellent «Mona Lisa», mais les Français l'appellent «la Joconde». C'est peut-être la femme la plus célèbre du monde. Les musiciens ont composé des chansons et des opéras en son honneur. Les poètes l'ont chantée dans leurs vers.° Les peintres° l'ont copiée ou imitée. Aujourd'hui son portrait réside au musée du Louvre. Chaque année des millions de touristes viennent au Louvre admirer son fameux sourire.

*verses;
painters*

Pourquoi sourit-elle? Et sourit-elle vraiment? La Joconde est en effet un personnage° très énigmatique.° Voilà ce qu'on sait d'elle. C'est le grand peintre italien, Léonard de Vinci (1452–1519), qui a peint la Joconde. Il a passé quatre années de sa vie à exécuter le célèbre portrait. C'est avec ce portrait que Léonard de Vinci est venu en France, invité par le roi° François Ier (1494–1547). François Ier était tombé amoureux du portrait et voulait absolument l'acheter. Léonard de Vinci a d'abord refusé, puis il a vendu *la Joconde* pour une somme° fabuleuse et à une condition: elle resterait en sa possession jusqu'à sa mort.° Le vieil artiste a passé les dernières années de sa vie à retoucher le portrait. Après la mort de Léonard de Vinci, *la Joconde* est devenue la propriété° personnelle des rois de France et elle a orné° leurs résidences pendant trois siècles.° Les Français ont pu enfin admirer le fameux portrait quand Napoléon a décidé d'ouvrir le Louvre au public . . .

*character;
puzzling*

king

*sum
death*

*property
adorned;
centuries*

Voilà les faits.° Et maintenant le mystère commence. Regardez la Joconde. Elle est assise° devant un parapet. Derrière elle, on peut voir un paysage lointain.° La Joconde sourit, mais elle ne dit pas qui elle est. On sait que le modèle a posé pendant quatre ans, mais on ignore° son identité. Les historiens ne sont pas d'accord. Certains pensent qu'elle était la femme d'un marchand de Florence, Francesco del Giocondo. (Ceci expliquerait son nom: la Gioconda ou la Joconde.) D'autres croient qu'elle était la cousine d'un prince italien. D'autres enfin déclarent qu'elle était un jeune homme déguisé en femme . . .

*facts
seated
distant
we don't know*

Une question plus troublante mystifie les experts. Est-ce que *la Joconde* qui est au musée du Louvre est bien la «vraie» Joconde? Un critique italien du seizième siècle a décrit avec admiration la couleur rose de ses mains . . . or° le portrait du Louvre a les mains blanches! Certaines personnes pensent que c'est une copie. Les copies de *la Joconde* sont en effet très nombreuses.° Il y a des copies à Rome, à Londres, à Milan, aux États-Unis . . . et même dans les greniers° du Louvre. Certaines de ces copies sont peut-être de la main de Léonard de Vinci. Le grand artiste avait en effet l'habitude° de faire plusieurs versions du même tableau. Est-ce que le portrait du Louvre est bien l'original?

however

*numerous
attics*

habit

Les historiens continuent à se poser° cette question et la Joconde continue à sourire . . . sans révéler ses secrets!

to ask

DEGAS, Edgar. *The Rehearsal.* Fogg Museum. Bequest-Collection of Maurice Wertheim.

RENOIR, Pierre Auguste. *By the Seashore.* The Metropolitan Museum of Art. Bequest of Mrs. H. O. Havemeyer, 1929. The H. O. Havemeyer Collection.

La révolution

Vous souvenez-vous de vos vacances d'été? Un soir vous avez peut-être observé les reflets° de la lumière° sur les eaux d'un lac. L'eau prend alors des reflets bleus, des reflets rouges, des reflets jaunes, des reflets verts . . . On dirait que la lumière se fragmente et se décompose.

reflections; light

Est-ce qu'on peut regarder de la même façon les autres éléments de la nature: le ciel,° les nuages,° les arbes, les fleurs . . . ? Pourquoi pas les objets et les gens?

sky; clouds

Cette nouvelle façon de voir le monde a été la base° du mouvement impressionniste. Ce mouvement a révolutionné le monde des arts dans la seconde moitié° du dix-neuvième siècle.° Les peintres° traditionnels peignaient° avec exactitude les choses qu'ils voyaient. Pour les peintres impressionnistes, ce n'est plus la forme d'un objet qui compte. C'est la sensation visuelle créée par la décomposition de la lumière sur l'objet. Pour exprimer cette sensation visuelle, les impressionnistes ont inventé une technique nouvelle. Ils travaillaient par petites taches° de couleur: du jaune, du rouge, du vert, du bleu, de l'orange et souvent du blanc et du noir.

basis

half; century; painters painted

spots

Aujourd'hui les impressionnistes sont universellement connus. Monet,

Quelques peintres impressionnistes

Edgar Degas (1834–1917)

Degas était le fils d'un banquier.° Sa mère était issue d'une° riche famille de la Nouvelle-Orléans. Degas a étudié le droit,° mais il a abandonné ses études pour se consacrer° à la peinture. C'est aussi un sculpteur. Ses sujets préférés étaient les danseuses de l'Opéra, les scènes de café et les chevaux.

banquier *banker* **issue d'une** *from a* **droit** *law* **pour se consacrer** *to devote himself*

Pierre–Auguste Renoir (1841–1919)

Renoir a commencé par peindre des devantures° de café, puis il est allé à l'École des Beaux-Arts.° Ce peintre aimait les couleurs chaudes. Ses sujets principaux sont des enfants, des jeunes filles, des femmes et des fleurs.

devantures *window fronts* **Beaux-Arts** *Fine Arts*

MONET, Claude. *Banks of Seine.* National Gallery of Art.

CASSATT, Mary. *Mother and Child.* Courtesy Wichita Art Museum, the Roland P. Murdock Collection.

impressionniste

Renoir, Degas, Cézanne . . . Qui ne connaît pas ces grands peintres? On peut admirer leurs tableaux dans les grands musées du monde—à Paris, mais aussi à Londres, à New York, à Chicago, à Boston et . . . à Leningrad!

À l'origine° cependant° les impressionnistes n'ont pas eu de succès. Au contraire! Leurs collègues les considéraient comme des dangereux révolutionnaires. Les directeurs de musée refusaient d'exposer° leurs tableaux. Les marchands refusaient de vendre leurs œuvres.° Le public se moquait d'eux. C'est par dérision° qu'un critique les a appelés «les Impressionnistes». Comme ils ne pouvaient pas présenter leurs tableaux dans les expositions officielles, les impressionnistes organisaient leurs propres° expositions chez des amis. Il y a eu huit expositions impressionnistes entre 1874 et 1886, mais ces expositions ont surtout été des échecs.°

Peu à peu cependant les amateurs° se sont intéressés à leur peinture. Ces premiers amateurs ont fait connaître° l'impressionnisme en France et à l'étranger. En 1886, une exposition impressionniste a eu lieu à New York. Bientôt, c'est le succès et la gloire . . . Aujourd'hui les peintures impressionnistes valent° des millions de dollars!

beginning;
however

to exhibit
works
mockingly

own

failures
enthusiasts
made known

are worth

Claude Monet (1840–1926)

Monet aimait peindre° en plein air.° Il trouvait ses sujets à la campagne, et surtout dans son jardin. Ce sont des fleurs, des plantes des nénuphars° . . . Monet a souvent peint les mêmes sujets, mais sous différentes lumières: la Tamise° à Londres, la cathédrale de Rouen, la gare Saint-Lazare à Paris.

peindre *to paint* **en plein air** *outdoors*
nénuphars *water lilies* **Tamise** *Thames River*

Mary Cassatt (1845–1926)

Mary Cassatt n'était pas française mais américaine. C'était la fille d'un riche banquier de Pittsburgh. Elle a étudié la peinture en France où elle a rencontré Degas. Elle a participé aux expositions impressionnistes. Ses sujets étaient surtout des femmes et des enfants. C'est grâce à° Mary Cassatt que les Américains se sont intéressés très tôt à la peinture impressionniste.

grâce à *thanks to*

369

Les grands moments de L'HISTOIRE DE FRANCE

La France a une longue histoire. Voici certains épisodes importantes de cette histoire.

La Préhistoire (20.000 avant Jésus-Christ)

Les historiens savent peu de choses sur les premiers habitants de la France. Ces habitants ont cependant° laissé de nombreux° vestiges: peintures° d'animaux dans les grottes° du Sud-Ouest,° monuments préhistoriques en Bretagne.

Grotte de Lascaux

L'occupation romaine° (150 avant Jésus-Christ—400 après Jésus-Christ)

Les premières légions romaines sont arrivées en Provence au deuxième siècle° avant Jésus-Christ. Plus tard, Jules César a occupé le reste de la Gaule (l'ancien nom de la France) malgré° la résistance héroïque du chef gaulois Vercingétorix. Les Romains sont restés quatre siècles en Gaule. Ils ont laissé de nombreux monuments, surtout dans le sud de la France: arènes, amphithéâtres, temples, arcs de triomphe . . . Ils ont aussi laissé leur langue,° le latin, qui est la base du français actuel.°

L'empire de Charlemagne (800 après Jésus-Christ)

Charlemagne, ou Charles le Grand, a régné sur° un immense empire qui comprenait° la France, l'Allemagne et l'Italie. Le petit-fils de Charlemagne, Charles le Chauve,° est devenu le premier roi° de France en 840.

La guerre° de Cent Ans (1337—1453)

Cette guerre a commencé quand Édouard III, roi d'Angleterre, a décidé de devenir roi de France. Les armées anglaises ont occupé la France et dévasté le pays. Finalement la France a été libérée par Jeanne d'Arc (1412—1431) que les Français considèrent aujourd'hui comme leur héroïne nationale.

cependant *however*   **nombreux** *numerous*
peintures *paintings*   **grottes** *caves*
Sud-Ouest *Southwest*   **romaine** *Roman*
siècle *century*   **malgré** *despite*
langue *language*   **actuel** *of today*   **a régné sur**
reigned over   **comprenait** *included*   **Chauve** *Bald*
roi *king*   **guerre** *war*

Arènes de Lutèce, Paris

Charlemagne

Mer du Nord

AIX-LA-CHAPELLE
PARIS

Océan Atlantique

Mer Noir

Mer Mediterranée

L'EMPIRE DE CHARLEMAGNE

Château de Chambord

Palais de Versailles   *Louis XIV*

Prise de la Bastille

La Renaissance (1500–1570)

La Renaissance a été une période de grande activité artistique et culturelle. C'est à cette époque° que les rois de France ont construit de magnifiques châteaux dans la vallée de la Loire: Chambord, Chenonceaux, Amboise, Azay-le-Rideau.

Le Grand Siècle (1643–1715)

Le Grand Siècle, c'est le siècle de Louis XIV, ou «Roi-Soleil». C'est aussi la période la plus brillante de l'histoire de France. Louis XIV a régné pendant 72 ans. Pendant son règne, il a encouragé les arts et les sciences. Il a créé des académies de peinture, de sculpture, de sciences, d'architecture. Il s'est intéressé personnellement au théâtre, à la musique, au ballet. Avec Louis XIV, le prestige de la culture française s'est répandu dans° toute l'Europe. Mais Louis XIV était aussi un roi autoritaire et ambitieux. De son palais° de Versailles il exerçait un pouvoir° absolu sur le reste du pays. C'est lui qui a dit: «L'État, c'est moi.» Vers la fin de son règne, Louis XIV a engagé la France dans des guerres qui ont ruiné le pays.

La Révolution française (1789–1799)

La Révolution française a été inspirée par la Révolution américaine. Le 14 juillet 1789, les Français ont pris la Bastille, une prison qui était le symbole de l'autorité royale. Le 26 août de la même année, ils ont voté la «Déclaration des Droits° de l'Homme et du Citoyen»° qui proclamait un principe nouveau: l'égalité° de tous les hommes.

Plus tard, les Français ont aboli° la monarchie et ont institué° la République. C'est la Révolution qui a donné à la France sa devise:°«Liberté, Égalité, Fraternité». La Révolution a aussi créé les départements et elle a institué le système métrique.

époque *period* **s'est répandu dans** *spread across*
palais *palace* **pouvoir** *power* **Droits** *Rights*
Citoyen *Citizen* **égalité** *equality*
ont aboli *abolished* **ont institué** *set up*
devise *motto*

371

L'épopée° napoléonienne (1799–1815)

Napoléon Bonaparte était le plus brillant des généraux de la Révolution. Extrêmement populaire, il a pris le pouvoir et est devenu empereur sous le nom de Napoléon Premier. Il a alors voulu conquérir° l'Europe. Napoléon a d'abord remporté° de brillantes victoires, et l'Italie, la Hollande, les états allemands sont devenus des états-satellites de la France. Finalement Napoléon a été vaincu° et il a été obligé de s'exiler.

Génie° militaire, Napoléon a été aussi un grand administrateur. Il a développé l'industrie. Il a encouragé les sciences. Il a ouvert de nombreuses écoles d'ingénieurs. Il a établi° une solide administration. Il a institué le Code Napoléon qui reste la base du système de justice en France.

Napoléon Bonaparte

La France d'aujourd'hui (depuis 1945)

La première partie du vingtième siècle a été marquée par deux grandes guerres mondiales° (en 1914 et en 1940). Le héros de la Seconde Guerre mondiale est Charles de Gaulle (1890–1970) qui a organisé la Résistance contre les Allemands. En 1959, de Gaulle a été élu° président de la République. L'un des premiers actes de sa présidence a été de donner leur indépendance aux anciennes colonies d'Algérie et d'Afrique Noire. De Gaulle a aussi aidé le développement de l'économie française en favorisant° certaines industries très importantes, comme l'aéronautique et l'informatique.° Aujourd'hui, la France est un pays moderne qui joue un rôle important en politique internationale.

Charles de Gaulle

Qu'est-ce qu'ils ont dit?

Louis XIV (1638–1715): «L'État, c'est moi!»
Louis XV (1710–1774): «Après moi, le déluge!»
Napoléon (1769–1821): «L'imagination gouverne le monde!»
Charles de Gaulle (1890–1970): «La France a perdu une bataille, mais elle n'a pas perdu la guerre!»

épopée *epic* **conquérir** *to conquer* **a . . . remporté** *won* **vaincu** *defeated* **Génie** *Genius* **a établi** *established* **mondiales** *world* **élu** *elected* **en favorisant** *by favoring* **informatique** *data processing*

Jeanne d'Arc à Chinon

Jeanne d'Arc est née en 1412 à Domrémy, un petit village de Lorraine. À cette époque, la France était occupée par les Anglais. Un jour, Jeanne a entendu des voix.° Elle a reconnu Sainte Catherine, Sainte Marguerite et Saint Michel. Ces voix lui ont dit: «Jeanne, c'est toi qui vas délivrer le pays.» «Moi? Mais je suis une paysanne° qui sait à peine° lire et écrire,» a répondu Jeanne. Mais les voix ont insisté: «Jeanne, va chez le roi et dis-lui que c'est Dieu qui t'envoie.»

Jeanne a accepté la mission, mais maintenant elle est inquiète. «Aller chez le roi? Oui, mais comment? Le roi habite si loin et les routes sont pleines de brigands.»° Jeanne va trouver un seigneur° local, le sire de Beaudricourt.

—Messire,° donnez-moi une escorte. Je veux aller chez le roi de France.

—Et qui t'envoie?

—Le Roi du Ciel.°

Beaudricourt se moque de Jeanne et il la renvoie° chez elle. Jeanne revient. Elle insiste et finalement elle obtient une escorte. C'est avec cette escorte de six hommes qu'elle arrive devant le château de Chinon où réside Charles, roi de France, avec sa cour.° Immédiatement elle demande d'être présentée au roi.

Le roi Charles est un roi sans royaume.° C'est un jeune homme timide qui ne croit plus en la victoire et qui certainement ne croit pas aux miracles. «Qui est cette Jeanne et qu'est-ce qu'elle veut de moi?» Un courtisan,° Bernard de Chissay, suggère au roi de jouer un bon tour° à Jeanne. «Déguisons-nous!° Je vais mettre vos vêtements et vous, vous allez vous déguiser en simple courtisan. Nous allons voir si cette petite paysanne va reconnaître le vrai roi.» Bernard de Chissay met les vêtements du roi alors que° Charles met un simple vêtement noir.

Jeanne entre dans la grande salle du château. Il y a plusieurs centaines de dames et de chevaliers.° Bernard de Chissay, magnifiquement habillé,° reçoit les hommages des courtisans. Charles, le vrai roi, est au fond° de la salle, mais c'est vers lui que Jeanne s'avance.°

—Gentil roi de France, le Roi du Ciel m'envoie vers vous.

—Mais ce n'est pas moi, le roi. Le roi est là-bas.

—C'est vous, le roi, et pas un autre . . .

Oui, Jeanne a reconnu le vrai roi malgré° ses humbles apparences. Charles est très impressionné. Il décide d'écouter Jeanne. Jeanne et Charles ont une longue conversation secrète. Charles est maintenant convaincu.° Jeanne est l'envoyée° de Dieu.° Le roi lui donne une armée. C'est avec cette armée que Jeanne d'Arc, à l'âge de 17 ans, va délivrer la France.

PROJETS CULTURELS

1. Écoutez une chanson française. Dites ce que cette chanson exprime *(expresses)*.

2. Allez voir un film français. Décrivez ce film: les acteurs, le scénario, la mise en scène *(production)*, la photographie. Faites la critique de ce film et expliquez pourquoi vous l'avez aimé ou pas aimé.

3. Préparez une exposition *(exhibit)* sur la peinture française. Choisissez un artiste ou un grand mouvement de peinture (impressionnisme, fauvisme, cubisme, etc.).

4. Choisissez un personnage *(character)* historique français. Décrivez la vie de cette personne et expliquez son rôle dans l'histoire de France.

5. Préparez une exposition sur l'art africain des pays francophones (comme le Sénégal, la Côte-d'Ivoire, le Zaïre).

voix *voices* **paysanne** *peasant* **à peine** *barely* **brigands** *robbers* **seigneur** *lord* **Messire** *My lord* **Ciel** *Heaven* **renvoie** *sends back* **cour** *court* **royaume** *kingdom* **courtisan** *courtier* **tour** *trick* **Déguisons-nous!** *Let's disguise ourselves!* **alors que** *while* **chevaliers** *knights* **habillé** *dressed* **au fond** *at the back* **s'avance** *moves* **malgré** *despite* **convaincu** *convinced* **envoyée** *messenger* **Dieu** *God*

PRESENTATION
Jacques, Bernard, and Roger are going camping in southern France. Because the campgrounds are full, they pitch their tent in a meadow from which they are unexpectedly evicted at 2 A.M.

OBJECTIVES
Language
  • interrogative and demonstrative pronouns (**lequel** and **celui**)
  • infinitive constructions
  • the present participle
Vocabulary
  • camping
  • reading a map
  • nature
  • verbs followed by **à** and **de** + infinitive

UNITÉ 8
Camping

Leçon 1

Préparatifs

STRUCTURE TO OBSERVE
• the demonstrative pronoun **celui**

Préparatifs
Preparations

Nous sommes le 14 juin. Les grandes vacances commencent dans deux semaines. Cette année, Jacques va passer le mois de juillet avec ses cousins Roger et Bernard. Les trois garçons ont décidé d'aller faire du camping dans le Midi. Roger et Bernard sont des campeurs *expérimentés*, mais c'est la première fois que Jacques fait du camping. Aussi, il n'a pas tout l'équipement nécessaire. Heureusement, Jacques est un garçon débrouillard.

experienced

Il n'a pas de sac de couchage. Il emprunte *celui d'*un camarade de classe.
Il n'a pas de sac à dos. Il emprunte celui d'un voisin.
Il n'a pas de lampe de poche. Il prend celle de son frère.

the one belonging to

Maintenant Jacques a *tout ce qu'il faut*. Il est prêt pour la grande aventure et il attend impatiemment le jour du départ . . .

everything he needs

Quelle est la date aujourd'hui? Quand commencent les grandes vacances? Qu'est-ce que Jacques va faire pendant les vacances? Où va-t-il aller? Avec qui? Est-ce que ses cousins ont l'habitude de faire du camping? Quelles choses est-ce que Jacques emprunte?

OBSERVATIONS

Have the students read the following sentences:
Voici le sac de Pierre.   Voici celui de Jean.
Voici la lampe de Charles.   Voici celle de Philippe.
Dans la seconde phrase, on utilise un pronom pour remplacer le nom (et l'article) dans la première phrase. (Ce nom est souligné.)

Questions
• Quel pronom remplace un nom masculin singulier? (celui)
• Quel pronom remplace un nom féminin singulier? (celle)

NOTES CULTURELLES OPTIONAL

1. Le camping en France En France le camping est une forme de tourisme très populaire. Chaque année, plusieurs millions de Français font du camping. Les campeurs vont dans des terrains de camping spécialement équipés. Les terrains sont classés° d'après leur confort. La majorité des terrains de camping ont l'eau courante.° Pour être sûr d'avoir une place dans un terrain de camping, il faut souvent réserver cette place longtemps à l'avance.

2. Le Midi Le Midi est la région sud° de la France. C'est une région célèbre pour l'hospitalité et la bonne humeur de ses habitants et pour son climat chaud et ensoleillé° en été. Voilà pourquoi des millions de Français passent leurs vacances dans le Midi, spécialement sur les plages de la Méditerranée.

classés *ranked*   **courante** *running*   **sud** *southern*
ensoleillé *sunny*

Vocabulaire pratique

NOMS:	**une aventure**	*adventure*	
	les grandes vacances	*summer vacation*	
ADJECTIFS:	**débrouillard**	*able to manage*	
	prêt	*ready*	
VERBE:	**emprunter**	*to borrow*	**J'emprunte** la raquette de Jacques.
	emprunter à	*to borrow from*	**J'emprunte** 10 francs à Pierre.

MOTS APPARENTÉS

French nouns ending in **-iste** often have English cognates.
French adjectives in **-iste** often have English cognates in *-istic*

-iste	↔	-ist	-istic		
un optim**iste**	optim**ist**			un pessim**iste**	*pessimist*
				pessim**iste**	*pessimistic*
optim**iste**			optim**istic**		
				un idéal**iste**	*idealist*
				idéal**iste**	*idealistic*

Vocabulaire spécialisé   **Le camping**

NOMS: **un terrain de camping**   *campground*

une campeuse

un sac à dos

des jumelles

un campeur

une tente

un sac de couchage

une allumette

une couverture

une poêle /pwal/

une casserole

du bois

du feu

un réchaud *(portable) stove*

une lampe de poche

un couteau de poche

VERBES:

camper	*to camp*	Où allons-nous **camper** ce soir?
faire du camping	*to go camping*	En été, je **fais du camping** avec ma famille.
faire du feu	*to build a fire*	Pour **faire du feu**, il faut du bois.

proverbe: *Il n'y a pas de fumée sans feu.*

"Where there's smoke, there's fire."
(literally: *There's no smoke without fire.*)

ATTENTION au FEU

Camping ALOUETTE MONTREAL

ACTIVITÉ 1 Les campeurs

Les personnes suivantes font du camping. Lisez ce que chaque personne veut faire et dites de quoi cette personne a besoin. Utilisez les noms du Vocabulaire spécialisé.   You may want to review **avoir besoin de.**

⇨ Jacques veut faire la cuisine.   **Il a besoin d'un réchaud (d'une poêle, etc.).**

1. Roger veut faire une omelette.
2. Albert veut faire de la soupe.
3. Je veux observer un oiseau.
4. Charlotte veut faire une promenade la nuit.
5. Nous voulons faire du feu.
6. Tu veux dormir.
7. Vous ne pouvez pas dormir parce que vous avez froid.
8. Anne veut couper le pain.

Structure

A. Le pronom interrogatif *lequel*

In the questions on the right, the nouns have been replaced by interrogative pronouns. Note the forms of these pronouns.

Passe-moi **le couteau**!   **Lequel** veux-tu?   *Which one do you want?*
Prête-moi **tes livres**!   **Lesquels** veux-tu?   *Which ones do you want?*

The interrogative pronoun **lequel** (*which one*) agrees in gender and number with the noun it replaces. It has the following forms:

	SINGULAR	PLURAL	
Masculine	**lequel?**	**lesquels?**	*which one? which ones?*
Feminine	**laquelle?**	**lesquelles?**	*which one? which ones?*

⇨ Note that **lequel** consists of two parts, both of which agree with the noun it replaces:

> definite article **le** + interrogative adjective **quel**

You may want to review the interrogative adjective **quel** on p. 46. Point out that **quel** is an adjective and introduces a noun, whereas **lequel** is a pronoun and replaces a noun:
Quels disques veux-tu?   *Which records do you want?*
Lesquels veux-tu?   *Which ones do you want?*

ACTIVITÉ 2 Curiosité

Quand Jacques parle à son amie Françoise, elle lui demande toujours des détails. Jouez le rôle de Françoise, d'après le modèle.

⇨ J'ai vu ton cousin.   **Ah oui? Lequel?**

1. J'ai vu un western.
2. J'ai acheté des disques.
3. J'ai regardé le journal.
4. J'ai parlé à tes cousins.
5. J'ai pris ta cassette.
6. J'ai regardé tes photos.
7. J'ai téléphoné à une amie.
8. Je suis allé chez ma tante.

B. Le pronom démonstratif *celui*

In the second sentence of each pair, the nouns have been replaced by demonstrative pronouns. Note the forms of these pronouns.

ROGER	JACQUES	
J'aime **ce couteau**.	Moi, je préfère **celui-ci**.	*I prefer **this one**.*
J'écoute **cette cassette**.	Moi, j'écoute **celle-là**.	*I'm listening to **that one**.*
Je vais acheter **ces disques**.	Moi, je vais acheter **ceux-là**.	*I'm going to buy **those**.*

The demonstrative pronoun **celui** *(the one)* agrees in gender and number with the noun it replaces. It has the following forms:

	SINGULAR	PLURAL
Masculine	**celui**	**ceux**
Feminine	**celle**	**celles**

⇨ The pronoun **celui** cannot stand alone. It is often followed by **-ci** or **-là**.

Celui-ci usually means *this one* (or *these*, in the plural). You may remind the students that **-ci** (from **ici**)
Celui-là usually means *that one* (or *those*, in the plural). means *here* and that **-là** means *there*.

Où est mon livre?	*Where is my book?*
Est-ce que c'est **celui-ci** ou **celui-là**?	*Is it **this one** or **that one**?*
Donnez-moi les disques!	*Give me the records.*
Lesquels? **Ceux-ci** ou **ceux-là**?	*Which ones? **These** or **those**?*

You may want to review the demonstrative adjectives on p. 46. Point out that **ce** is an adjective and introduces a noun, whereas **celui** is a pronoun and replaces a noun: **J'écoute ce disque.** *I am listening to this record.* **Paul écoute celui-ci.** *Paul is listening to this one.*

ACTIVITÉ 3 Pas d'accord!

Quand Jacques fait une chose, son cousin Roger fait quelque chose d'autre *(something else)*. Jouez le rôle de Roger, d'après le modèle.

⇨ Je vais acheter ces disques. **Eh bien, moi, je vais acheter ceux-ci.**

1. J'aime cette tente.
2. Je regarde ces jumelles.
3. Je vais acheter ce sac à dos.
4. Je vais acheter cet appareil-photo.

5. Je vais inviter cette fille.
6. Je vais inviter ces garçons.
7. Je vais dans ce magasin.
8. Je choisis ces chaussures.

C. *Celui de*

Note the use of the pronoun **celui** in the answers to the questions below.

Tu as la couverture de Roger?	*Do you have Roger's blanket?*
Non, mais j'ai **celle de Bernard**.	*No, but I have **Bernard's** (the one belonging to Bernard).*
Tu aimes les films de Robert Redford?	*Do you like Robert Redford's movies?*
Oui, mais je préfère **ceux de Woody Allen**.	*Yes, but I prefer **Woody Allen's** (those of Woody Allen).*

Vous attendez l'avion de Paris?   *Are you waiting for the Paris plane?*
Non, j'attends **celui de Genève.**   *No, I'm waiting for **the one from Geneva.***

The construction **celui de** + *noun* is used to indicate possession,
relationship, and origin.

You may want to review the use of **de** *(of, from)* to indicate possession on p. 38. Point out that although the English pronouns *(the one, the ones)* are often omitted in a possessive construction with . . . *'s* or . . . *s'*, the pronoun **celui** must be used in French.

ACTIVITÉ 4   **Rendez à César . . .** *(Render unto·Caesar . . .)*

Françoise pense que certains objets sont à Jacques. Jacques dit que non et
il indique leurs propriétaires *(owners)*. Jouez le rôle de Françoise et de
Jacques.

▷   ta guitare (mon frère)   Françoise: **C'est ta guitare?**
                              Jacques: **Non, c'est celle de mon frère.**

1. ton réchaud (mon cousin)
2. ta lampe de poche (mon père)
3. ton couteau (ma sœur)
4. ta tente (mon oncle)

5. tes livres (Jacqueline)
6. tes disques (Robert)
7. tes allumettes (Marc)
8. tes jumelles (Philippe)

ACTIVITÉ 5   **Comparaisons personnelles**   OPTIONAL

Comparez les choses suivantes en utilisant les adjectifs entre parenthèses.
Étudiez attentivement le modèle.

▷   les films de Woody Allen (amusants) / Jerry Lewis
   Les films de Woody Allen sont plus amusants que ceux de Jerry Lewis.
   (Les films de Woody Allen sont moins amusants que ceux de Jerry Lewis.)

1. la voiture de mes parents (économique) /
   mes voisins
2. ma maison (grande) / mon meilleur ami
3. ma chambre (grande) / mes parents

4. la cuisine de la cafétéria (bonne) / **meilleure** or
   ma mère   **moins bonne**
5. le climat de la Floride (chaud) / l'Alaska
6. l'air de la campagne (pur) / les villes

The word **air** is masculine.

OPTIONAL

À votre tour   **Emprunts** *(Borrowed things)*   This can be done as
                                                      a written assignment.

Qu'est-ce que vous faites quand vous n'avez pas certaines choses? Dites à
qui vous les empruntez. Pour cela, complétez les phrases suivantes avec la
forme appropriée de **celui de** + nom.

▷   Si je n'ai pas ma bicyclette, j'emprunte . . .
     Si je n'ai pas ma bicyclette, j'emprunte celle de mon frère (ma sœur . . .).

Si je n'ai pas mes livres, j'emprunte . . .
Si je n'ai pas mes clés, j'emprunte . . .
Si je n'ai pas mon appareil-photo, j'emprunte . . .
Quand je veux écouter des disques, j'emprunte . . .
Quand je veux lire le journal, j'emprunte . . .
Quand je veux lire des magazines, j'emprunte . . .

The purpose of this activity is to practice the construction **celui de** + noun.

UNITÉ 8
Leçon 2 Départ . . . et arrivée

Scène 1.

La *veille* du départ, Jacques est allé chez ses cousins Roger et Bernard. Bernard est le plus âgé des trois garçons. C'est aussi celui qui a la voiture. Par conséquent, c'est celui qui prend les décisions. C'est Bernard qui a organisé l'expédition. C'est lui qui a préparé l'itinéraire. C'est lui qui a fixé l'heure du départ: demain matin à cinq heures. Jacques n'aime pas se lever tôt, mais il ne proteste pas trop. Après tout, demain, il sera sur les *bords* de la Méditerranée. Ça, c'est l'essentiel!

day before

shores

Où a été Jacques la veille du départ?
Pourquoi est-ce que c'est Bernard qui prend les décisions?
À quelle heure est-ce que les garçons vont partir?

Scène 2.

Les trois garçons sont partis à cinq heures du matin, comme *prévu*. Ils *ont roulé* pendant toute la journée. Vers six heures, ils aperçoivent enfin la Méditerranée. Il a fait très chaud et Jacques et Roger sont *morts de fatigue.* Bernard, qui a conduit tout le temps, est *frais* comme une rose . . .

planned
drove
dead-tired
fresh

Jacques remarque un terrain de camping. Il propose de s'arrêter là pour la nuit, mais Bernard n'est pas d'accord.

«Regardez tous les gens qui sont ici. Vous ne voulez pas camper avec *tout ce monde?* Allons un peu plus loin . . .»

all these people

OBSERVATIONS
Have the students read the following sentences:
Je connais le garçon qui parle à Bernard.
Je ne connais pas celui qui parle à Roger.

Question
• Dans la seconde phrase, quel est le pronom démonstratif qui remplace le garçon? (celui)

Et Bernard continue . . . Une *demi-heure* plus tard, les garçons passent devant un autre terrain de camping. Il n'est pas aussi bien équipé que le premier et il y a encore plus de monde. Cette fois, c'est Roger qui propose de s'arrêter, mais Bernard refuse à nouveau.

half-hour

«Un peu plus loin, il y a un autre *camping* que je connais bien. Il est mieux équipé que ce camping-ci et il est beaucoup plus grand. Allons là-bas!»

= terrain de camping

Jacques et Roger protestent un peu, mais c'est Bernard qui décide. Et il décide de continuer . . .

Finalement, vers sept heures, les garçons arrivent au troisième camping. Là, une *pancarte* en lettres rouges annonce:

sign

full

Quel temps fait-il? Qui est fatigué? Qui n'est pas fatigué? Pourquoi est-ce que Bernard ne veut pas s'arrêter au premier camping? Est-ce qu'il s'arrête au second camping? Pourquoi est-ce que les garçons ne s'arrêtent pas au troisième camping?

NOTE CULTURELLE   OPTIONAL

Les grandes vacances   En France, comme aux États-Unis, l'été est la période des vacances. Pour les jeunes, les grandes vacances commencent fin° juin et finissent mi-septembre.° En général, les Français voyagent pendant leurs vacances. Le premier juillet et le premier août sont les journées de «grands départs». Ces jours-là, des millions de Français prennent leur voiture ou le train et partent en vacances.

fin *at the end of*   **mi-septembre** *mid-September*

In France all salaried workers receive four weeks of paid vacation. In the past many businesses closed for the month of August. Now vacations are often spread out so that some people take theirs in July and other people take theirs in August.

Vocabulaire pratique

VERBES:	**annoncer**	*to announce, proclaim*	Je vous **annonce** que je pars demain.
	fixer	*to set, fix* (a date)	**As-tu fixé** la date de ton départ?
	prendre une décision	*to make a decision*	**J'ai pris une décision** importante.
	protester	*to protest, complain*	Pierre n'est jamais content. Il **proteste** toujours.
EXPRESSIONS:	**après tout**	*after all*	
	par conséquent	*consequently, therefore*	

MOTS APPARENTÉS

Many words which look alike in French and English are partial cognates. This means that a word in one language has more than one equivalent in the other language. Here are two examples:

fixer   means   *to fix*   but also   *to set*
rouler   means   *to roll*   but also   *to drive (along)*

doubler	*to double/to pass* (a car)	une chaîne	*chain/(TV) channel*
ancien	*ancient/former*	une note	*note/grade*
arriver	*to arrive/to happen*		

Vocabulaire spécialisé   Les cartes

NOMS:

un carrefour	*intersection, crossroads*
un itinéraire	*itinerary, route*
un plan	*(street) map*

une autoroute	*divided highway*
une carte	*map*
une pancarte	*sign*
une route	*highway, road*

les points cardinaux   *compass points*

le nord

l'ouest   l'est

le sud

les distances

un mètre	*meter*
un kilomètre	*kilometer*
un mille	*mile*

VERBES:

être situé	*to be (situated, located)*	Cannes **est situé** sur la mer Méditerranée.
rouler	*to drive (along)*	Ne **roulez** pas si vite!
se trouver	*to be (located)*	Où **se trouve** la ville de Nice?

You may want to review verbs used in giving directions: **aller tout droit, tourner à droite, tourner à gauche.**

ACTIVITÉ 1   Questions personnelles

1. Avez-vous un plan de votre ville? Avez-vous une carte de votre région?
2. Dans quelle région des États-Unis est située votre ville? Dans le Nord? Dans le Sud? Dans l'Est? Dans l'Ouest?
3. Avez-vous visité le Sud des États-Unis? l'Ouest? Quelle région des États-Unis préférez-vous? Pourquoi?
4. Quand vous voyagez en auto, est-ce que vous préférez prendre les autoroutes ou les petites routes de campagne?
5. Est-ce que vous allez voyager avec votre famille cet été? Dans quelle région? Qui va préparer l'itinéraire? Qui va conduire? Est-ce que cette personne roule vite?

Structure

A. Révision: les pronoms relatifs *qui* et *que*   OPTIONAL   You may want to review these pronouns on pp. 137 and 138.

Review the use of the relative pronouns **qui** and **que** in the sentences below.
Remember that **qui** replaces a subject and **que** replaces a direct object.

Voici **une fille.**
 Cette fille fait du camping.

Voici **une carte.**
 Cette carte indique les terrains de camping.

Voici **un garçon.**
 Bernard connaît bien **ce garçon.**

Voici **l'itinéraire.**
 Bernard a organisé **cet itinéraire.**

Voici **une fille qui** fait du camping.

Voici **une carte qui** indique les terrains de camping.

Voici **un garçon que** Bernard connaît bien.

Voici **l'itinéraire que** Bernard a organisé.

The subject pronoun **qui** (*who, which, that*) may represent people or things.
The object pronoun **que** (*whom, which, that*) may also represent people or things.

⇨ The choice between **qui** and **que** depends on whether the relative pronoun is the *subject* or the *direct object* of the verb which follows.

⇨ Although the object pronouns *whom, which,* and *that* are often omitted in English, **que** must be used in French.

ACTIVITÉ 2   Les commentaires de Bernard

Pendant le voyage, Bernard fait des commentaires sur certaines choses ou certaines personnes. Jouez le rôle de Bernard, d'après le modèle.

⇨ Voici un terrain. Il est bien équipé.
 Voici une ville. Je ne la connais pas.

 Voici un terrain qui est bien équipé.
 Voici une ville que je ne connais pas.

1. J'ai une voiture. Elle est économique.
2. C'est une voiture. Je ne la prête pas.
3. Le Midi de la France est une région. Elle est très jolie.
4. C'est une région. Je la connais bien.

5. Voici une ville. Je l'ai visitée l'année dernière.
6. J'ai des amis. Ils habitent dans cette ville.
7. Les habitants du Midi sont des gens. Je les trouve sympathiques.
8. J'ai un cousin. Il proteste toujours.

ACTIVITÉ 3   Commentaires personnels   OPTIONAL

Complétez les phrases en utilisant votre imagination.

⇨ J'ai un ami qui . . .
 J'ai un ami qui est très paresseux (qui habite à Louisville, etc.).

⇨ J'ai un ami que . . .
 J'ai un ami que j'invite souvent (que mes parents trouvent sympathique, etc.).

1. J'ai une amie qui . . .
2. J'aime les gens qui . . .
3. J'ai une chambre qui . . .

4. Mes parents ont une voiture qui . . .
5. J'ai des amis que . . .
6. J'ai des disques que . . .

B. *Celui qui* et *celui que*

Note the use of the pronoun **celui** in the sentences below. If necessary, review the forms of **celui** on p. 380.

Tu aimes ce livre?

Je préfère **celui qui** est sur la table.   *I prefer **the one that** is on the table.*
Je préfère **celui que** je lis maintenant.   *I prefer **the one (that)** I am reading now.*

Qui est cette fille?

C'est **celle qui** travaille avec moi.   *She is **the one who** works with me.*
C'est **celle que** je vais inviter demain.   *She is **the one (whom)** I am going to invite tomorrow.*

The pronoun **celui** can be followed by **qui** or **que.**

Usually **celui qui** and **celui que** correspond to the English expressions *the one(s) that, which,* and *the one(s) who(m).*

⇨ Since **qui** acts as a *subject,* **celui qui** is followed by a verb.

⇨ Since **que** acts as a *direct object,* **celui que** is followed by subject + verb. Note that while the pronouns *that, which, whom* are often omitted in English, **que** must be used in French.

Écoute ce disque.   *Listen to this record.*
C'est **celui que** j'ai acheté hier.   *It's **the one (that)** I bought yesterday.*

ACTIVITÉ 4   C'est ça! *(That's it!)*

Roger et Monique sont à une surprise-partie. Monique essaie d'identifier certaines personnes. Roger lui dit qu'elle a raison. Jouez le rôle de Monique et de Roger.

⇨ Annie est la fille qui porte une robe rouge.
Monique: **Annie est la fille qui porte une robe rouge, n'est-ce pas?**
Roger: **C'est ça. C'est celle qui porte une robe rouge!**

1. Francine est la fille qui danse avec Bernard.
2. Nathalie est la fille qui parle à Gérard.
3. Gérard est le garçon qui porte un costume bleu.
4. Jacqueline est la fille qui porte un pull-over bleu.
5. André et Pierre sont les garçons qui mettent des disques.   Ce sont ceux qui . . .
6. Juliette et Renée sont les filles qui mangent des sandwichs.   Ce sont celles qui . . .
7. Gilles est le garçon qui joue de la guitare.
8. Irène est la fille qui téléphone.

ACTIVITÉ 5   Au choix (Your choice)

Imaginez que vous avez le choix entre les personnes ou entre les choses
suivantes. Exprimez votre choix, d'après le modèle.

▷ des amis qui sont sincères   **Je préfère ceux qui sont riches.**
   ou des amis qui sont riches?   **(Je préfère ceux qui sont sincères.)**

1. des professeurs qui sont stricts ou des professeurs qui donnent des
   bonnes notes (grades)?
2. une voiture qui est économique ou une voiture qui va vite?
3. un appartement qui est grand ou un appartement qui est très moderne?
4. une amie qui joue au tennis ou une amie qui aime la musique?
5. des amis qui ont des idées originales ou des amis qui pensent comme moi?
6. un restaurant qui a beaucoup d'ambiance (atmosphere) ou un restaurant
   qui a un excellent chef?

ACTIVITÉ 6   Oui!

Bernard demande à Jacques s'il fait certaines choses. Jacques répond
affirmativement. Jouez le rôle de Jacques, d'après le modèle.

▷ Tu lis ce livre?   **Oui, c'est celui que je lis.**

1. Tu écoutes ce disque?
2. Tu regardes cette carte?
3. Tu achètes ces jumelles?
4. Tu invites ces filles?
5. Tu vas inviter ce garçon?
6. Tu as lu ce livre?

OPTIONAL

À votre tour   **Préférences personnelles**

This can be done as
a written assignment.

Dans les catégories suivantes, décrivez les personnes ou les choses que
vous aimez et celles que vous n'aimez pas.

▷ les personnes
   J'aime les personnes qui sont sincères.
   Je n'aime pas celles qui sont égoïstes.

les garçons   les voitures
les filles   les examens
les professeurs   les films

The purpose of this activity is to practice the relative pronouns **qui** and **que** and their use
following the pronoun **celui**.

UNITÉ 8
Leçon 3 **Dispute et réconciliation**

Scène 1.

Qu'est-ce que les garçons vont faire maintenant? Où vont-ils passer la nuit? Personne n'est d'accord.

Bernard propose de chercher un autre camping, mais cette fois-ci il ne peut pas *convaincre* ses deux compagnons.   *to convince*
Roger refuse de l'écouter.
Jacques continue à protester.
Alors, Bernard commence à s'énerver.
Il *menace* de partir *seul* . . .   *threatens; by himself*

Qu'est-ce que Bernard propose? Est-ce que les deux autres garçons sont d'accord avec lui? Qu'est-ce que Bernard a l'intention de faire?

Scène 2.

Quand Bernard menace de partir, Roger et Jacques *acceptent de* l'écouter.   *agree to*
Chacun essaie de trouver une solution acceptable pour tout le monde.
Bernard propose de chercher un endroit pour camper. S'il ne trouve rien
de *convenable* très vite, il promet de chercher un hôtel. Roger et Jacques   *suitable*
décident d'accepter cette solution.

Les garçons *repartent*. Ils découvrent bientôt l'endroit idéal; une prairie,   *set out again*
une rivière, une forêt!

ROGER: Pourquoi *ne pas camper* ici?   *not camp*
JACQUES: Tu as raison. C'est un endroit *parfait* pour camper.   *perfect*
BERNARD: Je suis d'accord avec vous. Arrêtons-nous!

Bernard *monte* la tente. Pendant ce temps, Jacques et Roger *allument* un   *puts up; light*
feu et préparent le dîner. Tout le monde mange avec appétit. Après le
dîner, Bernard prend sa guitare et commence à jouer. Après tout, ces
vacances ne commencent pas si mal!

Est-ce que Bernard part? Est-ce que les garçons se mettent finalement d'accord? Dans quel endroit est-ce qu'ils s'arrêtent? Que font Jacques et Roger? Que fait Bernard après le dîner?

NOTE CULTURELLE   OPTIONAL

La campagne française La France est un pays très varié. Il y a des plaines au nord et à l'ouest, des montagnes à l'est et au sud. La campagne est donc très différente d'une région à une autre, mais la nature est partout° présente. Si vous aimez celle-ci,° vous trouverez toujours une forêt pour vous promener, une rivière pour nager, une prairie ou un coin d'herbe° pour pique-niquer.

partout *everywhere* **celle-ci** = la nature
coin d'herbe *grassy corner (spot)*

OBSERVATIONS
Have the students read the following sentences:
Bernard veut chercher un autre camping.   Il commence à s'énerver.   Il menace de partir.
Roger veut rester ici.   Il continue à protester.   Il refuse d'écouter son frère.

Vocabulaire spécialisé La nature

un arbre

la campagne *countryside*

une vache   une poule

un cheval

l'herbe

un mouton

une fleur

un canard	*duck*	**un champ**	*field*	**une forêt**	*forest*
un oiseau	*bird*	**un lac**	*lake*	**une prairie**	*meadow*
		un parc	*park*	**une rivière**	*river*

Notes: 1. Remember that nouns which end in **-al** and **-eau** form their plural as follows:

-al   **-aux**   un chev**al**   des chev**aux**
-eau **-eaux** un ois**eau**   des ois**eaux**

2. Remember that adjectives in **-al** form the masculine plural in **-aux**.
The feminine forms, however, are regular.

Paul est **original**.   Il a des amis **originaux**.
Christine est **originale**.   Elle a des amies **originales**.

VOCABULARY EXPANSION: **une montagne, une plaine, une colline** (*hill*), **un fleuve** (*large river*), **un ruisseau** (*brook*), **un taureau** (*bull*), **un bœuf** (*ox*), **un veau** (*calf*), **un âne** (*donkey*), **un agneau** (*lamb*), **un chèvre** (*goat*), **un coq** (*rooster*), **un poulet** (*chicken*)

ACTIVITÉ 1 Où sont-ils?

Lisez ce que font les personnes suivantes et dites où elles sont. Pour cela
utilisez les mots du Vocabulaire spécialisé.

▷ Paul nage.   **Il est dans une rivière (dans un lac).**

1. Jacques regarde les arbres.
2. Nous faisons un pique-nique sur l'herbe.
3. Je regarde les fleurs.
4. Philippe fait du ski nautique.
5. Nous voyons des vaches.
6. J'attrape (*catch*) des poissons.

Le Parc
Naturel Régional
de la Martinique

Questions
• Est-ce que le verbe <u>vouloir</u> est suivi immédiatement par
l'infinitif? (oui)
• Est-ce que les verbes <u>commencer</u> et <u>continuer</u> sont suivis
immédiatement par l'infinitif? (non)   Quel mot vient
avant l'infinitif? (à)

• Est-ce que les verbes <u>menacer</u> et <u>refuser</u> sont suivis
immédiatement par l'infinitif? (non)   Quel mot vient
avant l'infinitif? (de)

ACTIVITÉ 2 Questions personnelles

1. Est-ce qu'il y a un parc près de votre maison? Comment s'appelle ce parc? Est-ce qu'il y a des arbres dans ce parc? Est-ce qu'il y a des fleurs?
2. Préférez-vous nager dans une piscine ou dans une rivière? Expliquez votre choix.
3. Où est-ce que vous allez quand vous voulez faire un pique-nique? Décrivez cet endroit. Faites la description de l'endroit idéal pour faire un pique-nique.
4. Avez-vous fait du camping? Décrivez l'endroit où vous êtes allé(e). Faites la description de l'endroit idéal pour faire du camping.
5. Est-ce que vous vous promenez souvent dans la campagne? Décrivez la campagne dans la région où vous habitez.
6. Êtes-vous allé(e) dans une ferme (farm)? Décrivez les animaux de cette ferme.
7. Décrivez les avantages d'habiter à la campagne.

Structure

A. L'infinitif

Note the use of the infinitive in the following sentences:

Bernard aime **conduire** vite.　　*Bernard likes **to drive** fast.*
Conduire vite peut être dangereux.　　***Driving** fast can be dangerous.*

The infinitive form of the verb is often used in French. It can function as a *direct object* or as the *subject* of the sentence.

⇨ When an object pronoun is used with an infinitive, it comes immediately before that infinitive. When two object pronouns are used with an infinitive, both pronouns come before that infinitive:

Tu vas parler à Jacques?　Oui, je vais **lui** parler.

Je vais prêter mon vélo à Thérèse.
Je vais la lui prêter.

⇨ When an infinitive is used in the negative, the pattern is:

$$\boxed{\textbf{ne pas} \ + \ \text{infinitive}}$$

When a pronoun is used with a negative infinitive, it comes after **pas**: Je préfère ne pas me réveiller à six heures du matin. Elle préfère ne pas lui envoyer une lettre.

Je préfère **ne pas camper** ici.　　*I prefer **not to camp** here.*

You may point out that the negative infinitive is used infrequently in French. In most cases it is the conjugated verb that is in the negative: **Je ne veux pas me camper ici.**

citation célèbre:

Être ou ne pas être, voilà la question.

(Shakespeare)

ACTIVITÉ 3 Préférences personnelles

Lisez ce que les personnes suivantes font. Dites si vous aimez faire ces choses ou si vous préférez ne pas les faire. Étudiez attentivement le modèle.

⇨ Jacques travaille en été. **Moi aussi, j'aime travailler en été.**
(Moi, je préfère ne pas travailler en été.)

1. Philippe étudie le samedi soir.
2. Annie fait du camping en hiver.
3. Thérèse se réveille à six heures du matin.
4. Albert a des animaux dans sa chambre.
5. Thomas attend ses amis.
6. Robert parle français en classe.
7. Nicole mange à la cafétéria de l'école.
8. Sylvie met du ketchup dans sa salade.

3. . . . me réveiller . . .

B. La construction: verbe suivi de l'infinitif

Note the use of the infinitive in the following sentences:

Nous allons **camper** ici.	*We are going **to camp** here.*
Bernard veut **continuer**.	*Bernard wants **to go on**.*
J'apprends **à conduire**.	*I am learning (how) **to drive**.*
Tu hésites **à parler**.	*You are hesitant **about speaking**.*
Vous décidez **de travailler**.	*You are deciding **to work**.*
Nous cessons **de protester**.	*We stop **complaining**.*

When an object pronoun is used, this pronoun comes after **à** or **de**:
J'hésite à lui parler.
Je décide de leur téléphoner.

French verbs are frequently used with infinitives. Such constructions follow one of three patterns:

main verb + infinitive	Je **veux** camper ici.
main verb + **à** + infinitive	J'**hésite à** camper ici.
main verb + **de** + infinitive	Je **décide de** camper ici.

The choice of the pattern depends on what the first verb is.

Vocabulaire spécialisé

Verbe + à + infinitif
Verbe + de + infinitif

VERBE + **à** + INFINITIF:

apprendre à	*to learn (how) to*	Ma sœur **apprend à** conduire.
arriver à	*to be successful in*	Je n'**arrive** pas à comprendre ce problème.
commencer à	*to begin to*	Roger **commence à** préparer le repas.
continuer à	*to continue, go on*	Nous **continuons à** travailler.
hésiter à	*to hesitate, be hesitant about*	Pourquoi **hésitez**-vous à répondre?
réussir à	*to succeed in*	J'**ai réussi à** faire du feu.

VERBE + **de** + INFINITIF:

accepter de	*to accept, agree to*	J'**accepte de** vous aider.
cesser de	*to stop*	Les garçons **ont cessé de** protester.
décider de	*to decide to*	Nous **avons décidé de** faire du camping.
essayer de	*to try to*	J'**essaie de** comprendre mes amis.
finir de	*to finish*	**Avez**-vous **fini de** travailler?
menacer de	*to threaten to*	Qui **menace de** partir?
oublier de	*to forget to*	Zut! J'**ai oublié de** téléphoner à mon cousin.
refuser de	*to refuse to*	Pourquoi **refusez**-vous d'étudier?
rêver de	*to dream about*	Je **rêve** d'avoir une voiture de sport.

You may want to introduce the construction **dire (demander, promettre, permettre) à quelqu'un de faire quelque chose.**

ACTIVITÉ 4   Oui ou non?

Demandez à vos camarades s'ils apprennent à faire les choses suivantes.

⇨ jouer de la guitare?   —**Apprends-tu à jouer de la guitare?**
—**Oui, j'apprends à jouer de la guitare.**
(**Non, je n'apprends pas à jouer de la guitare.**)

1. jouer du piano?
2. conduire?
3. danser?
4. faire la cuisine?
5. faire du ski?
6. faire de la planche à voile?
7. piloter un avion?
8. parler chinois?

ACTIVITÉ 5   Les étudiants

Les étudiants ont des attitudes différentes envers *(toward)* leurs études. Décrivez l'attitude de chacun en complétant les phrases par **à étudier** ou **d'étudier.** Dites ensuite si c'est un bon ou un mauvais élève.

⇨ Hélène refuse . . .   **Hélène refuse d'étudier. C'est une mauvaise élève.**

1. Philippe décide . . .
2. Catherine réussit toujours . . .
3. Robert oublie . . .
4. Nicole hésite . . .
5. Thomas cesse . . .
6. Albert essaie . . .
7. Isabelle continue . . .
8. Alain n'a pas commencé . . .
9. Charlotte ne finit jamais . . .

ACTIVITÉ 6 Qu'est-ce qu'ils font?

Lisez la description des personnes suivantes. Ensuite, dites ce que font ces personnes. Pour cela, faites des phrases affirmatives ou négatives en utilisant les deux verbes entre parenthèses.

▷ Paul est timide. (hésiter / parler)
  Il hésite à parler.
▷ Jacqueline est généreuse. (hésiter / aider ses amis)
  Elle n'hésite pas à aider ses amis.

1. Sylvie est paresseuse. (refuser / étudier)
2. Charles n'a pas beaucoup de mémoire. (oublier / téléphoner)
3. Je suis fatigué. (cesser / travailler)
4. Nous voulons maigrir. (refuser / manger de la glace)
5. Henri est de mauvaise humeur. (menacer / partir)
6. Nous sommes nerveux. (réussir / être calmes)
7. Philippe prend des leçons de guitare. (commencer / jouer très bien)
8. Thomas n'est pas débrouillard. (arriver / réparer son vélo)
9. Tu es ambitieux. (rêver / être président)

OPTIONAL

À votre tour Et vous?

à faire

This can be done as a written assignment.

Décrivez ce que vous faites et ce que vous ne faites pas. Pour cela, complétez les phrases suivantes avec une expression de votre choix.

Je voudrais apprendre à . . .
En ce moment je commence à . . .
J'essaie de . . .
Je n'arrive jamais à . . .
Parfois je refuse de . . .
Je ne refuse jamais de . . .
Souvent je rêve de . . .
J'ai réussi à . . .
Parfois je menace de . . .
Je n'oublie jamais de . . .

The purpose of this activity is to practice the constructions verb + **à** + infinitive, verb + **de** + infinitive.

OBSERVATIONS
The *Presentation text* contains several examples of the construction preposition +
infinitive. Have the students identify this construction.

UNITÉ 8
Leçon 4 Une nuit agitée

Il est deux heures du matin. Jacques se réveille. Il fait très chaud dans la
tente. Jacques a mal à la tête. Il décide de sortir *pour prendre l'air.*
Dehors, *il fait nuit noire.* Jacques regarde les étoiles. Soudain, il remarque
une lueur bleue qui *illumine* le ciel. Puis, une lueur rouge . . . Puis, une
lueur verte . . .

to get fresh air
it's pitch dark
lights up

Jacques n'est pas très rassuré. Il rentre dans la tente pour prévenir ses
cousins.

JACQUES: Réveillez-vous, les gars!
BERNARD *(de mauvaise humeur):* Qu'est-ce qu'il y a?
JACQUES: Je ne sais pas. Quelque chose d'extraordinaire. Il y a des lueurs
dans le ciel.
ROGER: Mais, mon pauvre vieux, ce sont des éclairs . . .
JACQUES: Des éclairs? Tu as *déjà* vu des éclairs rouges, verts et bleus, toi?
BERNARD: Écoute! Couche-toi *au lieu de rêver tout haut!*
JACQUES: J'ai peur . . .

ever
instead of
dreaming
aloud

Soudain, des explosions *interrompent* le silence de la nuit. Jacques ouvre
la tente. Dans la direction de la forêt, on aperçoit des ombres *menaçantes.*
Ces ombres s'approchent, *sans faire* de bruit . . . Cette fois, les cousins de
Jacques se réveillent complètement.

interrupt
threatening
without making

Quel temps fait-il? Pourquoi Jacques décide-t-il de sortir? Qu'est-ce qu'il voit? Pourquoi rentre-t-il
dans la tente? Est-ce que ses cousins le croient? Qu'est-ce qu'on voit dans la forêt?

NOTE CULTURELLE OPTIONAL

Les forêts en France Il y a beaucoup de forêts en France. Certaines° sont privées et il est interdit° d'y camper. D'autres sont des forêts publiques. Ces forêts, privées ou publiques, sont souvent utilisées° comme réserves de chasse.° Les Français en effet aiment chasser.° En automne, beaucoup pratiquent° leur sport favori: la chasse.°

Pour préserver la vie° animale, l'État° a décidé de créer des parcs nationaux où il est interdit de chasser. Le plus grand parc national se trouve dans les Alpes et s'appelle le Parc de la Vanoise.

Certaines *Some* **interdit** *forbidden* **utilisées** *used*
réserves de chasse *game preserves* **chasser** *to hunt*
pratiquent *engage in* **la chasse** *hunting* **vie** *life*
État = gouvernement français

Vocabulaire pratique

NOMS:	**un gars**	*guy, fellow*	**une lueur** *flash of light, glimmer, glow*
ADJECTIFS:	**privé**	*private*	
	public (publique)	*public*	
VERBES:	**s'approcher (de)**	*to approach, get near (to)*	Quelqu'un s'**approche de** la tente.
	prévenir	*to warn, tell in advance*	Je t'ai **prévenu** du danger.

Note: **Prévenir** is conjugated like **venir**. Its **passé composé,** however, is conjugated with **avoir.**

NOMS:

une étoile

une planète

un orage *storm*

la terre *earth*

la lune *moon*

un éclair *(flash of) lightning*

EXPRESSIONS: **il fait jour** *it is daytime, it is light*
il fait nuit *it is nighttime, it is dark*

VOCABULARY EXPANSION: **le tonnerre** *(thunder)*, **la foudre** *(bolt of lightning)*, **le vent** *(wind)*, **un ouragan** *(hurricane)*

ACTIVITÉ 1 Vrai ou faux?

Lisez les phrases suivantes et exprimez votre opinion en disant **C'est vrai**
ou **C'est faux.**

1. Le soleil est une étoile.
2. La lune est un satellite de la terre.
3. La terre est une planète.
4. Il y a des hommes qui vivent sur la lune.
5. Les étoiles déterminent notre destinée.
6. Les éclairs annoncent un orage.
7. Les éclairs sont des phénomènes électriques.

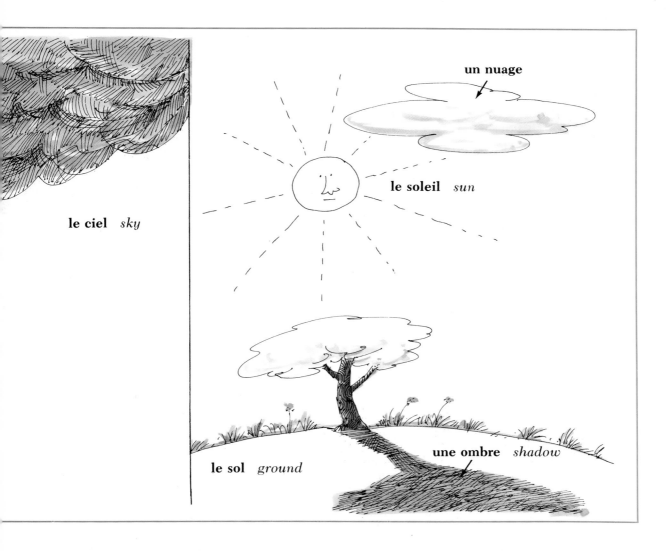

un nuage

le soleil *sun*

le ciel *sky*

le sol *ground*

une ombre *shadow*

Structure

A. L'usage de l'infinitif après une préposition

Note the use of the infinitive in the sentences below.

Je travaille **pour gagner** de l'argent.	*I work **in order to earn** money.*
Nous sortons **sans faire** de bruit.	*We leave **without making** any noise.*
Tu dors **au lieu d'étudier.**	*You are sleeping **instead of studying.***
Je te téléphonerai **avant de partir.**	*I will call you **before leaving.***

In French the infinitive is the verb form which is used after a *preposition*.

The only exception is **en** + present participle, which is presented in the next lesson.

Vocabulaire spécialisé — Prépositions suivies de l'infinitif

avant de	*before*	**pour**	*to, in order to; for*
au lieu de	*instead of*	**sans**	*without*

The infinitive is also used after the prepositions **à** and **de**:
Il commence à travailler.
Il cesse de parler.

Note: When **pour** is followed by an infinitive, it usually means *in order to*.
In English the words *in order* are often omitted.

J'étudie **pour** avoir un «A».   *I study (**in order**) to have an A.*

Pour may also mean *for*.

C'est un endroit idéal **pour** camper.   *It's an ideal spot **for** camping.*

ACTIVITÉ 2 Une question de priorité

On fait certaines choses avant d'en faire d'autres. Pour exprimer cela,
transformez les phrases suivantes, d'après le modèle. Utilisez la
construction **avant de** + infinitif.

⇨ Bernard consulte l'itinéraire et il part.   **Bernard consulte l'itinéraire avant de partir.**

1. Je me lave et je me couche.
2. Vous téléphonez et vous allez chez des amis.
3. Ils étudient et ils vont au cinéma.
4. Hélène se brosse les cheveux et elle sort.
5. Nous prenons des leçons et nous conduisons.
6. Tu prends de l'essence et tu pars.
7. Nous achetons les billets d'avion et nous allons en France.
8. Je demande la permission et j'organise une surprise-partie.

ACTIVITÉ 3 Étourderies *(Oversights)*

Les personnes suivantes oublient de faire certaines choses essentielles.
Pour exprimer cela, transformez les phrases suivantes, d'après le modèle.
Utilisez **sans** + infinitif.

⇨ Il part, mais il ne prend pas d'essence.   **Il part sans prendre d'essence.**

1. Mes amis viennent chez moi, mais ils ne téléphonent pas.
2. Tu parles, mais tu n'écoutes pas les autres.
3. Vous êtes partis, mais vous ne dites pas au revoir.
4. Nous partons du restaurant, mais nous ne payons pas.
5. Bernard conduit, mais il ne fait pas attention.
6. Tu parles, mais tu ne connais pas la réponse.

ACTIVITÉ 4 Pourquoi sont-ils allés en France?

Les personnes suivantes font un voyage en France. Lisez ce qu'elles font et dites pourquoi elles sont allées en France, d'après le modèle.

▷ Sophie rencontre des Français.

Sophie est allée en France pour rencontrer des Français.

1. Paul rencontre des Françaises.
2. Mes parents visitent Paris.
3. Isabelle étudie l'architecture.
4. Vous allez dans les restaurants.
5. Je bois du champagne.
6. Tu achètes une voiture française.
7. Nous parlons français.
8. Mes cousins passent des bonnes vacances.

OPTIONAL

À votre tour Pourquoi? This can be done as a written assignment.

Dites pour quelles raisons vous voudriez faire ou avoir certaines choses. Complétez les phrases suivantes avec la construction **pour** + l'infinitif. Utilisez votre imagination.

▷ Je voudrais avoir de l'argent . . .

Je voudrais avoir de l'argent pour acheter une guitare (pour faire un voyage, pour aller à l'université, etc.).

Je voudrais avoir une voiture . . .
Je voudrais aller à l'université . . .
Je voudrais parler français . . .
Je voudrais aller en France . . .
Je voudrais être riche . . .
Je voudrais réussir à mes examens . . .

The purpose of this activity is to practice the construction **pour** + infinitive.

OBSERVATIONS
Have the students note the various examples of the present participle
in the *Presentation text.* (voyant, campant, arrivant, partant)

Questions
· Quelle terminaison en anglais correspond à la
  terminaison française **-ant**? *(-ing)*
· Quelle préposition est utilisée avec le participe
  présent en français? (en)

UNITÉ 8

Leçon 5   Les manœuvres

STRUCTURE TO OBSERVE
· the present participle

En voyant les ombres, les trois garçons sont sortis de la tente *en vitesse.*
Trois hommes *armés* les ont immédiatement *entourés.* Leur chef s'est
adressé à Bernard:

*On seeing; fast
armed; surrounded*

LE CHEF: Qu'est-ce que vous faites ici?

BERNARD: Eh bien . . . Vous voyez . . . Nous faisons du camping.

LE CHEF: Du camping! Mais vous ne savez donc pas qu'*en campant* ici,
vous *risquez* votre vie?

*by camping
risk*

BERNARD: Euh, non . . . Pourquoi?

LE CHEF: Comment? Vous n'avez pas vu la pancarte *en arrivant* sur ce
terrain? Eh bien, si vous ne l'avez pas vue, je vous conseille de
la regarder en partant! Allez, *décampez* immédiatement!

*upon arriving
grounds
= partez*

Les trois garçons ont quitté *précipitamment* les lieux. En partant; ils ont vu
une énorme pancarte avec cette inscription:

quickly

*Do not
enter!*

Au matin, ils se sont installés dans le premier camping qu'ils ont trouvé.
Il y a beaucoup de monde. Bernard a déclaré *en plaisantant* que la foule
donne un certain sentiment de sécurité . . . un sentiment qui, après tout,
est assez réconfortant.

jokingly

Qu'est-ce que les garçons ont fait quand ils ont vu les ombres? Qui sont les hommes qui les ont
entourés? (des soldats) Pourquoi est-ce qu'il est dangereux de camper ici? Qu'est-ce que les
garçons ont fait?

NOTE CULTURELLE OPTIONAL

Le service militaire En France, le service militaire est obligatoire.° En principe,° tous les jeunes gens doivent faire leur service militaire avant 21 ans. Il y a des sursis° pour les étudiants. Le service militaire dure un an.

À l'heure actuelle,° beaucoup de jeunes Français font leur service militaire dans la «Coopération». Cela signifie° qu'ils passent un an dans un pays étranger (en général dans un pays africain d'expression française° . . . ou même en Louisiane!). Là, ils enseignent° le français ou d'autres disciplines.°

L'attitude des jeunes Français devant° le service militaire est très variable. Certains° pensent que le service militaire est complètement inutile. D'autres pensent que c'est une bonne transition entre l'adolescence et l'âge adulte. (On n'est pas «un homme» si on n'a pas fait son service militaire.) Mais en général, les jeunes Français font leur service militaire sans trop protester. Ils savent qu'il n'y a pas de discrimination sociale: En France, tout le monde fait son service militaire.

obligatoire *compulsory* **En principe** *In principle* **sursis** *deferments* **À l'heure actuelle** *At present* **signifie** *means* **d'expression française** = **où on parle français** **enseignent** *teach* **disciplines** *subjects* **devant** *toward* **Certains** *Some*

Vocabulaire pratique

NOMS:	**un chef**	*chief, leader*	**la foule**	*crowd*
	un lieu	*place, area*	**la vie**	*life*
	les lieux	*premises*		
ADJECTIFS:	**énorme**	*enormous, huge*		
	réconfortant	*comforting*		
VERBES:	**s'adresser à**	*to talk to*	Henri! C'est à toi que je **m'adresse!**	
	conseiller	*to advise*	J'ai **conseillé** à mon frère de travailler plus.	
	s'installer	*to settle*	Mon cousin s'**est installé** à Paris.	

MOTS APPARENTÉS

French nouns and adjectives in **-aire** often have English cognates in *-ary.*

-aire	↔	***-ary***
un itinér**aire**		*itinerary*
milit**aire**		*military*

un(e) secrétaire	*secretary*
un missionnaire	*missionary*
le vocabulaire	*vocabulary*
ordinaire	*ordinary*
élémentaire	*elementary*
primaire	*primary*
solitaire	*solitary*
arbitraire	*arbitrary*

Structure

A. Le participe présent: formes

Read the following sentences carefully, paying attention to the expressions in heavy type. The verbs are in a new form: the *present participle*.

En restant ici, vous prenez des risques.   *By staying here, you are taking risks.*
En partant, regardez la pancarte!   *On leaving, look at the sign!*
En voyant la pancarte, ils ont compris.   *By looking at the sign, they understood.*

The present participle has only one form, which ends in **-ant**. It is derived as follows: Remind the students that the French **-ant** corresponds to the English *-ing*.

STEM	+	ENDING
nous-form of *present* minus **-ons**	+	**-ant**

PRESENT PARTICIPLE

travailler:	nous **travaillons**	→	**travaill**ant
finir:	nous **finissons**	→	**finiss**ant
attendre:	nous **attendons**	→	**attend**ant
commencer:	nous **commençons**	→	**commenç**ant
manger:	nous **mangeons**	→	**mange**ant
boire:	nous **buvons**	→	**buv**ant
sortir:	nous **sortons**	→	**sort**ant

➪ There are three irregular present participles:

être → **étant**   **En étant** généreux, vous aurez des amis.
avoir → **ayant**   **En ayant** des amis, vous serez heureux.
savoir → **sachant**   **En sachant** parler français, vous aimerez votre voyage à Paris.

➪ When a reflexive verb is used in the present participle form, the reflexive pronoun represents the same person as the subject.

se promener   **En me promenant**, j'ai vu des canards.
se raser   Tu t'es coupé **en te rasant**.

ACTIVITÉ 1   La détente (*Relaxation*)

Il y a beaucoup de façons de se détendre (*to relax*). Dites si oui ou non vous vous détendez en faisant les choses suivantes. Commencez vos phrases par **Je me détends** ou **Je ne me détends pas**, et utilisez **en** + le *participe présent* des verbes suivants.

➪ écouter de la musique   **Je me détends en écoutant de la musique.**
(Je ne me détends pas en écoutant de la musique.)

1. écouter la radio
2. regarder la télé
3. aller au cinéma
4. jouer au ping-pong

5. faire du sport
6. lire des romans policiers
7. sortir avec des amis
8. nager

ACTIVITÉ 2   La radio

On peut écouter la radio et faire autre chose *(something else)*. Dites ce que font les personnes suivantes quand elles écoutent la radio. Pour cela, faites des phrases où vous utiliserez le présent de l'expression **écouter la radio** et le *participe présent*, d'après le modèle.

▷   Philippe travaille.   **Philippe écoute la radio en travaillant.**

1. Jacques étudie.
2. Suzanne déjeune.
3. Mon père se rase.
4. Nous nous promenons.
5. Tu conduis.
6. Mes cousins dînent.
7. Je me lave.
8. Ma cousine prépare le dîner.
9. Paul met la table.

B. Le participe présent: usages

In French the present participle is mainly used—

(1) to describe two *simultaneous* actions:

Nous étudions **en écoutant** la radio.   *We study **while listening** to the radio.*
En arrivant, je n'ai pas vu la pancarte.   ***Upon arriving,** I did not see the sign.*

(2) to express a relationship of *cause* and *effect:*

En travaillant, tu gagneras de l'argent.   ***By working,** you will earn money.*
Vous maigrirez **en mangeant** moins.   *You will lose weight **by eating** less.*

▷   The present participle is usually introduced by the preposition **en** *(while, on, upon, by).*

The French present participle in **-ant** is used much less frequently than its English counterpart in *-ing.* Note that in French the present participle is *not* used—(1) to express actions in progress:
I am working.
Je travaille.
(2) as the object of a verb:
I like travelling.
J'aime voyager.
▸ (3) after a preposition other than **en:**
I'll call before leaving.
Je téléphonerai avant de partir.

ACTIVITÉ 3   Zut alors!

Les personnes suivantes ont eu des accidents. Expliquez les circonstances de ces accidents, d'après le modèle.

▷   Paul s'est cassé la jambe.   (Il faisait du ski.)
Paul s'est cassé la jambe en faisant du ski.

1. Jacqueline s'est cassé le bras.   (Elle faisait du judo.)
2. Henri a eu un accident.   (Il allait au supermarché.)
3. J'ai eu un accident.   (Je conduisais trop vite.)
4. Mon père s'est coupé.   (Il se rasait.)
5. Vous êtes tombés.   (Vous montiez les escaliers.)
6. Tu t'es électrocuté.   (Tu réparais la lampe.)

ACTIVITÉ 4   Nouveaux proverbes

Composez des proverbes. Pour cela, transformez les phrases suivantes, d'après le modèle.

▷   On cherche et on trouve.   **C'est en cherchant qu'on trouve.**

1. On fait du sport et on est en forme *(in shape).*
2. On s'impatiente et on rate ses examens.
3. On se lave et on est propre *(clean).*
4. On conduit trop vite et on a un accident.
5. On parle tout le temps et on irrite le professeur.
6. On danse et on apprend à danser.
7. On perd patience et on s'énerve.
8. On est égoïste et on perd ses amis.
9. On étudie et on apprend.
10. On se dépêche et on est à l'heure.

ACTIVITÉ 5 **Et vous?**   OPTIONAL   This activity can be done as a written assignment.

Dites comment vous faites certaines choses. Pour cela, complétez les
phrases suivantes avec une expression personnelle. Utilisez la construction
en + *participe présent.*

⇨ J'aide mes parents . .   **J'aide mes parents en faisant les courses (en lavant la voiture, etc.).**

1. J'aide mes amis . . .
2. Je prépare l'examen . . .
3. Je perds mon temps . . .
4. Le soir, je m'occupe *(keep busy)* . . .
5. Pendant les vacances, je vais gagner de l'argent . . .
6. Le week-end, je m'occupe . . .

C. L'adjectif verbal en *-ant*

Many French adjectives end in **-ant.** These adjectives are derived from
verbs in the same manner as the present participle.

(intéresser)	nous intéressons	un garçon **intéressant**	an *interesting boy*
		une fille **intéressante**	an *interesting girl*
(amuser)	nous amusons	un livre **amusant**	an *amusing book*
		des histoires **amusantes**	*amusing stories*

⇨ Adjectives in **-ant** agree in gender and number with the nouns or
pronouns they modify.

⇨ Adjectives in **-ant** often correspond to English adjectives in *-ing.*
Note the exception: obéir → **obéissant** *(obedient)*

ACTIVITÉ 6   Définitions

Complétez les définitions suivantes avec un adjectif en **-ant.**

⇨ Des livres qui intéressent . . .   **Des livres qui intéressent sont des livres intéressants.**

1. Une personne qui intéresse . . .
2. Un remède qui calme . . .
3. Une remarque qui irrite . . .
4. Une activité qui amuse . . .
5. Une idée qui trouble . . .
6. Un symptôme qui alarme . . .
7. Un garçon qui obéit . . .
8. Des filles qui obéissent . . .

OPTIONAL
À votre tour **Réaction en chaîne**
You may want to divide the class into eight
groups and assign one cue to each group.

Un événement ne vient jamais tout seul. Continuez l'histoire en utilisant le
participe présent du verbe précédent. Chaque élève ajoute une phrase.

⇨ En me promenant . . .
>   Élève 1: En me promenant, j'ai vu mon cousin.
>   Élève 2: En voyant mon cousin, je lui ai parlé.
>   Élève 3: En lui parlant, j'ai appris une nouvelle extraordinaire.

1. En allant en classe . . .
2. En téléphonant à un ami . . .
3. En rentrant chez moi . . .
4. En regardant la télé . . .
5. En faisant les courses . . .
6. En allant au cinéma . . .
7. En revenant de vacances . . .
8. En allant à une surprise-partie .

The purpose of this activity is to practice the formation and use of the present participle.

Le test du bon conducteur

Un jour ou l'autre, vous apprendrez certainement à conduire. Pour juger si vous serez un bon conducteur, répondez aux six questions du **Test du bon conducteur**. Avant de commencer, lisez le **Vocabulaire spécialisé**:

Vocabulaire spécialisé
Au volant

le klaxon *(horn)* le volant le rétroviseur l'essuie-glace le frein le frein à main la ceinture de sécurité le débrayage *(clutch pedal)* le changement de vitesse l'accélérateur

1. Que faites-vous avant de démarrer?°   *starting*
   - A. Vous vous regardez dans le rétroviseur.
   - B. Vous mettez la ceinture de sécurité.
   - C. Vous mettez la radio.

2. Pour aller plus vite, vous appuyez°   *step (push)*
   - A. sur le frein
   - B. sur l'accélérateur
   - C. sur le klaxon

3. En arrivant devant un feu rouge, que faites-vous?
   - A. Vous accélérez.
   - B. Vous vous arrêtez brusquement.
   - C. Vous vous arrêtez progressivement.

4. Si vous avez un accident, vous appelerez d'abord
   - A. la police
   - B. vos parents
   - C. le garagiste°   *mechanic*

5. Quelle est la chose la plus importante à faire avant de commencer un très long voyage en voiture?
   - A. vérifier les pneus et les freins
   - B. célébrer l'occasion avec des amis
   - C. laver la voiture

6. Un jour où il neige beaucoup, il est plus prudent de
   - A. prendre l'autobus
   - B. mettre de l'eau dans le radiateur
   - C. ne pas vous arrêter aux feux rouges

Marquez un point pour les réponses suivantes: 1-B, 2-B, 3-C, 4-A, 5-A, 6-A. Faites le total de vos points.

Si vous avez 6 points, vous serez un excellent conducteur.

Si vous avez 4 ou 5 points, vous devrez prendre des leçons.

Si vous avez 2 ou 3 points, gardez votre bicyclette.

Si vous avez moins de 2 points, prenez le bus.

Variétés 5

L'incroyable histoire de l'or noir

L'or noir, c'est le pétrole. On compare le pétrole à l'or parce que c'est une substance minérale très précieuse. On l'appelle «or noir» à cause de sa couleur. En permettant le développement de l'automobile au vingtième siècle,° le pétrole a révolutionné l'existence des hommes. L'histoire du pétrole a cependant° commencé bien avant l'automobile.

century

however

L'Antiquité

De nombreux° auteurs° de l'Antiquité parlent du pétrole et de ses effets. Avez-vous lu la Bible? Alors vous vous souvenez certainement de l'histoire de Moïse. Moïse est le chef des Hébreux. Les Hébreux sont alors en Égypte. Un jour, Dieu° donne à Moïse l'ordre de quitter l'Égypte. C'est l'exode d'Égypte. La nuit, une colonne de feu guide la marche des Hébreux dans le désert. L'origine de cette colonne de feu? Probablement du pétrole qui flambe!°

Numerous; writers

God

burns

Alexandre le Grand, roi° de Macédoine (356–323 avant Jésus-Christ), est le plus grand conquérant de l'histoire. En 333 avant Jésus-Christ, Alexandre arrive en Perse où il découvre un liquide mystérieux. C'est du pétrole qu'on allume° en son honneur.

king

lights

Dans de nombreux pays antiques, le pétrole est révéré° comme la source de la flamme sacrée. Le pétrole n'est pas seulement l'objet d'un culte religieux. On l'utilise aussi en médecine et dans la construction. À Babylone, les médecins prescrivent des baumes° à base de pétrole contre certaines maladies.° Les architectes utilisent l'asphalte, dérivé du pétrole, pour construire des routes.

honored

balms

diseases

Plus tard, les Grecs et les Romains utilisent le pétrole dans leurs lampes à la place de° l'huile d'olive.

instead of

Au Moyen Âge°

Au Moyen Âge, le pétrole devient une arme° très dangereuse. Au septième siècle, un ingénieur militaire grec, Collinicos, invente le «feu grégeois» (c'est-à-dire le feu grec). Ce feu grégeois est un mélange° de soufre,° de salpêtre et d'asphalte. On utilise ce mélange dans les combats° navals. Le feu grégeois sauve Constantinople au dixième siècle. À cette époque, un prince russe,° le prince Igor, décide d'attaquer la ville. Il arrive à Constantinople avec ses bateaux. Les Grecs de Constantinople contre-attaquent avec le feu grégeois. La flotte° russe est détruite.

Middle Ages

weapon

mixture; sulfur

battles

Russian

fleet

Les Arabes utilisent le même procédé.° Ils créent un corps de spécialistes, les «naffatins». Les «naffatins» sont chargés° de lancer° du pétrole enflammé° sur leurs ennemis. Au douzième siècle, les ennemis des Arabes sont des Chrétiens° venus d'Europe, les Croisés.° Les Croisés sont terrifiés par l'arme magique du pétrole.

Le pétrole est utilisé aussi pacifiquement.° Les médecins du Moyen Âge préparent des potions à base de pétrole. Avec ces potions, ils prétendent° guérir° les maladies pulmonaires° et les maladies intestinales.

process

in charge;
   throwing;
   flaming
Christians;
   Crusaders

peacefully

claim; to cure
of the lungs

En Amérique

Bien avant Christophe Colomb, les Incas connaissent le pétrole. Ils l'adorent.° Ils l'utilisent aussi: pour fabriquer° des torches, pour réparer leurs pirogues,° pour lubrifier leurs chariots.

worship; make
canoes

En Amérique du Nord, d'autres Indiens connaissent aussi le pétrole et l'utilisent comme médicament. Ces Indiens, ce sont les Sénécas qui vivent dans l'état de New York actuel. Un charlatan blanc, Samuel Kier, les imite. Kier met le pétrole en bouteille et le vend comme remède miracle. Ce remède guérit toutes les maladies: l'asthme, la bronchite, la diarrhée, les névralgies,° etc. . . . En 1829, Kier vend 240.000 bouteilles. C'est la fortune.

pains

En 1859, un autre Américain, Edwin Drake, découvre du pétrole à Titusville, en Pennsylvanie. Quelques années plus tard, un jeune homme dynamique décide de commercialiser ce produit. Ce jeune homme s'appelle John D. Rockefeller. L'industrie du pétrole est née . . .

L'ART DE LA LECTURE

Word families

Sometimes you may come across words which seem totally new to you, like the word **incroyable** used in "**L'incroyable histoire de l'or noir.**" A closer look at these words, however, may reveal some familiar elements. **Incroyable**, for example, may be broken up as follows:

the ending: **-able** is the same as the English suffix *-able*
the beginning: **in-** often corresponds to the English prefix *un-* or *in-*
the middle part: the stem **croy** comes from the verb **croire** (*to believe*)

Thus, **incroyable** turns out to be the French equivalent of *unbelievable*.

When you don't know a word, you should look whether the entire word or parts of it resemble words you already know. In French, as in English, there are many *word families*, that is, clusters of words which are built on the same stem. For instance:

If you know **la flamme** = *flame*, you will be able to guess **flamber** (*to flame, burn*) and **enflammer** (*to enflame, set on fire*).

Appendix 1 Sound-spelling Correspondences

SOUND	SPELLING		EXAMPLES

Vowels

/a/	**a, à, â**		Madame, là-bas, théâtre
/i/	**i, î**		visite, Nice, dîne
	y (initial, final, or between consonants)		Yves, Guy, style
/u/	**ou, où, oû**		Toulouse, où, août
/y/	**u, û**		tu, Luc, sûr
/o/	**o** (final or before silent consonant)		piano, idiot, Margot
	au, eau		jaune, Claude, beau
	ô		hôtel, drôle, Côte-d'Ivoire
/ɔ/	**o**		Monique, Noël, jolie
	au		Paul, restaurant, Laure
/e/	**é**		Dédé, Québec, télé
	e (before silent final **z, t, r**)		chez, et, Roger
	ai (final or before final silent consonant)		j'ai, mai, japonais
/ɛ/	**è**		Michèle, Ève, père
	ei		seize, neige, tour Eiffel
	ê		tête, être, Viêt-nam
	e (before two consonants)		elle, Pierre, Annette
	e (before pronounced final consonant)		Michel, avec, cher
	ai (before pronounced final consonant)		française, aime, Maine
/ə/	**e** (final or before single consonant)		je, Denise, venir
/ø/	**eu, œu**		deux, Mathieu, œufs
	eu (before final **se**)		nerveuse, généreuse, sérieuse
/œ/	**eu, œu** (before final pronounced consonant except /z/)		heure, neuf, Lesieur, sœur

Nasal vowels

/ɑ̃/	**an, am**		France, quand, lampe
	en, em		Henri, pendant, décembre
/ɔ̃/	**on, om**		non, Simon, bombe
/ɛ̃/	**in, im**		Martin, invite, impossible
	yn, ym		syndicat, sympathique, Olympique
	ain, aim		Alain, américain, faim
	(o) + in		loin, moins, point
	(i) + en		bien, Julien, viens
/œ̃/	**un, um**		un, Lebrun, parfum

Semi-vowels

/j/	**i, y** (before vowel sound)		bien, piano, Lyon
	-il, -ill (after vowel sound)		œil, travaille, Marseille
/ɥ/	**u** (before vowel sound)		lui, Suisse, juillet
/w/	**ou** (before vowel sound)		oui, Louis, jouer
/wa/	**oi, oî, oy** (before vowel)		voici, Benoît, voyage

SOUND	SPELLING	EXAMPLES
Consonants		
/b/	**b**	<u>B</u>ar<u>b</u>ara, <u>b</u>anane, <u>B</u>elgique
/k/	**c** (before **a, o, u,** or consonant)	<u>C</u>oca-<u>C</u>ola, <u>c</u>uisine, <u>c</u>lasse
	ch(r)	<u>Ch</u>ristine, <u>Ch</u>ristian, <u>Ch</u>ristophe
	qu, q (final)	<u>Qu</u>ébec, <u>qu</u>'est-ce <u>qu</u>e, cin<u>q</u>
	k	<u>k</u>ilo, <u>K</u>iki, <u>k</u>etchup
/ʃ/	**ch**	<u>Ch</u>arles, blan<u>ch</u>e, <u>ch</u>ez
/d/	**d**	<u>D</u>i<u>d</u>ier, <u>d</u>ans, mé<u>d</u>ecin
/f/	**f**	<u>F</u>élix, <u>f</u>ranc, neu<u>f</u>
	ph	<u>Ph</u>ilippe, télé<u>ph</u>one, <u>ph</u>oto
/g/	**g** (before **a, o, u,** or consonant)	<u>G</u>abriel, <u>g</u>orge, lé<u>g</u>umes, <u>g</u>ris
	gu (before **e, i, y**)	va<u>gu</u>e, <u>Gu</u>illaume, <u>Gu</u>y
/ɲ/	**gn**	mi<u>gn</u>on, champa<u>gn</u>e, Allema<u>gn</u>e
/ʒ/	**j**	<u>j</u>e, <u>J</u>érôme, <u>j</u>aune
	g (before **e, i, y**)	rou<u>g</u>e, <u>G</u>igi, <u>g</u>ymnastique
	ge (before **a, o, u**)	oran<u>ge</u>ade, <u>Ge</u>orges, ar<u>g</u>ent
/l/	**l**	<u>L</u>ise, e<u>ll</u>e, cheva<u>l</u>
/m/	**m**	<u>M</u>a<u>m</u>an, <u>m</u>oi, to<u>m</u>ate
/n/	**n**	ba<u>n</u>a<u>n</u>e, <u>N</u>ancy, <u>n</u>ous
/p/	**p**	<u>p</u>eu, <u>P</u>a<u>p</u>a, <u>P</u>ierre
/r/	**r**	a<u>rr</u>ive, <u>r</u>ent<u>r</u>e, Pa<u>r</u>is
/s/	**c** (before **e, i, y**)	<u>c</u>e, <u>C</u>écile, Nan<u>c</u>y
	ç (before **a, o, u**)	<u>ç</u>a, gar<u>ç</u>on, Fran<u>ç</u>ois
	s (initial or before consonant)	<u>s</u>ac, <u>S</u>ophie, re<u>s</u>te
	ss (between vowels)	boi<u>ss</u>on, de<u>ss</u>ert, Sui<u>ss</u>e
	t (before **i** + vowel)	atten<u>t</u>ion, Na<u>t</u>ions Unies, nata<u>t</u>ion
	x	di<u>x</u>, si<u>x</u>, soi<u>x</u>ante
/t/	**t**	<u>t</u>rop, <u>t</u>élé, <u>T</u>ours
	th	<u>Th</u>érèse, <u>th</u>é, Mar<u>th</u>e
/v/	**v**	<u>V</u>iviane, <u>v</u>ous, nou<u>v</u>eau
/gz/	**x**	e<u>x</u>amen, e<u>x</u>emple, e<u>x</u>act
/ks/	**x**	Ma<u>x</u>, Me<u>x</u>ique, e<u>x</u>cellent
/z/	**s** (between vowels)	dé<u>s</u>ert, télévi<u>s</u>ion, Loui<u>s</u>e
	z	Su<u>z</u>anne, <u>z</u>ut, <u>z</u>éro

Appendix 2 Review of Pronunciation

REPRISE **Sounding French** Just as Americans have trouble understanding someone who speaks English with a strong foreign accent, so do French speakers have difficulty understanding French spoken with a strong American accent. Sounding French is mainly a matter of adopting French patterns of rhythm, accent, and intonation.

1. Rythme et accent final

French rhythm is very *even*. (English rhythm is uneven.) The stress falls on the last syllable of a word or group of words.

1-2-3 J'aime chanter.
1-2-3-4 Vous dansez bien.
1-2-3-4-5 Je voyage souvent.
1-2-3-4-5-6 Tu dînes au restaurant.
1-2-3-4-5-6-7 Vous téléphonez à Marc.
1-2-3-4-5-6-7-8 J'organise une surprise-partie.

2. Lettres finales

Not all letters in a French word are pronounced. Final **e** is usually silent. Final consonants (except **c, r, f, l**) are usually not pronounced.

Martine écoute une cassette française.
Louis et Bernard travaillent beaucoup.
Luc est actif. C'est le meilleur ami de Paul.

3. Enchaînement

All words within a sentence or phrase are linked together. In pronouncing a word or group of words, the French try to have each syllable begin with a consonant sound and end in a vowel sound. (The last syllable often ends in a consonant sound.)

au-to-bus
ci-né-ma
ma-ga-sin
l'hô-pi-tal
re-stau-rant

Je vais chan-ter.
Voi-ci un beau thé-âtre.
Pau/l es/t un gar-çon for-mi-dable.
I/l est qua-tre heures.

4. Intonation des phrases

In short statements the voice falls at the end of the sentence. In long sentences the voice rises at the end of each group of words and falls on the last one.

Mon père arrive.
Ma cousine rentre.
Tu as dix ans.

Mon père va arriver à midi et demi.
Ma cousine Jacqueline ne rentre pas ce soir.
Mes deux petits cousins ont dix ans.

5. Intonation des questions et des ordres

Yes-no questions: the voice rises.

Tu réponds? Est-ce que tu attends? Portez-vous un manteau?

Information questions: the voice falls, with a slight rise at the end.

Quel temps fait-il? Pourquoi rougit-elle?
À quelle heure finissez-vous? Qu'est-ce que vous vendez?

Commands: the voice falls.

Attends ici! Choisissez une cravate! Ne répondez pas!

UNITÉ 1 Basic vowels

In French all vowels are pronounced clearly, even when they are unaccented.

1. Les voyelles /o/ et /ɔ/

/o/ usually occurs as the last sound or in the final syllable /oz/: **o, ô, au, eau.**

au, eau, beau, nos, vos, haricot, maillot, rose, drôle
Charlot a un beau chapeau.

/ɔ/ is usually followed by a consonant sound: **o, au.**

école, carotte, omelette, objet, Paul, restaurant, joli, fromage
Paul commande de la sole et des tomates.

2. Les voyelles /ø/ et /œ/

/ø/ usually occurs as the last sound in a word or in the final syllable /øz/: **eu, œu.**

deux, bleu, peu, dangereux, veux, peut, vendeuse, sérieuse
Je veux les deux cravates bleues.

/œ/ is usually followed by a consonant sound: **eu, œu.**

œuf, sœur, beurre, leur, heure, jeune, professeur, neuf, veulent
Mes sœurs veulent parler à leur professeur.

3. Les voyelles /a/ et /wa/

The letter **a** alone represents the sound /a/.

la, ma, Canada, dollar, Paris, avocat, patron, passer, alors
Mardi Nathalie va gagner quatorze dollars.

The letters **oi, oy** alone represent the sound /wa/.

moi, toi, avoir, soif, froid, dois, boire, soir, endroit
Antoine Lavoie a soif. Il doit boire du thé.

4. Les voyelles /e/ et /ɛ/

/e/ usually occurs as the last sound in a word: **é, ai, er, ez.** In all positions **é** represents /e/.

été, musée, lycée, café, détester, déjeuner, j'ai, allez, chez
Dédé veut aller chez les Léger cet été.

/ɛ/ is usually followed by a consonant sound: **è, ê, ai, ei, e + consonant.**

père, mère, frère, crème, bête, être, elle, française, seize
Vous êtes bêtes. Michèle va mettre ses lunettes.

5. Les voyelles /i/, /u/, /y/

The letters **i, î, y** alone represent the sound /i/.

frites, ski, parti, permis, gris, fils, mari, lycée, île
Le mari de Gigi est sorti à midi.

The letters **ou, où** represent the sound /u/.

nous, vous, tout, soupe, vouloir, pouvez, poulet, rouge, pour
Nous voulons de la soupe et du poulet.

The letter **u** alone represents the sound /y/. (This sound has no English equivalent.)

tu, venu, sur, bu, pu, voulu, une, brune, étudie
Tu as bu ton thé avec du sucre.

UNITÉ 2 Liaison

When a final consonant which is normally silent is pronounced as if it were the first consonant of the following word, this is called *liaison*. Liaison only occurs before words beginning with a vowel sound.

1. La liaison: pronom sujet et verbe

Liaison is required between a subject pronoun and its conjugated verb.

Nous écrivons. Vous invitez. On arrive. Ils apprennent. Elles ont.
Est-elle ici? Ont-ils téléphoné? Font-ils des projets? Écrivent-elles?

2. La liaison: verbe et pronom complément

Liaison is required between an object pronoun and the verb with which it is used.

Je les‿aime. Tu ne nous‿écoutes pas. Il nous‿écrit. Elle vous‿adore. Nous les‿avons mis là-bas. Je ne vous‿ai pas reconnu.

3. La liaison: déterminant + adjectif + nom

Liaison is required between the words introducing a noun (article, possessive adjective, number, etc.), the preceding adjective, and the noun.

mon‿anorak; cet‿endroit; deux‿ans; un‿ami; vos‿enfants; dix‿heures; les‿avocats; aux‿élèves; des‿objets; un mauvais‿élève; un petit‿oiseau; un grand/ᵗ/avion

4. D'autres liaisons

Liaison is required after the following short words: **bien, très, en, plus, sans,** and **chez** + stress pronoun.

très‿intéressant; bien‿intelligent; plus‿amusant; sans‿argent; en‿Italie; chez‿elle

Liaison is usually used after **est** and **sont.**

Paul est‿ici. Mes parents sont‿à Paris.

Liaison is required in certain phrases.

aux‿États-Unis; Comment‿allez-vous?

5. Liaisons interdites [✕]

There is *never* liaison:
before and after **et**
after a singular noun
before aspirate **h**
For aspirate **h**, see section 7.4 (p. 416).

Georges est généreux et impulsif.
C'est un garçon ambitieux.
Les hors-d'œuvre sont délicieux.

UNITÉ 3   **Mute e and semi-vowels**   The *mute* **e** /ə/ is the only French vowel which may be dropped in rapid speech. The semi-vowels—or semi-consonants—are pronounced very quickly, with much tension.

1. La voyelle /ə/ à la fin d'un mot

The final **e** of one-syllable words like **je, me, ne,** and **le** is pronounced /ə/. It may be dropped in rapid speech when the preceding word ends in a vowel sound. The final **e** of longer words is almost always silent.

LENTEMENT	RAPIDEMENT
Je me lavé.	Je mé lavé.
Tu te coupés.	Tu té coupés.
Où est le salon?	Où est lé salon?
Marie ne sort pas.	Marie né sort pas.

2. La voyelle /ə/ au milieu d'un mot

In the middle of a word, the letter **e** alone followed by a single consonant or *consonant* + **r, l** represents /ə/. When preceded by a syllable ending in *one* consonant sound, the /ə/ may be dropped.

vendredi	revue	samédi	envéloppe
devant	demandez	mainténant	bracélet
fenêtre	refuser	achétez	omélette
grenier	devoir	appélons	promènade

3. La semi-voyelle /j/: **voyelle** + *ill* (*il*)

When the letters **ill** (or **il** at the end of a word) are preceded by a vowel, they often represent the sound /j/.

/aj/   trav**aill**e, trav**ail**, m**aill**ot

/ɛj/   rév**eill**e, sol**eil**, or**eill**e, m**eill**eur, appar**eil**, somm**eil**

/œj/   **œil**

Note: -**ille** may be pronounced /ij/ or /il/.

/ij/   f**ille**, fam**ille**, hab**iller**, maqu**iller**, b**ill**et

/il/   v**ille**, G**ill**es

4. La semi-voyelle /j/: *i, y* + voyelle

The letters **i**, **y** before a vowel usually represent the sound /j/.

p**i**ano, inqu**i**et, p**i**èce, gren**i**er, se mar**i**er, étud**i**er, cah**i**er, cur**i**eux, sér**i**eux, av**i**on, derr**i**ère, mil**i**eu, **Y**olande, **y**aourt

5. Les semi-voyelles /ɥ/, /w/

The letter **u** before a vowel represents /ɥ/.

/ɥ/   h**u**it, cond**u**ire, l**u**i, s**u**is, n**u**it, h**u**ile, ens**u**ite, min**u**it

The letters **ou** before a vowel represent /w/.

/w/   **ou**i, L**ou**is, L**ou**ise, **ou**est

UNITÉ 4   Some consonants

Consonants in French are pronounced very clearly and distinctly.

1. Les lettres *g* et *c*

The sound /g/ is represented by:
   the letter **g** + **a, o, u,** or *consonant*
   gar**ç**on, **g**âteau, **g**olf, fi**g**ure, **g**lace, **g**ris

   the letters **gu** + **e, i, y**
   lon**gu**e, fati**gu**é, **gu**itare, **Gu**y

The sound /ʒ/ is represented by:
   the letter **g** + **e, i, y**
   Ro**g**er, ar**g**ent, **Gig**i, rou**g**ir, **g**ymnastique

   the letters **ge** + **a, o**
   geai (*jay*), **Ge**orges, man**ge**ons, chan**ge**ons

The sound /k/ is represented by:

The sound /k/ before **e, i** is usually written **qu**.

   the letter **c** + **a, o, u,** or *consonant*
   café, **c**ommence, **c**urieux, bou**c**le, **c**rayon

The sound /s/ is represented by:
   the letter **c** + **e, i, y**
   Cé**c**ile, i**c**i, bi**c**yclette

   the letter **ç** + **a, o, u**
   ça, fian**ç**ailles, gar**ç**on, re**ç**u

2. Les lettres *s* et *ss*

The letter **s** between two vowels represents the sound /z/.

refu**s**er, cui**s**ine, ro**s**e, cho**s**e, heureu**s**e, ra**s**oir, vali**s**e

The letter **s** in other positions represents the sound /s/.

savon, **s**ept, e**s**pérer, touri**s**te, con**s**truire, **s**portif, re**s**ter

The letters **ss** always represent the sound /s/.

e**ss**ayer, adre**ss**e, pre**ss**é, pa**ss**ager, vite**ss**e, ra**ss**uré

3. Les consonnes initiales /p/, /t/, /k/

At the beginning of a word, the following French consonants are pronounced *without* releasing a puff of air.

   p : /p/   **P**apa, **p**eigne, **p**artir, **p**orte; **P**ourquoi **p**arlez-vous à **P**aul?

   t, th : /t/   **t**ableau, **t**able, **th**éâtre, **t**emps; **T**hérèse **t**éléphone à **t**a **t**ante.

   c, k, qu : /k/   **c**améra, **c**œur, **c**ou, **k**ilo, **qu**and; **Qu**elle **c**ommode est **c**assée?

4. La consonne /l/

The French consonant /l/ is pronounced with the tip of the tongue touching the upper front teeth.

lampe, lit, lettre, pluie, soleil, salle, belle
Quelle belle demoiselle!
L'oncle de Lili est malade.

5. La consonne /r/

The French consonant /r/ is pronounced at the back of the throat. At the end of a word it is pronounced very softly.

revenir, roman, rue, rire, rare, sourire, trente, triste, grand, larme, marque, moutarde, leur, sœur, père, votre, autre, théâtre

---

UNITÉ 5 Nasal vowels

In English, vowels are often partly nasalized before the consonants n, m, nk, ng (e.g., *can, calm, tank, rang*). In French, vowels are either completely nasalized (and the consonant n or m is not pronounced), or vowels are not nasalized at all (and the following n, m, or gn is pronounced). In written French, the combination *vowel* + n, m represents a nasal vowel, unless followed by a vowel or another n, m.

1. Les voyelles nasales /ɛ̃/ et /œ̃/

NASALE	NON-NASALE	CONTRASTEZ	
in, im, ym : /ɛ̃/	ine : /in/	cousin : cousine	/ɛ̃/ matin, sympathique, important,
ain, aim : /ɛ̃/	aine : /ɛn/	américain : américaine	Alain, africain, bains
ien : /jɛ̃/	ienne : /jɛn/	vient : viennent	/jɛ̃/ canadien, bien, reviens
oin : /wɛ̃/	oine : /wan/	moins : moine (*monk*)	/wɛ̃/ loin, besoin
un, um : /œ̃/	une : /yn/	brun : brune	/œ̃/ un, parfum

2. La voyelle nasale /ɑ̃/

an, am : /ɑ̃/	ane : /an/	an : Anne	/ɑ̃/ vacances, étranger, ambitieux, camping,
en, em : /ɑ̃/	enne, ne : /ɛn/	européen : européenne	décembre, vent, dents, rentrer, pendant

3. La voyelle nasale /ɔ̃/

on, om : /ɔ̃/	onne, omme : /ɔn/, /ɔm/	bon : bonne	/ɔ̃/ compliqué, annoncer, son, ton, montre

4. Les voyelles nasales contrastées

Be sure to distinguish between /ɔ̃/, /ɛ̃/, and /ɑ̃/. (Many French speakers tend to pronounce un, um as /ɛ̃/.)

un - onze - quinze - trente
un bon vin blanc
un garçon intelligent

5. Les voyelles nasales sans /n/, /m/

Be sure to avoid pronouncing a brief /n/ or /m/ after a nasal vowel.

penser: ses - pan - ses - pan - ses - penser
tomber: bé - ton - bé - ton - bé - tomber
lundi: dis - l'un - dis - l'un - dis - lundi

UNITÉ 6   **Pure vowels**   French vowels are pure sounds. There is no diphthong, or glide, as in English.

1. La voyelle /e/

Contrast: **ses**   *say*   année, journée, soirée, matinée, agité, reposé
        des   *day*   Roger a passé une journée agitée.

2. La voyelle /u/

Contrast: **sous**   *Sue*   nous, tout, pour, sous, trouve, amour, Loulou
        cou   *coo*   Où voulez-vous ouvrir votre boutique?

3. La voyelle /i/

Contrast: **si**   *sea*   ici, Gigi, qui, samedi, mardi, Sylvie, piscine, cinéma
       lit   *Lee*   Alice est timide. Philippe invite Sylvie à la piscine.

Note: In French the letter **i** never represents the English vowel of *it*.
Contrast: **timide**   *timid*

4. La voyelle /o/

Contrast: **l'eau**   *low*   kilo, agneau, veau, gâteau, beau, trop, vos, nos
        chaud   *show*   Ce manteau est trop beau.

5. La voyelle /y/

To produce the French vowel sound /y/, say /i/ and round your
lips as if to whistle.

Contrast: **vu**   *view*   juste, absolu, début, mur, sur, pu, voulu, su, connu
        musique   *music*   Le tube n'est pas sur le bureau.

UNITÉ 7   **More consonants**   Be sure to pronounce French consonants very distinctly.

1. Consonnes finales: masculin/féminin

In French the final consonant
sound of a word is strongly
released; that is, it is pronounced
very clearly. Often the absence
or presence of a final consonant
sound distinguishes between
masculine and feminine forms.

amusant : amusante   un avocat : une avocate
dangereux : dangereuse   un Anglais : une Anglaise
mauvais : mauvaise   un étudiant : une étudiante
faux : fausse   Louis : Louise
léger : légère   Raymond : Raymonde

2. Consonnes finales: verbes

Often the absence or presence of
a final consonant sound
distinguishes between indicative
and subjunctive forms in the
singular.

Tu finis.   Je veux que tu finisses.
Tu bois.   Je veux que tu boives.
Tu écris.   Je veux que tu écrives.
Tu lis.   Je veux que tu lises.
Tu mets ta veste.   Je veux que tu mettes ta veste.
Tu sors.   Je veux que tu sortes.
Tu dors.   Je veux que tu dormes.

3. La consonne /ʃ/

The letters **ch** represent the sound /ʃ/. Do not pronounce a /t/ before the /ʃ/, as in the English word *chop*.

chose, chemise, cher, chance, chaise, charcutier, riche, machine, architecte, Michel, cacher

4. La lettre *h*

The letter **h** is always silent. Usually words beginning with **h** are treated like words beginning with a vowel sound: **l'homme, les hommes.**

un homme, les hommes, un hôpital, des hôpitaux, en hiver, trois heures, nous habitons, vous vous habillez

A few words beginning with **h** are treated like words beginning with a consonant sound: **le héros, les hors-d'œuvre.** Such words are said to begin with an **aspirate h** and are marked with an asterisk (*) in French dictionaries.

le hockey, le haricot, le huit avril, les hors-d'œuvre, les héros, les haricots

5. Les lettres *gn*

The letters **gn** represent the sound /ɲ/. Note: When a word is divided into syllables, these letters are not separated: **ma-gni-fi-que.**

signe, montagne, champagne, espagnol, campagne, agneau, gagner, peigne, ignorer
Agnès se peigne.

UNITÉ 8   Interference from English   When French words look like their English counterparts, it is easy to mispronounce them. Watch out for the following problem areas.

1. Voyelles non-accentuées

In English, non-accented vowels are usually reduced to an *"uh"*-sound. In French this does not occur: each vowel maintains its character.

accident, cigarette, optimiste, réfrigérateur, imaginatif, courageux

2. La terminaison: consonne + *re*

In French the letter combination *consonant* + **re** is pronounced so that no vowel sound is heard between the consonant and the /r/.

mètre, kilomètre, orchestre, lettre, chambre, centre, autre, rentre, prendre
Je vais vendre l'autre montre.

3. La terminaison: consonne + *le*

In French the letter combination *consonant* + **le** is pronounced so that no vowel sound is heard between the consonant and the /l/.

table, immeuble, probable, ensemble, possible, angle
Mes meubles sont aussi simples que possibles.

4. Les terminaisons *-tion* et *-sion*

Note the absence of /ʃ/ and /ʒ/ in the following endings:

-tion : /sjɔ̃/   -stion : /stjɔ̃/   nation, éducation, intention, solution, question, suggestion
-sion : /zjɔ̃/   occasion, télévision, vision

5. La lettre *a*

The letter *a* in English represents many different sounds: *bare, bat, are, was, date*. In French the letter a only represents the sound /a/.

adresse, accepter, animal, machine, salade, mariage, appartement, banane, table, carotte

Appendix 3 Numbers

A. Cardinal numbers

0	zéro	18	dix-huit	82	quatre-vingt-deux
1	un (une)	19	dix-neuf	90	quatre-vingt-dix
2	deux	20	vingt	91	quatre-vingt-onze
3	trois	21	vingt et un (une)	100	cent
4	quatre	22	vingt-deux	101	cent un (une)
5	cinq	23	vingt-trois	102	cent deux
6	six	30	trente	200	deux cents
7	sept	31	trente et un (une)	201	deux cent un
8	huit	32	trente-deux	300	trois cents
9	neuf	40	quarante	400	quatre cents
10	dix	41	quarante et un (une)	500	cinq cents
11	onze	50	cinquante	600	six cents
12	douze	60	soixante	700	sept cents
13	treize	70	soixante-dix	800	huit cents
14	quatorze	71	soixante et onze	900	neuf cents
15	quinze	72	soixante-douze	1.000	mille
16	seize	80	quatre-vingts	2.000	deux mille
17	dix-sept	81	quatre-vingt-un (une)	1.000.000	un million

Notes:
1. The word **et** occurs only in the numbers 21, 31, 41, 51, and 61: **vingt et un**
2. **Un** becomes **une** before a feminine noun: **trente et une filles**
3. **Quatre-vingts** becomes **quatre-vingt** before another number: **quatre-vingt-cinq**
4. **Cents** becomes **cent** before another number: **trois cent vingt**
5. **Mille** never adds an **-s**: **quatre mille**

B. Ordinal numbers

1er premier (première)	5e cinquième	9e neuvième
2e deuxième	6e sixième	10e dixième
3e troisième	7e septième	11e onzième
4e quatrième	8e huitième	12e douzième

Note: **Premier** becomes **première** before a feminine noun: **la première histoire**

Appendix 4 Verbs

A. Regular verbs

INFINITIVE	PRESENT	IMPERATIVE	PASSÉ COMPOSÉ	IMPERFECT
parler *(to talk, speak)*	je parle tu parles il parle	parle	j'ai parlé tu as parlé il a parlé	je parlais tu parlais il parlait
	nous parlons vous parlez ils parlent	parlons parlez	nous avons parlé vous avez parlé ils ont parlé	nous parlions vous parliez ils parlaient
finir *(to finish)*	je finis tu finis il finit	finis	j'ai fini tu as fini il a fini	je finissais tu finissais il finissait
	nous finissons vous finissez ils finissent	finissons finissez	nous avons fini vous avez fini ils ont fini	nous finissions vous finissiez ils finissaient
vendre *(to sell)*	je vends tu vends il vend	vends	j'ai vendu tu as vendu il a vendu	je vendais tu vendais il vendait
	nous vendons vous vendez ils vendent	vendons vendez	nous avons vendu vous avez vendu ils ont vendu	nous vendions vous vendiez ils vendaient
se laver *(to wash oneself)*	je me lave tu te laves il se lave	lave-toi	je me suis lavé(e) tu t'es lavé(e) il/elle s'est lavé(e)	je me lavais tu te lavais il se lavait
	nous nous lavons vous vous lavez ils se lavent	lavons-nous lavez-vous	nous nous sommes lavé(e)s vous vous êtes lavé(e)(s) ils/elles se sont lavé(e)s	nous nous lavions vous vous laviez ils se lavaient

B. *-er* verbs with spelling changes

INFINITIVE	PRESENT		IMPERATIVE	PASSÉ COMPOSÉ	IMPERFECT
acheter *(to buy)*	j'achète tu achètes il achète	nous achetons vous achetez ils achètent	achète achetons achetez	j'ai acheté	j'achetais

Verbs like **acheter**: amener *(to take, bring along)*, **se lever** *(to get up)*, **se promener** *(to take a walk, take a ride)*

appeler *(to call)*	j'appelle tu appelles il appelle	nous appelons vous appelez ils appellent	appelle appelons appelez	j'ai appelé	j'appelais

Verb like **appeler**: s'appeler *(to be named)*

FUTURE	CONDITIONAL	SUBJUNCTIVE	PRESENT PARTICIPLE
je parlerai	je parlerais	que je parle	parlant
tu parleras	tu parlerais	que tu parles	
il parlera	il parlerait	qu'il parle	
nous parlerons	nous parlerions	que nous parlions	
vous parlerez	vous parleriez	que vous parliez	
ils parleront	ils parleraient	qu'ils parlent	
je finirai	je finirais	que je finisse	finissant
tu finiras	tu finirais	que tu finisses	
il finira	il finirait	qu'il finisse	
nous finirons	nous finirions	que nous finissions	
vous finirez	vous finiriez	que vous finissiez	
ils finiront	ils finiraient	qu'ils finissent	
je vendrai	je vendrais	que je vende	vendant
tu vendras	tu vendrais	que tu vendes	
il vendra	il vendrait	qu'il vende	
nous vendrons	nous vendrions	que nous vendions	
vous vendrez	vous vendriez	que vous vendiez	
ils vendront	ils vendraient	qu'ils vendent	
je me laverai	je me laverais	que je me lave	se lavant
tu te laveras	tu te laverais	que tu te laves	
il se lavera	il se laverait	qu'il se lave	
nous nous laverons	nous nous laverions	que nous nous lavions	
vous vous laverez	vous vous laveriez	que vous vous laviez	
ils se laveront	ils se laveraient	qu'ils se lavent	

FUTURE	CONDITIONAL	SUBJUNCTIVE	PRESENT PARTICIPLE
j'achèterai	j'achèterais	que j'achète	achetant
		que nous achetions	
j'appellerai	j'appellerais	que j'appelle	appelant
		que nous appelions	

INFINITIVE	PRESENT		IMPERATIVE	PASSÉ COMPOSÉ	IMPERFECT
préférer (*to prefer*)	je **préfère** tu **préfères** il **préfère**	nous **préférons** vous **préférez** ils **préfèrent**	**préfère** **préférons** **préférez**	j'ai **préféré**	je **préférais**
	Verbs like **préférer**: **accélérer** (*to accelerate, go faster*), **espérer** (*to hope*), **répéter** (*to repeat*)				
manger (*to eat*)	je **mange** tu **manges** il **mange**	nous **mangeons** vous **mangez** ils **mangent**	**mange** **mangeons** **mangez**	j'ai **mangé**	je **mangeais** nous **mangions**
	Verbs like **manger**: **changer** (*to change*), **nager** (*to swim*), **neiger** (*to snow*), **voyager** (*to travel*)				
commencer (*to start, begin*)	je **commence** tu **commences** il **commence**	nous **commençons** vous **commencez** ils **commencent**	**commence** **commençons** **commencez**	j'ai **commencé**	je **commençais** nous **commencions**
	Verbs like **commencer**: **annoncer** (*to announce, proclaim*), **divorcer** (*to divorce*), **se fiancer** (*to get engaged*), **menacer** (*to threaten*)				
payer (*to pay, pay for*)	je **paie** tu **paies** il **paie**	nous **payons** vous **payez** ils **paient**	**paie** **payons** **payez**	j'ai **payé**	je **payais** nous **payions**
	Verb like **payer**: **essayer** (*to try*)				

C. Irregular verbs

INFINITIVE	PRESENT		IMPERATIVE	PASSÉ COMPOSÉ	IMPERFECT
avoir (*to have*)	j'**ai** tu **as** il **a**	nous **avons** vous **avez** ils **ont**	**aie** **ayons** **ayez**	j'ai **eu**	j'**avais**
être (*to be*)	je **suis** tu **es** il **est**	nous **sommes** vous **êtes** ils **sont**	**sois** **soyons** **soyez**	j'ai **été**	j'**étais**
aller (*to go*)	je **vais** tu **vas** il **va**	nous **allons** vous **allez** ils **vont**	**va** **allons** **allez**	je suis **allé(e)**	j'**allais**
s'asseoir (*to sit down*)	je m'**assieds** tu t'**assieds** il s'**assied**	nous nous **asseyons** vous vous **asseyez** ils s'**asseyent**	**assieds-toi** **asseyons-nous** **asseyez-vous**	je me suis **assis(e)**	je m'**asseyais**
boire (*to drink*)	je **bois** tu **bois** il **boit**	nous **buvons** vous **buvez** ils **boivent**	**bois** **buvons** **buvez**	j'ai **bu**	je **buvais**

FUTURE	CONDITIONAL	SUBJUNCTIVE		PRESENT PARTICIPLE
je **préférerai**	je **préférerais**	que je **préfère**		préférant
		que nous **préférions**		
je **mangerai**	je **mangerais**	que je **mange**		mangeant
		que nous **mangions**		
je **commencerai**	je **commencerais**	que je **commence**		commençant
		que nous **commencions**		
je **paierai**	je **paierais**	que je **paie**		payant
		que nous **payions**		

FUTURE	CONDITIONAL	SUBJUNCTIVE		PRESENT PARTICIPLE
j'**aurai**	j'**aurais**	que j'**aie**	que nous **ayons**	ayant
		que tu **aies**	que vous **ayez**	
		qu'il **ait**	qu'ils **aient**	
je **serai**	je **serais**	que je **sois**	que nous **soyons**	étant
		que tu **sois**	que vous **soyez**	
		qu'il **soit**	qu'ils **soient**	
j'**irai**	j'**irais**	que j'**aille**		allant
		que nous **allions**		
je m'**assiérai**	je m'**assiérais**	que je m'**asseye**		s'asseyant
		que nous **nous asseyions**		
je **boirai**	je **boirais**	que je **boive**		buvant
		que nous **buvions**		

INFINITIVE	PRESENT		IMPERATIVE	PASSÉ COMPOSÉ	IMPERFECT
conduire (*to drive*)	je conduis tu conduis il conduit	nous conduisons vous conduisez ils conduisent	conduis conduisons conduisez	j'ai conduit	je conduisais

Verbs like **conduire**: **construire** (*to build*), **détruire** (*to destroy*), **produire** (*to produce*), **traduire** (*to translate*)

INFINITIVE	PRESENT		IMPERATIVE	PASSÉ COMPOSÉ	IMPERFECT
connaître (*to know*)	je connais tu connais il connaît	nous connaissons vous connaissez ils connaissent	connais connaissons connaissez	j'ai connu	je connaissais

Verb like **connaître**: **reconnaître** (*to recognize*)

INFINITIVE	PRESENT		IMPERATIVE	PASSÉ COMPOSÉ	IMPERFECT
croire (*to believe*)	je crois tu crois il croit	nous croyons vous croyez ils croient	crois croyons croyez	j'ai cru	je croyais
devoir (*must, to have to, owe*)	je dois tu dois il doit	nous devons vous devez ils doivent	dois devons devez	j'ai dû	je devais
dire (*to say, tell*)	je dis tu dis il dit	nous disons vous dites ils disent	dis disons dites	j'ai dit	je disais

Verbs like **dire**: **contredire** (*to contradict*), **prédire** (*to predict*)`

INFINITIVE	PRESENT		IMPERATIVE	PASSÉ COMPOSÉ	IMPERFECT
dormir (*to sleep*)	je dors tu dors il dort	nous dormons vous dormez ils dorment	dors dormons dormez	j'ai dormi	je dormais
écrire (*to write*)	j'écris tu écris il écrit	nous écrivons vous écrivez ils écrivent	écris écrivons écrivez	j'ai écrit	j'écrivais

Verbs like **écrire**: **décrire** (*to describe*), **inscrire** (*to write*)

INFINITIVE	PRESENT		IMPERATIVE	PASSÉ COMPOSÉ	IMPERFECT
envoyer (*to send*)	j'envoie tu envoies il envoie	nous envoyons vous envoyez ils envoient	envoie envoyons envoyez	j'ai envoyé	j'envoyais
faire (*to make, do*)	je fais tu fais il fait	nous faisons vous faites ils font	fais faisons faites	j'ai fait	je faisais
lire (*to read*)	je lis tu lis il lit	nous lisons vous lisez ils lisent	lis lisons lisez	j'ai lu	je lisais

FUTURE	CONDITIONAL	SUBJUNCTIVE	PRESENT PARTICIPLE
je **conduirai**	je **conduirais**	que je **conduise** que nous **conduisions**	**conduisant**
je **connaîtrai**	je **connaîtrais**	que je **connaisse** que nous **connaissions**	**connaissant**
je **croirai**	je **croirais**	que je **croie** que nous **croyions**	**croyant**
je **devrai**	je **devrais**	que je **doive** que nous **devions**	**devant**
je **dirai**	je **dirais**	que je **dise** que nous **disions**	**disant**
je **dormirai**	je **dormirais**	que je **dorme** que nous **dormions**	**dormant**
j'**écrirai**	j'**écrirais**	que j'**écrive** que nous **écrivions**	**écrivant**
j'**enverrai**	j'**enverrais**	que j'**envoie** que nous **envoyions**	**envoyant**
je **ferai**	je **ferais**	que je **fasse** que nous **fassions**	**faisant**
je **lirai**	je **lirais**	que je **lise** que nous **lisions**	**lisant**

INFINITIVE	PRESENT		IMPERATIVE	PASSÉ COMPOSÉ	IMPERFECT
mettre (to put, place)	je mets tu mets il met	nous mettons vous mettez ils mettent	mets mettons mettez	j'ai mis	je mettais
Verbs like mettre: permettre (to let, allow, permit), promettre (to promise)					
ouvrir (to open)	j'ouvre tu ouvres il ouvre	nous ouvrons vous ouvrez ils ouvrent	ouvre ouvrons ouvrez	j'ai ouvert	j'ouvrais
Verbs like ouvrir: découvrir (to discover), offrir (to offer), souffrir (to suffer)					
partir (to leave)	je pars tu pars il part	nous partons vous partez ils partent	pars partons partez	je suis parti(e)	je partais
Verb like partir: sortir (to go out)					
pleuvoir (to rain)	il pleut			il a plu	il pleuvait
pouvoir (to be able, can)	je peux tu peux il peut	nous pouvons vous pouvez ils peuvent		j'ai pu	je pouvais
prendre (to take, have)	je prends tu prends il prend	nous prenons vous prenez ils prennent	prends prenons prenez	j'ai pris	je prenais
Verbs like prendre: apprendre (to learn), comprendre (to understand)					
recevoir (to receive)	je reçois tu reçois il reçoit	nous recevons vous recevez ils reçoivent	reçois recevons recevez	j'ai reçu	je recevais
Verbs like recevoir: apercevoir (to see, catch sight of), s'apercevoir (to notice, realize)					
rire (to laugh)	je ris tu ris il rit	nous rions vous riez ils rient	ris rions riez	j'ai ri	je riais
Verb like rire: sourire (to smile)					
savoir (to know)	je sais tu sais il sait	nous savons vous savez ils savent	sache sachons sachez	j'ai su	je savais
suivre (to follow)	je suis tu suis il suit	nous suivons vous suivez ils suivent	suis suivons suivez	j'ai suivi	je suivais

FUTURE	CONDITIONAL	SUBJUNCTIVE	PRESENT PARTICIPLE
je mettrai	je mettrais	que je mette que nous mettions	mettant
j'ouvrirai	j'ouvrirais	que j'ouvre que nous ouvrions	ouvrant
je partirai	je partirais	que je parte que nous partions	partant
il pleuvra	il pleuvrait	qu'il pleuve	pleuvant
je pourrai	je pourrais	que je puisse que nous puissions	pouvant
je prendrai	je prendrais	que je prenne que nous prenions	prenant
je recevrai	je recevrais	que je reçoive que nous recevions	recevant
je rirai	je rirais	que je rie que nous riions	riant
je saurai	je saurais	que je sache que nous sachions	sachant
je suivrai	je suivrais	que je suive que nous suivions	suivant

INFINITIVE	PRESENT		IMPERATIVE	PASSÉ COMPOSÉ	IMPERFECT
se taire (*to be quiet*)	je me **tais** tu te **tais** il se **tait**	nous nous **taisons** vous vous **taisez** ils se **taisent**	**tais-toi** **taisons-nous** **taisez-vous**	je me suis **tu(e)**	je me **taisais**
tenir (*to hold*)	je **tiens** tu **tiens** il **tient**	nous **tenons** vous **tenez** ils **tiennent**	**tiens** **tenons** **tenez**	j'ai **tenu**	je **tenais**
Verbs like **tenir**: **appartenir** (*to belong to*), **obtenir** (*to get, obtain*), **retenir** (*to reserve, retain*), **se tenir** (*to keep, stay*)					
venir (*to come*)	je **viens** tu **viens** il **vient**	nous **venons** vous **venez** ils **viennent**	**viens** **venons** **venez**	je suis **venu(e)**	je **venais**
Verbs like **venir**: **devenir** (*to become*), **prévenir** (*to warn, tell in advance*), **revenir** (*to come back*), **se souvenir** (*to remember*)					
vivre (*to live*)	je **vis** tu **vis** il **vit**	nous **vivons** vous **vivez** ils **vivent**	**vis** **vivons** **vivez**	j'ai **vécu**	je **vivais**
voir (*to see*)	je **vois** tu **vois** il **voit**	nous **voyons** vous **voyez** ils **voient**	**vois** **voyons** **voyez**	j'ai **vu**	je **voyais**
vouloir (*to want,* *wish*)	je **veux** tu **veux** il **veut**	nous **voulons** vous **voulez** ils **veulent**	**veuille** **veuillons** **veuillez** } These forms are rarely used.	j'ai **voulu**	je **voulais**

FUTURE	CONDITIONAL	SUBJUNCTIVE	PRESENT PARTICIPLE
je me tairai	je me tairais	que je me taise que nous nous taisions	se taisant
je tiendrai	je tiendrais	que je tienne que nous tenions	tenant
je viendrai	je viendrais	que je vienne que nous venions	venant
je vivrai	je vivrais	que je vive que nous vivions	vivant
je verrai	je verrais	que je voie que nous voyions	voyant
je voudrai	je voudrais	que je veuille que nous voulions	voulant

FRENCH-ENGLISH VOCABULARY

The French-English Vocabulary contains active and passive words from the text, as well as the important words of the illustrations. Obvious passive cognates have not been listed.

The numbers following an entry indicate the unit and lesson in which the word or phrase is activated. (**R** stands for **Reprise**.) Passive meanings are separated from active meanings by a semicolon.

Nouns: If the article of a noun does not indicate gender, the noun is followed by *m. (masculine)* or *f. (feminine)*. If the plural *(pl.)* is irregular, it is given in parentheses.

Adjectives: Adjectives are listed in the masculine form. If the feminine form is irregular, it is given in parentheses. Irregular plural *(pl.)* forms are also given in parentheses.

Verbs: Verbs are listed in the infinitive form. An asterisk (✱) in front of an active verb means that it is irregular. (For forms, see the verb charts in Appendix 4C. Irregular past participle *(p. part.)*, present participle *(pres. part.)*, and subjunctive *(subj.)* forms are listed separately.

Words beginning with an **h** are preceded by a bullet (•) if the **h** is aspirate; that is, if the word is treated as if it begins with a consonant sound.

a

à at, to, in **(R.1)** **à** + *hour, day, date, moment* see you (at/on) . . . **(6.1)** **à (mardi) en huit** see you a week from (Tuesday) **(6.1)** **à pied** on foot **(R.3)** **à quelle heure?** at what time? **(R.1)** **à qui?** to whom? **(R.1)**

abandonner to abandon, give up, quit

abolir to abolish

abord: d'abord first, at first **(1.4)**

un **absent,** une **absente** absent person

s' **absenter** to be away

absolu absolute

absolument absolutely

absorbé absorbed

abstrait abstract

absurde absurd, crazy **(7.3)**

accélérer to accelerate, go faster **(7.4)**

accentué: un pronom accentué stress pronoun

accentuer to emphasize

accepter (de) to accept, agree **(2.4)**

un **accès** approach

un **accessoire** accessory

un **accident** accident **(1.5)**

accidenté damaged in an accident

accompagner to accompany, go along with **(5.1)**

accord: d'accord okay, all right **être d'accord avec** to agree with **(R.4)**

s' **accuser** to accuse, blame

acheter to buy **(1.1) (3.1)**

un **acheteur,** une **acheteuse** buyer

l' **acier** *m.* steel **(5.4)**

acquérir to acquire

actif (active) active **(2.5)**

activement actively

une **activité** activity

une **actrice** actress

actuel (actuelle) present **(6.2)** **à l'heure actuelle** at present

actuellement at present **(6.5)**

l' **addition** check, bill, addition

additionner to add together

un **adepte,** une **adepte** follower

un **adjectif** adjective

un **admirateur,** une **admiratrice** admirer

admirer to admire **s'admirer** to admire oneself

adorer to love **(R.1)**; to worship

une **adresse** address **(2.1)**

s' **adresser à** to talk to **(8.5)**

un **aéroport** airport

des **affaires** *f.* things, personal belongings **un homme d'affaires** businessman

affamé hungry

affectueusement affectionately

une **affiche** sign; poster **(4.3)**

affirmatif (affirmative) affirmative

affirmativement affirmatively, saying "yes"

l' **Afrique** *f.* Africa **(R.3)**

un **âge** age **âgé** old **(R.2)**

une **agence** agency

un **agent,** une **agent** agent **un agent de police** policeman

aggressivement aggressively

agité restless, excited **(5.3)**

l' **agneau** *m.* lamb **(6.3)**

agréable pleasant, agreeable **(6.1)**

agricole agricultural

ah bon? really? **(5.5)**

aider to help **(2.2)**

aille *(subj. of* **aller)** **(7.4)**

aimable friendly; pleasant, nice **(2.5)**

aimer to like **(R.1)** **aimer mieux** to prefer **(R.1)**

aîné oldest

ainsi therefore **(5.5)**; so

l' **air** *m.* air, tune **avoir l'air** to look **(5.3)**

ait *(subj. of* **avoir)** **(7.3)**

ajouter to add

alarmer to alarm

l' **Allemagne** *f.* Germany **(R.3)**

allemand German **(R.2)**

✱ **aller** to go **(R.3)** **aller** + *inf.* to be going to + *inf.* **(R.3)**

une **allergie** allergy

une **alliance** wedding ring **(3.5)**

l' **Alliance Française** *an organization dedicated to the teaching of French in the world*

allié allied

un **allié,** une **alliée** ally

allô hello *(on the telephone)*

allumer to light

une **allumette** match **(8.1)**

une **allure** manner

alors then, so **(1.2)** **alors que** while

429

l' **alpinisme** *m.* mountain climbing (**1.1**)

l' **Alsace** *f.* Alsace (*province in eastern France*)

l' **aluminium** *m.* aluminum (**5.4**)

une **amande verte** *bitter almond liqueur*

un **amateur** amateur, enthusiast

une **ambiance** atmosphere

ambitieux (ambitieuse) ambitious (**2.5**)

amener to take, bring (along) (*mainly people*) (**3.1**)

américain American (**R.2**)

s' **américaniser** to become Americanized

l' **Amérique** *f.* America **l'Amérique du Nord** North America (**R.3**) **l'Amérique du Sud** South America (**R.3**)

un **ami, une amie** friend (**R.2**) **un meilleur ami, une meilleure amie** best friend (**R.2**) **un petit ami** boyfriend (**R.2**) **une petite amie** girlfriend (**R.2**)

amicalement love (*at the end of a letter*)

l' **amitié** *f.* friendship (**3.5**) **amitiés** best regards (*at the end of a letter*)

l' **amour** *m.* love (**3.5**) **amoureux (amoureuse)** in love **tomber amoureux (amoureuse) (de)** to fall in love (with) (**3.5**)

un **amplificateur** amplifier

amusant amusing (**R.2**)

amuser to amuse **s'amuser** to have fun (**3.4**)

un **an** year (**6.1**) **avoir...ans** to be . . . (years old) (**R.4**) **le Jour de l'An** New Year's Day

un **ananas** pineapple

un **ancêtre** ancestor

ancien (ancienne) former, old (**6.2**)

un **âne** donkey

anglais English (**R.2**)

l' **anglais** English (*language*)

un **angle** corner (**4.4**)

l' **Angleterre** *f.* England (**R.3**)

un **animal** (*pl.* **animaux**) animal (**R.2**)

animé animated

s' **animer** to come alive

une **année** (whole) year (**6.1**)

un **anniversaire** birthday **joyeux**

anniversaire! happy birthday!

annoncer to announce (**2.1**) (**4.1**) to proclaim (**8.2**)

annuel (annuelle) annual

annuellement annually

un **anorak** ski jacket (**R.5**)

ans: avoir...ans to be . . . (years old) (**R.4**)

les **Antilles** *f.* West Indies

août August (**R.4**)

∗ **apercevoir** to see, catch sight of (**3.4**) **s'apercevoir (de)** to note, notice, realize (**3.4**)

apparaître to appear

un **appareil-photo** camera (**R.2**)

l' **apparence** *f.* appearance

apparenté: un mot apparenté cognate

un **appartement** apartment (**6.2**)

∗ **appartenir à** to belong to (**7.1**)

un **appel** call

appelé called

appeler to call (**3.2**) **s'appeler** to be named (**3.4**)

appelez: vous vous appelez your name is

appétissant appetizing

un **appétit** appetite

applaudir to applaud

apporter to take, bring (along) (*things*) (**3.1**)

apprécier to appreciate

∗ **apprendre** to learn (**1.1**); to teach **apprendre à + inf.** to learn (how) to (**1.1**)

s' **approcher (de)** to approach, get near (to) (**8.4**)

approprié appropriate

appuyer to step, push

après after (**1.4**) **après tout** after all (**8.2**) **d'après** according to (**1.3**) **d'après vous** in your opinion

l' **après-midi** *m.* afternoon, in the afternoon (**R.3**) **à cet après-midi** see you this afternoon (**6.1**) **cet après-midi** this afternoon (**R.3**) **(lundi) après-midi** (on) (Monday) afternoon (**R.3**)

un **arbre** tree (**8.3**)

un **archéologue** archaeologist

un **architecte, une architecte** architect (**1.2**)

une **arène** arena

l' **argent** *m.* money (**1.3**) silver

(**5.4**) **l'argent de poche** pocket money

une **arme** weapon

armé armed

une **armée** army

s' **arranger** to get settled

arrêter to arrest, stop (*someone, something*) **s'arrêter** to stop (**3.4**)

une **arrivée** arrival (**5.2**); finish **arriver (à, de)** to arrive, come (**R.3**) to happen (**4.2**) **arriver à** to be successful in (**8.3**) **qu'est-ce qui est arrivé?** what happened? (**4.2**)

un **artichaut** artichoke

un **article** article (**2.1**)

un **ascenseur** elevator (**6.2**)

une **ascension** ascent

l' **Asie** *f.* Asia (**R.3**)

l' **aspect** aspect, appearance

des **asperges** *f.* asparagus

l' **aspirine** *f.* aspirin (**6.3**)

∗ s' **asseoir** to sit down (**3.2**) **asseyez-vous** sit down (**3.2**) **assez** rather, enough (**R.1**) **assieds-toi** sit down (**3.2**)

une **assiette** plate

assis seated

assister to attend

un **associé, une associée** associate

assurer to assure, permit

un **astérisque** asterisk

attaquer to attack

atteindre to reach

attendre to wait, wait for (**R.5**)

une **attention** care, attention **attention!** watch out! **faire attention (à)** to pay attention (to), be careful (about) (**1.1**)

attentivement carefully

attirer to attract

attraper to catch

au (à + le) at (the), to (the) (**R.3**) **au (24)** see you on the (24th) (**6.1**) **au (2 juin)** see you on (June 2) (**6.1**)

audacieux (audacieuse) daring

au-dessus above

aujourd'hui today (**R.3**)

auprès de next to

aura (*future of* **avoir**) (**5.3**)

aussi also, too (**R.1**); that, so, therefore

aussi...que as . . . as (**5.1**)

l' **Australie** *f.* Australia (**R.3**)

autant de...que as much . . . as, as many . . . as **(5.1)**
un auteur originator, author
une auto car **(R.2)** **en auto** by car **(R.3)**
un autobus bus **(R.3)** **en autobus** by bus **(R.3)**
une auto-école driving school
l' automne *m.* autumn, fall **(R.4)** **en automne** in (the) autumn, fall **(R.4)**
un automobiliste, une automobiliste driver
l' autorité *f.* authority
une autoroute divided highway **(8.2)**
autour (de) around **(3.2)**
autre other **(4.4)** **autre chose** something else
d'autres other(s) **(4.4)**
l'autre the other (one) **(4.4)**
les autres the others **(4.4);** other people **pas d'autre** not another, no other **(4.4)** **un (une) autre** another **(4.4)**
autrefois in the past **(4.1)**
autrement otherwise **(6.5)**
l' Autriche *f.* Austria
l' Auvergne *f.* Auvergne (*province in central France*)
aux (à + les) at (the), to (the) **(R.3)**
avance: être en avance to be early **(3.3)**
avant before **(1.4); first**
avant de before **(8.4)**
avec with **(R.1)** **avec qui?** with whom? **(R.1)**
l' avenir *m.* future **(5.2)**
une aventure adventure **(8.1)**
un aventurier adventurer
une avenue avenue **(4.4)**
aveugle blind
un aveugle, une aveugle blind person
un avion plane **(R.3)** **en avion** by plane **(R.3)**
un avis opinion **(6.5)** **à (mon) avis** in (my) opinion **(5.5)**
changer d'avis to change one's mind **(6.5)**
un avocat, une avocate lawyer **(1.2)**
∗ avoir to have **(R.2)**
avoir...ans to be . . . (years old) **(R.4)** **avoir besoin de**

to need **(1.3)** **avoir chaud** to be warm, hot **(1.3)** **avoir de la chance** to be lucky **(1.3)**
avoir envie de to feel like, want **(1.3)** **avoir faim** to be hungry **(1.3)** **avoir froid** to be cold **(1.3)** **avoir l'air** to look **(5.3)** **avoir lieu** to take place **(3.5)**
avoir l'intention de to intend to, plan to **(2.1)** **avoir peur** to be afraid **(7.4)** **avoir raison** to be right **(1.3)**
avoir soif to be thirsty **(1.3)**
avoir sommeil to be sleepy **(1.3)** **avoir tort** to be wrong **(1.3)**
avril April **(R.4)**
ayant (*pres. part. of* **avoir**) **(8.5)**
ayez (*subj. of* **avoir**) **(7.3)**

b

les bagages *m.* baggage, luggage **(2.2)**
une bague ring **(R.5)**
une baignoire bathtub
bain: un bain de soleil sunbath **un maillot de bain** bathing suit **(R.5)** **une salle de bains** bathroom **(3.1)**
un bal dance **(6.1)**
un balai broom
un ballon balloon
une banane banana **(1.1)**
des bandes dessinées *f.* comics **(2.1)**
la banlieue suburbs **(6.2)**
bannir to banish
une banque bank **(R.3)**
un banquier banker
bas (basse) soft; low **(4.3)**
des bas *m.* stockings **(R.5)**
la base basis **à base de** based on
basé based
le basket (ball) basketball
une bataille battle
un bateau (*pl.* **bateaux**) boat **(R.3)** **en bateau** by boat **(R.3)**
bâtisseur (bâtisseuse) builder
un bâton post
battre to beat
battu beaten, defeated
bavard talkative **(2.3)**
bavarder to talk, chat **(4.3)**

beau (bel, belle; beaux) good-looking, beautiful **(R.2) (2.4)**
il fait beau it's nice (weather) **(R.5)**
beaucoup (very) much, a lot **(R.1)** many **(6.4)**
bel good-looking, beautiful **(2.4)**
belle good-looking, beautiful **(2.4)**
besoin: avoir besoin de to need **(1.3)**
bête stupid, dumb, silly **(R.2)**
une bête animal
la bêtise stupidity, foolishness
le béton concrete
le beurre butter **(1.1)**
une bibliothèque library **(R.3)** bookcase **(4.3)**
une bicyclette bicycle **(R.2)**
bien well **(R.1)** indeed, very **(3.4);** much **bien à toi** yours **bien sûr** of course **eh bien** well . . . **(5.5)**
ou bien or else **vouloir bien** to want (*used to accept an offer*) **(1.2)** to accept, agree **(7.2)**
bientôt soon **(4.1)** **à bientôt** see you soon (in a few days) **(6.1)**
la bière beer **(1.1)**
un billet ticket **(2.1)**
blanc (blanche) white **(R.5)**
blessé hurt
un blessé, une blessée injured person
blesser to injure, hurt
bleu blue **(R.5)**
blond blond **(R.2)**
un blue-jeans jeans **(R.5)**
le bœuf beef **(6.3)**
un bœuf ox, steer
∗ boire to drink **(1.1)**
le bois wood **(5.4)**
une boisson beverage, drink **(1.1)**
une boîte box **(1.5)** can **(6.4)**
bon (bonne) good **(R.2)**
à quoi bon? what's the use?
ah bon? really? **(5.5)**
bon marché cheap **(1.3)** inexpensive **(5.1)**
des bonbons *m.* candy
le bonheur happiness
bonjour hello, good morning, good afternoon

un **bonnet** (wool) hat **(R.5)**
le **bord** shore
une **borne** marker
botanique botanical
des **bottes** *f.* boots **(R.5)**
une **bouche** mouth **(3.3)**
un **boucher,** une **bouchère** butcher **(6.3)**
une **boucherie** butcher shop **(6.3)**
des **boucles d'oreille** *f.* earrings **(R.5)**
bouger to move
la **bouillabaisse** fish chowder
un **boulanger,** une **boulangère** baker **(6.3)**
une **boulangerie** bakery **(6.3)**
un **boulevard** boulevard **(4.4)**
la **Bourgogne** Burgundy (*province in central France*)
un **bout** end **(5.5)** **au bout de** after
une **bouteille** bottle **(6.4)**
un **bracelet** bracelet **(R.5)**
un **bras** arm **(3.3)**
brésilien (brésilienne) Brazilian
la **Bretagne** Brittany (*province in western France*)
breton Breton (*from Brittany*)
bricoleur (bricoleuse) mechanically inclined
brièvement briefly
un **brigand** robber
brillamment brilliantly
briller to shine
la **brique** brick **(5.4)**
britannique British
une **brosse à cheveux** hairbrush **(3.3)**
une **brosse à dents** toothbrush **(3.3)**
se **brosser** to brush **(3.3)**
un **bruit** noise **(7.2)**
brûler to burn
brun dark-haired **(R.2)** dark brown **(R.5)**
bruni tanned
brusquement suddenly
bu (*p. part. of* **boire**) **(1.4)**
un **bureau** office, desk **(1.4)**
un **bureau de tabac** tobacco shop **(6.3)**
un **but** aim

C

c' (*see* **ce**)
ça that **(2.2)** **ça ne fait rien**
that doesn't matter, no problem **(6.2)** **ça, par exemple!** what do you mean!; what do you know! **(6.5)** **c'est ça!** that's it!
cacher to hide **(6.2)**
un **cadeau** (*pl.* **cadeaux**) gift, present **(3.5)**
un **cadre** frame
un **cadre d'entreprise** executive
le **café** coffee **(1.1)**
un **café** café **(R.3)**
une **cafétéria** cafeteria
un **cahier** notebook **(2.1)**
une **calculatrice** calculator **(R.2)**
un **calendrier** calendar **(6.2)**
calme calm **(5.3)**
calmement calmly
calmer to calm **se calmer** to calm down
un **camarade,** une **camarade** classmate **(R.2)**
un **cambriolage** burglary
cambriolé burglarized
un **cambrioleur** burglar
une **caméra** movie camera **(R.2)**
la **campagne** country, countryside **(R.3)**
camper to camp **(8.1)**
un **campeur,** une **campeuse** camper **(8.1)**
le **camping** camping **(1.1)** **faire du camping** to go camping **(8.1)**
un **camping** campground **un terrain de camping** campground **(8.1)**
le **Canada** Canada **(R.3)** **canadien (canadienne)** Canadian **(R.2)**
un **canard** duck **(8.3)**
un **canari** canary
le **caoutchouc** rubber
car since, because **(3.5)**
une **caractéristique** characteristic
caraïbe Caribbean
les **Caraïbes** Caribbean Indians
un **carnet** small notebook **(2.1)**
une **carotte** carrot **(1.1)**
un **carrefour** intersection, crossroads **(8.2)**
une **carrière** career
une **carte** card **(2.1)** map **(8.2)** **les cartes** (playing) cards **(1.4)** **une carte de vœux**
Christmas card **une carte postale** postcard **(2.1)**
un **cas** case **en tout cas** in any case **(5.2)** **suivant le cas** accordingly
un **casque** helmet
un **casse-cou** daredevil
casser to break **(4.3)** **se casser (la jambe)** to break (one's leg) **(4.3)**
une **casserole** pot, pan **(8.1)**
une **cassette** cassette **(R.2)**
cause: à cause de because of **(7.5)**
une **cave** cellar
ce it, that **ce que** what **c'est** that's, it's, he's, she's **(R.2)** **c'est-à-dire** that is (to say) **c'est le (27 septembre)** it's (September 27th) **(R.4)** **qu'est-ce que c'est?** what is it?
ce (cet, cette; ces) this, that, these, those **(R.5)** **ce...-ci** this (over here) **(R.5)** **ce...-là** that (over there) **(R.5)**
ceci this **(2.2)**
céder to give up
une **ceinture de sécurité** seat belt
cela that **(2.2)**
célèbre famous **(5.1)**
le **céleri** celery **(1.1)**
celle the one **(8.1)** **celle-ci** this one **(8.1)** **celle-là** that one **(8.1)** **celle de** the one of/belonging to/from **(8.1)**
celles these, those **(8.1)** **celles-ci** these **(8.1)** **celles-là** those **(8.1)** **celles de** the ones of/belonging to/from **(8.1)**
celtique Celtic
celui (celle) the one **(8.1)** **celui-ci** this one **(8.1)** **celui-là** that one **(8.1)** **celui de** the one of/belonging to/from **(8.1)**
cent one hundred **(R.5)** **pour cent** percent
une **centaine** about 100
un **centre** center **au centre (de)** in the center (of) **(3.2)** **un centre commercial** shopping center
cependant however
la **céramique** ceramics

une **cérémonie** ceremony
une **cerise** cherry (6.3)
certain certain **certains** some **il est certain** it is certain (7.5)
certainement certainly
la **certitude** certainty
ces these, those (R.5)
cesser de to stop (8.3)
c'est (*see* ce) (R.2)
c'est-à-dire that is (to say)
cet this, that (R.5)
cette this, that (R.5)
ceux (celles) these, those (8.1) **ceux-ci** these (8.1); the latter **ceux-là** those (8.1) **ceux de** the ones of/belonging to/from (8.1)
chacun each one, each person (1.3)
une **chaîne** chain
une **chaîne-stéréo** stereo set (R.2)
une **chaise** chair (4.3)
une **chambre** room; bedroom (3.1)
un **chameau** (*pl.* **chameaux**) camel
un **champ** field (8.3)
la **chance** luck (5.5) **avoir de la chance** to be lucky (1.3) **tenter sa chance** to try one's luck (7.1)
le **changement de vitesse** speed changer, gear shift
changer (de) to change (4.1) **changer d'opinion** to change one's mind
une **chanson** song
chanter to sing (R.1)
un **chanteur, une chanteuse** singer
un **chapeau** (*pl.* **chapeaux**) hat (R.5)
chaque each (1.1)
une **charcuterie** delicatessen (6.3)
un **charcutier, une charcutière** delicatessen owner (clerk) (6.3)
chargé de in charge of **charger** to load
une **charrue** cart
la **chasse** hunting **chasser** to hunt, drive out
un **chat** cat (R.2)
un **château** (*pl.* **châteaux**) castle
chaud warm, hot **avoir chaud** to be warm, hot (1.3) **il fait chaud** it's hot (weather) (R.5)
un **chauffeur, une chauffeuse** driver

des **chaussettes** *f.* socks (R.5)
des **chaussures** *f.* shoes (R.5)
chauve bald
un **chef** chef, head; chief, leader (8.5)
un **chemin de fer** railroad
une **cheminée** fireplace
une **chemise** shirt (R.5)
un **chemisier** blouse (R.5)
cher (chère) expensive (1.3) dear (1.5)
chercher to get, pick up (2.1) to look for (2.2)
un **chercheur** seeker
chéri darling
un **cheval** (*pl.* **chevaux**) horse (8.3)
un **chevalier** knight
les **cheveux** *m.* hair (3.3)
chez home, at home, at the house (office, shop, etc.) of, to the house of (R.4) **chez moi (toi, lui...)** (at) home
un **chien** dog (R.2)
les **chiffres** *m.* statistics
chilien (chilienne) Chilean
chimique chemical
un **chimiste, une chimiste** chemist
le **chinois** Chinese (*language*)
chœur: un enfant de chœur altar boy
choisir to choose, pick (R.5)
un **choix** choice **au choix** choose one, your choice
une **chorale** choir
une **chose** thing (R.2) **quelque chose** something (2.5)
la **choucroute** sauerkraut
un **Chrétien, une Chrétienne** Christian
ci: ce...-ci this (over here) (R.5) **ci-dessus** above
une **cicatrice** scar
le **ciel** heaven; sky (8.4)
une **cigarette** cigarette (6.3)
le **cinéma** movies
un **cinéma** movie theater (R.3)
cinq five (R.1)
une **cinquantaine** about fifty
cinquante fifty (R.2)
cinquième fifth (6.5)
une **circonstance** circumstance
la **circulation** traffic, circulation
des **ciseaux** *m.* scissors (3.3)
une **citation** quotation
la **Cité Universitaire** students' residence(s)

un **citoyen, une citoyenne** citizen
clair clear
clairement clearly
une **classe** class **en classe** to class, in class
classé ranked
un **classement** ranking
classer to classify
classique classical
une **clé** key (1.5) **fermer à clé** to lock (6.2)
un **client, une cliente** client, customer
le **Coca-Cola (coca)** Coke (1.1)
un **cochon** pig
un **cœur** heart (3.3)
un **coffre** trunk (7.4)
un **coin** corner, spot
colère: en colère angry (5.3) **se mettre en colère** to get angry (3.4)
un **collègue, une collègue** colleague
un **collier** necklace (R.5)
un **colon** colonist
une **colonie** colony **une colonie de vacances** (summer) camp (5.2)
une **colonne** column
un **combat** battle **combattre** to fight
combien how much (1.3) **combien de fois?** how many times? (4.1)
le **commandement** command **commander** to order (1.1); to command
comme like, as, since (6.1); as well as
commémorer to commemorate
commençant beginning
le **commencement** beginning
commencer to start, begin (3.2) (4.1) **commencer à + inf.** to begin to (4.1)
comment? how? (R.1) what? (5.1) **comment est-il/elle?** what's he/she like? what does he/she look like?
un **commentaire** comment
un **commerçant, une commerçant** shopkeeper, merchant
un **commerce** business
un **commissaire** police commissioner
une **commode** dresser (4.3)

une **compagnie** company **en compagnie de** in the company of
un **compagnon** friend, companion
une **comparaison** comparison
complément: un pronom complément object pronoun
complet (complète) full
complétant: en complétant by completing
complètement completely
compléter to complete
compliqué complicated **(5.1)**
composer to compose, write
✻ **comprendre** to understand **(1.1)**; to include
compter to count **(6.2)**
compter (sur) to count (on), depend (on), rely (on) **(5.5)**
un **concierge,** une **concierge** concierge (*building superintendent*)
un **concours** contest **(5.5)**
la **concurrence** competition
un **conducteur,** une **conductrice** driver **(4.4)**
✻ **conduire** to drive **(1.2)** **un permis de conduire** driver's license
conduit (*p. part. of* **conduire**) **(1.4)**
la **conduite** driving
la **confiture** jam **(1.1)**
le **confort** comfort
conjuguer to conjugate
connaissance: faire la connaissance de to meet **(2.1)** **faire connaissance avec** to become acquainted with
connaître to know, be acquainted or familiar with **(2.2)**
connu (*p. part. of* **connaître**) to make the acquaintance of **(2.2)**; known
un **conquérant** conqueror
conquérir to conquer
se **consacrer** to devote oneself
consciencieux (consciencieuse) conscientious
un **conseil** piece of advice, council **des conseils** advice **suivre un conseil** to take advice **(6.1)**
conseiller to advise **(8.5)**
conséquent: par conséquent consequently, therefore **(8.2)**
consommer to consume
constamment constantly
constitué (par) made up (of)
un **constructeur** builder, manufacturer
✻ **construire** to build **(1.2)**
construit (*p. part. of* **construire**) **(1.2)**
content happy **(R.2)** content **(5.3)**
un **continent** continent **(R.3)**
continuer (à) to continue **(7.5)** to go on **(8.3)**
le **contraire** opposite **au contraire** on the contrary
une **contravention** traffic ticket
contre against **(6.2)** **par contre** on the other hand
un **contrebandier** smuggler
✻ **contredire** to contradict **(2.1)**
convaincre to convince
convenable suitable
conviennent: qui conviennent (that are) appropriate
convient: qui convient (that is) appropriate
une **convocation** summons
convoquer to call together
un **copain,** une **copine** pal, friend **(7.3)**
une **copine** pal, friend **(7.3)**
cordialement cordially
le **corps** body, corps
correctement correctly
correspondant corresponding
un **correspondant,** une **correspondante** pen pal **(6.1)**
correspondre to correspond **faire correspondre** to match
la **Corse** Corsica (*French island off the Italian coast*)
un **costume** suit **(R.5)**
la **côte** coast, shore
côté: à côté (de) beside, next to **(3.2)**
le **coton** cotton **(5.4)**
couchage: un sac de couchage sleeping bag **(8.1)**
se **coucher** to go to bed **(3.3)**; to set (*the sun*)
couler to sink
une **couleur** color
un **couloir** corridor
un **coupable,** une **coupable** guilty one
couper to cut **(3.1)** **se couper** to cut oneself **(3.1)**
la **cour** court
courageux (courageuse) courageous **(2.5)**
courant running
un **courant** current **dans le courant de** during
un **coureur** racer
la **couronne** crown
le **courrier** mail **(2.1)**
un **cours** course **(6.1)** **suivre un cours** to take a course (class) **(6.1)**
une **course** race
les **courses** *f.* shopping **faire les courses** to go shopping (*for food*), do the shopping **(1.1)**
court short **(4.1)**
un **courtisan** court attendant
un **cousin,** une **cousine** cousin **(R.4)**
le **coût** cost
un **couteau de poche** pocket knife **(8.1)**
coûter to cost **(1.3)**
une **coutume** habit, custom
couvert covered
une **couverture** blanket **(8.1)**
une **crainte** fear
une **cravate** tie **(R.5)**
un **crayon** pencil **(2.1)**
crédule gullible
créer to create, set up
la **crème** custard **(1.1)**
une **crémerie** dairy store **(6.3)**
un **crémier,** une **crémière** dairy store owner (clerk) **(6.3)**
le **créole** Creole (*French dialect spoken in the Caribbean*)
une **crinière** crest
critique critical
une **critique** criticism
critiquer to criticize **(2.4)**
✻ **croire (à, que)** to believe (in, that) **(5.5)**
une **croissade** crusade
un **croissant** crescent; crescent roll **(6.3)**
une **croix** cross **la Croix Rouge** Red Cross
une **croyance** belief
cru (*p. part. of* **croire**) **(5.5)**
la **cuisine** cooking **faire la cuisine** to cook, do the cooking **(1.1)**

une **cuisine** kitchen **(3.1)**
une **cuisinière** range, stove **(4.3)**
le **cuivre** copper **(5.4)**
curieux (curieuse) curious **(2.5)**
le **cyclisme** cycling
cycliste cycling

d

d' *(see* **de***)*
d'abord first, at first **(1.4)**
d'accord okay, all right **être d'accord avec** to agree with **(R.4)**
une **dame** woman, lady
un **dancing** dance hall
dangereux (dangereuse) dangerous **(7.1)**
dans in, into **(1.4)** inside **(6.2)**
la **danse** dance
danser to dance **(R.1)**
d'après according to **(1.3)**
d'après vous in your opinion
la **date** date **(R.4)** **quelle est la date aujourd'hui?** what's the date today? **(R.4)**
d'autres other(s) **(4.4)**
de of, from **(R.1)** any **(1.1)**; with
débarquer to land
un **débat** debate
déboucher to uncork
le **débrayage** clutch pedal
débrouillard able to manage **(8.1)**
le **début** beginning **(6.1)**
décamper to leave
décembre December **(R.4)**
décider (de) to decide (to) **(5.1)**
une **décision** decision **prendre une décision** to make a decision **(8.2)**
décorer to decorate
une **découverte** discovery
✻ **découvrir** to discover **(6.2)**
✻ **décrire** to describe **(2.1)**
déçu disappointed **(7.2)**; deceived
dedans into
défaire to defeat
défait undone
un **défaut** fault
défense de + *inf.* do not . . .
un **défilé** parade

défini definite
défoncé bashed in
dégoûté de disgusted with
degrés: il fait...degrés it's . . . (degrees)
déguisé disguised
dehors outside **(7.2)**
déjà already **(4.1)**; before, ever
déjeuner to have (eat) lunch **(R.1)**
le **déjeuner** lunch **(1.1)** le **petit déjeuner** breakfast **(1.1)**
délicieux (délicieuse) delicious
délivrer to give
demain tomorrow **(R.3)** **à demain** see you tomorrow **(6.1)**
demander to ask, ask for **(2.3)**
démarrer to start *(a car)*
demie: ...heure(s) et demie half past . . . **(R.1)**
une **demi-heure** half-hour
démonstratif (démonstrative) demonstrative
démontrer to demonstrate
le **dentifrice** toothpaste **(3.3)**
un **dentiste, une dentiste** dentist
les **dents** *f.* teeth **(3.3)**
une **dépense** expense
un **départ** departure **(5.2)**; start
un **département** department *(administrative division of France)*
dépêcher to dispatch **se dépêcher** to hurry **(3.4)**
dépend: ça dépend that depends
dépenser to spend **(1.3)**
déporté deported
depuis since **(4.5)** **depuis combien de temps?** for how long? **(4.5)** **depuis quand?** since when? **(4.5)** **depuis que** since **(4.5)** **depuis quelle heure?** since what time? **(4.5)**
le **dérangement** turmoil
déraper to skid **(4.3)**
dérision: par dérision mockingly
dernier (dernière) last **(3.2)** **(lundi) dernier** last (Monday) **(R.3)**
derrière behind, in back (of) **(3.2)**
des (de + les) some **(R.2)** of (the), from (the) **(R.3)**

dès as early as, upon
désagréable unpleasant **(R.2)**
descendre to go down **(1.5)**
désespéré desperate, hopeless
se **déshabiller** to get undressed **(3.3)**
un **désir** wish
désirer to wish, desire **(R.1)** to want **(7.2)**
la **désobéissance** disobedience, failure to obey **(7.3)**
désolé sad; very sorry **(7.4)**
un **dessert** dessert **(1.1)**
dessinées: des bandes dessinées *f.* comics **(2.1)**
la **destinée** destiny
détaillé detailed
se **détendre** to relax
la **détente** relaxation
détester to hate, dislike **(R.1)**
un **détroit** strait
✻ **détruire** to destroy **(1.2)**
deux two **(R.1)**
deuxième second
deuxièmement secondly
devant in front (of) **(3.2)**
une **devanture** windowfront
dévasté devastated, ruined
développer to develop
✻ **devenir** to become **(1.5)**
devenu *(p. part. of* **devenir***)* **(1.5)**
deviner to guess
une **devinette** guessing game
une **devise** motto
✻ **devoir** must, to have to, owe **(1.2)**
un **devoir** homework assignment
devra *(future of* **devoir***)* **(5.4)**
d'habitude usually **(4.3)**
un **diable** devil
un **diamant** diamond
dicter to dictate
Dieu: mon Dieu! my goodness!
difficile difficult, hard **(5.1)**
dimanche Sunday, on Sunday **(R.3)**
dîner to have (eat) dinner, supper **(R.1)**
le **dîner** dinner **(1.1)**
un **diplôme** diploma
✻ **dire** to say, tell **(2.1)** **vouloir dire** to mean **(1.2)**
directement directly
un **directeur, une directrice** director, principal

diriger to steer, direct
dis donc hey
disant: en disant by saying
une **discipline** (school) subject
discipliné disciplined
discret (discrète) discreet
disparaître to disappear
dispersé spread, scattered
disposé set
une **dispute** quarrel, dispute
un **disque** record (R.2)
une **distance** distance (8.2)
dit (*p. part. of* **dire**) (2.1)
divers various
divisé divided
divorcer to divorce (3.5)
dix ten (R.1)
dix-huit eighteen (R.2)
dix-neuf nineteen (R.2)
dix-sept seventeen (R.2)
un **docteur** doctor
un **doigt** finger (3.3)
un **dollar** dollar (1.3)
un **domaine** domain
dommage: c'est dommage! what a pity! that's too bad! (4.5)
il est dommage it's too bad (7.3)   **quel dommage!** too bad!
donc therefore, so (2.2)
donner to give (2.3)   **donner rendez-vous (à)** to arrange to meet, make a date (3.5)
dont whose
* **dormir** to sleep (1.5)
un **dos** back (3.3)   **un sac à dos** backpack, knapsack (8.1)
le **doute** doubt
douter to doubt (7.5)
doux (douce) mild
une **douzaine** about twelve, a dozen
douze twelve (R.1)
un **drame** scene
droit right (4.3)
le **droit** law, right
droite: à droite (de) to the right (of) (3.2)
drôle funny (R.2)
du (de + le) of (the), from (the) (R.3)   **some** (1.1)
dû (*p. part. of* **devoir**) (1.4)
un **duc** duke
un **duché** dukedom
durs: des œufs durs hard-boiled eggs
durer to last (1.3)

dynamique dynamic, energetic

e

l' **eau** *f.* (*pl.* **eaux**) water (1.1)
l'eau minérale mineral water (1.1)
un **échange** exchange
échanger to exchange, trade
un **échec** failure
s' **échouer** to sink
un **éclair** (flash of) lightning (8.4)
éclater to break out
une **école** school (R.3)   une **école d'été** summer school (5.2)
économies: faire des économies to save money (1.3)
économique economical
écouter to listen to (R.1)
un **écran** screen
* **écrire** to write (2.1)   une **machine à écrire** typewriter (4.3)
écrit (*p. part. of* **écrire**) (2.1)
une **écriture** writing
un **écrivain** writer
un **édifice** building
effet: en effet in fact; indeed, as a matter of fact (6.3)
égal (*pl.* **égaux**) equal
également also
l' **égalité** *f.* equality
une **église** church (R.3)
égoïste selfish (5.1)
eh bien well . . . (5.5)
électrique electric, electrical
un **électrophone** record player (R.2)
élémentaire elementary
un **élève, une élève** student (R.2)
élevé high (4.3)
s' **élever** to rise
elle she (R.1) her (R.4)
elle-même herself
elles they (R.1) them (R.4)
élu elected
émanciper to emancipate, free
un **embarras** problem
embarrassant embarrassing
embêtant annoying (R.2)
s' **embêter** to get bored (3.4)
embrasse: je vous embrasse love and kisses (*at the end of a letter*) (1.5)
une **embuscade** ambush

un **empereur** emperor
employer to use
un **emprunt** borrowed thing
emprunté borrowed
emprunter (à) to borrow (from) (8.1)
en some, any, from there, of (about) it/them (6.3)
en in, by, to   **en + *pres. part.*** while, on, upon, by . . . ing (8.5)   **en (argent, pierre)** made of (5.4)   **en autobus (avion, bateau)** by bus (plane, boat) (R.3)   **en été (automne, hiver)** in (the) summer (autumn winter) (R.4)   **en semaine** during the week (R.1)
encerclé encircled
encore still, yet (3.3); again   **encore une fois** once more (R.2)
endommagé damaged
endormi sleepy, asleep (7.3)
un **endroit** place (R.3) spot (5.4)
l' **énergie** *f.* energy
s' **énerver** to get nervous, upset (3.4)
l' **enfance** *f.* childhood
les **enfants** *m.* children (R.4)
enfermer to enclose
enfin at last (1.4)
enflammé flaming
s' **engager** to enlist
énigmatique puzzling
ennuyeux (ennuyeuse) boring (7.1)
énorme enormous, huge (8.5)
une **enquête** inquiry, survey
enseigné taught
l' **enseignement** *m.* teaching
enseigner to teach
ensemble together (4.1)
l' **ensemble** *m.* whole
ensoleillé sunny
ensuite then, after (1.4)
entendre to hear (R.5); to understand   **entendre parler** to hear about
entier (entière) whole, entire
entouré surrounded
un **entracte** intermission (7.3)
s' **entraîner** to train
entre between, among (3.2)
une **entreprise** company
entrer to enter (1.5)

entretenir to keep alive

l' entretien *m.* maintenance

un envahisseur invader

une enveloppe envelope **(2.1);** bag

    enverra *(future of* **envoyer***)* **(5.4)**

    envers toward(s)

l' envie *f.* envy **avoir envie de** to feel like, want **(1.3)**

les environs *m.* neighborhood areas

s' envoler to lift off

un envoyé, une envoyée messenger

* envoyer to send **(4.1)**

une épave wreckage

une épicerie grocery **(6.3)**

un épicier, une épicière grocer **(6.3)**

une époque period, time

les époux *m.* husband and wife

une épreuve competition, hardship

l' équilibre *m.* balance

un équipage team, crew

une équipe team

    équipé equipped

l' équipement *m.* equipment

une erreur mistake **(5.4)**

    escalader to climb **(4.3)**

un escalier staircase **(6.2)** des escaliers stairs **(6.2)**

un escargot snail

l' esclavage *m.* slavery

un esclave, une esclave slave

une escroquerie swindle

l' espace *m.* space

l' Espagne *f.* Spain **(R.3)**

    espagnol Spanish **(R.2)**

l' espagnol *m.* Spanish *(language)*

une espèce kind, species

    espérer to hope **(3.1)**

l' espoir *m.* hope **(7.2)**

un esprit spirit

un essai essay

    essayer to try, try out, try on **(4.1)** essayer de to try to **(8.3)**

l' essence *f.* gas **(3.4)**

l' essentiel *m.* important thing

l' essuie-glace *m.* windshield wiper

l' est *m.* east **(R.3)**

    est-ce que *phrase used to introduce a question* **(R.1)**

l' estomac *m.* stomach

    et and

    établir to establish

un étage floor, story **(6.2)**

    étant *(pres. part. of* **être***)* **(8.5)**

une étape step, segment

un état state **(3.4);** condition l'État state, government

les États-Unis *m.* United States **(R.3)**

    été *(p. part. of* **être***)* **(1.4)**

l' été *m.* summer **(R.4)** en été in (the) summer **(R.4)**

    éteindre to turn off

une étiquette label

une étoile star **(8.4)**

    étonné surprised **(6.5)**

une étourderie oversight

    étrange strange

    étranger (étrangère) foreign **(5.2)** à l'étranger abroad **(5.2)**

* être to be **(R.2)** être à to belong to **(R.4)** être à l'heure to be on time **(3.3)** être d'accord avec to agree with **(R.4)** être de retour to be back **(5.5)** être en avance to be early **(3.3)** être en retard to be late **(3.3)** être en train de to be in the midst of **(7.5)**

l' étude *f.* study

un étudiant, une étudiante student

    étudier to study **(R.1)**

    eu *(p. part. of* **avoir***)* **(1.4)**

    euh... er . . . , uh . . .

l' Europe *f.* Europe **(R.3)**

    européen (européene) European

    eux them **(R.4)**

l' évasion *f.* escape

un événement event **(3.5)**

    éventuellement eventually

    évidemment obviously **(2.2)**

    évident evident, obvious

    évoquer to evoke, recall

    exact right

l' exactitude *f.* punctuality, exactness

    exagérer to exaggerate

un examen exam **(4.3)**

    examiner to examine **(4.3)**

    excuser to excuse s'excuser to apologize **(3.4)**

un exemple example ça, par exemple! what do you mean!; what do you know! **(6.5)**

    exercer to do, carry out, perform

    exigeant demanding

une existence existence, life

un exode exodus

une expérience experiment

    experimenté experienced

une explication explanation **(7.5)**

    expliquer to explain **(6.1)** s'expliquer to be explained

un exploit exploit, feat

un explorateur, une exploratrice explorer

    exploser to explode

    exposer to exhibit

une exposition exhibition, exhibit

une expression expression d'expression française French-speaking

    exprimer to express s'exprimer to express oneself **(7.5)**

    expulser to expel

    extraordinaire extraordinary, unusual

un extraterrestre being from outer space

    extrêmement extremely

l' Extrême-Orient *m.* Far East

f

un fabricant maker

    face: en face (de) across (from), opposite **(3.2)**

    fâché (contre) angry, upset (with) **(7.5)**

    facile easy **(5.1)**

    facilement easily

    faciliter to facilitate, make easy

une façon manner, way **(7.4)**

le facteur mailman

la faculté power

    faible weak **(5.1)**

    faim: avoir faim to be hungry **(1.3)**

* faire to do, make **(1.1)**; to manage **faire de +** *activity* to play, participate in, study, learn, learn to play, be active in **(1.1)** **faire attention (à)** to pay attention (to), be careful (about) **(1.1)** **faire des économies** to save money **(1.3)** **faire des progrès** to make progress **(1.1)** **faire des projets** to make plans **(1.1)** **faire du camping** to go camping **(8.1)** **faire du**

437

feu to build a fire **(8.1)**
faire la connaissance de to meet **(2.1)** **faire la cuisine** to cook, do the cooking **(1.1)** **faire la queue** to stand in line **(7.1)** **faire la vaisselle** to do (wash) the dishes **(1.4)** **faire le lit** to make the bed **(1.4)** **faire le ménage** to clean the house **(1.4)** **faire le plein** to fill the tank **(7.4)** **faire les courses** to go shopping *(for food),* do the shopping **(1.1)** **faire un match** to play a game **(1.1)** **faire un voyage** to go on a trip, take a trip **(1.1)** **faire une partie de** to play a game of **(1.4)** **faire une promenade (à pied, en auto)** to go for a walk, go for a ride **(1.1)**
un **faire-part** announcement **(3.5)**
faisant: en faisant (by) making
fait *(p. part. of* **faire***)* **(1.4)**
fait: au fait by the way **(2.2)** **en fait** in fact
fait: ça ne fait rien that doesn't matter, no problem **(6.2)** **il fait beau (mauvais, chaud, froid)** it's nice (bad, hot, cold) (weather) **(R.5)** **il fait...degrés** it's . . . (degrees) **(R.5)** **il fait du vent** it's windy **(4.1)** **il fait moins...** it's minus . . . (degrees) **(R.5)** **il fait zéro** it's 0° **(R.5)** **quel temps fait-il?** how's the weather? **(R.5)**
falloir to be necessary
fameux (fameuse) notorious, famous
familiale family
une **famille** family
un **fana, une fana** fan
un **fantôme** ghost
la **farine** flour **(6.3)**
fasse *(subj. of* **faire***)* **(7.4)**
fatigué tired **(1.4)**
fauché broke (without money) **(5.2)**
faut: il faut one has to (must, should), you should (need to, have to), it is necessary **(1.2)**
un **fauteuil** armchair **(4.3)**
faux (fausse) wrong, false **(5.1)**

favori (favorite) favorite
favoriser to favor
féminin feminine
une **femme** woman **(R.2)** wife **(R.4)**
une **fenêtre** window **(3.1)**
le **fer** iron **(5.4)**
fera *(future of* **faire***)* **(5.3)**
une **ferme** farm
fermer to close **(6.2)** **fermer à clé** to lock **(6.2)**
un **festin** feast
une **fête** holiday, feast **(5.1)**; name day, party, festival **la fête du Travail** Labor Day *(May 1)* **une fête foraine** carnival
un **feu** fire **(8.1)** **au feu!** fire! **faire du feu** to build a fire **(8.1)** **des feux d'artifice** fireworks **un feu de joie** bonfire
un **feu arrière** taillight **(7.4)**
février February **(R.4)**
les **fiançailles** *f.* engagement
un **fiancé, une fiancée** fiancé(e) **(3.5)**
se **fiancer** to get engaged **(3.5)**
fidèle faithful
fier (fière) proud **(7.3)**
la **fièvre** fever
une **figure** face **(3.3)**
une **fille** girl **(R.2)** daughter **(R.4)**
un **fils** son **(R.4)**
la **fin** end **(6.1)**
finalement finally **(1.4)**
fini finished, over **(7.4)**
finir to finish, end **(R.5)** **finir de** to finish **(8.3)**
fixe specific
fixer to set, fix *(a date)* **(8.2)**
flamber to burn, flame
une **flamme** flame
une **fleur** flower **(8.3)**
un **fleuve** river
une **flotte** fleet
la **fois** time **(4.1)** **à la fois** at the same time **combien de fois?** how many times? **(4.1)** **deux fois** twice **(4.1)** **plusieurs fois** several times **(4.1)** **une fois** once, one time **(4.1)**
la **folie** folly
fonction: en fonction de depending on

fonctionner to work, function **(1.3)**
fond: au fond at the back **dans le fond** after all
fonder to found
le **foot(ball)** soccer **le football américain** football
foraine: une fête foraine carnival
la **force** strength
une **forêt** forest **(8.3)**
forger to forge
un **forgeron** blacksmith
une **forme** form **en pleine forme** in great shape **(1.4)**
formidable terrific, super **(R.2)**
formuler to formulate
fort strong **(5.1)**
la **fortune** fate
fou (folle) crazy, mad **(5.3)**
une **foule** crowd **(8.5)**
frais (fraîche) fresh, cool
une **fraise** strawberry **(6.3)**
un **franc** franc *(monetary unit of France, Belgium, and Switzerland)* **(1.3)**
français French **(R.2)**
le **français** French *(language)*
la **France** France **(R.3)**
franchement frankly **(6.5)**
franchir to cross
franco-américain French-American
francophone French-speaking
frapper to knock **(6.2)**
le **frein** brake **le frein à main** handbrake
freiner to brake, step on the brakes **(7.4)**
fréquenté popular, well-attended **(5.1)**
fréquenter to keep company with
un **frère** brother **(R.4)**
les **frites** *f.* French fries **(1.1)**
froid cold **avoir froid** to be cold **(1.3)** **il fait froid** it's cold (weather) **(R.5)**
le **fromage** cheese **(1.1)**
une **frontière** border
un **fruit** fruit **(1.1)** **le jus de fruits** fruit juice **(1.1)**
la **fumée** smoke
fumer to smoke
funéraire burial
fureur: faire fureur to be the rage

furieux (furieuse) furious, mad
(**5.3**) upset, angry (**7.4**)
une **fusée** rocket
le **futur** future
futuriste futuristic

g

gagner to win, earn (**1.3**)
un **gant** glove
un **garage** garage (**3.1**)
un **garagiste** mechanic
garantir to guarantee
un **garçon** boy (**R.2**) waiter
(**1.2**)
un **garde-boue** fender
garder to keep
une **gare** station (**2.4**)
un **gars** guy, fellow (**8.4**)
gaspiller to waste (**5.1**)
le **gâteau** (*pl.* **gâteaux**) cake (**1.1**)
gauche left (**4.3**) **à gauche**
(**de**) to the left (of) (**3.2**)
les **Gaulois** *m.* Gauls
gelé frozen
général (*pl.* **généraux**) general
en général in general
généralement generally (**6.5**)
généreux (généreuse) generous
(**2.5**)
la **générosité** generosity
un **génie** genius
un **genre** gender, type
les **gens** *m.* people (**R.2**)
gentil (gentille) nice (**5.1**)
la **géographie** geography
géographique geographic
gigantesque gigantic
la **glace** ice cream (**1.1**) mirror
(**3.3**) **le patin à glace** ice-
skating (**1.1**)
se **gonfler** to inflate
la **gorge** throat (**3.3**)
goûter to taste, try (**6.4**)
gouverné governed
grâce à thanks to
grand tall, big (**R.2**); great
les grandes vacances summer
vacation (**8.1**)
grand-chose much
une **grand-mère** grandmother (**R.4**)
un **grand-père** grandfather (**R.4**)
les **grands-parents** *m.* grandparents
(**R.4**)
un **gratte-ciel** skyscraper
grave serious (**1.5**)

gravement seriously
un **graveur** engraver
grec (grecque) Greek
un **grenier** attic (**3.1**)
la **grippe** flu
gris gray (**R.5**)
gros (grosse) fat, big
grossir to gain weight, get fat
(**R.5**)
la **Guadeloupe** Guadeloupe
(*French island in the West
Indies*)
guérir to cure
une **guerre** war
un **guidon** handlebars
une **guitare** guitar (**R.2**)
la **Guyanne française** French
Guiana
la **gymnastique** gymnastics

h

habile skillful (**7.4**)
s' **habiller** to get dressed (**3.3**)
un **habitant** inhabitant
habiter to live (**R.1**)
une **habitude** habit, custom
comme d'habitude as usual
d'habitude usually (**4.3**)
habituel (habituelle) usual
habituellement usually (**4.3**)
les **haricots verts** *m.* (green) beans
(**1.1**)
hasard: par hasard by chance
la **hâte** haste
haut high **en haut** at the
top **tout haut** aloud
hauteur: de hauteur in height
hein? huh?
hélas unfortunately (**6.2**)
l' **herbe** *f.* grass (**8.3**)
hésiter à to hesitate, be hesitant
about (**8.3**)
l' **heure** *f.* time, hour, o'clock
(**R.1**) **à l'heure** on time
(**3.3**); per hour **à quelle
heure?** at what time? (**R.1**)
depuis quelle heure? since
what time? (**4.5**) **...heure(s)
(cinq)** (five) past ... (**R.2**)
...heure(s) et demie half
past ... (**R.1**) **...heure(s)
et quart** quarter past ...
(**R.1**) **...heure moins (cinq)**
(five) of ... (**R.2**)
...heure(s) moins le quart

quarter of ... (**R.1**)
il est...heure(s) it is ...
(o'clock) (**R.1**) **l'heure
de** + *inf.* time to (**4.1**)
quelle heure est-il? what time
is it? (**R.1**)
heureusement fortunately (**2.4**)
heureux (heureuse) happy
(**2.5**)
heurter to run into
hier yesterday (**R.3**)
une **hirondelle** swallow
l' **histoire** *f.* history
une **histoire** story (**2.1**)
historique historical
l' **hiver** *m.* winter (**R.4**) **en
hiver** in (the) winter (**R.4**)
le•**hockey** hockey
•**hollandais** Dutch
un•**homard** lobster
un **homme** man (**R.2**)
honnête honest
l' **honneur** *m.* honor
un **hôpital** hospital (**R.3**)
un **horoscope** horoscope
les•**hors-d'œuvre** *m.* appetizers
(**1.1**)
l' **hospitalité** *f.* hospitality
l' **huile** *f.* oil (**1.1**)
•**huit** eight (**R.1**) **à (mardi)
en huit** see you a week from
(Tuesday) (**6.1**)
une **huître** oyster
humeur: de bonne humeur in a
good mood (**2.4**) **de
mauvaise humeur** in a bad
mood (**2.4**)
l' **humour** *m.* humor

i

ici here (**R.3**)
idéal (*pl.* **idéaux**) ideal
une **idée** idea
identifié identified
identifier to identify
idiot idiotic, dumb (**5.2**)
ignorer to not know
il he, it (**R.1**) **il n'y a pas**
there is no, there aren't any
(**R.2**) **il y a** there is, there
are (**R.2**) **il y a** + *time*
time ago (**4.1**) **qu'est-ce
qu'il y a?** what's up?; what's
wrong? what's the matter?
what's going on? (**4.2**)

une **île** island (5.2)
    illuminer to light up
    illustre famous
    illustré illustrated
    illustrer to illustrate
    s'illustrer to become famous
    ils they (R.1)
    imaginaire imaginary
    imaginatif (imaginative) imaginative (2.5)
    immédiatement immediately
un **immeuble** apartment building (6.2)
    immigré immigrant
l' **imparfait** m. imperfect (tense)
    impatiemment impatiently
s' **impatienter** to get impatient (3.4)
l' **impératif** m. imperative (command) mood
    impoli impolite (7.1)
    important important (7.1)
un **impresario** manager
    impressionné impressed (7.2)
un **imprimeur** printer
    imprudent careless (4.3)
    impulsif (impulsive) impulsive (2.5)
    inauguré inaugurated
    inconnu unknown
    incroyable unbelievable, incredible (2.5)
    indéfini indefinite
    indemne unhurt
un **indice** clue
    indien (indienne) Indian
    indiqué indicated
    indiquer to indicate, point out
    indiscipliné undisciplined
    indispensable essential, indispensable (7.3)
    infini infinite
un **infinitif** infinitive
un **infirmier, une infirmière** nurse (1.2)
l' **informatique** data processing
un **ingénieur** engineer (1.2)
un **ingrédient** ingredient (1.1)
    inquiet (inquiète) worried, concerned (3.2)
s' **inquiéter** to worry (3.4)
* **inscrire** to write (in a notebook) (6.2)
    insensé crazy
un **inspecteur, une inspectrice** inspector

    installé set up
s' **installer** to settle (8.5)
    instituer to set up
    insupportable mischievous
    intellectuel (intellectuelle) intellectual (2.5)
    intelligemment intelligently
    intelligent smart, intelligent (R.2)
    intention: avoir l'intention de to intend to, plan to (2.1)
    interdit forbidden
    intéressant interesting
    intéresser to interest (2.4)
    s'intéresser (à) to be interested (in) (3.4)
un **intérêt** interest
un **interprète, une interprète** interpreter, translator
    interrogatif (interrogative) interrogative
    interroger to interrogate
    interrompre to interrupt
    interviewer to interview
    intitulé entitled
    intriguer to puzzle
    introduire to introduce
    intuitif (intuitive) intuitive (2.5)
    inutile useless (3.5) unnecessary (7.1)
    invité invited
un **invité, une invitée** guest (3.2)
    inviter to invite (R.1)
    ira (future of **aller**) (5.3)
    ironiquement ironically
    irriter to irritate
    isolé alone, separate
    issue de from
l' **Italie** f. Italy (R.3)
    italien (italienne) Italian (R.2)
un **itinéraire** itinerary, route (8.2)

j

    j' (see **je**)
    jaloux (jalouse) jealous (4.5)
    jamais: ne...jamais never (2.5)
une **jambe** leg (3.3)
le **jambon** ham (1.1)
    janvier January (R.4)
    japonais Japanese (R.2)
le **japonais** Japanese (language)
un **jardin** garden (3.1)
    jaune yellow (R.5)
    je I (R.1)

un **jeu** (pl. **jeux**) game   **les Jeux Olympiques** Olympic Games
    jeudi Thursday, on Thursday (R.3)
    jeune young (R.2)
les **jeunes** m. young people (R.2)
la **jeunesse** youth
la **Joconde** Mona Lisa
    joli pretty (R.2)
    jouer to play (R.1)   **jouer à** + sport, game to play (R.3)   **jouer de** + instrument to play (R.3)
un **joueur, une joueuse** player
un **jour** day (R.3)   **il fait jour** it's daytime, it's light (8.4)   **la vie de tous les jours** daily life
un **journal** (pl. **journaux**) newspaper (2.1); diary
une **journée** (whole) day (R.3) (6.1)
    joyeux (joyeuse) joyous
le **jugement** sense
    juillet July (R.4)
    juin June (R.4)
des **jumelles** f. binoculars (8.1)
une **jupe** skirt (R.5)
le **jus de fruits** fruit juice (1.1)
le **jus d'orange** orange juice (1.1)
    jusqu'à until, up to (4.2) as far as (6.2)
    juste fair
    justement as a matter of fact (6.5)

k

le **karaté** karate
le **ketchup** ketchup
un **kilo** kilo(gram) (6.4)
un **kilomètre** kilometer (8.2)
un **klaxon** horn

l

l' (see **le, la**)
la the (R.2) her, it (2.2)
    là there (R.3)   **ce...-là** that (over there) (R.5)   **oh là là!** oh dear! wow! whew!
    là-bas over there (R.3)
un **lac** lake (8.3)
    là-haut up there
la **laine** wool (5.4)

laisser to leave (2.5) to let (7.5)
le lait milk (1.1)
une lampe lamp (4.3)
lancer to throw
une langue language
laquelle which one (8.1)
une larme tear (4.5)
laver to wash (3.1) **se laver** to wash (oneself), wash up (3.1) **une machine à laver** washing machine (4.3)
un lave-vaisselle dishwasher (4.3)
le the (R.2) him, it (2.2)
une leçon lesson
la lecture reading
léger (légère) light (5.1)
un légume vegetable (1.1)
le lendemain the next day (2.4)
lent slow (3.3)
lequel (laquelle) which one (8.1)
les the (R.2) them (2.2)
lesquels (lesquelles) which ones (8.1)
la lessive detergent (6.3)
une lettre letter (2.1)
leur (to) them (2.3)
se lever to get up (3.3); to rise
lèvres: le rouge à lèvres lipstick (6.3)
libérer to liberate
la liberté liberty
une librairie bookstore
libre free (1.1)
un lieu place, area (8.5) **au lieu de** instead of (8.4) **avoir lieu** to take place (3.5) **les lieux** premises (8.5)
une ligne line
la limitation de vitesse speed limit
limité limited
la limonade lemon soda (1.1)
*** lire** to read (2.1)
lisiblement legibly
un lit bed (4.3) **faire le lit** to make the bed (1.4)
un litre liter (6.4)
un livre book (R.2)
une livre metric pound (6.4)
livrer to fight
un livret booklet
logé: être logé to have a room
un logement lodging
logique logical
loin (de) far (from), far away (from) (3.2)

lointain distant
un loisir leisure-time activity
long (longue) long (4.1)
longtemps (for) a long time (4.1)
lorsque when
la loterie lottery
louer to rent (1.2)
un loup wolf
lourd heavy (5.1)
le Louvre *museum in Paris*
lu (*p. part. of* **lire**) (2.1)
un lueur flash of light, glimmer, glow (8.4)
lui him (R.4) (to) him, (to) her (2.3)
une lumière light
lumineux (lumineuse) illuminated
lundi Monday, on Monday (R.3)
la lune moon (8.4)
des lunettes *f.* glasses (R.5) **des lunettes de soleil** sunglasses (R.5)
luxueux (luxueuse) luxurious
un lycée high school (R.3)
un lycéen, une lycéenne high school student

m

M. Mr.
m' (*see* **me**)
ma my (R.4)
une machine à écrire typewriter (4.3)
une machine à laver washing machine (4.3)
Madame (Mme) Mrs., ma'am
Mademoiselle (Mlle) Miss
un magasin store (R.3) **un grand magasin** department store
un magazine magazine (2.1)
un magnétophone tape recorder (R.2)
magnifique magnificent (5.2)
mai May (R.4)
maigrir to lose weight, get thin (R.5)
un maillot jersey
un maillot de bain bathing suit (R.5)
une main hand (3.3)
maintenant now (R.1)

un maire mayor
la mairie town hall
mais but (R.1)
une maison house (R.3) **à la maison** at home
un maître master
mal badly, poorly (R.1) **avoir mal à la tête** to have a headache
malade sick (5.3)
une maladie disease
la malchance bad luck
une malédiction curse
un maléfice evil spell
malgré despite
le malheur unhappiness
malheureusement unfortunately (2.4)
malheureux (malheureuse) unhappy (2.5)
la Manche English Channel
un manège merry-go-round
manger to eat (1.1) (4.1) **une salle à manger** dining room (3.1)
une manière manner, way **pas tant de manières** don't show off
les manœuvres *f.* maneuvers
manqué missed
un manteau (*pl.* **manteaux**) coat (R.5)
m'appelle: je m'appelle my name is
se maquiller to put on make-up (3.3)
un marchand, une marchande merchant, storekeeper **un marchand de fruits** fruit store keeper (6.3)
la marche march, course, progress
un marché market, deal **bon marché** cheap (1.3) **meilleur marché** cheaper (5.1)
mardi Tuesday, on Tuesday (R.3)
un mari husband (R.4)
le mariage marriage, wedding (3.5)
marié married
un marié groom (3.5)
une mariée bride (3.5)
marier to marry (*two people*) **se marier (avec)** to marry (someone), get married (3.4)

441

un **marin** sailor
la **marine** navy
une **marque** make (**4.4**)
marqué (par) marked (with)
mars March (**R.4**)
la **Marseillaise** *French national anthem*
un **marteau** (*pl.* **marteaux**) hammer
un **Martiniquais, une Martiniquaise** *person from Martinique*
la **Martinique** Martinique (*French island in the West Indies*)
un **mât** mast
un **match** game, match **faire un match** to play a game (**1.1**)
des **matériaux** *m.* **de construction** construction materials (**5.4**)
matériel (matérielle) material
maternel (maternelle) maternal
les **maths** *f.* math
une **matière** material
le **matin** morning, in the morning (**R.3**) **ce matin** this morning (**R.3**) **(lundi) matin** (on) (Monday) morning (**R.3**)
une **matinée** (whole) morning (**6.1**)
mauvais bad (**R.2**) **il fait mauvais** it's bad (weather) (**R.5**)
me me, to me (**2.1**) myself (**3.1**)
un **mécanicien, une mécanicienne** mechanic (**1.2**)
la **mécanique** mechanics
méchant nasty, mean (**5.1**)
mécontent displeased
une **médaille** medal
un **médecin** doctor (**1.2**)
des **médicaments** *m.* drugs and medicine (**6.3**)
la **Méditerranée** Mediterranean Sea
meilleur better (**5.1**) **meilleur marché** cheaper (**5.1**) **le (la) meilleur(e)** the best (**5.1**) **un meilleur ami, une meilleure amie** best friend (**R.2**)
un **mélange** mixture
un **membre** member
même same (**4.3**) even (**6.1**); exactly **le (la) même** the same one (**4.4**) **les mêmes** the same ones (**4.4**) **même si** even if (**6.1**) **tout de même** all the same

une **mémoire** memory
menaçant threatening
menacer de to threaten to (**8.3**)
ménage: faire le ménage to clean the house (**1.4**)
un **mensonge** lie (**2.1**)
mentionner to mention
la **mer** sea (**5.2**) **la mer des Antilles** Caribbean Sea
mercredi Wednesday, on Wednesday (**R.3**)
une **mère** mother (**R.4**)
merveilleux (merveilleuse) marvelous
mes my (**R.4**)
la **messe** Mass
des **métaux** *m.* metals (**5.4**)
un **métier** profession
un **mètre** meter (**8.2**)
métropolitaine: la France métropolitaine *France with the exception of its overseas territories*
un **metteur en scène** director
* **mettre** to put, place, put on (*clothing*), turn on (*the radio*), set (*the table*), take (*time to do something*) (**1.4**) **se mettre** to place oneself, stand **se mettre à** to begin, start **se mettre en colère** to get angry (**3.4**)
un **meuble** piece of furniture (**4.3**)
mexicain Mexican (**R.2**)
le **Mexique** Mexico (**R.3**)
midi noon (**R.1**) **à midi** see you at noon (**6.1**)
le **Midi** the South of France
mieux better (**6.5**) **le mieux** the best
mignon (mignonne) cute (**2.5**)
milieu: au milieu (de) in the middle (of) (**3.2**)
militaire military
mille one thousand (**R.5**)
un **mille** mile (**8.2**)
millénaire thousand-year-old
milliers: des milliers thousands
un **million** million (**R.5**)
mince thin
minuit midnight (**R.1**)
mis (*p. part. of* **mettre**) (**1.4**)
un **missionnaire** missionary
Mlle Miss
Mme Mrs.
moche plain, unattractive (**R.2**)

la **mode** fashion
un **modèle** model
modéré moderate
moderne modern (**5.1**)
moi me (**R.4**) (**2.1**) **moi non plus** neither do I, "me neither" (**6.3**)
moins less, minus **au moins** at least (**2.2**) **...heure(s) moins (cinq)** (five) of . . . (**R.2**) **il fait moins...** it's minus . . . (degrees) **le moins...** the least . . . (**5.1**) **moins le quart** quarter of . . . (**R.1**) **moins...que** less . . . than (**5.1**) **moins de...que** less (fewer) . . . than (**5.1**)
un **mois** month (**R.4**)
la **moitié** half
un **moment** moment **au moment où** when
mon (ma; mes) my (**R.4**)
le **monde** world (**5.5**) **beaucoup de monde** many people (**6.1**) **du monde** (many) people (**6.1**) **tout le monde** everybody, everyone (**3.2**)
mondiale world
un **moniteur, une monitrice** counselor
Monsieur (M.) Mr., sir
la **montagne** mountain(s) (**4.3**) **les Montagnes Rocheuses** Rockies
montagneux (montagneuse) mountainous
monter to go up (**1.5**); to get into (*a car*), to put up
une **montre** watch (**R.2**)
montrer to show (**2.3**)
un **monument** monument (**2.3**)
se moquer de to make fun of (**3.5**)
mort (*p. part. of* **mourir**) (**1.5**) **mort de fatigue** dead-tired
la **mort** death
mortel (mortelle) mortal
un **mot** word (**2.1**) **un mot apparenté** cognate, related word
un **moteur** motor, engine (**7.4**)
une **moto** motorcycle (**R.2**)
les **mots** *m.* **croisés** crossword puzzle
mouillé wet

mourir to die (1.5)
la moutarde mustard (1.1)
un mouton sheep (8.3)
un moyen means
le Moyen Âge Middle Ages
le Moyen-Orient Middle East
muet (muette) quiet
un mufle "clod," muzzle, snout
un mur wall (1.5)
un museau muzzle, snout
un musée museum (R.3)
musicien (musicienne) musical
(2.5)
la musique music
myope nearsighted
un mystère mystery
mystérieusement mysteriously

n

n' (see ne)
nager to swim (R.1) (4.1)
naïf (naïve) naive (2.5)
la naissance birth
naître to be born (1.5)
la natation swimming (1.1)
une nationalité nationality
les Nations Unis f. United Nations
naturel (naturelle) natural (2.5)
naturellement naturally (6.5)
un naufrage shipwreck
nautique: le ski nautique water-
skiing (1.1)
un navire ship
ne: ne...jamais never (2.5)
ne...pas not (R.1)
ne...personne no one, nobody,
not anyone (2.5) ne...plus
no longer, no more, not anymore (2.5) ne...rien
nothing, not anything (2.5)
n'est-ce pas? no? isn't it so?
right? (R.1)
né (p. part. of naître) (1.5)
nécessaire necessary (7.1)
nécessiter to require
négatif (négative) negative
négativement negatively, saying
"no"
la neige snow (4.1)
neige: il neige it's snowing
(R.5)
neiger to snow (4.1)
un nénuphar waterlily
nerveusement nervously
nerveux (nerveuse) nervous (5.3)

n'est-ce pas? no? isn't it so?
right? (R.1)
nettoyer to clean
neuf nine (R.1)
neuf (neuve) brand new (2.4)
toute neuve brand new
neuvième ninth (6.5)
un neveu (pl. neveux) nephew
une névralgie pain
un nez nose (3.3)
ni...ni... neither . . . nor . . .
(6.4)
un nid nest
les noces f. wedding festivities
(3.5)
Noël m. Christmas
noir black (R.5) il fait nuit
noire it's pitch dark
une noix de coco coconut
un nom name, noun
un nombre number (R.1)
nombreux (nombreuse) nu-
merous
nommé named
non no
non-alcoolisé nonalcoholic
non-idlentifié unidentified
le nord north (R.3)
normal normal (7.3)
normalement normally (6.5)
la Normandie Normandy (province in northwestern France)
nos our (R.4)
une note note, grade
noter to mark (write) down, note
(4.4)
notre (pl. nos) our (R.4)
une nouille noodle
la nourriture food
nous we (R.1) us (R.4) to
us (2.1) ourselves (3.1)
each other, one another (3.5)
nouveau (nouvel, nouvelle;
nouveaux) new (2.4)
à nouveau again (7.5)
nouvel new (2.4)
nouvelle new (2.4)
une nouvelle news item (2.1)
les nouvelles the news
(2.1)
la Nouvelle-Angleterre New
England
la Nouvelle-Écosse Nova Scotia
novembre November
(R.4)
un nuage cloud (8.4)

la nuit night, at night (R.3)
cette nuit tonight (R.3)
il fait nuit it's nighttime, it's
dark (8.4) il fait nuit noire
it's pitch dark
un numéro number (4.4)
le nylon nylon (5.4)

o

obéir (à) to obey (R.5)
obéissant obedient (8.5)
un objet object (R.2)
les objets trouvés lost and
found
obligatoire compulsory,
required
obligatoirement as required by
law
obligé obliged
obliger to require
＊ obtenir to get, obtain (7.1)
une occasion occasion; opportunity
(6.1)
occidental western
une occupation activity
occupé busy (1.1)
s' occuper to take care, keep busy
l' Océanie f. South Pacific (R.3)
octobre October (R.4)
un œil (pl. yeux) eye (3.3)
un œuf egg (1.1)
un œuvre work
offenser to offend
officiellement officially
＊ offrir to offer, give (6.2)
une oie goose
un oiseau (pl. oiseaux) bird (R.2)
une ombre shadow (8.4)
une omelette omelet (1.1)
on one, you, people, they, we
(1.2)
un oncle uncle (R.4)
un ongle nail (3.3)
onze eleven (R.1)
une opinion opinion
changer d'opinion to change
one's mind
optimiste optimistic (5.1)
l' or m. gold (5.4)
un orage storm (8.4)
une orange orange (1.1) le jus
d'orange orange juice (1.1)
un orchestre orchestra, band (7.3)
ordinaire ordinary, usual

ordinal: un nombre ordinal
ordinal number

un ordinateur computer **(R.2)**

une ordonnance order

l' ordre *m.* order

les ordures *f.* garbage

une oreille ear **(3.3)** **des
boucles d'oreille** *f.* earrings
(R.5)

les oreillons *m.* mumps

un orfèvre silversmith

organisé organized

organiser to organize **(R.1)**

l' Orient *m.* East, Orient

orienté facing

une origine origin, beginning

orner to adorn

oser to dare

ôter to take off

ou or **(R.4)**

où? where? **(R.1)**

oublier to forget **(2.2)**
oublier de to forget to **(8.3)**

l' ouest *m.* west **(R.3)**

oui yes

un ours bear

outre-mer overseas
la France d'outre-mer *overseas possessions of France*

ouvert *(p. part. of ouvrir)* **(6.2)**

un ouvrier, une ouvrière worker
(1.2)

* **ouvrir** to open **(2.1)**

un OVNI (Objet Volant Non-Identifié)
UFO

p

le Pacifique Sud South Pacific

pacifiquement peacefully

le pain bread **(1.1)**

un palais palace

une pancarte sign **(8.2)**

une panne breakdown **(3.4)**
une panne d'électricité power
failure

un pantalon pants **(R.5)**

le pape pope

le papier paper **(2.1)**

Pâques *m.* Easter

paquet package, pack **(6.4)**

par by, through **(1.5)**; per
par conséquent consequently,
therefore **(8.2)** **par exemple**
for example

paraît: il paraît it seems

un parapet parapet *(low protective
wall at the edge of a balcony)*

un parapluie umbrella

un parc park **(R.3)**
parce que because **(7.5)**
parcourir to cover, travel
pardon excuse me

un pare-chocs bumper **(7.4)**

une parenthèse parenthesis

les parents *m.* parents, relatives
(R.4)

la paresse laziness
paresseux (paresseuse) lazy **(2.5)**
parfait perfect
parfois sometimes **(4.1)**

le parfum perfume **(6.3)**

une parfumerie perfume store **(6.3)**

un parking parking lot
parler to speak, talk **(R.1)**
parmi among

une paroisse parish

un participe participle
participer (à) to participate,
take part (in) **(5.5)**
particulier (particulière) specific
en particulier in particular

une partie part **(R.3)**
faire partie de to be part of
faire une partie de to play
a game of **(1.4)**

* **partir** to leave **(1.5)** **partir à**
to leave for *(a place)* **(1.5)**
partir de to leave *(a place)*
(1.5)

partitif: l'article partitif partitive
article

partout everywhere

pas not **ne...pas** not **(R.1)**
pas possible! that can't be!
(5.4) **pas question!** no way!

un pas step

un passage route

un passager, une passagère passenger **(2.2)**

le passé past

le passé composé compound
past tense

un passeport passport **(5.2)**
passer to spend *(time)*, pass,
come by, go by **(1.2)**
qu'est-ce qui se passe? what's
happening? **(4.2)**
qu'est-ce qui s'est passé?
what happened? **(4.2)**
se passer to take place, happen
(4.2)

un passe-temps pastime

un passionné, une passionnée buff,
fan

patiemment patiently

le patin à glace ice-skating **(1.1)**
des patins à glace ice skates

le patin à roulettes roller-skating
(1.1) **des patins à roulettes**
roller skates

le patinage skating **(1.1)**

une pâtisserie pastry shop **(6.3)**

un pâtissier, une pâtissière pastry
cook, baker **(6.3)**

le patrimoine heritage

un patron, une patronne boss
(1.2); patron saint
pauvre poor **(2.3)**
payé paid
payer to pay, pay for **(4.1)**

un pays country **(R.3)**

le paysage landscape **(2.3)**

un paysan, une paysanne peasant

une pêche peach **(6.3)**

un pédalier pedal shaft

un peigne comb **(3.3)**

se peigner to comb one's hair
(3.3)
peindre to paint
peint: il a peint he painted

un peintre painter

la peinture painting
peluche: en peluche stuffed
pendant during **(1.2)** for
(4.4) **pendant les vacances**
during vacation **(R.1)**
pendant que while **(4.4)**
pénétrer to penetrate
pénible boring, "a pain" **(R.2)**
painful, unpleasant **(7.1)**
penser to think **(2.2)**
penser à to think about **(2.2)**
penser de to think of **(2.2)**

la perception extrasensorielle ex-
trasensory perception (ESP)
perdre to lose **perdre son
temps** to waste one's time
(R.5)

un père father **(R.4)**
perfectionner to improve, perfect

une période period
périr to perish

* **permettre** to let, allow, permit
(1.4)

un permis license **un permis de
conduire** driver's license

perplexe perplexed, confused
une perruque wig
un personnage character
la personnalité personality
personne: ne...personne no one, nobody, not anyone **(2.5)**
une personne person **(R.2) les grandes personnes** adults
personnel (personnelle) personal
personnellement personally
peser to weigh
pessimiste pessimistic **(5.1)**
petit short, small **(R.2)**
  un petit ami boyfriend **(R.2)**
  une petite amie girlfriend **(R.2)**
le petit déjeuner breakfast **(1.1)**
les petits pois *m.* peas **(1.1)**
le pétrole oil
pétrolier (pétrolière) petroleum
peu little, not much **(6.4)**
  peu à peu little by little **(4.3)**
  un peu a little **(R.2)** some **(6.4)**
un peuple people
peur: avoir peur to be afraid **(7.4)**
peut-être maybe, perhaps **(3.5)**
un phare headlight **(7.4)**
une pharmacie pharmacy **(6.3)**
un pharmacien, une pharmacienne pharmacist **(1.2)**
un phénomène phenomenon
une photo photograph, picture **(2.2)**
un photo-roman "photo novel" *(novel in comic-book format, illustrated with photographs)*
une phrase sentence
la physique physics
physiquement physically
une pièce room *(in general)* **(3.1)**; coin; part **(7.3)** **une pièce de rechange** spare part
  une pièce de théâtre play
  une pièce montée wedding cake
un pied foot **(3.3)** **à pied** on foot **(R.3)**
la pierre stone **(5.4)**; rock
un pilier pillar
piloter to pilot, fly
un pique-nique picnic
pique-niquer to have a picnic
une pirogue canoe
pis: tant pis! too bad! **(7.5)**

une piscine swimming pool **(R.3)**
pittoresque picturesque
un placard closet **(4.3)**
une place place, square **à la place de** instead of
une plage beach **(R.3)**
une plaie injury
une plaine plain
plaisanter to joke **(4.5) en plaisantant** jokingly
une plaisanterie joke **(4.5)**
le plaisir pleasure **(6.1)**
plaît: s'il te (vous) plaît please
un plan plan; (street) map **(8.2)**
une planche board
la planche à voile wind-surfing **(1.1)**
une planète planet **(8.4)**
une plante plant **(4.3)**
planté fixed, placed, driven
le plastique plastic **(5.4)**
un plat dish, course *(of a meal)* **le plat principal** main dish **(1.1)**
plein full **(6.4)** **en plein air** in the open, outdoors **en pleine forme** in great shape **(1.4)** **faire le plein** to fill the tank **(7.4)**
pleurer to cry **(4.5)**
pleut: il pleut it's raining **(R.5)**
 * **pleuvoir** to rain **(4.1)**
un plomb fuse
la plongée sous-marine scuba diving **(5.2)**
plu: il a plu it rained **(4.1)**
la pluie rain **(4.1)**
la plupart majority
plus more **(3.3)** **de plus en plus** more and more **(4.1) le plus** the most, the . . . est **(5.1)** **moi non plus** neither do I, "me neither" **(6.3)** **plus...que** more . . . than, . . . er than **(5.1)** **plus de...que** more . . . than **(5.1)** **plus tard** later **(2.3)**
plus: ne...plus no longer, no more, not anymore **(2.5)**
plusieurs several **(2.3) plusieurs fois** several times **(4.1)**
plutôt que rather than
un pneu tire **(7.4)**
poche: l'argent *m.* **de poche** allowance **un couteau de poche** pocket knife **(8.1)**

une lampe de poche flashlight **(8.1)**
une poêle frying pan **(8.1)**
un poème poem
la poésie poetry
un point period, point **(7.2)**; direction **les points cardinaux** compass points **(8.2)**
une poire pear **(1.1)**
pois: les petits pois *m.* peas **(1.1)**
un poisson fish **(R.2)**
un poisson rouge goldfish
le poivre pepper **(1.1)**
poli polite **(6.3)**
policier: un roman policier detective story **(4.5)**
poliment politely
la politesse politeness
politique political
la politique politics, policy **un homme politique** politician
polluer to pollute
la Polynésie française French Polynesia
une pomme apple **(1.1)**
une pomme de terre potato **(1.1)**
ponctuel (ponctuelle) punctual
un pont bridge
populaire popular
le porc **(6.3)**
une porte door **(3.1)**
un porte-bagages luggage rack
porter to bring; to wear **(R.5)**; to bear
une portière door *(of a car)* **(7.4)**
le portugais Portuguese *(language)*
poser to pose, to ask *(a question)*
posséder to own
possessif (possessive) possessive
possible possible **pas possible!** I don't believe it!; that can't be! **(5.4)**
postale: une carte postale postcard
la poste post office **(R.3)**
un poster poster **(4.3)**
un pot jar **(6.4)**
la poterie pottery
une poule hen **(8.3)**
le poulet chicken **(1.1)**
pour for **(R.1)** in favor of **(6.2)** **pour + ** *inf.* (in order) to **(1.2)** **pour cent** percent

un **pourboire**   tip
pourquoi? why? **(R.1)**
pourra (*future of* **pouvoir**) **(5.4)**
pourtant however **(2.5)**
   nevertheless **(6.5)**
la **poussière** dust
* **pouvoir** can, may, to be able, to
   be allowed **(1.2)**
un **pouvoir** power
une **prairie** meadow **(8.3)**
pratique practical
pratiquer to practice, play, take
   part in, participate in
précédé preceded
précédent preceding
prêcher to preach
précipitamment quickly
se **précipiter** to dash into
précis precise, well-defined
des **précisions** *f.* detailed information
* **prédire** to predict **(2.1)**
la **Préfecture de police** Police
   Department
préféré favorite
préférer to prefer **(3.1)**
premier (première) first **(3.2)**
   le premier (mars) (March)
   first **(R.4)**
premièrement first
* **prendre** to take, have, eat, drink
   (1.1); to get, pick up
   prendre une décision to make
   a decision **(8.2)**
un **prénom** first name
se **préoccuper** to worry
des **préparatifs** *m.* preparations
préparer to prepare, fix **(3.1)**
   se préparer to prepare (oneself), get ready **(3.1)**
près (de) near **(3.2)**
le **présent** present
présenter to introduce **(2.3)**
presque almost
pressé in a hurry **(3.3)**
prêt ready **(3.2)**
prétendre to try, claim
prêter to loan, lend **(2.3)**
   prêter serment to pledge
   allegiance
* **prévenir** to warn, tell in advance
   (6.1)
prévu planned
une **prière** prayer
principal (*pl.* **principaux**) principal, main

principalement principally
un **principe** principle   **en**
   principe in principle
le **printemps** spring **(R.4)**   **au**
   printemps in (the) spring
   (R.4)
une **priorité** priority
pris (*p. part. of* **prendre**)
   (1.4)
privé private **(8.4)**
un **prix** prize, price **(5.5)**
un **problème** problem **(1.2)**
un **procédé** procedure, process
prochain next **(3.5)**   **à (lundi)**
prochain see you next (Mon-
   day) **(6.1)**   **(lundi) prochain**
   next (Monday) **(R.3)**
proche de close to
* **produire** to produce **(1.2)**
   se produire to happen
un **produit** product
un **professeur** teacher, professor
   (R.2)
profiter to take advantage
profondément profoundly
un **programmeur, une programmeuse**
   programmer **(1.2)**
progrès: faire des progrès to
   make progress **(1.1)**
un **projet** plan   **faire des projets**
   to make plans **(1.1)**
une **promenade** walk, drive
   faire une promenade (à pied,
   en auto) to go for a walk, go
   for a ride **(1.1)**
promener to walk (*a dog, etc.*)
   se promener to take a walk,
   a ride **(3.4)**
une **promesse** promise   **tenir une**
   promesse to keep a promise
   (7.1)
* **promettre** to promise **(1.4)**
un **pronom** pronoun   **un pronom**
   complément object pronoun
propager to spread
proposer to propose, suggest
   (2.4)
propre own; clean
un **propriétaire, une propriétaire**
   landlord/landlady **(6.5)**;
   owner
la **propriété** property
prospère prosperous
protéger to protect
protester to protest, complain
   (8.2)

la **Provence** Provence (*province in*
   southern France)
les **provisions** *f.* food
prudent careful **(4.3)** advisable, prudent **(7.1)**
pu (*p. part. of* **pouvoir**) **(1.4)**
public (publique) public **(8.4)**
   en public in public
publicitaire advertising
la **publicité** advertising
puis then **(1.4)**
puisque since
puissant powerful
un **pull** sweater **(R.5)**
pur pure
les **Pyrénées** *f.* Pyrenees (*moun-*
   tains between France and
   Spain)

q

qu' (*see* **que**)
qualifié qualified
une **qualité** quality
quand? when? **(R.1)**
   depuis quand? since when?
   (4.5)
quarante forty **(R.2)**
quart: ...heure(s) et quart quarter
   past . . . **(R.1)**   **...heure(s)**
   moins le quart quarter of . . .
   (R.1)
un **quartier** district, neighborhood
   (2.4)
quatorze fourteen **(R.2)**
quatre four **(R.1)**
quatre-vingt-dix ninety **(R.5)**
quatre-vingts eighty **(R.5)**
que that, whom, which **(2.4)**
   than **(5.1)** what **(5.4)**
   qu'est-ce que what **(R.1)**
   qu'est-ce que c'est? what is it?
   qu'est-ce qu'il y a? what's up?;
   what's wrong? what's the
   matter? what's going on? **(4.2)**
   qu'est-ce qui est arrivé? what
   happened? **(4.2)**   **qu'est-ce**
   qui se passe? what's happening? **(4.2)**   **qu'est-ce**
   qui s'est passé? what happened? **(4.2)**
quel (quelle) what, which **(R.5)**
   à quelle heure? at what time?
   (R.1)   **quel + *noun*!** what
   (a) . . .! **(1.3)**   **quel temps**
   fait-il? how's the weather?

(R.5) **quelle est la date aujourd'hui?** what's the date today? **(R.4)** **quelle est la température?** what's the temperature? **(R.5)** **quelle heure est-il?** what time is it? **(R.1)**

quelque chose something **(2.5)**

quelquefois sometimes **(4.1)**

quelques some, a few **(2.3)**

quelques-uns some

quelqu'un (de) someone, somebody **(2.5)**

une **querelle** quarrel

qu'est-ce que? what? **(R.1)**

qu'est-ce qui? what? **(5.4)**

une **question** question **pas question!** no way!

queue: faire la queue to stand in line **(7.1)**

qui who(m) **(R.1)** that, which **(2.4)**; people **à qui?** to whom? **(R.1)** **avec qui?** with whom? **(R.1)** **qu'est-ce qui?** what? **(5.4)** **qui est-ce qui?** who? **(5.4)**

quinze fifteen **(R.2)**

quitter to leave **(1.3)**

quoi? what? **(5.4)** **à quoi bon?** what's the use?

quotidien (quotidienne) daily

r

raccompagner to take back (home) **(7.4)**

raconter to tell *(a story)* **(3.5)** to tell about **(4.2)**

une **radio** radio **(R.2)**

du **raisin** grapes **(6.3)**

une **raison** reason **(7.5)** **avoir raison** to be right **(1.3)** **pour quelle raison?** for what reason? why? **(7.5)**

ralentir to slow down

un **rallye** rally

un **rang** row

rapide rapid; fast **(3.3)**

rapidement rapidly, quickly

rappeler to call back

un **rapport** relationship, report **par rapport** in relationship

une **raquette** racket **(R.2)**

rarement rarely

se **raser** to shave **(3.3)**

un **rasoir** razor **(3.3)**

rassemblé assembled

rassuré reassured **(3.2)**

rater to fail *(an exam)*, to miss *(a train)* **(2.5)**

rationnel (rationnelle) rational **(5.3)**

ravi delighted **(7.4)**

un **rayon** spoke

réaliser to achieve, fulfill, see come true, carry out

réaliste realistic

réalité: en réalité in reality

récemment recently

✳ **recevoir** to receive, get, entertain *(people)* **(3.4)**

recevra *(future of* **recevoir***)* **(5.4)**

rechange: une pièce de rechange spare part

un **réchaud** (portable) stove **(8.1)**

la **recherche** research

rechercher to search for

un **récipient** container

la **réciprocité** reciprocity, mutual exchange

réciproque reciprocal

reçoit: il reçoit he welcomes, receives

la **récolte** harvest

recommander to recommend

réconfortant comforting **(8.5)**

✳ **reconnaître** to recognize **(2.2)**; to survey

reconstituer to reorganize

une **réconstitution** reenactment

reconstruire to rebuild

reçu *(p. part. of* **recevoir***)* **(3.4)**

la **rédaction** drawing up

réel real

réfléchi reflexive

réfléchir (à) to think, reflect **(7.2)**

un **reflet** reflection

refléter to reflect

une **réflexion** remark, comment

un **réfrigérateur** refrigerator **(4.3)**

un **refus** refusal **(7.3)**

refuser to refuse, say "no" **(2.4)** **refuser de** to refuse to **(8.3)**

se **régaler** to have a great meal

regarder to look at, watch **(R.1)** se **regarder** to look at oneself

un **régime** diet **suivre un régime** to be on a diet **(6.1)**

une **règle** rule

régner to reign

régulier (régulière) regular

régulièrement regularly

une **reine** queen

rejoindre to join

relatif (relative) relative

relativement relatively

un **relief** landscape

religieux (religieuse) religious

remarquablement remarkably

remarquer to notice, remark **(1.3)**

un **remède** remedy

remercier (de) to thank (for) **(4.4)**

un **rempart** rampart

remplacer to replace

remplir to fill **(6.4)**

remporter to win

un **renard** fox

une **rencontre** meeting

rencontrer to meet **(2.2)**

un **rendez-vous** date, appointment, meeting place **(4.1)** **donner rendez-vous (à)** to arrange to meet, make a date **(3.5)**

rendre to give back, return **(R.5)**; to make **rendre visite (à)** to visit *(a person)* **(R.5)**

renouveler to renew

les **renseignements** *m.* information

renseigner to inform, tell **(5.2)**

rentrant: en rentrant while coming back

la **rentrée** opening of school, back to school

rentrer (à, de) to go home, return, come back **(R.3)** **rentrer dans** to run (bump) into **(1.5)**

renverser to knock over, down **(4.4)**

renvoyer to send back

se **répandre** to spread across

une **réparation** repair **(7.4)**

réparé repaired

reparer to fix, repair **(7.4)**

réparti divided

repartir to set out again

un **repas** meal **(1.1)**

répéter to repeat **(3.1)**

répondant: en répondant by answering

répondre to answer **(R.5)**

une **réponse** answer, reply **(5.5)**

reposé rested **(5.3)**

reposer to put back se **reposer** to rest **(3.4)**

une **représentation** performance

une **réserve de chasse** game preserve

réservé reserved

se **résigner** to resign oneself

se **ressembler** to resemble one another

un **restaurant** restaurant (**R.3**)

rester to stay (**1.5**)

un **résumé** résumé, summary

rétablir to reestablish

retard: de retard delay **être en retard** to be late (**3.3**)

retéléphoner to phone again

* **retenir** to reserve, retain (**7.1**)

un **retour** return **être de retour** to be back (**5.5**)

retourner to return, go back (**7.4**)

un **retraité, une retraitée** retired person

un **rétroviseur** rearview mirror

réuni gathered

se **réunir** to get together

réussir to succeed (**R.5**)

réussir à to succeed in (**8.3**)

réussir à un examen to pass a test (**R.5**)

se **réveiller** to wake up (**3.3**)

le **réveillon** Christmas Eve party

* **revenir (de)** to come back (from) (**1.5**)

rêver to dream (**6.1**) **rêver de** to dream about (**8.3**)

révéré honored

la **rêverie** dreams

une **révision** review

révolutionner to revolutionize

une **revue** magazine (**2.1**)

le **rez-de-chaussée** ground floor (**6.2**)

le **rhum** rum

riche rich (**5.1**)

un **rideau** (*pl.* **rideaux**) curtain (**4.3**)

ridicule ridiculous (**7.1**)

rien de nothing (**2.5**) **ça ne fait rien** that doesn't matter, no problem (**6.2**) **ne...rien** nothing, not anything (**2.5**)

* **rire** to laugh (**4.5**)

le **rire** laughter (**4.5**)

risquer to risk, venture

une **rivière** river (**8.3**)

le **riz** rice (**6.3**)

une **robe** dress (**R.5**)

un **rocher** rock, boulder (**4.3**)

le **rock** rock-and-roll

un **roi** king

un **rôle** role, part

romain Roman

un **romain, une romaine** Roman

un **roman** novel (**4.5**); story **un roman policier** detective story (**4.5**)

le **romanche** Romansh (*language spoken in a section of Switzerland*)

un **round de serviette** napkin ring

le **rosbif** roast beef (**1.1**)

rose pink (**R.5**)

une **roue** wheel (**7.4**)

rouge red (**R.5**)

le **rouge à lèvres** lipstick (**6.3**)

la **rougeole** chicken pox

rougir to blush (**R.5**)

rouler to roll along; to drive along (**8.2**)

roulettes: le patin à roulettes roller-skating (**1.1**)

une **route** highway, road (**3.4**)

un **royaume** kingdom

une **rue** street (**4.4**)

un **ruisseau** (*pl.* **ruisseaux**) stream

un **rumeur** rumor

rusé sly

le **russe** Russian (*language*)

S

s' (*see* **si**) (*see* **se**)

sa his, her, its (**R.4**); one's

un **sac** bag (**R.2**) sack (**6.4**) **un sac à dos** backpack, knapsack (**8.1**) **un sac de couchage** sleeping bag (**8.1**)

sachant (*pres. part. of* **savoir**) (**8.5**)

le **Saint-Laurent** St. Lawrence River

une **saison** season (**R.4**)

la **salade** salad (**1.1**)

une **salle** hall, large room (**2.4**) **une salle à manger** dining room (**3.1**) **une salle de bains** bathroom (**3.1**) **une salle de séjour** living room (**3.1**)

un **salon** (formal) living room (**3.1**); hall

saluer to greet, hail

salut hi

samedi Saturday, on Saturday (**R.3**)

des **sandales** *f.* sandals (**R.5**)

sans without (**3.2**)

santé: en bonne santé in good health, healthy (**5.3**)

satisfait satisfied

des **saucisses** *f.* sausages (**6.3**)

sauf except

saura (*future of* **savoir**) (**5.4**)

sauvage unsociable

sauvé saved

un **savant, une savante** scientist

la **Savoie** Savoy (*province in eastern France*)

* **savoir** to know, know how to (**2.3**)

le **savon** soap (**3.3**)

un **scaphandre autonome** aqualung

une **scéance** performance

une **scène** scene, stage

se himself, herself, oneself, themselves (**3.1**) each other, one another (**3.5**)

un **seau** (*pl.* **seaux**) pail

un **sécateur** garden shears

secours: au secours! help!

un **secrétaire, une secrétaire** secretary

secrètement secretly

un **seigneur** lord

seize sixteen (**R.2**)

un **séjour** stay (**5.2**) **faire un séjour** to stay (**5.2**) **une salle de séjour** living room (**3.1**)

le **sel** salt (**1.1**)

une **selle** seat

selon according to (**1.3**)

une **semaine** week (**R.3**) **à la semaine prochaine** see you next week (**6.1**) **en semaine** during the week (**R.1**)

semblable similar

sembler to seem, appear (**5.3**)

un **sénat** senate

un **sens** sense, meaning **au sens propre** literally **le bon sens** common sense

un **sentiment** sentiment; feeling (**5.3**)

séparer to separate

sept seven (**R.1**)

septembre September (**R.4**)

sera (*future of* **être**) (**5.3**)

sérieusement seriously

sérieux (sérieuse) serious (**2.5**)

serrer to shake

448

sert: on sert   one serves

une serveuse   waitress   (1.2)

le service   service, favor

une serviette   napkin   un rond de serviette   napkin ring

un serviteur   servant

ses   his, her, its   (R.4);   one's

seul   alone, by oneself, only (5.2)

seulement   only   (1.3)

sévère   strict, severe

le shampooing   shampoo   (3.3)

un short   shorts   (R.5)

si   if, whether   (2.3)   même si   even if   (6.1)   s'il te (vous) plaît   please

si   so   (2.5)   yes (to a negative question)   (4.2)

un siècle   century

un siège   seat   (7.4)

signé   signed

une signification   meaning

signifier   to mean

s'il te (vous) plaît   please

similaire   similar

simple   simple   (5.1)

sinon   otherwise, if not, or else (7.3)

situé   located   être situé to be (situated, located)   (8.2)

six   six   (R.1)

le ski   skiing   (1.1)   le ski nautique   water-skiing   (1.1)

skier   to ski   (R.1)

des skis m. nautiques   water skis

snob   snobbish, stuck-up

une société   society

une sœur   sister   (R.4)

un sofa   sofa   (4.3)

soi   himself, herself, oneself

soif: avoir soif   to be thirsty   (1.3)

le soir   evening, in the evening (R.3)   à ce soir   see you tonight   (6.1)   ce soir   this evening, tonight   (R.3) (lundi) soir   (on) (Monday) evening, night   (R.3)

une soirée   (whole) evening, evening party   (6.1)

sois   be   (R.2)

soit   (subj. of être)   (7.3)

soixante   sixty   (R.2)

soixante-dix   seventy   (R.5)

le sol   ground   (8.4)

solaire   solar

un soldat   soldier

la sole   sole   (1.1)

le soleil   sun   (4.1)   des lunettes de soleil f.   sunglasses (R.5)   il y a du soleil   it's sunny   (4.1)   un bain de soleil   sunbath

solonel (solonelle)   solemn

une somme   sum

sommeil: avoir sommeil   to be sleepy   (1.3)

un sommet   top, summit, peak

son (sa; ses)   his, her, its   (R.4); one's

un sondage   poll

sonner   to ring (the bell)   (6.2)

une sorte   sort, type, kind

des sorties f.   going out

* sortir   to go out   (1.5); to take out   sortir de   to get out of (1.5)

soucieux (soucieuse)   worried

une soucoupe volante   flying saucer

soudain   all of a sudden   (7.3)

souffler   to blow

* souffrir   to suffer   (6.2)

un souhait   wish   à tes souhaits! bless you!

souhaiter   to wish   une fête à souhaiter   name day to remember

souligné   underlined

la soupe   soup   (1.1)

* sourire   to smile   (4.5)

un sourire   smile   (4.5)

une souris   mouse

sous   under   (6.2); in

sous-marin   underwater

un souvenir   remembrance

* se souvenir (de)   to remember   (3.4)

souvent   often   (R.1)

soyez   be   (R.2)   (subj. of être) (7.3)

soyons   let's be   (R.2)

les spaghetti m.   spaghetti

spécialement   especially, specially

spécialisé   specialized

une spécialité   specialty

splendide   splendid   (5.2)

le sport   sports

sportif (sportive)   sportive, athletic, who likes sports; active in sports   (2.5)

un sportif, une sportive   person who likes sports, athlete

un stade   stadium   (R.3)

stage: faire un stage   to train

un stand   stand   un stand de tir shooting gallery

stationnement: en stationnement   parked

une station-service   gas station   (3.4)

les statistiques f.   statistics

un stratège   strategy

structuré   structured

un studio   studio apartment   (6.2)

un stylo   pen   (2.1)

su   (p. part. of savoir)   (2.3)

le subjonctif   subjunctive (mood)

le sucre   sugar   (1.1)

le sud   south   (R.3);   southern

la Suède   Sweden

suffit   enough

suggérant: en suggérant   by suggesting

suggéré   suggested

suggérer   to suggest

la Suisse   Switzerland

suite: à la suite   following   tout de suite   right away, immediately   (2.1)

suivant   following   (1.5)   suivant le cas   accordingly

suivez   follow

* suivre   to follow   (6.1)   suivre un conseil   to take advice (6.1)   suivre un cours   to take a course (class)   (6.1)   suivre un régime   to be on a diet   (6.1)

un sujet   topic, subject   un pronom sujet   subject pronoun

un supermarché   supermarket (R.3)

superstitieux (superstitieuse) superstitious   (2.5)

sur   on   (1.4);   about

sûr   sure, certain   (5.2)   bien sûr   of course

sûrement   surely

le surnaturel   supernatural

surpris   surprised   (6.1)

une surprise-partie   (informal) party

sursautant   sitting up with a start

un sursis   deferment

surtout   especially, above all (4.5)

un survivant, une survivante   survivor

survivre   to survive

sympathique   nice   (R.2)

t

t' (see te)

ta your (R.4)

le tabac tobacco   un bureau de tabac tobacco shop (6.3)

une table table (4.3)   à table at the table

un tableau (pl. tableaux) painting, picture (4.3)

une tache spot

le tahitien Tahitian (language)

un tahitien, une tahitenne Tahitian

*se taire to be quiet (3.2)   tais-toi be quiet (3.2)   taisez-vous be quiet (3.2)

un tambour drum   tant pis! too bad! (7.5)

une tante aunt (R.4)   taper to type

un tapeur, une tapeuse constant borrower

un tapis rug (4.3); doormat   tard late (3.3)   plus tard later (2.3)

la tarte pie (1.1)

des tas m. (de) lots (of)

une tasse cup (6.4)   te you, to you (2.1) yourself (3.1)   technique technical

un tee-shirt tee shirt (R.5)   tel (telle) such

la télé TV

un téléphone telephone (4.3)   téléphoner to call, phone (R.1)

un téléviseur TV set (R.2)

la télévision television   tellement that, very; so (6.4)   tellement de so much, so many (6.4)

un témoin best man, witness

la température temperature (R.5)   quelle est la température? what's the temperature? (R.5)

une tempête storm   une tempête de neige blizzard

le temps weather (R.5) time (3.4)   de temps en temps once in a while; from time to time (4.1)   depuis combien de temps? for how long? (4.5)   perdre son temps to waste one's time (R.5)   quel temps fait-il? how's the weather? (R.5)   tout le

temps all the time (3.2)   trouver le temps long to be impatient

tendre to stretch

tenez! look!

*tenir to hold (7.1)   se tenir + adj. to keep, stay (7.1)   se tenir bien to behave (7.1)   tenir une promesse to keep a promise (7.1)

le tennis tennis

une tentative attempt

une tente tent (8.1)

tenter to try   tenter sa chance to try one's luck (7.1)

termes: en bons termes on good terms

terminer to end

un terrain grounds   un terrain de camping campground (8.1)

la terre earth (8.4)

un territoire territory   tes your (R.4)

une tête head (3.3)   avoir mal à la tête to have a headache

les textiles m. textiles (5.4)

le thé tea (1.1)   le thé glacé ice tea

théâtral theatrical

un théâtre theater (R.3)

le thon tuna (1.1)   tiens! look! hey! (6.2)

un timbre stamp (2.1)   timide timid, shy   timidement timidly, shyly   tir: un stand de tir shooting gallery

une tire-lire piggy bank   titre: à titre gracieux without paying   toi you (R.4) (2.1)

une toile canvas, cloth

la toilette washing and dressing

un toit roof (6.2)

une tomate tomato (1.1)   tomber to fall (1.5)   tomber amoureux (amoureuse) de to fall in love (with) (3.5)   ton (ta; tes) your (R.4)

une tonne ton   torrent: il pleut à torrent it's pouring   tort: avoir tort to be wrong (1.3)   tôt early (3.3)

totalement totally

toujours always (R.1) still (4.1)

tour: à votre tour your turn   le tour du monde trip around the world

une tour tower

la Touraine Touraine (province in central France)   touristique touristy   tourner to turn (7.4)   tous (toutes) all, every (3.2)

la Toussaint All Saints' Day   tout all, everything (1.5)   tout (toute) all, every (3.2)   à tout à l'heure see you in a little while (6.1)   à tout de suite see you (meet you) right away (6.1)   après tout after all (8.2)   pas tout à fait not quite   tout de suite right away, immediately (2.1)   tout (toute) le the whole (3.2)   tout le monde everybody (3.2) everyone (6.1)   tout le temps all the time (3.2)   traditionnel (traditionnelle) traditional   traditionnellement traditionally

*traduire to translate (1.2)

un train train (R.3)   en train by train (R.3)   train: être en train de to be in the midst of (7.5)

un traité treaty   traiter de to treat in   tranquille quiet (5.3)   transformé (en) transformed (into)

un transistor transistor radio (R.2)   transmis transmitted

le transport transportation   transporté transported, brought

le travail work (1.5)   la fête du Travail Labor Day (May 1)   travailler to work (R.1)   travailleur (travailleuse) hardworking (5.1)

un travailleur, une travailleuse worker

un traveller-chèque traveler's check

une traversée crossing   traverser to cross   treize thirteen (R.2)   trempé soaked (4.2)   trente thirty (R.2)

très very (R.2)
une tribu tribe
triste sad (R.2)
trois three (R.1)
se tromper to be mistaken, make a mistake (6.5)
trop too much, too (2.1) too many (1.4)
tropical (pl. tropicaux) tropical
trouver to find (2.2)
se trouver to find oneself; to be (located) (8.2) trouver le temps long to be impatient
trouvés: les objets m. trouvés lost and found
tu you (R.1)
un tube tube (6.4)
tuer to kill se tuer to be killed
un type guy, fellow (7.5)
typique typical
typiquement typically

u

un one (R.1) a, an (R.2)
une a, an (R.2)
uni close, united
uniquement only
une unité unit
une université university (R.3)
urbain urban
l' usage m. use
un ustensile utensil
utile useful (3.5)
utilisant: en utilisant (by) using
utilisé used
utiliser to use (1.1)

v

les vacances f. vacation (1.2)
en vacances on vacation
les grandes vacances summer vacation (8.1) pendant les vacances during vacation (R.1)
une vache cow (8.2)
vaincu defeated
un vainqueur winner
vaisselle: faire la vaisselle to do (wash) the dishes (1.4)
valable valid
une valise suitcase (2.2)

une vallée valley
valoir to be worth
la vanille vanilla
la vanité vanity
varié varied
les variétés f. variety show
vas-y! go!
vaudrait: il vaudrait mieux it would be better (7.3)
vaut: il vaut mieux it is better (7.3)
le veau veal (6.3)
vécu (p. part. of vivre) (5.4)
une vedette star
un véhicule vehicle
la veille eve, day before
un vélo bicycle (R.2) à vélo by bicycle (R.3)
un vélomoteur moped, motorbike (R.2)
un vendeur, une vendeuse salesperson (1.2)
vendre to sell (R.5)
à vendre for sale
vendredi Friday, on Friday (R.3)
venger to avenge
* venir to come (1.5) venir de + inf. (to have) just (1.5)
le vent wind (4.1) dans le vent "with it" il fait du vent it's windy (4.1)
une vente sale
le ventre stomach (3.3)
véritable true, real (6.3)
la vérité truth (2.1)
verra (future of voir) (5.4)
le verre glass (5.4)
un verre glass (6.4)
des verres de contact contact lenses
vers toward(s), around (6.2)
un vers line (of poetry), verse
vert green (R.5)
une veste jacket (R.5)
des vestiges m. ruins, remains
des vêtements m. clothes (R.5)
un vétérinaire veterinarian
veux: je veux I want (R.1)
vexé upset
la viande meat (1.1)
une victime victim, casualty (4.4)
une victoire victory
vide empty (6.4)
la vie life (8.5); living la vie de tous les jours daily life
vieil old (2.4)

vieille old (2.4)
viendra (future of venir) (5.4)
vieux (vieil, vieille; vieux) old (2.4)
une villa summer house, villa (5.2)
un village town, village
une ville city (2.3) en ville downtown (4.4)
le vin wine (1.1)
le vinaigre vinegar (1.1)
vingt twenty (R.2)
une vingtaine about 20
violet (violette) purple (R.5)
un violon violin
un visage face
la visibilité visibility
une visite visit rendre visite (à) to visit (a person) (R.5)
visiter to visit (a place) (R.1)
un visiteur, une visiteuse visitor
vite quickly, fast (2.1)
la vitesse speed en vitesse fast
vivant lively
vive...! hurray for . . . !
* vivre to live (5.4)
le vocabulaire vocabulary
vœux: une carte de vœux Christmas card
voici this is, here's, here comes
voilà there's, that is
la voile sailing (1.1)
une voile sail la planche à voile wind-surfing (1.1)
* voir to see (2.2)
un voisin, une voisine neighbor (R.2)
une voiture car (R.2) en voiture by car (R.3)
une voix voice (7.3)
un volant steering wheel
un volcan volcano
voler to fly, steal
la volonté will
vos your (R.4)
votre (pl. vos) your (R.4)
voudra (future of vouloir) (5.4)
voudrais: je voudrais I would like (R.1)
* vouloir to want (1.2) to wish (7.2) vouloir bien to want (used to accept an offer) (1.2) to accept, agree (7.2)
vouloir dire to mean (1.2)
voulu (p. part. of vouloir) (1.4)

451

vous you (R.1) (R.4) to you (2.1) yourself, yourselves (3.1) each other, one another (3.5)
un **voyage** trip **bon voyage!** have a nice trip! **faire un voyage** to go on a trip, take a trip (1.1)
voyager to travel (R.1) (4.1)
un **voyageur,** une **voyageuse** traveler
une **voyante** fortuneteller (5.1)
voyons! come on! (5.1)
vrai true, right (5.1)
vraiment really, truly (2.1)
vu (*p. part. of* **voir**) (2.2)

W

un **week-end** weekend (R.3) **au week-end prochain** see you next weekend (6.1) **le week-end** on (the) weekends (R.1)
un **western** western

Y

y there, (in) it, (about) them (6.3) **il y a** there is, there are (R.2) **il n'y a pas** there is no, there aren't

any (R.2) **il y a** + *time* *time* ago (4.1) **je n'y suis pas** I don't get it. I'm not with it. **qu'est-ce qu'il y a?** what's up?; what's wrong? what's the matter? what's going on? (4.2)
le **yaourt** yogurt (1.1)
les **yeux** *m.* eyes (3.3)

Z

zéro zero (R.1) **il fait zéro** it's 0° (R.5)
un **zoo** zoo
zut (alors)! darn! rats!

ENGLISH-FRENCH VOCABULARY

The English-French Vocabulary contains only active vocabulary.

a

a, an un, une (R.2) **a few** quelques (2.3) **a little** un peu (R.2) un peu de (6.4)
able: able to manage débrouillard (8.1) **to be able** pouvoir (1.2)
about: about it/them y, en (6.3) **about whom (what)?** de qui (quoi)? à qui (quoi)? (5.4) **to be careful about** faire attention à (1.1) **to be hesitant about** hésiter à (8.3) **to dream about** rêver de (8.3) **to tell about** raconter (4.2) **to think about** penser à (2.2)
above: all surtout (4.5)
abroad à l'étranger (5.2)
absurd: it's absurd il est absurde (7.3)
to accelerate accélérer (7.4)
to accept accepter (2.4) vouloir bien (7.2)
accident un accident (1.5)
to accompany accompagner (5.1)
according to d'après, selon (1.3)
acquainted: to be acquainted with *connaître (2.2)
across (from) en face (de) (3.2)
active actif (active) (2.5) **active in sports** sportif (sportive) (2.5)

address une adresse (2.1)
advance: to tell in advance *prévenir (6.1)
adventure une aventure (8.1)
advice: to take advice suivre un conseil (6.1)
advisable prudent (7.1)
to advise conseiller (8.5)
afraid: to be afraid avoir peur (7.4)
Africa l'Afrique *f.* (R.3)
after après, ensuite (1.4) **after all** après tout (8.2)
afternoon l'après-midi *m.* (R.3) **in the afternoon** l'après-midi (R.3) **on (Tuesday) afternoon** (mardi) après-midi (R.3) **see you this afternoon** à cet après-midi (6.1) **this afternoon** cet après-midi (R.3)
again à nouveau (7.5)
against contre (6.2)
ago il y a + *elapsed time* (4.1)
to agree accepter (2.4) vouloir bien (7.2) **to agree to** accepter de (8.3) **to agree with** être d'accord avec (R.4)
agreeable agréable (6.1)
airplane un avion (R.3) **by airplane** en avion (R.3)
alive: to be alive *vivre (5.4)
all tout (1.5) tout (toute; tous, toutes), tous (toutes) les (3.2)

above all surtout (4.5) **all of a sudden** soudain (7.3) **all the** tous (toutes) les (3.2) **all the time** tout le temps (3.2)
to allow *permettre (1.4)
allowed: to be allowed to *pouvoir (1.2)
alone seul (5.2)
along: to bring/take along (*mainly people*) amener, (*things*) apporter (3.1) **to drive along** rouler (8.2) **to go along with** accompagner (5.1)
already déjà (4.1)
also aussi (R.1)
aluminum l'aluminium *m.* (5.4)
always toujours (R.1)
ambitious ambitieux (ambitieuse) (2.5)
America: North America l'Amérique *f.* du Nord (R.3) **South America** l'Amérique *f.* du Sud (R.3)
American américain (R.2)
among entre (3.2)
amusing amusant (R.2)
an un, une (R.2)
angry en colère (5.3) furieux (furieuse) (7.4) **angry (with)** fâché (contre) (7.5) **to get angry** se mettre en colère (3.4)
animal un animal (*pl.* animaux) (R.2)

to **announce** annoncer (2.1) (4.1)
announcement un faire-part (3.5)
annoying embêtant (R.2)
another un (une) autre (4.4)
  another (one) un (une) autre (4.4)   **not another** pas d'autre (4.4)
answer une réponse (5.5)
to **answer** répondre (à) (R.5)
any du, de la, de l', des, *(in negative sentences)* de (d') (1.1) en (6.3)   **any other** d'autres (4.4)   **in any case** en tout cas (5.2)   **not any longer** ne . . . plus (2.5)   **there aren't any** il n'y a pas de (R.2)
anymore: not anymore ne . . . plus (2.5)
anyone: not anyone ne . . . personne (2.5)
anything: not anything ne . . . rien (2.5)
apartment un appartement (6.2)   **studio apartment** un studio (6.2)   **apartment building** un immeuble (6.2)
to **apologize** s'excuser (3.4)
to **appear** sembler (5.3)
appetizers les • hors-d'œuvre (1.1)
apple une pomme (1.1)
appointment un rendez-vous (4.1)
to **approach** s'approcher (de) (8.4)
April avril *m.* (R.4)
architect un (une) architecte (1.2)
are *(see* to be*)*   **there are** il y a (R.2)   **there aren't any** il n'y a pas de (R.2)
area un lieu (8.5)
arm un bras (3.3)
armchair un fauteuil (4.3)
around autour (de) (3.2) *(time)* vers (6.2)
to **arrange to meet** donner rendez-vous (à) (3.5)
to **arrive** arriver (à, de) (R.3)
article un article (2.1)
as *(in comparisons)* que (5.1) comme (6.1)   **as...as** aussi . . . que (5.1) (6.5)   **as a matter of fact** en effet (6.3) justement (6.5)   **as far as** jusqu'à (6.2)   **as much**

(many)...as autant de . . . que (5.1)
Asia l'Asie *f.* (R.3)
to **ask (for)** demander (2.3)
asleep endormi (7.3)
aspirin l'aspirine *f.* (6.3)
at à (R.1)   **at...(o'clock)** à . . . heure(s) (R.1)   **at (home)** chez (R.4)   **at first** d'abord (1.4)   **at last** enfin (1.4)   **at least** au moins (2.2)   **at night** la nuit (R.3)   **at present** actuellement (6.5)   **at the house (office, shop, etc.)** of chez (R.4)   **at what time?** à quelle heure? (R.1)
attended: well-attended fréquenté (5.1)
attention: to pay attention (to) faire attention (à) (1.1)
attic un grenier (3.1)
August août *m.* (R.4)
aunt une tante (R.4)
Australia l'Australie *f.* (R.3)
autumn l'automne *m.* (R.4)   **in the autumn** en automne (R.4)
avenue une avenue (4.4)
away: right away tout de suite (2.1)   **see (meet) you right away** à tout de suite (6.1)

b

back un dos (3.3)   **in back (of)** derrière (3.2)   **to be back** être de retour (5.5)   **to come back** rentrer (à, de) (R.3)   **to come back (from)** ∗revenir (de) (1.5)   **to give back** rendre (R.5)   **to go back** rentrer (1.5) retourner (7.4)   **to take back (home)** raccompagner (7.4)
backpack un sac à dos (8.1)
bad mauvais (R.2)   **in a bad mood** de mauvaise humeur (2.4)   **it's bad (weather)** il fait mauvais (R.5)   **it's too bad** il est dommage (7.3)   **that's too bad!** c'est dommage! (4.5)   **too bad!** tant pis! (7.5)
badly mal (R.1)
bag un sac (R.2)   **sleeping bag** un sac de couchage (8.1)
baggage les bagages *m.* (2.2)

baker un boulanger, une boulangère, un pâtissier, une pâtissière (6.3)
bakery une boulangerie (6.3)
banana une banane (1.1)
band un orchestre (7.3)
bank une banque (R.3)
bathing suit un maillot de bain (R.5)
bathroom une salle de bains (3.1)
to **be** ∗être (R.2) être situé, se trouver (8.2)   **be quiet! tais-toi! taisez-vous!** (3.2)   **that can't be! pas possible!** (5.4)   **to be...(years old)** avoir . . . ans (R.4)   **to be able** ∗pouvoir (1.2)   **to be acquainted (familiar) with** ∗connaître (2.2)   **to be active in** faire de + *past-time* (1.1)   **to be afraid** avoir peur (7.4)   **to be alive** ∗vivre (5.4)   **to be allowed to** ∗pouvoir (1.2)   **to be back** être de retour (5.5)   **to be born** naître (1.5)   **to be careful (to)** faire attention (à) (1.1)   **to be cold** avoir froid (1.3)   **to be early (late, on time)** être en avance (en retard, à l'heure) (3.3)   **to be going to** *(do something)* aller + *inf.* (R.3)   **to be hesitant about** hésiter à (8.3)   **to be hot** avoir chaud (1.3)   **to be hungry** avoir faim (1.3)   **to be interested (in)** s'intéresser (à) (3.4)   **to be in the midst of** être en train de (7.5)   **to be located** être situé, se trouver (8.2)   **to be lucky** avoir de la chance (1.3)   **to be mistaken** se tromper (6.5)   **to be named** s'appeler (3.4)   **to be on a diet** suivre un régime (6.1)   **to be quiet** ∗se taire (3.2)   **to be right** avoir raison (1.3)   **to be situated** être situé (8.2)   **to be sleepy** avoir sommeil (1.3)   **to be successful in** arriver à (8.3)   **to be supposed to** ∗devoir (1.2)   **to be thirsty** avoir soif (1.3)   **to be warm** avoir chaud (1.3)   **to be wrong** avoir tort (1.3)
beach une plage (R.3)

beans, green beans des •haricots (verts) **(1.1)**

beautiful beau (bel, belle; beaux) **(R.2) (2.4)**

because car **(3.5)** parce que **(7.5)** **because of** à cause de **(7.5)**

to become *devenir **(1.5)**

bed un lit **(4.3)** **to go to bed** se coucher **(3.3)** **to make the bed** faire le lit **(1.4)**

bedroom une chambre **(3.1)**

beef le bœuf **(6.3)** **roast beef** le rosbif **(1.1)**

beer la bière **(1.1)**

before avant **(1.4)** avant de **(8.4)**

to begin commencer **(3.2)** **to begin to** commencer à + *inf.* **(4.1)**

beginning le début **(6.1)**

to behave se tenir bien **(7.1)**

behind derrière **(3.2)**

to believe *croire (à, que), penser **(5.5)**

bell: to ring the bell sonner **(6.2)**

to belong to *être à **(R.4)** *appartenir à **(7.1)**

belonging to: the one(s) belonging to celui, celle (ceux, celles) de **(8.1)**

below: it's (five) below il fait moins (cinq) **(R.5)**

beside à côté de **(3.2)**

best: best friend un meilleur ami, une meilleure amie **(R.2)** **the best** le meilleur, la meilleure **(5.1)**

better meilleur **(5.1)** mieux **(6.5)** **it's (it would be) better** il vaut (il vaudrait) mieux **(7.3)**

between entre **(3.2)**

beverage une boisson **(1.1)**

bicycle un vélo, une bicyclette **(R.2)** **by bicycle** à velo (bicyclette) **(R.3)**

big grand **(R.2)**

binoculars des jumelles *f.* **(8.1)**

bird un oiseau (*pl.* oiseaux) **(R.2)**

black noir **(R.5)**

blanket une couverture **(8.1)**

blond blond **(R.2)**

blouse un chemisier **(R.5)**

blue bleu **(R.5)**

to blush rougir **(R.5)**

boat un bateau (*pl.* bateaux) **(R.3)** **by boat** en bateau **(R.3)**

book un livre **(R.2)**

bookcase une bibliothèque **(4.3)**

boots des bottes *f.* **(R.5)**

bored: to get bored s'embêter **(3.4)**

boring pénible **(R.2)** ennuyeux **(7.1)**

born: to be born naître **(1.5)**

to borrow (from) emprunter (à) **(8.1)**

boss un patron, une patronne **(1.2)**

bottle une bouteille **(6.4)**

boulder un rocher **(4.3)**

boulevard un boulevard **(4.4)**

box une boîte **(1.5)**

boy un garçon **(R.2)**

boyfriend un petit ami **(R.2)**

bracelet un bracelet **(R.5)**

to brake freiner **(7.4)**

brakes: to step on the brakes freiner **(7.4)**

bread le pain **(1.1)**

to break casser **(4.3)** **to break (one's leg)** se casser (la jambe) **(4.3)**

breakdown une panne **(3.4)**

breakfast le petit déjeuner **(1.1)**

brick la brique **(5.4)**

bride une mariée **(3.5)**

to bring (along) (*mainly people*) amener, (*things*) apporter **(3.1)**

broke (*without money*) fauché **(5.2)**

brother un frère **(R.4)**

brown: dark brown brun **(R.5)**

to brush (*one's teeth*) se brosser (les dents) **(3.3)**

to build *construire **(1.2)** **to build a fire** faire du feu **(8.1)**

building: apartment building un immeuble **(6.2)**

to bump into rentrer dans **(1.5)**

bumper un pare-chocs **(7.4)**

bus un autobus **(R.3)** **by bus** en autobus **(R.3)**

busy occupé **(1.1)**

but mais **(R.1)**

butcher un boucher, une bouchère **(6.3)**

butcher shop une boucherie **(6.3)**

butter le beurre **(1.1)**

to buy acheter **(1.1) (3.1)**

by: by ...ing en + *pres. part.* **(8.5)** **by boat (bus, car, plane,**

train) en bateau (autobus, auto [voiture], avion, train) **(R.3)**

by oneself seul **(5.2)**

by the way au fait **(2.2)**

to come by passer **(1.2)**

C

cabinet un placard **(4.3)**

café un café **(R.3)**

cake le gâteau (*pl.* gâteaux) **(1.1)**

calculator une calculatrice **(R.2)**

calendar un calendrier **(6.2)**

to call téléphoner **(R.1)** appeler **(3.2)**

calm calme **(5.3)**

camera un appareil-photo (*pl.* appareils-photo) **(R.2)** **movie camera** une caméra **(R.2)**

camp: summer camp une colonie de vacances **(5.2)**

to camp camper **(8.1)**

camper un campeur, une campeuse **(8.1)**

campground un terrain de camping **(8.1)**

camping le camping **(1.1)** **to go camping** faire du camping **(8.1)**

can une boîte **(6.4)**

can *pouvoir **(1.2)** **that can't be!** pas possible! **(5.4)**

Canada le Canada **(R.3)**

Canadian canadien (canadienne) **(R.2)**

car une auto, une voiture **(R.2)** **by car** en auto (voiture) **(R.3)**

card une carte **(2.1) (playing) cards** les cartes **(1.4)**

careful prudent **(4.3)** **to be careful (about)** faire attention (à) **(1.1)**

careless imprudent **(4.3)**

carrot une carotte **(1.1)**

case: in any case en tout cas **(5.2)**

cassette une cassette **(R.2)**

casualty une victime **(4.4)**

cat un chat **(R.2)**

to catch sight of *apercevoir **(3.4)**

celery le céleri **(1.1)**

center: in the center of au centre de **(3.2)**

certain sûr **(5.2)** **it's certain** il est certain **(7.5)**

chair une chaise (**4.3**)

to **change** changer (de) (**4.1**) to **change one's mind** changer d'avis (**6.5**)

to **chat** bavarder (**4.3**)

cheap bon marché (**1.3**) **cheaper** meilleur marché (**5.1**)

cheese le fromage (**1.1**)

cherry une cerise (**6.3**)

chicken le poulet (**1.1**)

chief un chef (**8.5**)

children les enfants *m.* (**R.4**)

to **choose** choisir (**R.5**)

church une église (**R.3**)

cigarette une cigarette (**6.3**)

city une ville (**2.3**)

class un cours (**6.1**)

classmate un (une) camarade (**R.2**)

to **clean the house** faire le ménage (**1.4**)

clerk: dairy store clerk un crémier, une crémière (**6.3**) **delicatessen clerk** un charcutier, une charcutière (**6.3**)

to **climb** escalader (**4.3**)

climbing: mountain climbing l'alpinisme *m.* (**1.1**)

clock time l'heure *f.* (**4.1**)

to **close** fermer (**6.2**)

closet un placard (**4.3**)

clothes des vêtements *m.* (**R.5**)

cloud un nuage (**8.4**)

coat un manteau (*pl.* manteaux) (**R.5**)

Coca-Cola un Coca-Cola (un coca) (**1.1**)

coffee le café (**1.1**)

Coke un Coca-Cola (un coca) (**1.1**)

cold: it's cold il fait froid (**R.5**) **to be cold** avoir froid (**1.3**)

comb un peigne (**3.3**)

to **comb one's hair** se peigner (**3.3**)

to **come** arriver (à, de) (**R.3**) *venir (**1.5**) **come on!** voyons! (**5.1**) **to come back** rentrer (à, de) (**R.3**) *revenir (de) (**1.5**) **to come by** passer (**1.2**)

comforting réconfortant (**8.5**)

comics des bandes dessinées *f.* (**2.1**)

compass points les points *m.* cardinaux (**8.2**)

to **complain** protester (**8.2**)

complicated compliqué (**5.1**)

computer un ordinateur (**R.2**)

concerned inquiet (inquiète) (**3.2**)

consequently par conséquent (**8.2**)

construction materials des matériaux *m.* de construction (**5.4**)

content content (**5.3**)

contest un concours (**5.5**)

continent un continent (**R.3**)

to **continue** continuer (**7.5**)

to **contradict** *contredire (**2.1**)

cook: pastry cook un pâtissier, une pâtissière (**6.3**)

to **cook** faire la cuisine (**1.1**)

cooking: to do the cooking faire la cuisine (**1.1**)

copper le cuivre (**5.4**)

corner un angle (**4.4**)

to **cost** coûter (**1.3**)

cotton le coton (**5.4**)

to **count** compter (**6.2**) **to count on** compter sur (**5.5**)

country un pays (**R.3**)

country(side) la campagne (**R.3**)

courageous courageux (courageuse) (**2.5**)

course un cours (**6.1**) **to take a course** suivre un cours (**6.1**)

cousin un cousin, une cousine (**R.4**)

cow une vache (**8.3**)

crazy fou (folle) (**5.3**) **it's crazy** il est absurde (**7.3**)

crescent roll un croissant (**6.3**)

to **criticize** critiquer (**2.4**)

crossroads un carrefour (**8.2**)

crowd une foule (**8.5**)

to **cry** pleurer (**4.5**)

cup une tasse (**6.4**)

curious curieux (curieuse) (**2.5**)

curtain un rideau (*pl.* rideaux) (**4.3**)

custard la crème (**1.1**)

to **cut** couper (**3.1**) **to cut oneself** se couper (**3.1**)

cute mignon (mignonne) (**2.5**)

d

dairy store une crémerie (**6.3**)

dairy store owner (clerk) un crémier, une crémière (**6.3**)

dance un bal (**6.1**)

to **dance** danser (**R.1**)

dangerous dangereux (dangereuse) (**7.1**)

dark: it's dark il fait nuit (**8.4**)

dark brown brun (**R.5**)

dark-haired brun (**R.2**)

daughter une fille (**R.4**)

date (*on the calendar*) une date (**R.4**) un rendez-vous (**4.1**) **to make a date** donner rendez-vous (à) (**3.5**) **what's the date today?** quelle est la date aujourd'hui? (**R.4**)

daughter une fille (**R.4**)

day un jour (**R.3**) **the next day** le lendemain (**2.4**) **(whole) day** une journée (**6.1**)

daytime: it's daytime il fait jour (**8.4**)

dear cher (chère) (**1.5**)

December décembre *m.* (**R.4**)

to **decide (to)** décider (de) (**5.1**)

decision: to make a decision prendre une décision (**8.2**)

degrees: it's (18) degrees il fait (18) degrés (**R.5**)

delicatessen une charcuterie (**6.3**)

delicatessen owner (clerk) un charcutier, une charcutière (**6.3**)

delighted ravi (**7.4**)

departure un départ (**5.2**)

to **depend on** compter sur (**5.5**)

to **describe** *décrire (**2.1**)

to **desire** désirer (**R.1**)

desk un bureau (*pl.* bureaux) (**1.4**)

dessert un dessert (**1.1**)

to **destroy** *détruire (**1.2**)

detective story un roman policier (**4.5**)

detergent la lessive (**6.3**)

to **die** mourir (**1.5**)

diet: to be on a diet suivre un régime (**6.1**)

difficult difficile (**5.1**)

dining room une salle à manger (**3.1**)

dinner le dîner (**1.1**) **to have (eat) dinner** dîner (**R.1**)

disappointed déçu (**7.2**)

to **discover** *découvrir (**6.2**)

dish: main dish le plat principal (**1.1**)

dishes: to do (wash) the dishes faire la vaisselle (**1.4**)

dishwasher un lave-vaisselle (**4.3**)

to dislike détester (R.1)

disobedience la désobéissance (7.3)

distance une distance (8.2)

district un quartier (2.4)

divided highway une autoroute (8.2)

diving: scuba diving la plongée sous-marine (5.2)

to divorce divorcer (3.5)

to do *faire (1.1) (a pastime) faire de + pastime (1.1) to do the cooking faire la cuisine (1.1) to do the dishes faire la vaisselle (1.4) to do the shopping (for food) faire les courses (1.1)

doctor un médecin (1.2)

dog un chien (R.2)

dollar un dollar (1.3)

door une porte (3.1) (of a car) une portière (7.4)

to doubt douter (7.5)

down: to go down descendre (1.5) to knock down renverser (4.4) to mark (write) down noter (4.4)

downtown en ville (4.4)

to dream rêver (6.1) to dream about rêver de (8.3)

dress une robe (R.5)

dressed: to get dressed s'habiller (3.3) to get undressed se déshabiller (3.3)

dresser une commode (4.3)

drink une boisson (1.1)

to drink *boire, *prendre (1.1)

to drive *conduire (1.2) to drive (along) rouler (8.2)

driver un conducteur, une conductrice (4.4)

druggist un pharmacien, une pharmacienne (1.2)

drugs and medicine des médicaments m. (6.3)

duck un canard (8.3)

dumb bête (R.2) idiot (5.2)

during pendant (1.2) during the week en semaine (R.1)

each chaque (1.1) each one, each person chacun (1.3)

each other nous, vous, se (3.5)

ear une oreille (3.3)

early tôt (3.3) to be early être en avance (3.3)

to earn gagner (1.3)

earrings des boucles f. d'oreille (R.5)

earth la terre (8.4)

east l'est m. (R.3)

easy facile (5.1)

to eat manger (1.1) (4.1) *prendre (1.1) to eat dinner dîner (R.1) to eat lunch déjeuner (R.1)

egg un œuf (1.1)

eight •huit (R.1)

eighteen dix-huit (R.2)

eighty quatre-vingts (R.5)

eighty-one quatre-vingt-un (R.5)

elevator un ascenseur (6.2)

eleven onze (R.1)

else: or else sinon (7.3)

empty vide (6.4)

end un bout (5.5) la fin (6.1)

to end finir (R.5)

engaged: to get engaged se fiancer (3.5)

engine un moteur (7.4)

engineer un ingénieur (1.2)

England l'Angleterre f. (R.3)

English anglais (R.2)

enormous énorme (8.5)

enough assez (R.1) assez de (6.4)

to enter entrer (1.5)

to entertain (people) *recevoir (3.4)

envelope une enveloppe (2.1)

error une erreur (5.4)

especially surtout (4.5)

essential: it's essential il est indispensable (7.3)

Europe l'Europe f. (R.3)

even même (6.1) even if même si (6.1)

evening le soir (R.3) evening party une soirée (6.1) in the evening le soir (R.3) on (Wednesday) evening (mercredi) soir (R.3) this evening ce soir (R.3) (whole) evening une soirée (6.1)

event un événement (3.5)

every tout (toute; tous, toutes) (3.2) tous (toutes) les (3.2)

everybody, everyone tout le monde (3.2)

everything tout (1.5)

evidently évidemment (2.2)

exam un examen (4.3)

to examine examiner (4.3)

excited agité (5.3)

expensive cher (chère) (1.3)

to explain expliquer (6.1)

explanation une explication (7.5)

to express oneself s'exprimer (7.5)

eye un œil (pl. yeux) (3.3)

f

face une figure (3.3)

fact: as a matter of fact en effet (6.3) justement (6.5)

to fail (an exam) rater (2.5)

failure to obey la désobéissance (7.3)

fall l'automne m. (R.4) in the fall en automne (R.4)

to fall tomber (1.5) to fall in love (with) tomber amoureux/ amoureuse (de) (3.5)

false faux (fausse) (5.1)

familiar: to be familiar with *connaître (2.2)

famous célèbre (5.1)

far, far away (from) loin (de) (3.2) as far as jusqu'à (6.2)

fast (2.1) rapide (3.3)

faster: to go faster accélérer (7.4)

fat: to get fat grossir (R.5)

father un père (R.4)

favor: in favor of pour (6.2)

feast une fête (5.1)

February février m. (R.4)

feel: to feel like (having) avoir envie de (1.3)

feeling un sentiment (5.3)

fellow un type (7.5) un gars (8.4)

festivities: wedding festivities les noces f. (3.5)

few: a few quelques (2.3) fewer than moins de . . . que (5.1)

fiancé(e) un fiancé, une fiancée (3.5)

field un champ (8.3)

fifteen quinze (R.2)

fifth cinquième (6.5)

fifty cinquante (R.2)

to fill remplir (6.4) to fill the tank faire le plein (7.4)

finally finalement **(1.4)**

to **find** trouver **(2.2)**

finger un doigt **(3.3)**

to **finish** finir **(R.5)** finir de **(8.3)**

finished fini **(7.4)**

fire le feu **(8.1)** to **build a fire** faire du feu **(8.1)**

first premier (première) **(3.2)** (at) **first** d'abord **(1.4)** (March) **first** le premier (mars) **(R.4)**

fish un poisson **(R.2)**

five cinq **(R.1)**

to **fix** préparer **(3.1)** réparer **(7.4)** (a date) fixer **(8.2)**

flash: flash of light une lueur **(8.4)** **flash of lightning** un éclair **(8.4)**

flashlight une lampe de poche **(8.1)**

floor un étage **(6.2)** **ground floor** le rez-de-chaussée **(6.2)**

flour la farine **(6.3)**

flower une fleur **(8.3)**

to **follow** *suivre **(6.1)**

following suivant **(1.5)**

foot un pied **(3.3)** **on foot** à pied **(R.3)**

for pour **(R.1)** pendant **(4.4)** depuis **(4.5)** **for a long time** longtemps **(4.1)** **for how long?** depuis combien de temps? **(4.5)** **for what reason?** pour quelle raison? **(7.5)**

foreign étranger (étrangère) **(5.2)**

forest une forêt **(8.3)**

to **forget** oublier **(2.2)** to **forget to** oublier de **(8.3)**

formal living room un salon **(3.1)**

former ancien (ancienne) **(6.2)**

fortunately heureusement **(2.4)**

fortuneteller une voyante **(5.1)**

forty quarante **(R.2)**

four quatre **(R.1)**

fourteen quatorze **(R.2)**

franc un franc **(1.3)**

France la France **(R.3)**

frankly franchement **(6.5)**

free libre **(1.1)**

French français **(R.2)**

French fries des frites f. **(1.1)**

Friday vendredi m. **(R.3)** **on Friday** vendredi **(R.3)** **on Fridays** le vendredi **(R.3)**

friend un ami, une amie **(R.2)** un copain, une copine **(7.3)** **best friend** un meilleur ami, une meilleure amie **(R.2)**

friendship l'amitié f. **(3.5)**

fries: French fries des frites f. **(1.1)**

from de **(R.1)** **from time to time** de temps en temps **(4.1)** **from there** en **(6.3)**

front: in front (of) devant **(3.2)**

fruit un fruit **(1.1)**

fruit juice le jus de fruits **(1.1)**

fruit store keeper un marchand de fruits **(6.3)**

frying pan une poêle **(8.1)**

full plein **(6.4)**

fun: to have fun s'amuser **(3.4)** **to make fun of** se moquer de **(3.5)**

funny drôle **(R.2)**

furious furieux (furieuse) **(5.3)**

furniture: piece of furniture un meuble **(4.3)**

future l'avenir m. **(5.2)**

g

to **gain weight** grossir **(R.5)**

game: to play a game faire un match **(1.1)** **to play a game of** faire une partie de **(1.4)**

garage un garage **(3.1)**

garden un jardin **(3.1)**

gas l'essence f. **(3.4)**

gas station une station-service **(3.4)**

generally généralement **(6.5)**

generous généreux (généreuse) **(2.5)**

German allemand **(R.2)**

Germany l'Allemagne f. **(R.3)**

to **get** chercher **(2.1)** *recevoir **(3.4)** *obtenir **(7.1)** **to get angry** se mettre en colère **(3.4)** **to get bored** s'embêter **(3.3)** **to get dressed** s'habiller **(3.3)** **to get engaged** se fiancer **(3.5)** **to get impatient** s'impatienter **(3.4)** **to get married** se marier (avec) **(3.4)** **to get near (to)** s'approcher (de) **(8.4)** **to get nervous** s'énerver **(3.4)** **to get out (of)** sortir (de) **(1.5)** **to get ready** se préparer **(3.1)** **to get un-**

dressed se déshabiller **(3.3)**

to **get up** se lever **(3.3)** to **get upset** s'énerver **(3.4)**

gift un cadeau (pl. cadeaux) **(3.5)**

girlfriend une petite amie **(R.2)**

to **give** donner **(2.3)** *offrir **(6.2)** **to give back** rendre **(R.5)**

glad content **(7.4)**

glass le verre **(5.4)** (for drinking) un verre **(6.4)**

glasses des lunettes f. **(R.5)**

glimmer une lueur **(8.4)**

glow une lueur **(8.4)**

to **go** *aller **(R.3)** passer **(1.5)** **to be going to** aller + inf. **(R.3)** **to go along with** accompagner **(5.1)** **to go back** rentrer **(1.5)** retourner **(7.4)** **to go (camping)** faire du (camping) **(8.1)** **to go down** descendre **(1.5)** **to go faster** accélérer **(7.4)** **to go for a ride** faire une promenade (en auto) **(1.1)** **to go for a walk** faire une promenade (à pied) **(1.1)** **to go home** rentrer (à, de) **(R.3)** **to go in** entrer **(1.5)** **to go on** continuer à **(8.3)** **to go on a trip** faire un voyage **(1.1)** **to go shopping** (for food) faire les courses **(1.1)** **to go out** *sortir **(1.5)** **to go to bed** se coucher **(3.3)** **to go up** monter **(1.5)**

going: what's going on? qu'est-ce qu'il y a **(4.2)**

gold l' or m. **(5.4)**

good bon (bonne) **(R.2)** **in a good mood** de bonne humeur **(2.4)** **in good health** en bonne santé **(5.3)** **it's good** il est bon **(7.3)**

good-looking beau (bel, belle; beaux) **(R.2) (2.4)**

grandfather un grand-père **(R.4)**

grandmother une grand-mère **(R.4)**

grandparents les grands-parents m. **(R.4)**

grapes du raisin **(6.3)**

grass l'herbe f. **(8.3)**

gray gris **(R.5)**

great: in great shape en pleine forme **(1.4)**

green vert **(R.5)** **green beans** des •haricots (verts) **(1.1)**

grocer un épicier, une épicière (6.3)

grocery une épicerie (6.3)

groom un marié (3.5)

ground le sol (8.4)

ground floor le rez-de-chaussée (6.2)

guest un invité, une invitée (3.2)

guitar une guitare (R.2)

guy un type (7.5) un gars (8.4)

h

hair les cheveux *m.* (3.3)

hairbrush une brosse à cheveux (3.3)

half: it's half past... il est . . . heure(s) et demie (R.1)

hall une salle (2.4)

ham le jambon (1.1)

hand une main (3.3)

to **happen** arriver, se passer (4.2)

happened: what happened? qu'est-ce qui est arrivé (s'est passé)? (4.2)

happening: what's happening? qu'est-ce qui se passe? (4.2)

happy content (R.2) heureux (heureuse) (2.5)

hard difficile (5.1)

hard-working travailleur (travailleuse) (5.1)

has: one has to il faut (1.2)

hat un chapeau (*pl.* chapeaux) (R.5) **wool hat** un bonnet (R.5)

to **hate** détester (R.1)

to **have** *avoir (R.2) *prendre (1.1) **to have dinner** dîner (R.1) **to have fun** s'amuser (3.4) **to have just** venir de + *inf.* (1.5) **to have lunch** déjeuner (R.1) **to have to** *devoir (1.2) **you have to** il faut (1.2)

he il (R.1) **he's** c'est (R.2)

head une tête (3.3)

headlight un phare (7.4)

health: in good health en bonne santé (5.3)

healthy en bonne santé (5.3)

to **hear** entendre (R.5)

heart un cœur (3.3)

heavy lourd (5.1)

to **help** aider (2.2)

hen une poule (8.3)

her elle (R.4) la (2.2) son, sa, ses (R.4) **(to) her** lui (2.3)

here ici (R.3) **this...(over here)** ce . . . -ci (R.5)

herself se (3.1)

hesitant: to be hesitant about hésiter à (8.3)

to **hesitate** hésiter à (8.3)

hey! tiens! (6.2)

to **hide** cacher (6.2)

high élevé (4.3)

high school un lycée (R.3)

highway une route (3.4) **divided highway** une autoroute (8.2)

him lui (R.4) le (2.2) **(to) him** lui (2.3)

himself se (3.1)

his son, sa, ses (R.4)

to **hold** *tenir (7.1)

holiday une fête (5.1)

home: (at) home chez + *stress pronoun* (R.4) **to go home** rentrer (à de) (R.3) **to take back home** raccompagner (7.4)

hope l'espoir *m.* (7.2)

to **hope** espérer (3.1)

horse un cheval (*pl.* chevaux) (8.3)

hospital un hôpital (R.3)

hot: it's hot il fait chaud (R.5) **to be hot** avoir chaud (1.3)

house une maison (R.3) **at/to the house of** chez (R.4) **summer house** une villa (5.2) **to clean the house** faire le ménage (1.4)

how: for how long? depuis combien de temps? (4.5) **how?** comment? (R.1) **how many** combien (de) (6.4) **how many times?** combien de fois? (4.1) **how much** combien (1.3) **how's the weather?** quel temps fait-il? (R.5) **to know how to** *savoir (2.3) **to learn how to** apprendre à + *inf.* (1.1)

however pourtant (2.5)

huge énorme (8.5)

hundred cent (R.5) **(one) hundred and one** cent un (R.5) **two hundred** deux cents (R.5)

hungry: to be hungry avoir faim (1.3)

hurry: in a hurry pressé (3.3)

to **hurry** se dépêcher (3.4)

husband un mari (R.4)

i

I je (R.1) **I would like** je voudrais (R.1) j'aimerais (7.2) **neither do I** moi non plus (6.3)

ice cream la glace (1.1)

ice-skating le patin à glace (1.1)

idiotic idiot (5.2)

if si (2.3) **even if** même si (6.1) **if not** sinon (7.3)

imaginative imaginatif (imaginative) (2.5)

immediately tout de suite (2.1)

impatient: to get impatient s'impatienter (3.4)

impolite impoli (7.1)

important important (7.1)

impressed impressionné (7.2)

impulsive impulsif (impulsive) (2.5)

in à (R.1) en (R.3) dans (1.4) **in a good (bad) mood** de bonne (mauvaise) humeur (2.4) **in a hurry** pressé (3.3) **in any case** en tout cas (5.2) **in back (of)** derrière (3.2) **in favor of** pour (6.2) **in front (of)** devant (3.2) **in good health** en bonne santé (5.3) **in great shape** en pleine forme (1.4) **in it/them** y (6.3) **in (my) opinion** à (mon) avis (5.5) **in order to** pour + *inf.* (1.2) **in the center (of)** au centre (de) (3.2) **in the middle (of)** au milieu (de) (3.2) **in the morning** (afternoon, evening) le matin (l'après-midi, le soir) (R.3) **in the (mornings)** le (matin) (4.3) **in the past** autrefois (4.1) **in the spring** au printemps (R.4) **in the summer (autumn, winter)** en été (automne, hiver) (R.4)

incredible incroyable (2.5)

indeed bien (3.4) en effet (6.3)

indispensable: it's indispensable il est indispensable (7.3)

inexpensive bon marché (5.1)

to **inform** renseigner **(5.2)**
inside dans **(6.2)**
instead of au lieu de **(8.4)**
intellectual intellectuel
(intellectuelle) **(2.5)**
intelligent intelligent **(R.2)**
to **intend to** avoir l'intention de
(2.1)
to **interest** intéresser **(2.4)**
intersection un carrefour **(8.2)**
interested: to be interested (in)
s'intéresser (à) **(3.4)**
intermission un entr'acte **(7.3)**
into dans **(1.4)**
to **introduce** présenter **(2.3)**
intuitive intuitif (intuitive) **(2.5)**
to **invite** inviter **(R.1)**
iron le fer **(5.4)**
is (see **to be**) **isn't it so?** n'est-ce
pas? **(R.1)** **there is** il y a
(R.2) **there is no** il n'y a pas
de **(R.2)**
island une île **(5.2)**
it il/elle **(R.1)** le/la **(2.2)**
(in) it y **(6.3)** **it snowed
(rained)** il a neigé (plu) **(4.1)**
it's c'est **(R.2)** **it's...(o'clock)**
il est . . . heure(s) **(R.1)**
it's (18) degrees il fait (18)
degrés **(R.5)** **it's (easy)
to** il est (facile) de + *inf.* **(7.1)**
it's (five) below il fait moins
(cinq) **(R.5)** **it's (five) of (four)**
il est (quatre) heures moins
(cinq) **(R.2)** **it's (five) past
(two)** il est (deux) heures (cinq)
(R.2) **it's (it was) sunny** il y a
(il y a eu) du soleil **(4.1)** **it's
(it was) windy** il fait (il a fait) du
vent **(4.1)** **it's (it would be)
better** il vaut (il vaudrait) mieux
(7.3) **it's (September 27)**
c'est le (27 septembre) **(R.4)**
it's certain il est certain **(7.5)**
it's daytime (light) il fait jour
(8.4) **it's half past...** il
est . . . heure(s) et demie **(R.1)**
it's necessary to il faut **(1.2)**
it's nice (bad, hot, cold) (weather)
il fait beau (mauvais, chaud,
froid) **(R.5)** **it's nighttime
(dark)** il fait nuit **(8.4)** **it's
noon (midnight)** il est midi
(minuit) **(R.1)** **it's quarter
of...** il est . . . heure(s) moins
le quart **(R.1)** **it's quarter

past... il est . . . heure(s) et
quart **(R.1)** **it's raining** il
pleut **(R.5)** **it's snowing**
il neige **(R.5)** **it's zero** il
fait zéro **(R.5)**
Italian italien (italienne) **(R.2)**
Italy l'Italie *f.* **(R.3)**
item: news item une nouvelle
(2.1)
itinerary un itinéraire **(8.2)**
its son, sa, ses **(R.4)**

j

jacket une veste **(R.5)** **ski
jacket** un anorak **(R.5)**
jam la confiture **(1.1)**
January janvier *m.* **(R.4)**
Japanese japonais **(R.2)**
jar un pot **(6.4)**
jealous jaloux (jalouse) **(4.5)**
jeans un blue-jeans **(R.5)**
joke une plaisanterie **(4.5)**
to **joke** plaisanter **(4.5)**
juice: fruit juice le jus de fruits
(1.1) **orange juice** le jus
d'orange **(1.1)**
July juillet *m.* **(R.4)**
June juin *m.* **(R.4)**
just: (to have) just venir de + *inf.*
(1.5)

k

to **keep** se tenir + *adj.* **(7.1)**
to keep a promise tenir une
promesse **(7.1)**
keeper: fruit store keeper un
marchand de fruits **(6.3)**
key une clé **(1.5)**
kilogram un kilo **(6.4)**
kilometer un kilomètre **(8.2)**
kisses: love and kisses (at the end
of a letter) **je vous embrasse...**
(1.5)
kitchen une cuisine **(3.1)**
knapsack un sac à dos **(8.1)**
knife: pocket knife un couteau de
poche **(8.1)**
to **knock** frapper **(6.2)** **to knock
over (down)** renverser **(4.4)**
to **know** *connaître **(2.2)** *savoir
(2.3) **to know how to** *savoir
(2.3) **what do you know!** ça,
par exemple! **(6.5)**

l

lake un lac **(8.3)**
lamb l'agneau *m.* **(6.3)**
lamp une lampe **(4.3)**
landlady une propriétaire **(6.5)**
landlord un propriétaire **(6.5)**
landscape un paysage **(2.3)**
large room une salle
last dernier (dernière) **(3.2)**
at last enfin **(1.4)** **last
(Sunday)** (dimanche) dernier
(R.3)
to **last** durer **(1.3)**
late tard **(3.3)** **to be late**
être en retard **(3.3)**
later plus tard **(2.3)**
to **laugh** *rire **(4.5)**
laughter le rire **(4.5)**
lawyer un avocat, une avocate
(1.2)
lazy paresseux (paresseuse) **(2.5)**
leader un chef **(8.5)**
to **learn** *apprendre **(1.1)** **to
learn** (a subject) faire de + *subject* **(1.1)** **to learn how to**
apprendre à + *inf.* **(1.1)** **to
learn to play** (an instrument)
faire de + *instrument* **(1.1)**
least: at least au moins **(2.2)**
the least.... le/la/les moins + *adj.*
(5.1)
to **leave** quitter, *partir **(1.3)**
(a place) partir de **(1.5)** (someone or something behind)
laisser **(2.5)** **to leave for**
(a place) partir à **(1.5)**
left gauche **(4.3)** **to the left
(of)** à gauche (de) **(3.2)**
leg une jambe **(3.3)**
lemon soda la limonade **(1.1)**
to **lend** prêter **(2.3)**
less...than moins . . . que,
moins de . . . que **(5.1) (6.5)**
to **let** *permettre **(1.4)** laisser
(7.5)
letter une lettre **(2.1)**
lettuce la salade **(1.1)**
library une bibliothèque **(R.3)**
lie un mensonge **(2.1)**
life la vie **(8.5)**
light léger (légère) **(5.1)**
light: flash of light une lueur
(8.4) **it's light** il fait jour **(8.4)**
lightning: flash of lightning un
éclair **(8.4)**

like   comme   (6.1)
to like   aimer   (R.1)   I would
   like   je voudrais   (R.1)
   j'aimerais   (7.2)
   line: to stand in line   faire la queue
   (7.1)
   lipstick   le rouge à lèvres   (6.3)
   liter   un litre   (6.4)
   little   peu (de)   (6.4)   a little
   un peu   (R.2)   a little
   (+ sing. noun) un peu de   (6.4)
   little by little   peu à peu   (4.3)
to live   (in a place) habiter   (R.1)
   (in a given place, in a certain way)
   *vivre   (5.4)
   living room   un salon, une salle de
   séjour   (3.1)   formal living
   room   un salon   (3.1)
to loan   prêter   (2.3)
   located: to be located   être situé,
   se trouver   (8.2)
to lock   fermer à clé   (6.2)
   long   long (longue)   (4.1)   for
   a long time   longtemps   (4.1)
   for how long?   depuis combien
   de temps?   (4.5)
   longer: no (not any) longer
   ne . . . plus   (2.5)
to look   avoir l'air   (5.3)   look!
   tiens!   (6.2)   to look at
   regarder   (R.1)   to look for
   chercher   (2.2)
to lose   perdre   (R.5)   to lose
   weight   maigrir   (R.5)
   lot: a lot   beaucoup   (R.1)
   love   l'amour m.   (3.5)   love
   and kisses   (at the end of a letter)
   je vous embrasse . . .   (1.5)
to love   adorer   (R.1)   to fall in
   love (with)   tomber amoureux/
   amoureuse (de)   (3.5)
   low   bas (basse)   (4.3)
   luck   la chance   (5.5)   to try
   one's luck   tenter sa chance   (7.1)
   lucky: to be lucky   avoir de la
   chance   (1.3)
   luggage   les bagages m.   (2.2)
   lunch   le déjeuner   (1.1)   to
   have (eat) lunch   déjeuner   (R.1)

m

   machine: washing machine   une
   machine à laver   (4.3)
   mad   furieux (furieuse), fou (folle)
   (5.3)

made of (silver)   en (argent)   (5.4)
magazine   un magazine, une revue
   (2.1)
magnificent   magnifique   (5.2)
mail   le courrier   (2.1)
main dish   le plat principal   (1.1)
make   (of car) une marque (de
   voiture)   (4.4)
to make   *faire   (1.1)   to make a
   date   donner rendez-vous (à)
   (3.5)   to make a decision
   prendre une décision   (8.2)
   to make a mistake   se tromper
   (6.5)   to make fun of   se
   moquer de   (3.5)   to make
   plans   faire des projets   (1.1)
   to make progress   faire des
   progrès   (1.1)   to make the
   bed   faire le lit   (1.4)
make-up: to put on make-up   se
   maquiller   (3.3)
man   un homme   (R.2)
manage: able to manage
   débrouillard   (8.1)
manner   une façon   (7.4)
many   beaucoup (de)   (6.4)   as
   many...as   autant de . . . que
   (5.1)   how many   combien
   (de)   (6.4)   how many times?
   combien de fois?   (4.1)   many
   people   du monde, beaucoup
   de monde   (6.1)   so many
   tellement de   (6.4)   too many
   trop (de)   (6.4)
map   une carte   (8.2)   (street)
   map   un plan   (8.2)
March   mars m.   (R.4)
to mark down   noter   (4.4)
marriage   le mariage   (3.5)
married: to get married   se marier
   (avec)   (3.4)
to marry   se marier (avec)   (3.4)
match   une allumette   (8.1)
materials: construction materials
   des matériaux m. de construction
   (5.4)
matter: as a matter of fact   en effet
   (6.3)   justement   (6.5)   that
   doesn't matter   ça ne fait rien
   (6.2)   what's the matter?
   qu'est-ce qu'il y a?   (4.2)
may   *pouvoir   (1.2)
May   mai m.   (R.4)
maybe   peut-être   (3.5)
me   moi   (R.4)   me   (2.1)
   "me neither"   moi non plus

(6.3)   to me   me   (2.1)
meadow   une prairie   (8.3)
meal   un repas   (1.1)
mean   méchant   (5.1)
to mean   vouloir dire   (1.2)
meat   la viande   (1.1)
mechanic   un mécanicien, une
   mécanicienne   (1.2)
medicine: drugs and medicine   des
   médicaments m.   (6.3)
to meet   faire la connaissance de
   (2.1)   rencontrer   (2.2)   meet
   you right away   à tout de suite
   (6.1)   to arrange to meet
   donner rendez-vous (à)   (3.5)
meeting place   un rendez-vous
   (4.1)
metals   des métaux m.   (5.4)
meter   un mètre   (8.2)
metric pound   une livre   (6.4)
Mexican   mexicain   (R.2)
Mexico   le Mexique   (R.3)
middle: in the middle (of)   au
   milieu (de)   (3.2)
midnight: it's midnight   il est
   minuit   (R.1)
midst: to be in the midst of   être en
   train de   (7.5)
mile   un mille   (8.2)
milk   le lait   (1.1)
million   un million   (R.5)
mind: to change one's mind
   changer d'avis   (6.5)
mineral water   l'eau f. minérale
   (1.1)
minute   une minute   (R.2)
mirror   une glace   (3.3)
to miss   (a train) rater   (2.5)
mistake   une erreur   (5.4)
mistaken: to be mistaken   se
   tromper   (6.5)
modern   moderne   (5.1)
Monday   lundi m.   (R.3)   on
   Monday   lundi   (R.3)   on
   Mondays   le lundi   (R.3)
money   l'argent m.   (1.3)   to
   save money   faire des économies
   (1.3)
month   un mois   (R.4)
monument   un monument   (2.3)
mood: in a good (bad)   de bonne
   (mauvaise) humeur   (2.4)
moon   la lune   (8.4)
moped   un vélomoteur   (R.2)
more   plus   (3.3)   more and
   more   de plus en plus   (4.1)

more...than plus . . . que, plus de . . . que (**5.1**) (**6.5**)

no more ne . . . plus (**2.5**)

morning le matin (**R.3**) **in the morning** le matin (**R.3**) **on (Monday) morning** (lundi) matin (**R.3**) **this morning** ce matin (**R.3**) **(whole) morning** une matinée (**6.1**)

most: the most... le/la/les plus + *adj.* (**5.1**)

mother une mère (**R.4**)

motor un moteur (**7.4**)

motorbike un vélomoteur (**R.2**)

motorcycle une moto (**R.2**)

mountain(s) la montagne (**4.3**)

mountain climbing l'alpinisme *m.* (**1.1**)

mouth une bouche (**3.3**)

movie camera une caméra (**R.2**)

movie theater un cinéma (**R.3**)

much beaucoup (**R.1**) **as much...as** autant de . . . que (**5.1**) **how much** combien (**1.3**) **not much** peu (de) (**6.4**) **so much** tellement de (**6.4**) **too much** trop (**2.1**)

museum un musée (**R.3**)

musical musicien (musicienne) (**2.5**)

must ✶devoir (**1.2**) **one must** il faut (**1.2**)

mustard la moutarde (**1.1**)

my mon, ma, mes (**R.4**)

myself me (**3.1**)

n

nail un ongle (**3.3**)

naive naïf (naïve) (**2.5**)

named: to be named s'appeler (**3.4**)

nasty méchant (**5.1**)

natural naturel (naturelle) (**2.5**) **it's natural** il est naturel (**7.3**)

naturally naturellement (**6.5**)

near près (de) (**3.2**) **to get near (to)** s'approcher (de) (**8.4**)

necessary nécessaire (**7.1**) **it's necessary** il est nécessaire (**7.3**) **it's necessary to** il faut (**1.2**)

neck un cou (**3.3**)

necklace un collier (**R.5**)

to need avoir besoin de (**1.3**)

you need to il faut (**1.2**)

neighbor un voisin, une voisine (**R.2**)

neighborhood un quartier (**2.4**)

neither...nor... ni . . . ni . . . (**6.4**) **neither do I ("me neither")** moi non plus (**6.3**)

nervous nerveux (nerveuse) (**5.3**) **to get nervous** s'embêter (**3.4**)

never ne . . . jamais (**2.5**)

nevertheless pourtant (**6.5**)

new neuf (neuve) (**2.4**) nouveau (nouvel, nouvelle; nouveaux) (**2.4**)

news: news item une nouvelle (**2.1**) **the news** les nouvelles *f.* (**2.1**)

newspaper un journal (**2.1**)

next prochain (**3.5**) **next (Saturday)** (samedi) prochain (**R.3**) **next to** à côté de (**3.2**) **see you next (Monday)** à (lundi) prochain (**6.1**) **see you next week (see you next weekend)** à la semaine prochaine (au week-end prochain) (**6.1**) **the next day** le lendemain (**2.4**)

nice sympathique (**R.2**) aimable (**2.5**) gentil (gentille) (**5.1**) **it's nice (weather)** il fait beau (**R.5**)

night la nuit (**R.3**) **at night** la nuit (**R.3**) **on (Thursday) night** (jeudi) soir (**R.3**)

nighttime: it's nighttime il fait nuit (**8.4**)

nine neuf (**R.1**)

nineteen dix-neuf (**R.2**)

ninety quatre-vingt-dix (**R.5**) **ninety-one** quatre-vingt-onze (**R.5**)

ninth neuvième (**6.5**)

no: no? no? n'est-ce pas? (**R.1**) **no longer (more)** ne . . . plus (**2.5**) **no one** ne . . . personne (**2.5**) **no other** pas d'autre + *sing. noun* (**4.4**) **no problem** ça ne fait rien (**6.2**) **to say no** refuser (**2.4**)

nobody ne . . . personne (**2.5**)

noise un bruit (**7.2**)

noon: it's noon il est midi (**R.1**) **see you at noon** à midi (**6.1**)

nor: neither...nor... ni . . . ni . . . (**6.4**)

normal: it's normal il est normal (**7.3**)

normally normalement (**6.5**)

north le nord (**R.3**) **North America** l'Amérique *f.* du Nord (**R.3**)

nose un nez (**3.3**)

not ne . . . pas (**R.1**) **if not** sinon (**7.3**) **not (+ inf.)** ne pas + *inf.* (**8.3**) **not another** pas d'autre (**4.4**) **not anymore (any longer)** ne . . . plus (**2.5**) **not anyone** ne . . . personne (**2.5**) **not anything** ne . . . rien (**2.5**) **not much** peu (de) (**6.4**)

to note ✶s'apercevoir (de) (**3.4**) noter (**4.4**)

notebook un cahier (**2.1**) **small notebook** un carnet (**2.1**)

nothing ne . . . rien (**2.5**)

to notice remarquer (**1.3**) ✶s'apercevoir (de) (**3.4**)

novel un roman (**4.5**)

November novembre *m.* (**R.4**)

now maintenant (**R.1**)

number un nombre (**R.1**) un numéro (**4.4**)

nurse un infirmier, une infirmière (**1.2**)

nylon le nylon (**5.4**)

o

obedient obéissant (**8.5**)

to obey obéir (à) (**R.5**) **failure to obey** la désobéissance (**7.3**)

object un objet (**R.2**)

to obtain ✶obtenir (**7.1**)

obviously évidemment (**2.2**)

o'clock heure(s) (**R.1**) **at...o'clock** à . . . heure(s) (**R.1**) **it's...o'clock** il est . . . heure(s) (**R.1**)

October octobre *m.* (**R.4**)

of de (**R.1**) **it's (five) of (four)** il est (quatre) heures moins (cinq) (**R.2**) **it's quarter of...** il est . . . heure(s) moins le quart (**R.1**) **of it/them** en (**6.3**) **to think of** penser de (**2.2**)

to offer ✶offrir (**6.2**)

office un bureau (**1.4**) **at/to the office of** chez (**R.4**)

often souvent (R.1)
oil l'huile f. (1.1)
old âgé (R.2) vieux (vieil,
vieille; vieux) (2.4) ancien
(ancienne) (6.2) to be...years
old avoir . . . ans (R.4)
omelet une omelette (1.1)
on sur (1.4) come on!
voyons! (5.1) on ...ing
en + pres. part. (8.5) on
(Mondays) le (lundi) (R.3)
on foot à pied (R.3) on
Monday lundi (R.3) on
Monday morning (afternoon,
evening, night) lundi matin
(après-midi, soir) (R.3) on the
weekend, on (the) weekends
le weekend (R.1) on
time à l'heure (3.3) see
you on the (24th) au (24) (6.1)
once une fois (4.1)
one un (R.1) one time une
fois (4.1)
one (you, they, people) (1.2)
another one un (une) autre
(4.4) one another nous,
vous, se (3.5) one has to
(must) il faut (1.2) that
one celui-là (celle-là) (8.1)
the one celui (celle) (8.1)
the one(s) of/belonging to/from
celui, celle (ceux, celles) de
(8.1) the other one l'autre
(4.4) the same one le/la
même (4.4) the same ones
les mêmes (4.4) this one
celui-ci (celle-ci) (8.1)
oneself se (3.1) by oneself
seul (5.2)
only seulement (1.3) seul
(5.2)
to open *ouvrir (2.1) to open
the door *ouvrir (6.2)
opinion un avis (6.5) in (my)
opinion à (mon) avis (5.5)
opportunity une occasion (6.1)
opposite en face (de) (3.2)
optimistic optimiste (5.1)
or ou (R.4) or else sinon
(7.3)
orange une orange (1.1)
orange juice le jus d'orange (1.1)
orchestra un orchestre (7.3)
order: in order to pour + inf.
(1.2)
to order commander (1.1)

to organize organiser (R.1)
other autre (4.4) (any) other
d'autres (4.4) no other
pas d'autre (4.4) others
d'autres (4.4) the other (one)
l'autre (4.4) the others
les autres (4.4)
otherwise autrement (6.5)
sinon (7.3)
our notre, nos (R.4)
ourselves nous (3.1)
out: to get out (of) sortir (de) (1.5)
to try out essayer (4.1)
outside dehors (7.2)
over fini (7.4) over there
là-bas (R.3) to knock over
renverser (4.4) that...(over
there) ce . . . -là (R.5)
this...(over here) ce . . . -ci
(R.5)
to owe *devoir (1.2)
owner: dairy store owner un
crémier, une crémière (6.3)
delicatessen owner un
charcutier, une charcutière (6.3)

p

Pacific: South Pacific l'Océanie f.
(R.3)
pack un paquet (6.4)
package un paquet (6.4)
pain: "a pain" pénible (R.2)
painful pénible (7.1)
painting un tableau (pl. tableaux)
(4.3)
pal un copain, une copine (7.3)
pan une casserole (8.1)
frying pan une poêle (8.1)
pants un pantalon (R.5)
paper le papier (2.1)
parents les parents m. (R.4)
park un parc (R.3)
part une partie (2.4) une pièce
(7.3) to take part (in)
participer (à) (5.5)
to participate (in) participer (à) (5.5)
to participate in (a sport) faire
de + sport (1.1)
party: evening party une soirée
(6.1)
to pass: to pass a test réussir à un
examen (R.5) to pass by
passer (1.2)
passenger un passager, une
passagère (2.2)

passport un passeport (5.2)
past: in the past autrefois (4.1)
it's (five) past (two) il est (deux)
heures (cinq) (R.2) it's half
past... il est . . . heure(s) et
demie (R.1) it's quarter
past... il est . . . heure(s) et
quart (R.1)
pastry cook un pâtissier, une
pâtissière (6.3)
pastry shop une pâtisserie (6.3)
to pay (for) payer (4.1) to pay
attention (to) faire attention (à)
(1.1)
peach une pêche (6.3)
pear une poire (1.1)
peas des petits pois m. (1.1)
pen un stylo (2.1)
pen pal un correspondant, une
correspondante (6.1)
pencil un crayon (2.1)
people les gens m. (R.2)
on (1.2) du monde (6.1)
many people du monde,
beaucoup de monde (6.1)
young people les jeunes m.
(R.2)
pepper le poivre (1.1)
perfume le parfum (6.3)
perfume store une parfumerie
(6.3)
perhaps peut-être (3.5)
period un point (7.2)
to permit *permettre (1.4)
person une personne (R.2)
pessismistic pessimiste (5.1)
pharmacist un pharmacien, une
pharmacienne (1.2)
pharmacy une pharmacie (6.3)
phone un téléphone (4.3)
to phone téléphoner (R.1)
photograph une photo (2.2)
to pick choisir (R.5) to pick up
chercher (2.1)
picture une photo (2.2) un
tableau (pl. tableaux) (4.3)
pie une tarte (1.1)
piece of furniture un meuble (4.3)
pink rose (R.5)
pity: what a pity! c'est dommage!
(4.5)
place un endroit (R.3) un lieu
(8.5) meeting place un
rendez-vous (4.1) to take
place avoir lieu (3.5) se
passer (4.2)

to place *mettre (1.4)
plain moche (R.2)
to plan to avoir l'intention de (2.1)
plane un avion (R.3) by plane en avion (R.3)
planet une planète (8.4)
plans: to make plans faire des projets (1.1)
plant une plante (4.3)
plastic le plastique (5.4)
to play jouer (R.1) (a musical instrument) jouer de (R.3) (a sport) faire de + sport (1.1) (a sport or a game) jouer à (R.3) to (learn to) play (an instrument) faire de + instrument (1.1) to play a game faire un match (1.1) to play a game of faire une partie de (1.4)
pleasant aimable (2.5) agréable (6.1)
pleasure le plaisir (6.1)
pocket knife un couteau de poche (8.1)
point un point (7.2)
polite poli (6.3)
pool une piscine (R.3)
poor pauvre (2.3)
poorly mal (R.1)
popular fréquenté (5.1)
pork le porc (6.3)
portable stove un réchaud (8.1)
post office la poste (R.3)
postcard une carte postale (2.1)
poster un poster, une affiche (4.3)
pot une casserole (8.1)
potato une pomme de terre (1.1)
pound: metric pound une livre (6.4)
to predict *prédire (2.1)
to prefer aimer mieux (R.1) préférer (3.1)
premises les lieux m. (8.5)
to prepare préparer (3.1) to prepare (oneself) se préparer (3.1)
present un cadeau (pl. cadeaux) (3.5)
present actuel (actuelle) (6.2) at present actuellement (6.5)
pretty joli (R.2)
price un prix (5.5)
private privé (8.4)
prize un prix (5.5)
problem un problème (1.2)

no problem ça ne fait rien (6.2)
to proclaim annoncer (8.2)
to produce *produire (1.2)
professor un professeur (R.2)
programmer un programmeur, une programmeuse (1.2)
progress: to make progress faire des progrès (1.1)
to promise *promettre (1.4) to keep a promise tenir une promesse (7.1)
to propose proposer (2.4)
to protest protester (8.2)
proud fier (fière) (7.3)
prudent prudent (7.1)
public public (publique) (8.4)
purple violet (violette) (R.5)
to put *mettre (1.4) to put on (clothing) *mettre (1.4) to put on make-up se maquiller (3.3)

q

quarter: it's quarter of... il est . . . heure(s) moins le quart (R.1) it's quarter past... il est . . . heure(s) et quart (R.1)
quickly vite (2.1)
quiet tranquille (5.3) be quiet! tais-toi! taisez-vous! (3.2) to be quiet *se taire (3.2)

r

racket une raquette (R.2)
radio une radio (R.2) transistor radio un transistor (R.2)
rain la pluie (4.1)
to rain *pleuvoir (4.1)
rained: it rained il a plu (4.1)
raining: it's raining il pleut (R.5)
range une cuisinière (4.3)
rather assez (R.1)
rational rationnel (rationnelle) (5.3)
razor un rasoir (3.3)
to read *lire (2.1)
ready prêt (3.2) to get ready se préparer (3.1)
real véritable (6.3)
to realize *s'apercevoir (de) (3.4)
really vraiment (2.1) really? ah bon? (5.5)
reason une raison (7.5) for what reason? pour quelle raison? (7.5)

reassured rassuré (3.2)
to receive *recevoir (3.4)
to recognize *reconnaître (2.2)
record un disque (R.2)
record player un électrophone (R.2)
red rouge (R.5)
to reflect réfléchir (à) (7.2)
refrigerator un réfrigérateur (4.3)
refusal un refus (7.3)
to refuse refuser (2.4) to refuse to refuser de (8.3)
relatives les parents m. (R.4)
to rely on compter sur (5.5)
to remark remarquer (1.3)
to remember se souvenir (de) (3.4)
to rent louer (1.2)
repair une réparation (7.4)
to repair réparer (7.4)
to repeat répéter (3.1)
reply une réponse (5.5)
to reserve *retenir (7.1)
to rest se reposer (3.4)
restaurant un restaurant (R.3)
rested reposé (5.3)
restless agité (5.3)
to retain *retenir (7.1)
to return rentrer (à, de) (R.3) (something) rendre (R.5) retourner (7.4)
rice le riz (6.3)
rich riche (5.1)
ride: to go for a ride faire une promenade (en auto) (1.1) to take a ride se promener (3.4)
ridiculous ridicule (7.1)
right droit (4.3) vrai (5.1) right? n'est-ce pas? (R.1) right away tout de suite (2.1) see (meet) you right away à tout de suite (6.1) to be right avoir raison (1.3) to the right (of) à droite (de) (3.2)
ring une bague (R.5) wedding ring une alliance (3.5)
to ring (the bell) sonner (6.2)
river une rivière (8.3)
road une route (3.4)
roast beef le rosbif (1.1)
rock un rocher (4.3)
roll: crescent roll un croissant (6.3)
roller-skating le patin à roulettes (1.1)
roof un toit (6.2)

room (in general) une pièce (3.1) **dining room** une salle à manger (3.1) **formal living room** un salon (3.1) **large room** une salle (2.4) **living room** un salon, une salle de séjour (3.1)
route une itinéraire (8.2)
rug un tapis (4.3)
to run into rentrer dans (1.5)

S

sack un sac (6.4)
sad triste (R.2)
sailing la voile (1.1)
salad une salade (1.1)
salesperson un vendeur, une vendeuse (1.2)
salt le sel (1.1)
same même (4.4) **the same one** le/la même (4.4) **the same ones** les mêmes (4.4)
sandals des sandales f. (R.5)
Saturday samedi m. (R.3) **on Saturday** samedi (R.3) **on Saturdays** le samedi (R.3)
sausage(s) des saucisses f. (6.3)
to save money faire des économies (1.3)
to say *dire (2.1) **to say no** refuser (2.4)
school une école (R.3) **high school** un lycée (R.3) **summer school** une école d'été (5.2)
scissors des ciseaux m. (3.3)
scuba diving la plongée sous-marine (5.2)
sea la mer (5.2)
season une saison (R.4)
seat un siège (7.4)
second deuxième (6.5)
to see *voir (2.2) *apercevoir (3.4) **see you a week from (Tuesday)** à (mardi) en huit (6.1) **see you at noon** à midi (6.1) **see you in a little while** à tout à l'heure (6.1) **see you (June 2)** au (2 juin) (6.1) **see you next (Monday)** à (lundi) prochain (6.1) **see you next week (see you next weekend)** à la semaine prochaine (au week-end prochain) (6.1) **see you on the (24th)** au (24) (6.1) **see you right away** à

tout de suite (6.1) **see you soon** à bientôt (6.1) **see you this afternoon (tonight)** à cet après-midi (à ce soir) (6.1) **see you tomorrow** à demain (6.1)
to seem sembler (5.3)
selfish égoïste (5.1)
to sell vendre (R.5)
to send envoyer (4.1)
September septembre m. (R.4)
serious grave (1.5) sérieux (sérieuse) (2.5)
to set (the table) *mettre (1.4) (a date) fixer (8.2)
to settle s'installer (8.5)
seven sept (R.1)
seventeen dix-sept (R.2)
seventy soixante-dix (R.5) **seventy-one** soixante et onze (R.5) **seventy-two** soixante-douze (R.5)
several plusieurs (2.3) **several times** plusieurs fois (4.1)
shadow une ombre (8.4)
shampoo le shampooing (3.3)
shape: in great shape en pleine forme (1.4)
to shave se raser (3.3)
she elle (R.1) **she's** c'est (R.2)
sheep un mouton (8.3)
shirt une chemise (R.5) **tee shirt** un tee-shirt (R.5)
shoes des chaussures f. (R.5)
shop: at/to the shop of chez (R.4) **butcher shop** une boucherie (6.3) **pastry shop** une pâtisserie (6.3) **tobacco shop** un bureau de tabac (6.3)
shopping: to go (do the) shopping (for food) faire les courses (1.1)
short petit (R.2) court (4.1)
shorts un short (R.5)
should: you should il faut (1.2) **you should not** il ne faut pas (1.2)
to show montrer (2.3)
sick malade (5.3)
sight: to catch sight of *apercevoir (3.4)
sign une pancarte (8.2)
silly bête (R.2)
silver l'argent m. (5.4)
simple simple (5.1)

since car (3.5) depuis (4.5) depuis que (4.5) comme (6.1) **since what time?** depuis quelle heure? (4.5) **since when?** depuis quand? (4.5)
to sing chanter (R.1)
sister une sœur (R.4)
to sit down *s'asseoir (3.2) **sit down!** assieds-toi! asseyez-vous! (3.2)
situated: to be situated être situé (8.2)
six six (R.1)
sixteen seize (R.2)
sixty soixante (R.2)
skating le patinage (1.1) **ice-skating** le patin à glace (1.1) **roller-skating** le patin à roulettes (1.1)
to ski skier (R.1)
ski jacket un anorak (R.5)
to skid déraper (4.3)
skiing le ski (1.1) **water-skiing** le ski nautique (1.1)
skillful habile (7.4)
skirt une jupe (R.5)
sky le ciel (8.4)
to sleep *dormir (1.5)
sleeping bag un sac de couchage (8.1)
sleepy endormi (7.3) **to be sleepy** avoir sommeil (1.3)
slow lent (3.3)
small petit (R.2)
smart intelligent (R.2)
smile un sourire (4.5)
to smile *sourire (4.5)
snow la neige (4.1)
to snow neiger (4.1)
snowed: it snowed il a neigé (4.1)
snowing: it's snowing il neige (R.5)
so alors (1.2) donc (2.2) si (2.5) tellement (6.4) **so much (many)** tellement de (6.4)
soaked trempé (4.2)
soap le savon (3.3)
socks des chaussettes f. (R.5)
soda: lemon soda la limonade (1.1)
sofa un sofa (4.3)
sole la sole (1.1)
some des (R.2) du, de la, de l', des (1.1) quelques (2.3)

en (6.3) un peu (de) (6.4)
somebody quelqu'un (2.5)
someone quelqu'un (2.5)
something quelque chose (2.5)
sometimes parfois, quelquefois (4.1)
son un fils (R.4)
soon bientôt (4.1) **see you soon** à bientôt (6.1)
sorry: very sorry désolé (7.4)
soup la soupe (1.1)
south le sud (R.3)
South America l'Amérique f. du Sud (R.3)
South Pacific l'Océanie f. (R.3)
Spain l'Espagne f. (R.3)
Spanish espagnol (R.2)
to **speak** parler (R.1)
to **spend** dépenser (1.3) *(time)* passer (1.2)
splendid splendide (5.2)
sports: active in sports sportif (sportive) (2.5)
spot un endroit (5.4)
spring le printemps (R.4) **in (the) spring** au printemps (R.4)
stadium un stade (R.3)
staircase un escalier (6.2)
stairs des escaliers m. (6.2)
stamp un timbre (2.1)
star une étoile (8.4)
state un état (3.3)
station une gare (2.4) **gas station** une station-service (3.4)
stay un séjour (5.2)
to **stay** rester (1.5) faire un séjour (5.2) se tenir + *adj.* (7.1)
steel l'acier m. (5.4)
to **step on the brakes** freiner (7.4)
stereo set une chaîne-stéréo (R.2)
still encore (3.3) toujours (4.1)
stockings des bas m. (R.5)
stomach le ventre (3.3)
stone la pierre, en pierre (5.4)
to **stop** s'arrêter (3.4) cesser de (8.3)
store un magasin (R.3) **dairy store** un crémerie (6.3) **perfume store** une parfumerie (6.3)
storm un orage (8.4)
story une histoire (2.1) *(floor)*

un étage (6.2) **detective story** un roman policier (4.5)
stove une cuisinière (4.3) **(portable) stove** un réchaud (8.1)
strawberry une fraise (6.3)
street une rue (4.4)
street map un plan (8.2)
strong fort (5.1)
student *(high school)* un (une) élève (R.2)
studio apartment un studio (6.2)
to **study** étudier (R.1) *(a subject)* faire de + *subject* (1.1)
stupid bête (R.2)
suburbs la banlieue (6.2)
to **succeed** réussir (R.5) **to succeed in** réussir à (8.3)
successful: to be successful in arriver à (8.3)
sudden: all of a sudden soudain (7.3)
to **suffer** *souffrir (6.2)
sugar le sucre (1.1)
to **suggest** proposer (2.4)
suit un costume (R.5) **bathing suit** un maillot de bain (R.5)
suitcase une valise (2.2)
summer l'été m. (R.4) **in (the) summer** en été (R.4)
summer camp une colonie de vacances (5.2)
summer house une villa (5.2)
summer school une école d'été (5.2)
summer vacation les grandes vacances f. (8.1)
sun le soleil (4.1)
Sunday dimanche m. (R.3) **on Sunday** dimanche (R.3) **on Sundays** le dimanche (R.3)
sunglasses des lunettes f. de soleil (R.5)
sunny: it's (it was) sunny il y a (il y a eu) du soleil (4.1)
super formidable (R.2)
supermarket un supermarché (R.3)
superstitious superstitieux (superstitieuse) (2.5)
supper le dîner (1.1)
supposed: to be supposed to *devoir (1.2)
sure sûr (5.2)
surprised surpris (6.1) étonné (6.5)

sweater un pull (R.5)
to **swim** nager (R.1) (4.1)
swimming la natation (1.1)
swimming pool une piscine (R.3)

t

table une table (4.3)
taillight un feu arrière (7.4)
to **take** *prendre (1.1) *(time to do something)* *mettre (1.4) **to take (along)** *(mainly people)* amener, *(things)* apporter (3.1) **to take a course (class)** suivre un cours (6.1) **to take a trip** faire un voyage (1.1) **to take a walk (ride)** se promener (3.4) **to take advice** suivre un conseil (6.1) **to take back (home)** raccompagner (7.4) **to take part (in)** participer (à) (5.5) **to take place** avoir lieu (3.5) se passer (4.2)
to **talk** parler (R.1) bavarder (4.3) **to talk to** s'adresser à (8.5)
talkative bavard (2.3)
tall grand (R.2)
tank: to fill the tank faire le plein (7.4)
tape recorder un magnétophone (R.2)
to **taste** goûter (6.4)
tea le thé (1.1)
teacher un professeur (R.2) (1.2)
tear une larme (4.5)
tee shirt un tee-shirt (R.5)
teeth les dents f. (3.3)
television set un téléviseur (R.2)
to **tell** *dire (2.1) renseigner (5.2) *(a story)* raconter (3.5) *(about)* raconter (4.2) **to tell in advance** *prévenir (6.1)
temperature la température (R.5) **what's the temperature?** quelle est la température? (R.5)
ten dix (R.1)
tent une tente (8.1)
terrific formidable (R.2)
test un examen (4.3) **to pass a test** réussir à un examen (R.5)
textiles les textiles m. (5.4)
than *(in comparisons)* que (5.1)
to **thank (for)** remercier (de) (4.4)

that cela (ça) **(2.2)** qui, que **(2.4) that...(over there)** ce . . . -là **(R.5) that can't be!** pas possible! **(5.4) that doesn't matter** ça ne fait rien **(6.2) that one** celui-là (celle-là) **(8.1) that's** c'est **(R.2) that's too bad!** c'est dommage! **(4.5)**
the le, la, l', les **(R.2)**
theatre un théâtre **(R.3)**
their leur, leurs **(R.4)**
them eux, elles **(R.4)** les **(2.2) (in) it/them** y **(6.3) (to) them** leur **(2.3)**
themselves se **(3.1)**
then alors **(1.2)** ensuite, puis **(1.4)**
there là **(R.3)** y **(6.3) from there** en **(6.3) over there** là-bas **(R.3) that...(over there)** ce . . . -là **(R.5) there is (are)** il y a **(R.2) there is no (there aren't any)** il n'y a pas de **(R.2)**
therefore donc **(2.2)** ainsi **(5.5)** par conséquent **(8.2)**
these ces **(R.5)** ceux (celles), ceux-ci (celles-ci) **(8.1)**
they ils/elles **(R.1)** on **(1.2)**
thin: to get thin maigrir **(R.5)**
thing une chose **(R.2)**
to **think** penser **(2.2)** *croire **(5.5)** réfléchir (à) **(7.2) to think about** penser à **(2.2) to think of** penser de **(2.2)**
thirsty: to be thirsty avoir soif **(1.3)**
thirteen treize **(R.2)**
thirty trente **(R.2)**
this ce, cet, cette **(R.5)** ceci **(2.2) this (Friday)** ce vendredi **(R.3) this...(over here)** ce . . . -ci **(R.5) this morning (afternoon, evening)** ce matin (cet après-midi, ce soir) **(R.3) this one** celui-ci (celle-ci) **(8.1)**
those ces **(R.5)** ceux (celles), ceux-là (celles-là) **(8.1)**
thousand mille **(R.5)**
to **threaten to** menacer de **(8.3)**
three trois **(R.1)**
throat la gorge **(3.3)**
Thursday jeudi *m.* **(R.3) on Thursday** jeudi **(R.3) on Thursdays** le jeudi **(R.3)**

ticket un billet **(2.1)**
tie une cravate **(R.5)**
time l'heure *f.* **(R.1)** le temps **(3.4)** *(occasion)* la fois **(4.1) all the time** tout le temps **(3.2) (4.1) at what time?** à quelle heure? **(R.1) (for) a long time** longtemps **(4.1) from time to time** de temps en temps **(4.1) how many times?** combien de fois? **(4.1) on time** à l'heure **(3.3) one time (several times)** une fois (plusieurs fois) **(4.1) since what time?** depuis quelle heure? **(4.5) time to** l'heure de + *inf.* **(4.1) to waste one's time** perdre son temps **(R.5) what time is it?** quelle heure est-il? **(R.1)**
tire un pneu **(7.4)**
tired fatigué **(1.4)**
to à **(R.1)** en **(R.3)** *(in order to)* pour + *inf.* **(1.2) to the house (office, shop, etc.) of** chez **(R.4) to the left/right (of)** à gauche/droit (de) **(3.2) to whom?** à qui? **(R.1) up to** jusqu'à **(4.2)**
tobacco shop un bureau de tabac **(6.3)**
today aujourd'hui **(R.3)**
together ensemble **(4.1)**
tomato une tomate **(1.1)**
tomorrow demain **(R.3) see you tomorrow** à demain **(6.1)**
tonight ce soir, cette nuit **(R.3)**
too aussi **(R.1)** trop **(2.1) it's too bad** il est dommage **(7.3) that's too bad!** c'est dommage! **(4.5) too bad!** tant pis! **(7.5) too many** trop (de) **(6.4) too much** trop **(2.1)**
tooth une dent **(3.3)**
toothbrush une brosse à dents **(3.3)**
toothpaste le dentifrice **(3.3)**
toward *(a place)* vers **(6.2)**
town une ville **(2.3)**
train un train **(R.3) by train** en train **(R.3)**
transistor radio un transistor **(R.2)**
to **translate** *traduire **(1.2)**
to **travel** voyager **(R.1) (4.1)**

tree un arbre **(8.3)**
trip: to go on (take) a trip faire un voyage **(1.1)**
true vrai **(5.1)** véritable **(6.3)**
truly vraiment **(2.1)**
trunk *(of a car)* un coffre **(7.4)**
truth la vérité **(2.1)**
to **try** goûter **(6.4) to try one's luck** tenter sa chance **(7.1) to try (out, on)** essayer **(4.1) to try to** essayer de + *inf.* **(4.1)**
tube un tube **(6.4)**
Tuesday mardi *m.* **(R.3) on Tuesday** mardi **(R.3) on Tuesdays** le mardi **(R.3)**
tuna le thon **(1.1)**
to **turn** tourner **(7.4) to turn on** *(the radio, etc.)* *mettre **(1.4)**
TV set un téléviseur **(R.2)**
twelve douze **(R.1)**
twenty vingt **(R.2)**
twice deux fois **(4.1)**
two deux **(R.1)**
typewriter une machine à écrire **(4.3)**

u

unattractive moche **(R.2)**
unbelievable incroyable **(2.5)**
uncle un oncle **(R.4)**
under sous **(6.2)**
to **understand** *comprendre **(1.1)**
unfortunately malheureusement **(2.4)** hélas **(6.2)**
unhappy malheureux (malheureuse) **(2.5)**
United States les États-Unis *m.* **(R.3)**
university une université **(R.3)**
unnecessary inutile **(7.1)**
unpleasant désagréable **(R.2)** pénible **(7.1)**
until jusqu'à **(4.2)**
up: to get up se lever **(3.3) to go up** monter **(1.5) to wake up** se réveiller **(3.3) to wash up** se laver **(3.1) up to** jusqu'à **(4.2)**
upon: upon ...ing en + *pres. part.* **(8.5)**
upset furieux (furieuse) **(7.4) to get upset** s'énerver **(3.4) upset (with)** fâché (contre) **(7.5)**

us nous (R.4) to us nous (2.1)
to use utiliser (1.1)
useful utile (3.5) it's useful il est utile (7.3)
useless inutile (3.5)
usually d'habitude, habituellement (4.3)

V

vacation les vacances f. (1.2)
during vacation pendant les vacances (R.1) summer vacation les grandes vacances f. (8.1)
veal le veau (6.3)
vegetables les légumes m. (1.1)
very très (R.2) bien (3.4) very much beaucoup (R.1) very sorry désolé (7.4)
victim une victime (4.4)
villa une villa (5.2)
vinegar le vinaigre (1.1)
to visit (place) visiter (R.1) (people) rendre visite (à) (R.5)
voice une voix (7.3)

W

to wait (for) attendre (R.5)
waiter un garçon (1.2)
waitress une serveuse (1.2)
to wake up se réveiller (3.3)
walk: to go for a walk faire une promenade (à pied) (1.1) to take a walk se promener (3.4)
wall un mur (1.5)
to want *vouloir (1.2) avoir envie de (1.3) désirer (7.2) I want je veux (R.1) to want to vouloir bien (1.2)
warm: to be warm avoir chaud (1.3)
to warn *prévenir (6.1)
to wash laver (3.1) to wash (oneself), wash up se laver (3.1) to wash the dishes faire la vaisselle (1.4)
washing machine une machine à laver (4.3)
to waste gaspiller (5.1) to waste one's time perdre son temps (R.5)
watch une montre (R.2)
to watch regarder (R.1)

water l'eau f. (1.1) mineral water l'eau minérale (1.1)
water-skiing le ski nautique (1.1)
way une façon (7.4) by the way au fait (2.2)
we nous (R.1) on (1.2)
weak faible (5.1)
to wear porter (R.5)
weather le temps (R.5) how's (what's) the weather? quel temps fait-il? (R.5) it's nice (bad, hot, cold) (weather) il fait beau (mauvais, chaud, froid) (R.5)
wedding le mariage (3.5)
wedding festivities les noces f. (3.5)
wedding ring une alliance (3.5)
Wednesday mercredi m. (R.3) on Wednesday mercredi (R.3) on Wednesdays le mercredi (R.3)
week une semaine (R.3) during the week en semaine (R.1) see you a week from (Tuesday) à (mardi) en huit (6.1) see you next week à la semaine prochaine (6.1)
weekend un week-end (R.3) on the weekend, on (the) weekends le week-end (R.1) (R.3)
weight: to gain weight grossir (R.5) to lose weight maigrir (R.5)
well bien (R.1) well... eh bien . . . (5.5)
well-attended fréquenté (5.1)
west l'ouest m. (R.3)
what: about what? de quoi? à quoi? (5.4) at what time? à quelle heure? (R.1) for what reason? pour quelle raison? (7.5) since what time? depuis quelle heure? (4.5) what? qu'est-ce que? (R.1) comment? (5.1) que? qu'est-ce qui? quoi? (5.4) what (a)...! quel + noun! (1.3) what a pity! c'est dommage! (4.5) what do you know! ça, par exemple! (6.5) what happened? qu'est-ce qui est arrivé (s'est passé)? (4.2) what time is it? quelle heure est-il? (R.1) what's happening? qu'est-ce qui se passe? (4.2) what's the

date today? quelle est la date aujourd'hui? (R.4) what's the temperature? quelle est la température? (R.5) what's the weather? quel temps fait-il? (R.5) what's wrong (the matter, going on)? qu'est-ce qu'il y a? (4.2) with what? avec quoi? (5.4)
wheel une roue (7.4)
when lorsque (7.2) since when? depuis quand? (4.5) when? quand? (R.1)
where? où? (R.1)
whether si (2.3)
which quel (quelle) (R.5) qui, que (2.4) which one, which ones lequel, laquelle, lesquels, lesquelles (8.1)
while pendant que (4.4) see you in a little while à tout à l'heure (6.1) while ...ing en + pres. part. (8.5)
white blanc (blanche) (R.5)
who qui (2.4) who? qui? (R.1) qui est-ce qui? (5.4)
whole: the whole tout le, toute la (3.2) whole day (evening, morning, year) une journée (soirée, matinée, année) (6.1)
whom que, qui (2.4) about whom (what)? de qui (quoi)? à qui (quoi)? (5.4) to whom? a qui? (R.1) whom? qui? (R.1) qui est-ce que? (5.4) with whom? avec qui? (R.1)
why? pourquoi? (R.1) pour quelle raison? (7.5)
to win gagner (1.3)
wind le vent (4.1)
window une fenêtre (3.1)
wind-surfing la planche à voile (1.1)
windy: it's (it was) windy il fait (il a fait) du vent (4.1)
wine le vin (1.1)
to wish désirer (R.1) *vouloir (7.2)
with avec (R.1) upset with fâché contre (7.5) with what? avec quoi? (5.4) with whom? avec qui? (R.1)
without sans (3.2)
woman une femme (R.2)
wood le bois (5.4)
wool la laine (5.4)

wool hat un bonnet (R.5)
word un mot (2.1)
work le travail (1.5)
to work travailler (R.1) *(function)*
fonctionner (1.3)
worker un ouvrier, une ouvrière
(1.2)
world le monde (5.5)
worried inquiet (inquiète) (3.2)
to worry s'inquiéter (3.4)
would: I would like je voudrais
(R.1) j'aimerais (7.2) it
would be better il vaudrait
mieux (7.3)
to write *écrire *(in a notebook)*
*inscrire (6.2) to write
down noter (4.4)

wrong faux (fausse) (5.1) to
be wrong avoir tort (1.3)
what's wrong? qu'est-ce qu'il
y a? (4.2)

y

year un an (6.1) to be...years
old avoir . . . ans (R.4)
(whole) year une année (6.1)
yellow jaune (R.5)
yes oui, *(in answer to a negative
question)* si (4.2)
yesterday hier (R.3)
yet encore (3.3)

yogurt le yaourt (1.1)
you tu, vous (R.1) toi, vous
(R.4) on (1.2) te, vous (2.1)
to you te, vous (2.1)
you should il faut (1.2)
you should not il ne faut pas
(1.2)
young jeune (R.2)
young people les jeunes *m.* (R.2)
your ton, ta, tes; votre, vos (R.4)
yourself te, vous (3.1)
yourselves vous (3.1)

z

zero zéro (R.1) it's zero
il fait zéro (R.5)

Index

Photo Credits